HANS SCOLLO

# DEUTSCHE GRAMMATIK FÜR ITALIENER

Una grammatica contro corrente,
comparativa fra il tedesco e l'italiano,
con riferimenti all'inglese

EDITORE ULRICO HOEPLI MILANO

Prof. Hans Scollo
Via Negroni 11 - 22063 Cantù (CO)
tel. +39 031 705158
e-mail: hans.scollo@gmail.com

**Sito:** www.tedescogrammtik.altervista.org

Precedente edizione:
© 2008 GRAPHICS EDITORE

**ISBN 978-88-203-9867-5**

Ristampa:

4  3  2  1  0     2020  2021  2022  2023  2024

Stampa: Grafički zavod Hrvatske d.o.o., Zagreb

Printed in Croatia

# Vorwort - Prefazione

## Motivazione del titolo

Il titolo "Deutsche Grammatik für Italiener" integra quello della "Deutsche Sprachlehre für Italiener" di Heinz Griesbach. Vuol indicare che si tratta principalmente di una grammatica di confronto strutturale fra la lingua tedesca e l'italiano, destinata esclusivamente agli italiani.

Il sottotitolo "Una grammatica contro corrente" è polemico, ma non per il semplice gusto di voler polemizzare, il che non avrebbe senso, bensì per contrastare diverse metodologie dell'insegnamento cosiddetto "moderno" del tedesco che non aiutano il discente a raggiungere una seria competenza e padronanza di questa lingua. Lo scopo della polemica, nonché della presentazione strutturale, che si rifà alle regole classiche delle vecchie grammatiche, è quindi quello di aiutare tutte le persone interessate in modo serio ad avere idee chiare sulla strutturazione del tedesco corretto. Diverse regole grammaticali qui riportate sono frutto dell'insegnamento pratico, sono cioé scaturite dalla ripetuta correzione di frequenti errori, per cui ci si è posti la domanda su come spiegarli per evitarli.

## Necessità e finalità della grammatica in genere

Chi ha bisogno della grammatica? La persona di madrelingua non ha bisogno di una conoscenza approfondita e dettagliata delle strutture del proprio linguaggio, se essa fin dall'infanzia ha appreso la propria lingua in modo corretto. In tutte le regioni di ogni paese, dove o per tradizione o attraverso i mass-media prevale la lingua ufficiale, l'insegnamento delle strutture linguistiche nelle scuole è molto ridotto. Là dove invece prevalgono ancora i dialetti, c'è bisogno di più grammatica. Se poi si tratta dell'apprendimento di una lingua straniera come il tedesco, legato con declinazioni e desinenze alle forme grammaticali delle lingue classiche, la conoscenza e padronanza della grammatica diventa indispensabile. Ed è controproducente trascurarla e pretendere di insegnarla agli alunni solo indirettamente, semplicemente correggendo gli errori dei compiti in classe senza esigere la memorizzazione degli schemi e delle strutture essenziali. Ciò è controproducente perché il discente non può fidarsi del proprio orecchio. Alla persona straniera manca il supporto dell'esperienza linguistica, dell'immagazzinamento mnemonico, dell'assimilazione della lingua straniera fin dall'infanzia, per cui è inutile tentare di azzeccare a caso. Se il discente si trova nell'incertezza, in mancanza di conoscenze grammaticali precise continuerà a riprodurre il linguaggio straniero all'italiana e con tanti errori. Egli infatti non si rende conto del perché: perché così è giusto e colà errato? La grammatica infatti non è altro che il tacito consenso di una comunità di persone di volersi esprimere allo stesso modo per potersi capire. Scopo della conoscenza grammaticale è quindi parlare una lingua in modo corretto, tenendo tuttavia ben presente che con la sola conoscenza grammaticale non si parla nessuna lingua.

## Supporti importanti dell'apprendimento linguistico

All'inizio dell'apprendimento, fra i supporti più importanti per giungere alla veloce acquisizione di una lingua straniera sono da annoverare:

### A)  Lo studio a memoria di brani in lingua.

Lo studio a memoria con ascolto audio - con l'aiuto sussidiario di CD registrati - è basilare nei primi anni dell'apprendimento. Deve trattarsi di brani oculatamente scelti con difficoltà linguistiche progressive che vanno da un linguaggio iniziale facilissimo a quello man mano sempre più impegnativo. Tale studio mnemonico viene proposto dai grandi linguisti come ad es. Robert Lado che a pag. 78 del suo testo "Moderner Sprachunterricht - Eine Einführung auf wissenschaftlicher Grundlage" afferma: "Wenn der Schüler sich die Mühe gemacht hat, fremdsprachliche Dialoge auswendig zu lernen, so kann er sie jederzeit zum Vorbild nehmen und auf dieser Grundlage viel leichter weitere Lernfortschritte erzielen". Vale a dire, con lo studio a memoria di dialoghi e descrizioni in lingua, il discente forma nel suo subconscio "eine sprachliche Grundlage", un tesoro linguistico di base; metaforicamente parlando, lo studente forma nella sua mente una specie di "pozzo di S. Patrizio", un'esperienza linguistica che supplisce almeno in parte alla mancata esperienza di lingua straniera durante l'infanzia. Ciò non significa che la persona interessata debba studiare brani a memoria *ad infinitum*. È sufficiente l'apprendimento di 70-100 brani ben programmati riguardanti situazioni di vita quotidiana, fra i quali non devono assolutamente mancare i dialoghi e precisamente "umgangssprachliche Dialoge", dialoghi in lingua comune. Il miglior testo che presenta brani di questo genere è stato "Deutsche Sprachlehre für Italiener" di Dora Schulz e Heinz Griesbach, testo rimasto attuale per quasi 50 anni proprio per l'accurata scelta di brani situazionali basati sul normalissimo, comune linguaggio degli adulti, e non su quello spesso impoverito degli adolescenti.

Affermare, come a volte avviene da parte di qualche insegnante, che *"non si deve mai studiare nulla a memoria"* è un paradosso, un'incongruenza, una esagerazione controproducente dovuta a certe mode di insegnamento basate sull'esecrazione nei confronti del cosiddetto "nozionismo". Al solo accenno del termine "nozionismo" vi sono persone che s'impennano come il demonio di fronte all'acqua santa, mentre è risaputo che lo studio di una lingua è per l'80% uno studio mnemonico. È naturalmente ovvio che ciò che deve essere memorizzato va prima compreso, capito e afferrato nel suo contenuto. Affermare ciecamente che non si deve mai studiare nulla a memoria significherebbe dare non solo dello stupido, ma addirittura dell'ignorante al grande poeta Dante, quando afferma:

*"(Che) non fa scienza, sanza lo ritenere, aver inteso"*
Paradiso, canto 5, versi 41-42

Se quindi con l'affermazione "non si deve mai studiare nulla a memoria" s'intende dire che non va mai studiato nulla a memoria senza prima capire e comprendere, allora l'asserto è accettabile, ma va chiarito e modificato! È altrettanto ovvio che non tutte le nozioni vanno apprese a memoria e che sarebbe assolutamente assurdo voler studiare o pretendere che si studi tutto a memoria. Si tratta di ragionare. Ed è proprio ragionando e basandosi sul buon senso che un grande linguista come Robert Lado suggerisce di studiare brani in lingua a memoria. Questa metodologia ha dei risvolti talmente positivi da far meravigliare non solo l'insegnante che la applica, ma lo stesso discente per l'incredibile, immediato, sorprendente successo nell'apprendimento di una lingua straniera. Non ha infatti alcun senso studiare a memoria interminabili liste di vocaboli o frasi idiomatiche avulse dal contesto. Con la stessa celerità infatti con la quale un alunno capace e intelligente apprende una tale lista, altrettanto celermente la dimentica perché, mancando il contesto, i vocaboli e le frasi restano astratti. Con la memorizzazione invece di un brano situazionale, l'alunno forma automaticamente con la sua fantasia delle immagini nella sua mente riguardanti il contenuto del brano, immagini che vengono richiamate e riprodotte ogni volta che si fa riferimento a quel determinato brano e che aiutano splendidamente a fissare e ricordare vocaboli, espressioni e frasi intere. Si tratta di un fenomeno psicologico ben noto, ma scolasticamente trascurato e non preso in considerazione. È ovvio che il brano va prima letto, spiegato e capito; la comprensione del testo in ogni sua parte è la premessa indispensabile. Siccome la via primaria dell'apprendimento di una lingua è l'udito, il brano - letto da persone di madrelingua e registrato su CD – va ascoltato moltissime volte e infine ripetuto ad alta voce fintantoché lo si possiede con sicurezza e scioltezza in tutti i suoi particolari. La dizione del brano da parte del discente deve essere fluida, chiara e precisa, senza omissioni, variazioni, sostituzioni con vocaboli sinonimi o aggiunte alcune. Va rispettato ogni "und", ogni "denn", ogni "doch", ogni "ja"! Si tratta cioé di assimilare linguaggio naturale e preciso, esattamente così come viene prodotto dai buoni parlanti di madre lingua e di saperlo riprodurre tale e quale. È dimostrato che le persone che si lasciano convincere a fare questo sforzo sono subito in grado di reagire in lingua in modo pressoché corretto alle domande concernenti il contenuto del brano, perché l'intelletto umano è capace - in base alla mirabile facoltà dell'associazione delle idee – di sfruttare il linguaggio assimilato anche in connessioni diverse. Sarebbe tuttavia un errore gravissimo apprendere i brani senza l'audizione, unicamente con lo studio visivo; tale persona riprodurrebbe il testo in modo del tutto innaturale. Al contrario: con l'audizione frequentissima dei brani fino ad arrivare alla sicura, precisa, fluida riproduzione degli stessi, il discente acchiappa non due, bensì otto piccioni con un fava perché acquisisce in modo automatico e naturale le seguenti abilità:

1. la giusta intonazione,
2. la corretta cadenza,　　　 NB: Si tratta di tre fattori diversi!
3. gli accenti esatti,
4. la fedele pronuncia,
5. la corretta costruzione della frase (grosso problema per la notevole differenza di co-
    struzione con l'italiano),
6. i vocaboli appropriati nel giusto contesto,
7. le forme idiomatiche e i modi di dire (che nessuna spiegazione può delucidare e che
    quindi vanno accettati così come si presentano),
8. tutte le strutture grammaticali in modo automatico e inconscio.

Questo studio esige naturalmente uno sforzo notevole. Non per nulla Robert Lado parla di "Mühe = fatica". Il superamento di tale sforzo richiede da parte del discente anzitutto una motivazione profonda, cioé la convinzione che vale la pena studiare le lingue per la vita, per giungere ad una vera competenza. Tale metodo richiede quindi caparbietà, co-stanza, perseveranza, metodicità degli ascolti e delle ripetizioni. I brani acquisiti vanno tenuti presenti e di tanto in tanto ripetuti. La persona deve provare una certa soddisfa-zione nel ripeterli e rivificarli. È una fatica fattibilissima che ha portato al successo diverse persone. Oltre a ciò, lo studente che applica fino in fondo tale metodologia risparmia tem-po e denaro, perché l'apprendimento di un centinaio di brani in modo perfetto equivale a due anni di soggiorno nei paesi dove tale lingua è di casa. Si tratta della parte più im-portante dell'apprendimento linguistico, più importante della stessa grammatica. La grammatica è indispensabile per parlare in modo corretto, ma da sola non aiuta ad assimilare il linguaggio. È ovvio che oltre ai brani a memoria - che dovrebbero formare la base, il fondamento dell'apprendimento linguistico - va contemporaneamente e in seguito aggiunta, al di là di tutti gli esercizi scolastici (esercizi strutturali, esercizi di comprensio-ne, traduzioni di base espletati con l'analisi logica, composizioni ecc.) la lettura di giornali e libri, l'ascolto di programmi TV e, ogni volta che se ne ha l'occasione, il colloquio, la pratica con persone di madrelingua.

### B) Memorizzazione precisa delle strutture fondamentali.

Sarebbe assurdo pretendere a memoria tutte le nozioni contenute in questa grammatica. La memorizzazione esatta riguarda soltanto le strutture fondamentali di base, indispen-sabili per una parlata corretta. Ogni regola importante va acquisita con il relativo esempio; in tal modo la teoria viene sempre accompagnata dalla pratica perché, ricordando l'esem-pio, si è addirittura in grado di ricostruire, in caso di incertezza, la regola dimenticata.

Le strutture indispensabili da memorizzare con precisione man mano che si procede nello studio della lingua sono:
- gli schemi e le regole sulla costruzione della proposizione;
- la declinazione degli articoli e delle parti del discorso che seguono tale declinazione;
- le regole sull'uso dell'articolo;
- la declinazione del pron. interrogativo e i primi dodici avverbi pronominali interrogativi;
- la declinazione del pronome personale compresa la "regola d'oro" con l'esempio;
- le regole sull'uso del pronome "es";
- la declinazione del pronome dimostrativo "der, die, das" e l'importantissima regola del "das" usato come soggetto eufonico;
- la declinazione del pronome indefinito "einer, eine, eines";
- le regole sui pronomi indefiniti "welcher" - "was für ein?" - "was für welche?";
- la declinazione del pronome possessivo;
- la formazione delle fusioni fra pronome e preposizione;
- la declinazione del sostantivo: otto pagine da sapere riprodurre alla perfezione;
- il genitivo sassone;
- i complementi di tempo formati da sostantivo;
- l'uso temporale delle preposizioni "in; an; zu": le regole essenziali;
- l'aggettivo numerale: numeri cardinali e ordinali;
- declinazione e regole d'uso dell'aggettivo possessivo;
- distinzione fra aggettivo predicativo e aggettivo attributivo;
- declinazione dell'aggettivo attributivo;
- l'aggettivo sostantivato: solo le regole essenziali;
- la comparazione dell'aggettivo: comparativo e superlativo, solo le regole essenziali compresa la comparazione irregolare;
- filastrocca delle preposizioni reggenti il dativo + l'uso locale delle preposizioni "zu; nach; von; aus; bei";
- filastrocca delle preposizioni reggenti l'accusativo + l'uso di "bis";
- filastrocca delle preposizioni reggenti il dativo e l'accusativo + le cinque regole d'applicazione + il moto in luogo circoscritto;
- filastrocca delle preposizioni reggenti il genitivo: solo quelle indicate col colore rosso;
- uso degli avverbi "viel / sehr" e degli avverbi "hin / her": solo le regole essenziali;
- uso della negazione "nicht";
- uso della negazione "kein, keine, kein";
        NB : Per quanto riguarda le proposizioni subordinate, non è necessario sapere a memoria tutte le congiunzioni!
- proposizione interrogativa indiretta formata da "ob";
- proposizione causale: attenzione all'uso di "warum";
- proposizione infinitiva: come nasce + regole essenziali;
- proposizione temporale: uso di "als; wenn; wann; nachdem; bevor; während";
- proposizione relativa e correlativa: regole;
- der Partizipialsatz: come si forma + regole: struttura che riguarda lo studio avanzato degli ultimi anni di una scuola superiore, non va affrontata nella scuola media;
- proposizione condizionale: solo le regole essenziali;
- proposizione comparativa: uso di "je...desto" – "indem";
- proposizione concessiva: attenzione all'avverbio "trotzdem";
- proposizione finale: uso di "damit";
- coniugazione dei verbi ausiliari: "sein" - "haben" - "werden" in tutti i tempi;
- formazione del presente regolare e irregolare;
- formazione del Praeteritum;
- regole sulla formazione del Perfekt regolare e col doppio infinito;

- regole sulla formazione della seconda persona singolare dell'imperativo;
- uso dell'infinito puro e impuro;
- regole sulla formazione del participio passato;
- paradigmi dei verbi forti: a scelta dell'insegnante - in seconda e terza superiore vanno appresi tutti;
- verbi composti separabili e inseparabili: regole essenziali;
- verbi di posizione: "sitzen / setzen; liegen / legen....." regole + esempi = le prime due pagine da apprendere alla perfezione;
- verbi modali: significati + forma;
- verbi riflessivi: posizione del pronome riflessivo + riflessione diretta e indiretta + due filastrocche di verbi divergenti fra le due lingue;
- passivo: esplicito e implicito; di quest'ultimo solo le regole più ricorrenti (programma di scuola superiore) compresa la trasformazione dall'attivo al passivo;
- coniugazione del verbo "loben" al passivo in modo perfetto (scuola superiore);
- formazione del Konjunktiv I e Konjunktiv II (programma di scuola superiore);
- regole sull'uso del Konjuntiv II (programma di scuola superiore);
- regole riguardanti la formazione del discorso indiretto (scuola superiore);
- formule di costruzione dei verbi "bitten" e "fragen" con relativi esempi;
- verbi reggenti il dativo: solo i primi sedici verbi con i rispettivi esempi.

È chiaro che lo studio di queste strutture va affrontato solo quando il testo scolastico adottato lo richiede, e anche soltanto nella misura in cui lo richiede. In una scuola media è sufficiente limitarsi dapprincipio all'indispensabile, allargando e ampliando l'apprendimento delle strutture man mano che si procede. La stessa declinazione del sostantivo può essere affrontata a seconda del bisogno: non è necessario far apprendere subito tutto lo schema, ma solo quelle regole richiamate dalle difficoltà o dagli errori riscontrati. La declinazone mista del sostantivo, per esempio, può essere affrontata anche solo in terza media o addirittura rimandata in parte alla scuola superiore. È tuttavia chiaro che incontrando dei sostantivi come "der Professor, -s, -en" oppure "das Virus, des Virus, die Viren" l'alunno dovrebbe rendersi conto della declinazione.

Le ulteriori regole presenti in questa grammatica e non menzionate nell'elenco su indicato, come pure gli elenchi di verbi con costruzione differente fra le due lingue, gli omonimi, i verbi composti a volte separabili a volte inseparabili, i vari elenchi di sostantivi nel capitolo del sostantivo, nonché l'elenco degli aggettivi sostantivati... e così via, hanno lo scopo di dare ulteriori chiarimenti in caso di difficoltà o di errore. Il discente interessato e diligente userà la tattica di marcare ogni volta con una crocetta il vocabolo usato in modo sbagliato. Se una determinata voce viene ad avere più crocette, significa che è ricorrente e importante e va tenuta in considerazione.


## _Motivazione per la scelta della vecchia forma classica delle declinazioni_

Fra i primi creatori di grammatiche i greci, avendo compilato una grammatica sistematica e pratica, detengono un primato particolare. Ed è proprio per rispetto verso i Greci e i Latini, che in questa grammatica anche i termini "Praesens" e "Praeteritum" sono stati volutamente riportati con la metafonesi latina "ae" anziché con la tedesca "ä". Ai tempi dei nazisti si voleva in Germania addirittura eliminare tutti i termini grammaticali classici: "Gegenwart" per il presente, "Vergangenheit" per il passato e così via, come se la grammatica avesse avuto inizio con loro. Ma ciò è una bagatella rispetto a quello che avviene ora, perché per tremila anni si è sempre usata la classica successione dei casi:

1. nominativo
2. genitivo
3. dativo
4. accusativo

e guarda un po', quasi improvvisamente, di punto in bianco, tale sistema non va più bene! Si è voluto cambiare e ci si domanda: a che pro? Il primo ad introdurre tale cambiamento è stato proprio il signor Griesbach, il cui testo "Deutsche Sprache für Ausländer" in seguito "Deutsche Sprachlehre für Italiener" il sottoscritto ha sempre usato per la bontà dei brani e degli esercizi strutturali, senza tuttavia adottare mai le spiegazioni grammaticali perché ritenute insufficienti e poco chiare. Di recente, a partire dal 1998, anche la grammatica "Duden" ha voluto abbandonare la successione classica dei casi, ponendo il genitivo all'ultimo posto come quarto caso. La motivazione di questo cambiamento assunto ora anche dal "Duden" si trova a pag. 131 dell'edizione del 2006 ed è la seguente: "Das Nebeneinander von Nominativ und Akkusativ wird einer Konstante der deutschen Kasusflexion gerecht: Diese beiden Kasus unterscheiden sich bei allen Wortarten höchstens im Singular des Maskulinums". Tale motivazione tuttavia non giustifica affatto il cambiamento perché:

1.  Molti studenti, apprendendo in latino la successione classica, vengono disorientati dal nuovo insegnamento strutturale tedesco e così nasce già una prima confusione.
2.  Venendo il genitivo posto in fondo e fatto apprendere agli alunni solo dopo due o tre anni di studio del tedesco, tale caso viene strapazzato, dimenticato, quasi disprezzato, dando l'impressione che è inutile e che sia quasi scomparso, mentre si sa che la specificazione espressa dal genitivo è di gran lunga da preferire al "von + Dat." perché si tratta di un complemento semplice, non preposizionale; ciò si basa sul principio glottologico, valido per tutto il linguaggio umano, che l'espressione più breve, formata da due sole parole, è da preferire a quella più lunga formata da tre parole e che si debba ricorrere a quella più lunga solo per diversificare il discorso.
    Risultato: alunni di quinta liceo sbagliano spesso la formazione del genitivo, quando esso è indispensabile. Il genitivo in tedesco non sta per nulla scomparendo e va anzi difeso per non impoverire la parlata. Il suo frequente uso è dimostrato dal giornalismo: basta controllare in proposito gli articoli di qualunque giornale.
3.  Non per ultimo va messa in evidenza la mancanza di chiarezza del nuovo sistema e soprattutto la mancanza di sistematicità classica che per millenni ha creato una *forma mentis* ordinata. Gli studi classici, i licei classici hanno dato per secoli e danno tutt'oggi una formazione metodica e ordinata grazie anche alla chiarezza dei quadri strutturali.
4.  Si è constatato che alunni con risultati scolastici negativi per quanto riguarda il tedesco hanno subito migliorato, studiando brani in lingua a memoria, adottando il sistema classico delle declinazioni ed esercitandosi espletando traduzioni accompagnate da una accurata analisi logica.

Facendo un paragone che può sembrare esagerato, ma che calza a puntino, viene da chiedersi: ma chi ha inventato la ruota? I sumeri? Giusto! Però sono stati stupidi, la ruota da loro inventata non va più bene! D'ora in poi le ruote van fatte non più circolari, ma ottagonali!

## *Cenni sulla migrazione ed evangelizzazione dei popoli sassoni*

Per un oggettivo orientamento storico del discente, sarebbe utile se l'insegnante facesse ogni tanto dei riferimenti non soltanto glottologici ma anche storici sulla migrazione dei popoli e l'evoluzione delle lingue germaniche. Quante volte si sente dire: "Questa parola tedesca è come quella inglese", mentre si sa che è l'inglese a provenire nella sua base dal germanico. I Goti e le tribù dei Sassoni dicevano per esempio di già "wintrus" (in seguito "wintar" e quindi nel Neuhochdeutsch "Winter" = inverno) quando in Inghilterra si parlava ancora il celtico. Questa cartina - tolta dall'atlante "La Terra", ediz. Istituto Geografico De Agostini - Novara, 1965 - mostra quali popolazioni abitavano la Germania verso l'anno 117 d.C.: i Goti nella Germania Orientale (attuale Polonia), oltre la Vistola; i Sassoni e Angli nel Nord del paese, più a nord dei Longobardi che in seguito scesero in

Pannonia e quindi in Italia. Nel quarto secolo, verso il 350 d.C., una parte delle tribù germaniche, precisamente una parte dei Sassoni e degli Angli che dimoravano nel Nord della Germania, lasciarono la loro terra per trasferirsi in Inghilterra. In base a tale migrazione avvenne che per oltre quattro secoli in ambedue le regioni (nella Sassonia = Nord della Germania e in Inghilterra) si parlasse la stessa lingua. Nel 596 d.C. papa Gregorio Magno inviò 12 monaci benedettini ad evangelizzare l'Inghilterra. S. Agostino, il monaco a capo di questo gruppo, fondò a Canterbury il primo convento benedettino in terra inglese. L'ordine benedettino ebbe in Inghilterra in brevissimo tempo una tale espansione da essere, dopo soli 120 anni, in grado di inviare missionari per evangelizzare altre terre rimaste pagane. Siccome il Centro-Nord della Germania di allora era dominato dal popolo sassone che parlava ancora pressoché lo stesso linguaggio dei padri in parte emigrati in Inghilterra, la Germania pagana si presentava ai monaci benedettini inglesi come il territorio più adatto per l'evangelizzazione. Ecco perché verso il 720 d.C. Winfried, in seguito chiamato (Bonifatius) S. Bonifacio, partì con 11 suoi confratelli dall'Inghilterra per convertire al Cristianesimo i discendenti dei propri parenti. Parlando lo stesso linguaggio, l'evangelizzazione della Sassonia, terra pericolosissima nella quale nessun missionario aveva fino allora voluto inoltrarsi, fu per i monaci provenienti dall'Inghilterra un'impresa molto facile. S. Bonifacio fece fondare dai suoi confratelli a Fulda il primo convento benedettino della Germania e in seguito molte altre abbazie benedettine in tutto il territorio tedesco. Durante la predicazione del Vangelo ai Frisoni (nei pressi del Mare del

Nord), S. Bonifacio subì nel 754 il martirio. Il suo corpo fu trasferito dai confratelli a Fulda, dove riposa; egli viene venerato da tutti i tedeschi come l'apostolo della Germania.

## Scopo di questa grammatica

Scopo precipuo di questo manuale è aiutare tutti coloro che non si trovano bene con le grammatiche moderne, spesso dispersive e incomplete. Constatando che le 6300 copie della prima edizione sono esaurite e che è stato necessario procedere ad una seconda edizione, ciò dimostra che sono parecchi i discenti che trovano in questo testo un valido aiuto per giungere ad una più corretta conoscenza e padronanza del tedesco. Fatto che viene confermato anche dal giudizio positivo di diverse spontanee recensioni da parte anche di utenti autorevoli, recensioni presenti nel sito

www.tedescogrammatik.altervista.org

che giustificano l'iniziativa di colmare una lacuna editoriale nell'ambito della didattica del tedesco per soddisfare tutte le persone interessate a questa lingua, soprattutto le più diligenti e impegnate, quelle che non si accontentano delle cosidette "grammatiche facili", ma cercano piuttosto un manuale che offra loro un'esposizione sistematica, parti-coloreggiata, logica, chiara e abbastanza esaustiva di tutte le strutture e difficoltà sintat-tiche di questa lingua.

## Suggerimenti per un corretto uso del testo

La formattazione a colori è un utile aiuto allo studio e alla memorizzazione, per cui consi-glio agli utenti quanto segue:

a) Usando il mio manuale raccomando caldamente di non **sottolineare nulla**, perché essendo già evidenziato quanto va messo in risalto ne verrebbe fuori una mascherata. Si tenga presente che ogni colore da me usato nella formattazione dell'opera ha un signi-ficato ben preciso:

- il giallo evidenzia la parte essenziale della regola (che è ovviamente astratta),
- il giallo + rosso mette in risalto le desinenze, le espressioni idiomatiche, diverse difficoltà strutturali particolari e pericolose, se non si rispettano,
- il rosso serve a mettere in rilievo forme linguistiche abbastanza importanti,
- il verde riguarda l'analisi grammaticale e logica, nonché gli accenti, così pure il verde+giallo soprattutto nel capitolo degli omonimi,
- il viola è stato introdotto per marcare errori tipici e molto ricorrenti nei quali incorrono i discenti di lingua italiana.

b) Quindi, anziché sottolineare si devono **usare le crocette** (crocette piccoline fatte con una matita ben appuntita) da porre prima della regola come pure prima di almeno uno degli esempi che si crede di poter memorizzare; ciò avviene quando si scopre la regola per la prima volta. Quando all'utente capita - scrivendo, parlando, facendo esercizi, traducendo - di incorrere in un errore contro una determinata regola, allora davanti al numero di quella regola come pure davanti ad almeno un esempio della stessa va posta la seconda crocetta, quindi - in caso di recidiva - la terza, quarta, quinta ecc., cioé ogni volta che ci s'incappa in quell'errore. Il che significa che tale regola è importantissima per la sua frequenza e va quindi memorizzata alla perfezione, possibilmente con tutti gli esempi indicati dal testo. Le regole sono astratte, gli esempi invece concreti; è quindi assolutamente necessario memorizzare ogni regola con almeno un esempio.

Le strutture più importanti da apprendere in modo corretto e preciso sono già state elencate nella quarta pagina di questa premessa. Ritengo tuttavia ancora necessario dare alcune indicazioni sul metodo di apprendimento di vari importanti elenchi e sulla motivazione che rende necessario lo studio della declinazione del sostantivo.

NB:1
Per un controllo sicuro, perfetto e veloce il discente deve acquisire bene a memoria e sempre con la stessa filasctrocca i seguenti elenchi:
a) l'elenco degli aggettivi che seguono la declinazione dell'articolo: pag. 13-14
b) i sette elenchi di sostantivi presenti nella declinazione del sostantivo: pag. 59-66
c) elenco dei sostantivi di cose non femminili uscenti in "-e": regola 6, pag. 106
d) elenco degli aggettivi dimostrativi non influenti sull'aggettivo che segue: pag. 131
e) elenco della comparazione irregolare dell'aggettivo e avverbio: pag. 163
f) i quattro elenchi delle preposizioni: pag. 166 + pag. 173 + pag. 176 + pag. 196
g) elenco dei verbi che formano i tempi composti col doppio infinito: pag. 192
h) elenco dei verbi che esigono l'infinito puro: pag. 309
i) elenco dei verbi riflessivi in tedesco e mai in italiano: pag. 372
l) elenco dei verbi riflessivi in italiano e mai in tedesco: pag. 373
m) elenco di 16 verbi reggenti diversamente dall'italiano il dativo in tedesco pag. 423-424

NB:2
Una particolare attenzione richiede la declinazione del sostantivo. Si tratta delle struttura più impegnativa di tutta la grammatica tedesca. Le indicazioni pratiche per il suo apprendimento vengono esaurientemente spiegate nelle pagine 55-58. Qui voglio aggiungere alcune sottolineature. Si tratta di uno schema ridotto per così dire all'osso. Esso va appreso con la massima esattezza riportandolo a memoria su fogli di brutta finché non si riesce a riscriverlo con velocità, precisamente tale e quale come presentato nel testo. I discenti che hanno adottato tale metodologia sono giunti col tempo ad una padronanza veramente eccellente di questo argomento.
Oggigiorno questa struttura viene semplicemente ignorata dalla maggioranza delle grammatiche moderne con la falsa affermazione che si tratta di nozionismo, di spiegazioni inutili, superflue e che sia semplicemente sufficiente apprendere il plurale di ogni sostantivo. Ma quanti sono i sostantivi da memorizzare? Migliaia e migliaia. Mentre infatti la

memorizzazione dei 184 paradigmi dei verbi forti è fattibile perché si tratta di un numero limitato, l'assimilazione del paradigma di ogni sostantivo così come viene riportato da ogni buon vocabolario, "Duden" compreso, cioé

| nominativo singolare | genitivo singolare | nominativo plurale |
|---|---|---|
| der Schüler | des Schülers | die Schüler |
| der Tag | des Tages | die Tage |
| der Baum | des Baumes | die Bäume |
| der Mann | des Mannes | die Männer |
| die Hand | der Hand | die Hände |
| das Fenster | des Fensters | die Fenster |
| das Geheimnis | des Geheimnisses | die Geheimnisse |
| das Licht | des Lichtes | die Lichter |
| das Altertum | des Altertums | die Altertümer |
| der Kunde | des Kunden | die Kunden |
| der Herr | des Herrn | die Herren |
| der Polizist | des Polizisten | die Polizisten |
| die Krankheit | der Krankheit | die Krankheiten |
| die Shwester | der Schwester | die Schwestern |
| der Doktor | des Doktors | die Doktoren |
| der Staat | des Staates | die Staaten |
| der Name | des Namens | die Namen |
| das Album | des Albums | die Alben |
| das Kapital | des Kapitals | die Kapitalien |
| das Auge | des Auges | die Augen |
| das Herz | des Herzens | die Herzen |

diventa un'impresa quasi insormontabile per uno straniero che non ha appreso il tedesco fin da bambino. Anche la permanenza prolungata di decenni in Germania non è sufficiente, se la persona adulta che trasferisce la sua residenza là non ha nozioni grammaticali; lo dimostrano moltissimi italiani giunti in Germania da adulti in quanto parlano un tedesco all'italiana pieno di strafalcioni. I paradigmi dei pochi esempi su indicati mostrano quante diverse desinenze vanno aggiunte ad un uso corretto dei sostantivi. A questo punto ci si domanda: cos'è più facile, imparare lo schema della declinazione del sostantivo che permette non solo di usare in modo corretto le molteplici desinenze, ma anche di individuare per il 70% dei sostantivi il loro genere, o invece dover memorizzare innumerevoli paradigmi senza controllo? È più che ovvio che ad una persona straniera conviene conoscere il sistema grammaticale per azzeccare le varie desinenze in modo corretto.

Parecchi insegnanti vanno affermando che in tedesco il genitivo stia scomparendo, il che è una menzogna. Persino il giornalista Bastian Sick che con il suo libro "Der Dativ ist dem Genitiv sein Tod", pur volendo dimostrare la morte del genitivo, nonostante tutti i suoi sforzi per tale asserzione, non poté fare a meno di usare 680 genitivi in quel suo opuscolo. Come da me affermato a pag. 79, dove adduco la profonda giustificazione glottologica sull'uso del genitivo, gli insegnanti dovrebbero far di tutto per sostenerlo al fine di non impoverire questa meravigliosa e importante lingua, tendendo infatti presente che proprio tramite l'abbinamento del germanico col latino è nato l'inglese che ha conquistato il mondo.

Prof. Hans Scollo
E-mail: hans.scollo@gmail.com

# Inhaltsverzeichnis

( Indice )

# AUFBAU DES SATZES

( Costruzione della proposizione )

Al primo impatto col tedesco, la persona italiana avverte fra le due lingue un'e-
norme differenza nella costruzione della proposizione, differenza evidenziata qui
con una traduzione volutamente letterale e contorta degli esempi indicati.

## Aufbau des positiven und negativen Hauptsatzes

( Costruzione della proposizione principale positiva e negativa )

1. *Direkte Konstruktion  =  costruzione diretta:*

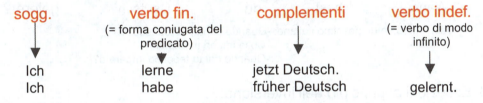

| sogg. | verbo fin. (= forma coniugata del predicato) | complementi | verbo indef. (= verbo di modo infinito) |
|---|---|---|---|
| Ich | lerne | jetzt Deutsch. | |
| Ich | habe | früher Deutsch | gelernt. |

[= Alla lettera, in un italiano scorretto: -Io imparo ora tedesco.
-Io ho un tempo tedesco imparato.]

2. *Umstellung oder Inversion  =  inversione:*

| compl.o | verbo fin. | sogg. | compl.i | verbo indef. |
|---|---|---|---|---|
| Jetzt | lerne | ich | Deutsch. | |
| Früher | habe | ich | Deutsch | gelernt. |

[= Alla lettera, in un italiano scorretto: -Ora imparo io tedesco.
-Un tempo ho io tedesco imparato.]

NB: L'inversione serve:
   a) per mettere in risalto la parte del discorso che si vuole evidenziare;
   b) per variare il discorso.

## Aufbau des direkten Fragesatzes oder der Frage

( Costruzione della proposizione interrogativa diretta )

Come in tutte le lingue germaniche, così anche in tedesco (lingua germanica per
eccellenza) la proposizione interrogativa è basata sull'inversione la cui caratteristica fondamentale sta nella precedenza del verbo finito (della parte coniu-
gata del predicato) sul soggetto. Le uniche eccezioni a tale principio dell'inversione si hanno col pronome interrogativo soggetto e con le domande di accertamento.

1. Quando non si conosce l'azione o il modo di essere e si chiede di essi:

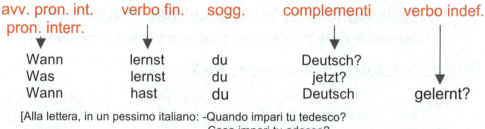

| verbo fin. | sogg. | complementi | verbo indef. |
|---|---|---|---|
| Lernst | du | jetzt Deutsch? | |
| Hast | du | früher Deutsch | gelernt? |

[Alla lettera, in un pessimo italiano: -Impari tu ora tedesco?
-Hai tu un tempo tedesco imparato?]

2. Quando non si conosce un complemento e si chiede di esso:

| avv. pron. int. pron. interr. | verbo fin. | sogg. | complementi | verbo indef. |
|---|---|---|---|---|
| Wann | lernst | du | Deutsch? | |
| Was | lernst | du | jetzt? | |
| Wann | hast | du | Deutsch | gelernt? |

[Alla lettera, in un pessimo italiano: -Quando impari tu tedesco?
-Cosa impari tu adesso?
-Quando hai tu tedesco imparato?]

3. Eccezioni al principio dell'inversione:

a) Col pronome interrogativo fungente da soggetto quando si ignora il soggetto e si chiede di esso:

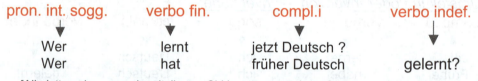

| pron. int. sogg. | verbo fin. | compl.i | verbo indef. |
|---|---|---|---|
| Wer | lernt | jetzt Deutsch ? | |
| Wer | hat | früher Deutsch | gelernt? |

[Alla lettera, in un pessimo italiano: -Chi impara ora tedesco?
-Chi ha un tempo tedesco imparato?]

b) Nelle domande di accertamento:
Si tratta di proposizioni che sono in parte domande, in parte affermazioni; esse possono essere rafforzate dall'ulteriore domandina di accertamento: "Nicht wahr?" = "Non è vero?" Si consiglia agli stranieri di evitare le domandine di accertamento all'inizio dell'apprendimento della lingua in quanto esse richiedono una maggiore padronanza di linguaggio e una cadenza particolare:

| sogg. | verbo fin. | compl.i | verbo indef. |
|---|---|---|---|
| Sie | sprechen | Deutsch? | |
| Sie | fahren | auch nach München? | |

[Alla lettera, in un italiano non sempre corretto: -Lei parla tedesco?
-Lei va anche a Monaco?]

# Aufbau des Glied = oder Nebensatzes

( Costruzione della proposizione dipendente o secondaria )

1. *Normale Transposition* = trasposizione normale (viene detta così perché rispetto all'italiano bisogna trasporre il predicato in fondo alla prop.):

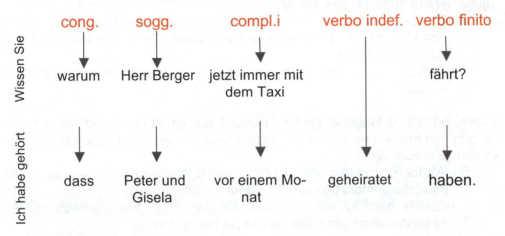

| | cong. | sogg. | compl.i | verbo indef. | verbo finito |
|---|---|---|---|---|---|
| Wissen Sie | warum | Herr Berger | jetzt immer mit dem Taxi | | fährt? |
| Ich habe gehört | dass | Peter und Gisela | vor einem Mo-nat | geheiratet | haben. |

[Alla lettera, in un italiano impossibile:
-Sa lei perché il signor Berger ora sempre col taxi viaggia?
-Io ho sentito che Pietro e Gisella un mese fa sposati sono.]

2. *Transposition mit Modalverben + helfen, hören, sehen, lassen, brauchen:*

| | cong. | sogg. | compl.i | verbo fin. | verbi indef. |
|---|---|---|---|---|---|
| Wir fuhren mit dem Fahrrad | weil | wir | das Land | haben | kennen ler-nen wollen. |
| Der Reisende war froh | dass | er | sich eine Platz-karte | hatte | geben lassen. |

[Alla lettera, in un italiano impossibile:
-Noi andammo in bicicletta perché noi il paese abbiamo conoscere voluto.
-Il viaggiatore era lieto che lui si un biglietto di prenotazione a sedere era fatto rilasciare.]

3

# Stellung der Zeit = und Ortsergänzung

( Posizione del complemento di tempo e luogo )

1. Il complemento di tempo precede normalmente quello di luogo e ha la tendenza di precedere tutti gli altri complementi, perfino il soggetto, quando questo è formato da un sostantivo:

   z.B.:-Der Zug fährt um 9.44 Uhr von Köln ab und kommt um 13.32 Uhr in Frankfurt an. = Il treno parte da Colonia alle 9.44 e arriva a Francoforte alle 13.32.

   -Kommt heute Peter nicht zur Schule? = Oggi Pietro non viene a scuola?

2. Il complemento di luogo tende a stare dopo tutti gli altri complementi; tuttavia talvolta può precedere soprattutto il complemento oggetto a seconda del rilievo che gli si vuol dare:

   z.B.:-Wir fahren morgen um 8 Uhr mit dem Schnellzug von Como ab. = Noi partiamo domani alle otto da Como col direttissimo.

   -Gestern habe ich mir in Mailand dieses schöne Kleid gekauft. = Ieri mi sono comperata a Milano questo bel vestito.

# Stellung des Dativ = und Akkusativobjekts

( Posizione del complemento di termine e del complemento oggetto )

1. Il complemento di termine precede normalmente il complemento oggetto:

   z.B.:-Ich schreibe meinem Vater einen Brief. = Io scrivo una lettera a mio papà.

2. Il complemento oggetto formato da pronome personale precede sempre il complemento di termine (sia che quest'ultimo sia formato da un sostantivo sia che esso sia formato da un pronome):

   z.B.: -Schreibst du deinem Vater einen Brief? = Scrivi una lettera a tuo padre?

   -Ja, ich schreibe ihn ihm. = Sì, gliela scrivo (...la scrivo a lui).

3. Il complemento oggetto formato da pronome indefinito sta dopo il complemento di termine:

   z.B.:-Haben Sie den Studenten Bücher gegeben? = Lei ha dato dei libri agli studenti?

   -Ja, ich habe den Studenten welche gegeben. = Sì, ne ho dato loro alcuni.

   -Nein, ich habe ihnen keine gegeben. = No, a loro non ne ho dati.

4

# Stellung der reinen Ergänzung gegenüber dem Praepositionalobjekt

( Posizione del complemento puro rispetto al complemento preposizionale)

1. Il complemento puro precede normalmente ogni complemento preposizionale. Non si tratta tuttavia di una regola fissa, sempre valida:

    z.B.:-Nach Heimhausen kamen Zeitungsreporter; sie fragten die Bevölkerung nach ihrer Meinung über den Bau einer Umgehungsstraße.
    = Ad Heimhausen vennero dei giornalisti; essi chiesero (alla popolazione) alle persone la loro opinione sulla costruzione di una circonvallazione.

    -Viele Sekretärinnen geben ihren Beruf nach der Heirat auf, einige jedoch nicht, weil sie den Umgang mit der Öffentlichkeit mögen.

    Tuttavia:
    z.B.:-Einzelne Klassen, die an der Unratsäuberung teilnahmen, legten durch das Gemeindegebiet weite Wegstrecken zurück. = Alcune classi che presero parte alla giornata ecologica per la raccolta dei rifiuti fecero lunghi tratti di strada a piedi attraverso il territorio comunale.

2. Il complemento di luogo, anche preposizionale, può spesso precedere il complemento oggetto (complemento puro), se nel contesto merita rilievo:

    z.B.:-Leider hatten die Schüler der Unratsäuberung schon in nächster Nähe des Schulhauses viel Arbeit. = Purtroppo gli alunni incaricati della raccolta dei rifiuti ebbero molto lavoro già nelle vicinanze della scuola.

# Stellung instrumentaler Ergänzungen wie auch von Ergänzungen der Begleitung

( Posizione dei complementi di mezzo e di compagnia )

1. Il complemento di mezzo precede normalmente il complemento di luogo:

    z.B.:-Peter schlägt den Nagel mit dem Hammer in die Wand. = Pietro pianta il chiodo col martello nel muro.

2. il complemento di compagnia precede normalmente il complemento di luogo:

    z.B.:-Letzten Sommer verbrachte Karl die Ferien mit einem Freund in Österreich. = L'estate scorsa Carlo trascorse le vacanze con un amico in Austria.

    Tuttavia: per mettere in risalto il complemento di luogo a volte si può anche dire:
    z.B.:-Nach Köln mit dem Auto zu fahren, ist für mich zu umständlich und kostspielig. = Andare a Colonia in macchina è per me troppo scomodo e dispendioso.

# Endbemerkungen zur Stellung der Ergänzungen

( Osservazioni finali in merito alla posizione dei complementi )

Come si è già visto, le regole indicate sulla posizione dei vari complementi non devono essere considerate esaustive, comprendenti cioé tutta la casistica. Fatta eccezione della regola d'oro riguardante la precedenza dei complementi formati da pronome personale, tutte le altre indicazioni sulla posizione dei complementi mantengono una certa relatività. A volte può perfino accadere che il complemento di luogo preceda quello di tempo e addirittura anche il soggetto:

> z.B.: -Hast du erfahren, was hier am Sonntag passiert ist?  =  Hai (saputo) sentito
>      ció che è successo qui domenica?
>      -Heue Morgen hat sich in Neustadt ein schwerer Verkehrsunfall ereignet.
>      = A Neustadt questa mattina è accaduto un grave indicidente stradale.

La precedenza dei complementi di luogo "hier" e "in Neustadt" è dovuta in questi esempi alla loro rilevanza; l'avverbio "hier" inoltre ha per la sua brevità non solo una funzione avverbiale, ma anche quasi pronominale. Se qualcuno dovesse raccontare quanto è successo senza indicare il luogo, l'interlocutore chiederebbe subito: "Aber wo ist denn das alles passiert?  =  Ma dov'é successo tutto ció?"

Tale criterio di relatività delle regole sulla posizione dei complementi vale anche per la formula indubbiamente pratica:

TE / CA / MO / L  =  TEMPO / CAUSA / MODO / LUOGO

che tuttavia è claudicante: sia perché non comprende diversi importanti tipi di complementi sia perché appare troppo rigida:

> z.B.: -Wir sind am Sonntag wegen des Regens ruhig   zu Hause geblieben.

|  compl. di tempo  |  compl. di causa  |  compl. di modo  |  compl. di luogo  |

= Domenica a causa della pioggia noi siamo rimasti tranquilli a casa.

Ecco tuttavia un esempio fra le diverse eccezioni possibili a tale formula:

> -Inge fährt aus Angst    nicht mehr    allein    nach Hause.

|  compl. di causa  |  compl. di tempo  |  compl. di modo  |  compl. di luogo  |

Concludendo, viene da chiedersi (e molti alunni pongono questa domanda): se tutte queste regole sono relative, a che serve studiarle?

Il loro studio, compresa la formula "TE / CA / MO / L", è ugualmente utile perché con tali regole si copre una notevole percentuale (70% - 80%) della casistica, il che all'inizio dell'apprendimento è di grande aiuto. È naturalmente necessario usare le indicazioni date con una certa riserva, senza meravigliarsi, quando, leggendo e studiando, si trovano delle eccezioni. Il discente interessato e diligente che non si limita ad uno studio scolastico della lingua straniera, ma allarga le proprie conoscenze della stessa con molta lettura, ascolto di programmi TV in lingua e pratica linguistica, giunge col tempo a superare in modo naturale e inconscio tali difficoltà.

# Gebrauch des Subjekts
( Uso del soggetto )

## 1. *In tedesco il soggetto va normalmente espresso*

Come in tutte le lingue germaniche, così anche in tedesco (lingua germanica per eccellenza) il soggetto va normalmente espresso; ecco perché ció vale anche per l'inglese:

| z.B.: | -Es regnet. | = Piove. | (inglese: "It rains.") |
|---|---|---|---|
| | -Es blitzt. | = Lampeggia. | |
| | -Es donnert. | = Tuona. | |
| | -Es schneit. | = Nevica. | |
| | -Es hagelt. | = Grandina. | |
| | -Es klingelt. | = Suona. | |
| | -es gibt.... | = c'é... | |

NB: Si tratta di un germanismo che, tramite i Longobardi e i Goti, ha influenzato tutti i dialetti dell'Italia settentrionale, come pure, tramite i Franchi, (provenienti dalla Franconia = Nord della Baviera) il francese:

z.B.:   -El pieuv! (dialetti veneti)

Con i verbi impersonali il soggetto "es" va espresso, ossia ripetuto, anche nelle proposizioni principali coordinate da "und" o da "oder". Esso tuttavia non si esprime quando diversi predicati impersonali si susseguono; questi vengono separati da virgole e solo l'ultimo è coordinato da "und":

z.B.:-Es ist kalt und es regnet. = Fa freddo e piove.

Tuttavia:

z.B.:-Schau, wie es regnet, blitzt und donnert! = Guarda come piove, lampeggia e tuona.

## 2. *Il soggetto si omette in tedesco perlopiú nei seguenti casi: (= unausgesprochenes Subjekt = soggetto sottinteso)*

a) Quando due proposizioni principali (oppure due proposizioni dipendenti) aventi lo stesso soggetto sono coordinate dalle congiunzioni "und" oppure "oder", spesso anche con "sondern":

z.B.:-Rita arbeitet fleißig und lernt schnell. = Rita lavora diligentemente e impara velocemente.

-Die Schüler schließen die Bücher und gehen nach Hause. = Gli alunni chiudono i libri e vanno a casa.

-Diesen Sonntag fahren wir nicht ins Gebirge, sondern bleiben zu Hause. = Questa domenica non andiamo in montagna, ma stiamo a casa.

NB: Se tuttavia la proposizione coordinata che segue inizia con l'inversione (= con un complemento in testa), il soggetto va espresso:

z.B.:-Die Schüler schließen die Bücher und dann gehen sie nach Hause. = Gli alunni chiudono i libri e poi vanno a casa.

b) Quando lo stesso soggetto compie piú azioni che vengono separa-
rate da una virgola:

> z.B.:-Der Lehrer erklärt die Regel, schreibt ein Beispiel an die Tafel,
> diktiert Sätze und verbessert die Fehler. = L'insegnante spiega
> la regola, scrive un esempio alla lavagna, detta delle frasi e
> corregge gli errori.

c) Nell'imperativo delle seconde persone, come in tutte le lingue indoeuropee, a meno che non si voglia evidenziare il soggetto per
incoraggiare o dissuadere (si vedano le regole dell'imperativo):

> z.B.:-Komm! = Vieni!
> Kommt! = Venite!

d) In proposizioni col passivo impersonale, ma solo se si usa la costruzione inversa (= l'Umstellung):

> z.B.:-Hier wird getanzt. = Qui si balla.

NB: Tuttavia con la costruzione diretta il soggetto va espresso:

> z.B.:-Es wird getanzt hier. = Si balla qui.

e) Il soggetto pleonastico "es" di un predicato nominale, il cui nome del
predicato è formato da un sostantivo che combacia col soggetto,
diventa superfluo quando si usa la costruzione inversa. In tali casi il
soggetto pleonastico "es", nella costruzione diretta, non è altro che
l'anticipazione eufonica del nome del predicato:

> z.B.:-Es ist Mittwoch heute.  = Oggi è mercoledì.
> -Heute ist Mittwoch.    = Oggi è mercoledì.
> -Es war mein Geburtstag gestern. = Era il mio compleanno ieri.
> -Gestern war mein Geburtstag. = Ieri era il mio compleanno.

Se tuttavia il nome del predicato è formato da un aggettivo, il soggetto
"es" non è pleonastico, bensì a sé stante e va espresso:

> z.B.:-Vor einer Woche war es wärmer als jetzt.  = Una settimana fa
> faceva (era) piú caldo di adesso.
> -Nachmittags ist es zu heiß, um spazieren zu gehen.  =  Di
> pomeriggio fa troppo caldo per passeggiare.

## Gebrauch der Apposition oder Beifügung
( Uso dell'apposizione )

Come nelle lingue classiche, l'apposizione sta nel caso della parte del discorso alla quale essa si riferisce, seguendola fra due virgole:

> z.B.:-Die Mutter gab ihrem Sohn, einem behinderten Kind, ei-
> nen dicken Kuss und umarmte ihn herzlich.  =  La mam-
> ma dette a suo figlio, un bambino disabile, un bacio affet-
> tuoso e lo abbracció amorevolmente.

8

# Gebrauch der Umstellung

( Uso dell'inversione )

Nella lingua tedesca, come nella maggioranza delle lingue germaniche, l'inversione si usa:

1. Nella proposizione principale positiva o negativa con un complemento in testa (si veda la costruzione della proposizione principale positiva o negativa: pag. 1, regola 2).

2. Nella proposizione interrogativa diretta (si veda la costruzione della domanda: pag. 2, regole 1 + 2).

3. Con l'imperativo di cortesia e con l'imperativo della prima persona plurale, mentre nell'imperativo delle seconde persone si tratta di sogg. sottinteso!
   z.B.: -Kommen Sie! = Venga!        NB: Hilf mir bitte! (Non è inversione!)
         -Gehen wir! = Andiamo!        (Così pure): Helft mir bitte!

4. Nella proposizione principale preceduta da un discorso diretto. Il discorso diretto posto fra virgolette forma nel suo insieme un blocco unico ed occupa il primo posto nella principale; segue quindi il verbo e poi il soggetto:
   z.B.:-"Kommen Sie bitte an die Tafel!", sagt der Lehrer zu Richard.
        ="Venga per favore alla lavagna", dice l'insegnante a Richard.
        -"Möchtest du jetzt eine Zigarette, Walter?", fragt Herr Braun seinen Freund. = "Desideri [ora] una sigaretta, Walter?", chiede il signor Braun al suo amico.

5. Nella proposizione principale preceduta da una secondaria (= da una proposizione dipendente), ma solo se fra la principale e la proposizione che precede c'è un rapporto di interdipendenza (cioè solo se la proposizione secondaria che precede dipende dalla principale che segue):
   z.B.:-Da Peter krank ist, kommt er heute nicht zur Schule. = Siccome Pietro è ammalato, oggi non viene a scuola.
   Tuttavia:
        z.B.:-Ein Sultan hatte einem Armen ein Geldstück als Almosen gegeben. Da sich der Arme wegen der geringen Gabe beklagte, sagte der Sultan zu ihm: "Mein Reichtum würde nicht ausreichen, um allen zu helfen, die zu mir kommen, und auch du würdest etwas von dem geben müssen, was du bekommen hast." = Un sultano aveva dato a un povero come elemosina una moneta. Siccome il povero si lamentò del piccolo dono, il Sultano gli disse: "La mia

9

ricchezza non basterebbe ad aiutare tutti quelli che vengono da me ed anche tu dovresti donare qualcosa di ciò che hai ricevuto".

6. Nelle esclamazioni – proposizioni esclamative:
>    z.B.:-Ist das ein schönes Kind! = Ma che bel bambino!
>    -Ist das teuer! (= Wie teuer!) = Ma che caro!

7. Nelle proposizioni ottative e nelle condizionali senza la congiunzione "wenn" o "falls":
>    z.B.:-Hätte ich doch im vergangenen Jahr nicht so viel Pech gehabt! (Wenn ich doch im ...) = (Se) non avessi avuto così tanta sfortuna l'anno scorso!
>    -Sollte Peter kommen, gib ihm dieses Buch! (Wenn [falls] Peter kommen sollte, gib ihm dieses Buch.) = Dovesse venire Pietro, dagli questo libro.

8. Non vogliono l'inversione le seguenti congiunzioni coordinanti:
>    aber = ma
>    auch = anche
>    denn = perché
>    doch, jedoch = tuttavia          ⎫ NB: Possono anche
>    hingegen, dagegen = invece, al contrario ⎬ avere l'inversione
>    nämlich = a) cioé, in verità  b) infatti  c) perché, poiché ⎭
>        NB: Questa congiunzione va usata quasi esclusivamente all'interno della proposizione!
>    nicht nur...., sondern auch = non solo..., ma anche
>    nur = solo, solamente
>    oder = o, oppure - entweder....oder = o....o
>    sondern = ma
>    sowohl.. als auch; sei ...sei (wie), = sia....sia; tanto....quanto
>    weder.....noch = né.....né (vedi pag. 226, regola 7)
>    und = e

>    z.B.: -Hans geht zu Fuß zur Universität, denn er hat kein Fahrrad. = Hans va a piedi all'università perché non ha la bicicletta.
>    -Peter geht nachmittags nicht in die Vorlesung, sondern er arbeitet zu Hause für seine Prüfungen. = Nel pomeriggio Pietro non va alle lezioni universitarie, ma lavora a casa per i suoi esami.
>    -Robert isst das ganze Menü, aber Rita isst nur Salat. = Roberto consuma tutto il menù, Rita invece mangia solo l'insalata.
>    -Diese Arbeit kann ich nicht machen. Ich wüsste nämlich wirklich nicht, wo anfangen. = Non sono in grado di fare questo lavoro. Non saprei infatti proprio da dove iniziare.
>    -Ich jedoch hab' das nicht getan! = Ció tuttavia non l'ho fatto io.
>    Tuttavia:
>    -Wir würden gern länger bleiben, jedoch fehlt uns die Zeit. = Noi ci fermeremmo ben volentieri piú a lungo, ma ci manca il tempo.

# Stellung des praedikativen Adjektivs

( Posizione dell'aggettivo predicativo )

## 1. *Aggettivo predicativo e sua posizione:*

L'aggettivo si chiama predicativo quando si riferisce da solo al predicato per spiegare la qualità dell'azione o del modo di essere. L'aggettivo predicativo va sempre in fondo alla proposizione principale, prima delle forme indefinite del predicato, se questo è formato da un tempo composto. Con il predicato verbale l'aggettivo predicativo, che resta sempre invariato, funge per l'analisi logica da complemento di modo:

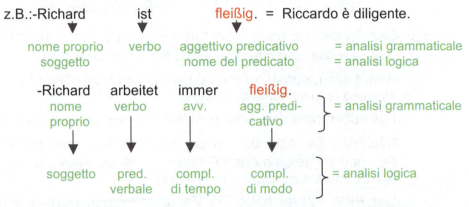

z.B.:-Richard      ist      fleißig. = Riccardo è diligente.

nome proprio    verbo    aggettivo predicativo    = analisi grammaticale
soggetto               nome del predicato    = analisi logica

-Richard    arbeitet    immer    fleißig.
nome       verbo      avv.      agg. predi-     } = analisi grammaticale
proprio                  cativo

soggetto    pred.     compl.    compl.     } = analisi logica
           verbale   di tempo   di modo

-Richard hat schon immer fleißig gearbeitet. = Riccardo ha da sempre lavorato diligentemente.

## 2. *Sostantivo usato predicativamente = in posizione predicativa*

Esistono in tedesco diverse forme verbali formate da un sostantivo. Anche questi sostantivi sono usati predicativamente e vanno quindi in fondo alla proposizione principale, prima della forma indefinita del predicato, quando si ha un tempo composto. Ecco alcuni esempi:

| z.B.: -Aufenthalt haben | = fermarsi; far sosta |
|---|---|
| -in Verspätung sein | = essere in ritardo |
| -in Ruhe lassen | = lasciare in pace |
| -einen Besuch erstatten | = fare una visita |
| -Platz machen | = far posto |
| -Platz nehmen | = prendere posto |
| -Angst haben + vor + Dat. | = aver paura di |
| -in Angst geraten | = cominciare ad aver paura |
| -ins Schleudern geraten | = cominciare a scivolare |
| | [ = incappare nello scivolamento] |
| -in Schwierigkeiten geraten | = trovarsi in difficoltà |

**11**

| | |
|---|---|
| -in Vergessenheit geraten | = cadere in oblio |
| -in Gefahr geraten | = trovarsi in pericolo |
| -in Schulden geraten | = finire nei debiti |
| -zu Gast sein | = essere ospite |
| -in Kraft treten | = entrare in vigore |
| -ans Licht kommen | = venire alla luce, venire a galla, |
| -zum Vorschein kommen | apparire |
| -zu Fuß gehen | = andare a piedi |
| -Erfahrung machen | = fare l'esperienza |
| -Freundschaft schließen | = fare amicizia |
| -Spaß haben +mit / + an + Dat. | = divertirsi |
| -Bescheid sagen - wissen | = a) dare informazione, informare |
| | b) essere informato |

z.B.:-Der Schnellzug nach Frankfurt hat in Bonn fünf Minuten Aufenthalt. = Il Direttissimo per Francoforte ferma 5 minuti a Bonn.

-Beeile dich, sonst kommst du wieder in Verspätung! = Sbrigati! Altrimenti arrivi nuovamente in ritardo.

-Lass doch bitte das Kind in Ruhe! = E lascia in pace il bambino!

-"Nehmen Sie bitte dort in der Ecke Platz!", sagt der Ober zu den neu angekommenen Gästen. = "Si accomodino là nell'angolo!", dice il cameriere agli ospiti appena arrivati.

-Der PKW-Fahrer hatte die Verkehrszeichen nicht beachtet, er musste stark bremsen, der Wagen geriet ins Schleudern und stieß mit der Straßenbahn zusammen. = Il conducente dell'utilitaria non aveva rispettato la segnaletica; dovette frenare bruscamente, la macchina cominciò a slittare e urtò contro il tram.

-Die Nazisverbrechen dürfen nicht in Vergessenheit geraten. = I delitti dei nazisti non devono cadere in oblio.

-Ich war vor drei Jahren bei Familie Braun in Augsburg zu Gast. = Tre anni fa fui ospite ad Augusta presso la famiglia Braun.

-Zur Schule gehe ich meistens zu Fuß, auch wenn es ziemlich weit ist. = A scuola vado di solito a piedi, anche se è abbastanza lontano.

-Während des Studienaufenthaltes in Deutschland hab' ich mit vielen Jungen und Mädchen Freundschaft geschlossen.= Durante il soggiorno-studio in Germania ho stretto amicizia con tanti ragazzi e ragazze tedesche.

-Mit dir, Monika, haben wir immer viel Spaß. = Monica, con te ci divertiamo sempre molto.

-An derben Witzen haben wir keinen Spaß = Le barzellette lascive non ci divertono.

-Über dieses Problem sage ich Ihnen morgen Bescheid. = In merito a questo problema la informeró domani.

# DER ARTIKEL

( L'articolo )

## Der bestimmte Artikel

( L'articolo determinativo )

### Singular

| *männlich* | | | *weiblich* | | *sächlich* |
|---|---|---|---|---|---|
| Nom.: | **der** | = il; lo | **die** = la | | **das** |
| Gen.: | **des** | = del, dello | **der** = della | | **des** |
| Dat.: | **dem** | = al, allo | **der** = alla | | **dem** |
| Akk.: | **den** | = il; lo | **die** = la | | **das** |

### Plural

| Nominativ | (= 1. Fall ): | **die** | = i; gli; le |
|---|---|---|---|
| Genitiv | (= 2. Fall ): | **der** | = dei; degli; delle |
| Dativ | (= 3. Fall ): | **den** | = ai; agli; alle |
| Akkusativ | (= 4. Fall ): | **die** | = i; gli; le |

NB:
Si declinano come l'articolo determinativo diversi aggettivi dimostrativi. (Alcuni di questi, se preceduti da un articolo, seguono la declinazione dell'aggettivo attributivo, non quella dell'articolo: z.B.: die anderen; mit einem anderen; die vielen Leute... usw. - Si veda in proposito il paragrafo "Variazioni alla declinazione dell'aggettivo attributivo", regola nr. 1, pag. 134):

| | |
|---|---|
| -dieser, diese, dieses  (dies) | = questo, questa |
| -jener, jene, jenes | = quello, quella |
| -solcher, solche, solches | = tale, siffatto, del genere |
| -jeder, jede, jedes  (singulare tantum) | = ogni |
| -anderer, andere, anderes | = altro, altra |
| -mancher, manche, manches | = taluno; diversi |

| -alle | = tutti |
| -viele | = molti |
| -wenige | = pochi |
| -mehrere | = diversi |
| -einige | = alcuni |
| -etliche | = parecchi |

## Der unbestimmte Artikel

( L'articolo indeterminativo )

| | *männlich* | | *weiblich* | | *sächlich* |
|---|---|---|---|---|---|
| Nom.: | ein | = uno | eine | = una | ein |
| Gen.: | eines | = di uno | einer | = di una | eines |
| Dat.: | einem | = a uno | einer | = a una | einem |
| Akk.: | einen | = uno | eine | = una | ein |

NB: Si declinano come l'articolo indeterminativo:

a) gli aggettivi possessivi al singolare:

| mein, meine, mein | = mio, mia |
| dein, deine, dein | = tuo, tua |
| sein, seine, sein | = suo, sua (di lui) |
| ihr, ihre, ihr | = suo, sua (di lei) |
| unser, unsere, unser | = nostro, nostra |
| euer, eure, euer | = vostro, vostra |
| ihr, ihre, ihr | = loro, di loro |

b) l'aggettivo indefinito negativo:

| kein, keine, kein | = non uno, non una; non ne (nessuno) |

# Gebrauch des Artikels

( Uso dell'articolo )

Fra la lingua tedesca e la lingua italiana non vi sono grandi divergenze nell'uso dell'articolo; quando lo si usa in italiano, esso viene per lo più impiegato anche nella lingua tedesca.

*A differenza dall'italiano, in tedesco non si usa mai l'articolo soprattutto nei casi seguenti:*

1. con i nomi propri:

   z.B.: -Il Petrarca scrive:… = Petrarca schreibt:…

   -Dov' è la Maria? = Wo ist Marie? (In questo caso sarebbe errore anche in italiano mettere l'articolo, ma in diverse regioni italiane, come ad esempio in Lombardia, è entrato nell'uso parlato della lingua.)

2. con gli epiteti e titoli (= apposizioni) seguiti da nome proprio:

   z.B.: -Io vado dal signor Müller. = Ich gehe zu Herrn Müller.

   -Posso parlare col dott. Braun? = Ist Dr. Braun zu sprechen?

   -Alla sera Peter e Hans mangiano presso la famiglia Krüger. = Abends essen Peter und Hans bei Familie Krüger (oder: bei Krügers)

3. con l'aggettivo possessivo, come in tutte le lingue antiche in quanto esso si determina da solo. (Si usa l'articolo con l'aggettivo possessivo solo quando viene sostantivato):

   z.B.: -(Il) mio papà lavora dodici ore al giorno. = Mein Vater arbeitet zwölf Stunden pro Tag (am Tag).

   -Ist das dein Wagen? = È questa la tua macchina?

4. con gli aggettivi sostantivati riferiti alle lingue:

   z.B.: -Ich lerne Englisch und Deutsch. = Io imparo l'inglese e il tedesco.

   -Chinesisch ist sehr schwierig. = Il cinese è molto difficile.

5. con villaggi e città (sono tutti neutri), Stati (di genere neutro), continenti (sono tutti neutri), a meno che tutti questi nomi geografici di genere neutro non siano accompagnati da un aggettivo attributivo o seguiti da una specificazione:

   z.B.: -L'Italia è bella. = Italien ist schön.

   -L'Asia è grande. = Asien ist groß.

   NB: Tuttavia:

   z.B.: -La bella Italia mi piace molto. = Das schöne Italien gefällt mir sehr.

   -L'Italia del XV secolo amava le arti. = Das Italien des 15. (fünfzehnten) Jahrhunderts liebte die Künste.

6. con i sostantivi indicanti strumenti musicali, accompagnati dal verbo "spielen":

>  z.B.: -Richard spielt gut Klavier. = Riccardo suona bene il pianoforte.
>  -Als ich jung war, spielte ich Querflöte. = Quand'ero giovane suonavo il flauto traverso.

7. con i sostantivi indicanti professioni:

>  z.B.: -Mein Vater ist Bäcker von Beruf. = Mio papà fa il panettiere.
>  -Wenn ich groß bin, will ich Arzt werden. = Da grande voglio fare il medico [alla lettera: .....voglio diventare medico].

8. perlopiù con i sostantivi indicanti cibi, a meno che non ci si riferisca ad una misura (= una tazza, un piatto ecc.):

>  z.B.: -La signora Braun fa il caffè. = Frau Braun kocht Kaffee.
>  -Non mangio la pasta. = Nudeln esse ich nicht (Nudeln esse ich keine).

NB: Tuttavia:

>  z.B.: -Möchten Sie einen Kaffee? (= Möchten Sie eine Tasse Kaffee?) = Prende un caffè? (= Desidera una tazza di caffè?)

9. con i sostantivi esprimenti alcune festività come "Weihnachten" (Natale) "Ostern" (Pasqua), "Allerheiligen" (Ognissanti):

>  z.B.: -Wann (ist) fällt Ostern dieses Jahr? = Quando si festeggia (cade) la Pasqua quest'anno?
>  -Weihnachten ist für mich das schönste Fest des Jahres. = Il Natale è per me la festa piú bella dell'anno.

NB: Tuttavia:

Formando un sostantivo composto con i nomi propri di queste festività, l'articolo va messo:

>  z.B.: -der Weihnachtsabend = la sera (vigilia) di Natale
>  -das Weihnachtsfest = la festa di Natale
>  -der Weihnachtstag = il giorno di Natale
>  -die Weihnachtszeit = il periodo natalizio
>  -das Osterfest = la festa di Pasqua
>  -der Ostersonntag = la domenica di Pasqua
>  -der Ostertag = il giorno di Pasqua
>  -die Osterferien = le vacanze di Pasqua
>  -die Osterzeit = il periodo pasquale

11. con sostantivi usati al plurale che in italiano vengono o possono essere resi con l'articolo partitivo. Per l'esempio si veda il NB: del paragrafo seguente: "Der partitive Artikel".

NB:
Si tenga presente che in italiano la preposizione semplice "in" corrisponde spesso alle preposizioni articolate "nel, nello, nella"; se in italiano la preposizione semplice

"in" può essere sostituita senza stonature da una di queste preposizioni articolate allora in tedesco l'articolo deve essere espresso:

> z.B.: -In [nel mese di] autunno c'é molta buona frutta. = Im Herbst gibt es viel gutes Obst.
> -Le alunne e gli alunni ora vanno in [nella] classe. = Die Schülerinnen und Schüler gehen jetzt ins Klassenzimmer.
> -Ieri c'era tanta gente in [nella] chiesa. = Gestern waren viele Leute in der Kirche.

# Der partitive Artikel

( L'articolo partitivo )

Per articolo partitivo s'intende in italiano quell'articolo che sta ad indicare una parte di un tutto; esso viene espresso nelle seguenti forme: "del, dello, della, dei".

In tedesco l'articolo partitivo non esiste! Traducendo dall'italiano in tedesco, l'articolo partitivo italiano viene nella stragrande maggioranza dei casi semplicemente omesso:

> z.B.:-Hai del denaro? = Hast du Geld?
> -Va per favore in panificio e compra del pane! = Geh bitte hin zum Bäcker und kaufe Brot! (Non certo tutto il pane che si trova nel panificio, ma solo una piccola parte di esso.)

Nei casi in cui la chiarezza del contesto esige che in qualche modo venga espresso anche l'articolo partitivo, in tedesco si usano gli aggettivi o pronomi indefiniti: "einige; ein paar; etwas; ein wenig; welcher, -e, -es":

> z.B.: -Va per favore in panificio e compra del pane! (=...un po' di pane, non tutto il pane in vendita.) = Geh bitte hin zum Bäcker und kaufe etwas Brot.
> -Il turista va nel bar e ordina delle fette di torta. = Der Tourist geht ins Cafè und bestellt einige Stücke Kuchen.

NB:
In tedesco vengono spesso usati dei sostantivi al plurale senza l'accompagnamento di alcun articolo, ai quali in italiano corrispondono - o possono corrispondere senza stonature - sostantivi plurali resi con l'articolo partitivo o anche senza articolo. Non essendoci in tedesco l'articolo partitivo, è ovvio che in tali casi il sostantivo plurale resta solo:

> z.B.: -Reporter vom Fernesehen kamen nach Heimhausen und fragten die Bevölkerung nach Ihrer Meinung über den Bau einer Umgehungsstraße. = Dei reporter della TV vennero ad Heimhausen e chiesero l'opinione della popolazione in merito alla costruzione di

una circonvallazione.

-Fußgänger hatten in der Nacht vom Sonntag zum Montag einen jungen Mann in der Nähe des gestohlenen Wagens beobachtet. = Durante la notte fra domenica e lunedì dei pedoni (alcuni pedoni) avevano osservato un giovanotto aggirarsi nelle vicinanze della macchina rubata.

-Reisende müssen auf ihr Gepäck aufpassen. = Chi viaggia (persone che viaggiano devono...) deve prestare attenzione ai propri bagagli.

NB: In quest'ultimo esempio manca l'articolo anche in italiano!

## Fügungen zwischen Artikel und Praeposition

( Fusioni fra articolo e preposizione = preposizioni articolate )

Le fusioni fra articolo e preposizione snelliscono il linguaggio e sono oggi più in uso che nel passato. Secondo una legge linguistica universale, è opportuno in ogni linguaggio umano preferire l'uso dell'espressione più breve, espressione cioé formata da un solo vocabolo, anziché quella più lunga formata da due o più vocaboli, se la chiarezza non ne soffre.

Elenco delle preposizioni articolate in uso nella lingua tedesca:

| | | | |
|---|---|---|---|
| -am | = an dem | -überm | = über dem |
| -ans | = an das | -übers | = über das |
| -aufs | = auf das | -ums | = um das |
| -beim | = bei dem | -unterm | = unter dem |
| -durchs | = durch das | -unters | = unter das |
| -fürs | = für das | -vom | = von dem |
| -hinterm | = hinter dem | -vorm | = vor dem |
| -hinters | = hinter das | -vors | = vor das |
| -im | = in dem | -zum | = zu dem |
| -ins | = in das | -zur | = zu der |

Beispiele:

-Hinterm Berg wohnen auch noch Leute. = Anche dietro la montagna abitano delle persone.

-Wir sind jetzt überm Berg. = Ora abbiamo superato la difficoltà.

-Die gesamte Ernte ist, Gott sei Dank, unterm Dach. = Tutto il raccolto é, grazie al Cielo, al sicuro (sotto il tetto).

-Nehmen Sie vorm Schlafen diese Tablette! = Prima di dormire prenda questa pillola!

# DAS PRONOMEN

( Il pronome )

## Das fragende Pronomen

( Il pronome interrogativo )

| Personen<br>(persone) | | | Dinge<br>(cose) | |
|---|---|---|---|---|
| 1. Nom. | **wer?** | = chi? | **was?** | = che cosa? |
| 2. Gen. | **wessen?** | = di chi? | **wessen?** | = di che cosa? |
| 3. Dat. | **wem?** | = a chi? | --- | |
| 4. Akk. | **wen?** | = chi? | **was?** | = che cosa? |

## Fragende Pronominaladverbien

( Avverbi pronominali interrogativi )

*Elenco limitato agli avverbi pronominali piú frequenti*

Per la loro frequenza è necessario conoscere ed apprendere subito le seguenti voci:

| | |
|---|---|
| wann? | = quando? |
| seit wann? | = da quando? |
| warum? | = perché? |
| wie? | = come? |
| wie lange? | = quanto? (riferito a durata di tempo) |
| wie spät? | = a che ora? |
| um wie viel Uhr? | = a che ora? |
| wie viel? | = quanto? (riferito a cose non contabili e *singularia tantum*) |
| wie viele? | = quanti? (riferito ad una pluralità di persone o cose) |
| wo? | = dove? (indica stato in luogo) |
| wohin? | = dove? (indica moto a luogo) |
| woher? | = da dove? |

## _Ulteriore esauriente elenco degli avverbi pronominali interrogativi_

Oltre all'uso comune di introduzione alle domande, e per diversi di loro di intro-duzione alle proposizioni interrogative indirette in funzione di congiunzioni, gli avverbi pronominali interrogativi servono soprattutto per fare una buona e seria analisi logica in lingua tedesca nel tradurre dall'italiano al tedesco. Non è affatto necessario imparare a memoria questo elenco! I singoli avverbi pronominali in-terrogativi si apprendono automaticamente, svolgendo un'accurata analisi logica; in tal modo infatti essi vengono ripetuti in continuazione e quindi assimilati.

| | |
|---|---|
| **ab wann?**<br>**von wann an?** } | = a partire da quando? ..da quale momento? |
| **ab wo? von wo ab?** } | = a partire da quale punto? a partire da dove? |
| **an wen?** | = a chi?  NB: <mark>Si usa con verbi che non richiedono il dativo puro, ma la prep. "an" + Akk.</mark>:  z.B.: An wen wurde die Fra-ge gerichtet? An mich? = A chi è stata rivolta la domanda? A me? – An wen denkst du gerade? = A chi stai pensando?<br>-An wen soll ich mich wenden? = A chi mi devo rivolgere? (Titolo di un canto religioso tedesco). |
| **woran?** | = a che cosa? da che cosa?  z.B.:-Woran liegt das? = Da che cosa dipende ció? |
| **als wen, was?** | = come chi, che cosa? NB: Serve per chiedere del comple-mento di paragone riferito al complemento oggetto. |
| **als wer, was?** | = come chi, che cosa?  NB: Serve per chiedere del com-plemento di paragone riferito al soggetto.  z.B.: Georg hat sich als ein guter Detektiv bewährt. = Giorgio si è dimostrato un buon investigatore. |
| **als wann?** | = che quando?  z.B.: Besser heute als morgen. = Meglio oggi che domani. |
| **als wie?** | = che ? di come?  z.B.: Besser so als immer leiden müssen. = Meglio così che dover sempre soffrire.<br>-Jetzt sprichst du besser deutsch als (wie) zuvor. = Ora parli meglio tedesco di prima (...di come parlavi prima). |
| **als wo?** | = che dove?  z.B.: Besser hier als anderswo. = Meglio qui che altrove. |
| **auf wem?**<br>**auf wen?** | = su chi? <mark>(stato in luogo)</mark> z.B.: Die ganze Verantwortung lastet auf mir. = Tutta la responsabilità grava su di me.<br>NB: In senso traslato con vari verbi come "<mark>warten + auf + Akk</mark>." - z.B.:-Auf wen wartet Peter vor dem Palastkino? = Chi aspetta Pietro davanti al Cinema Palazzo?<br>-Er wartet auf Inge. = Egli aspetta Inge (vedi pag. 476). |
| **worauf?** | = a) su (sopra) che cosa? (locale, con contatto) = b) che cosa? NB: In senso traslato o figurato con vari verbi co-me <mark>"warten auf", "ankommen lassen auf + Akk."</mark>  z.B.: |

| | |
|---|---|
| | -Worauf wartest du da? = Che cosa stai aspettando qua?<br>-Ich warte schon lange auf den Bus. = Sto aspettando il bus da un pezzo (si veda pagina 476).<br>-Worauf kommt es bei dieser Arbeit an? = Da che cosa dipende la buona riuscita di questo lavoro? (pag. 435) |
| woraufhin? | = a quale scopo? z.B: Woraufhin zielt er? = A che scopo mira?<br>NB: nelle rispote si usa "**daraufhin**" = a) a tale scopo, b) dopo di che z.B.: Daraufhin sagte er: "..." = Dopo di che disse: "..." |
| aus welcher Zeit? | = di che epoca? risalente a che tempo? |
| woraus? | = a) fuori da dove? (= per moto da luogo chiuso)<br>b) di che cosa? (= per indicare complemento di materia)<br>z.B.: Woraus besteht dieser Ring? Ist er aus Gold? = Di che cosa è fatto questo anello? È d'oro? |
| außerhalb wessen? | = al di fuori di che cosa? z.B.: Wir wohnen außerhalb der Stadt. = Noi abitiamo fuori città. |
| außer was? | = ad eccezione di che cosa? eccetto che cosa? |
| außer wem? | = ad eccezione di chi? eccetto chi? |
| bei wem? | = presso chi? da chi? (NB: Nel senso di "presso"):<br>z.B.: Monika wohnt bei ihren Großeltern. = Monica abita dai (presso i) suoi nonni. |
| wobei? | = presso che cosa? a che cosa? di che cosa? con che cosa? z.B.: Wobei bist du gerade? = Di che cosa ti stai occupando? A che cosa stai lavorando?<br>-Ich bin gerade bei einer schwierigen Arbeit. = Mi sto occupando di un lavoro difficile. |
| binnen wann? | = entro quando? |
| bis wann? | = fino a quando? |
| bis wo? | = fin dove? (con stato in luogo) |
| bis wohin? | = fin dove? (con moto a luogo) |
| durch wen, was? | = tramite chi? attraverso che cosa? |
| wodurch? | = attraverso che cosa? con quali mezzi? con che cosa?<br>z.B.: Wodurch hat Peter dieses gewaltige Werk aufgebaut? = Con quali mezzi Pietro ha costruito questo grande complesso?<br>-Er hat es durch seine Fähigkeiten geschafft. = Lo ha realizzato con le sue capacità. |
| entlang was? | = lungo che cosa? |
| entgegen wem, was? | = contrariamente a chi, che cosa? z.B.:-Paul hat entgegen jeder Erwartung in der Schule verschlechtert. = Contro ogni aspettativa Paolo è peggiorato a scuola. |
| entsprechend (wem) was? | = corrispondente a (chi) che cosa? conformemente a che cosa? in modo conforme a che cosa? z.B.: Wir müssen den Umständen entsprechend handeln. = Dobbiamo agire secondo le circostanze. |
| für wann? | = per quando? z.B.: Für wann muss diese Arbeit fertig sein? |

| | |
|---|---|
| für wen? | = per chi? |
| wofür? | = per che cosa? |
| gegenüber wem? | = di fronte a chi? nei confronti di chi? |
| gegenüber was? | = di fronte a che cosa? |
| gegen wen, was? | = contro chi, che cosa? |
| längs wessen? | = lungo che cosa? |
| laut wessen? laut wem? | = secondo che cosa? in conformità a che cosa? conforme a che cosa? secondo chi? NB: La prep. "laut" può reggere anche il dativo. ==Dopo la preposizione "laut" spesso non si usa alcun articolo==. z.B.: Laut welchem Gesetz sind wir verpflichtet diese Strafe zu zahlen? = Secondo quale legge siamo obbligati a pagare questa multa? - Laut Gesetz Nr..., Paragraph Nr....! = Secondo la legge Nr..., § Nr.... |
| innerhalb (wessen?) welcher Zeit? | = entro quanto? entro quanto tempo? NB: Questo avverbio pronominale interrogativo viene normalmente sostituito da "wann?" z.B.: Wann bist du wieder da? = Quando sei di ritorno? - Innerhalb ( in ) einer Stunde bin ich wieder da. = Sono qui entro un'ora. |
| in wen? | = in chi? NB: soprattutto col verbo "==sich verlieben + in + Akk==." = innamorarsi ==di== z.B.: In wen hat sich Gisela verliebt? = Di chi si è innamorata Gisella? (Vedi pag. 473) -Sie hat sich in Peter verliebt. = Si è innamorata di Pietro. |
| worin? | = in che cosa? dove? NB: Si usa: a) anzitutto in senso locale z.B.: Das ist das Haus, worin Peter und Gisela wohnen. = Questa è la casa dove abitano Pietro e Gisella. b) anche in senso figurato: z.B.: Worin besteht (liegt) der Unterschied? = In che cosa consiste (sta) la differenza? |
| immitten wessen? | = in mezzo a che cosa? z.B.: Die Villa meines Freundes liegt inmitten eines schönen Parkes. = La villa del mio amico si trova nel mezzo di un bel parco. |
| mangels wessen? | = in mancanza di che cosa? per insufficienza di che cosa? z.B.: Mangels Geld konnte dieser Bau noch nicht beendet werden. = Questo edificio non è stato ancora completato per mancanza di denaro. |
| mittels wessen? | = per mezzo di che cosa? con l'aiuto di che cosa? attraverso che cosa? z.B.: Peter öffnete di Kiste mittels eines Brecheisens. = Pietro aprì la cassa per mezzo di un piccone. |
| mit wem? | = con chi? |
| womit? | = con che cosa? |
| nach wem? - wem nach? | = a) secondo chi? z.B. Mir nach geht das gut. Dir nach nicht? = Secondo me ció va bene, secondo te no? b) dopo chi? c) di chi? (senso traslato) z.B.: Ich sehne mich nach dir. = Ho nostalgia di te. |
| wonach? | = a) verso dove? NB: Con moto a luogo verso villaggi, città, |

|  |  |
|---|---|
|  | Stati neutri, continenti (si veda l'uso locale della prep. "nach" pag. 170). z.B.: Heute fahren wir nach München. = Oggi andiamo a Monaco. |
|  | = b) di che cosa? NB: Non in senso di specificazione, ma in senso figurato, traslato: z.B.: Wonach sehnst du dich? = Di che cosa hai nostalgia? - Ich sehne mich nach der Heimat. = Ho nostalgia di casa. |
|  | NB: Particolare attenzione richiede per la sua frequenza il verbo "fragen + Akk.+ nach + Dat." z.B.:-Ein Fußgänger fragt den Polizisten nach dem Weg. = Un pedone chiede al poliziotto la strada (si veda pag. 419). |
| oberhalb wessen? | = al di sopra di che cosa? NB: In senso locale: z.B.: Oberhalb unseres Hauses, das an einem Hang steht, ist ein kleiner Wald. = Sopra la nostra casa, che si trova su un pendio, c'é un piccolo bosco. |
| ohne wen, was? | = senza chi, senza che cosa? |
| statt wann? | = invece di quando? |
| statt wessen? | = invece di chi, che cosa? z.B: -Wenn du willst gehe ich statt deiner. = Se vuoi vado al tuo posto. |
| statt wo, wohin? | = invece di dove? Con questo sigrnificato "statt" è seguita da altre preposiizioni. z.B.: Statt nach Berlin zu fliegen, fahre ich nach Frankfurt. = Invece di volare a Berlino vado a Francoforte. |
| trotz wessen? (trotz wem?) | = nonostante chi, che cosa? NB: Questa prep. può reggere anche il dativo: z.B.:-"trotz meines Verbotes" oder "trotz meinem Verbot" = nonostante il mio divieto |
| über wem? | = sopra chi? NB: Senza contatto z.B.: Über uns wohnen unsere Großeltern. = Sopra di noi abitano i nostri nonni. |
| über wen? | = su chi? NB: In senso figurato z.B. "sprechen über + Akk." z.B.: Über wen wurde diesmal der Stab gebrochen? = Chi è stato condannato questa volta? - Ma anche con moto a luogo: z.B.: Über wen sind jene bösen Jungen alle hergefallen? = Su chi si sono scagliati quei ragazzacci? -Sie sind alle über einen armen Teufel hergefallen. = Tutti quanti hanno assalito un poveretto. |
| ungeachtet wessen? | = nonostante che cosa? malgrado che cosa? z.B.: Peter wurde ungeachtet seiner Fähigkeiten zurückgesetzt. = Nonostante le sue capacità Pietro è stato trascurato (posposto). |
| unweit wessen? | = non lontano da che cosa? |
| unfern wessen? | = non lontano da che cosa? |
| worüber? | = di che cosa? su che cosa? NB: Sia in senso locale che in senso traslato, figurato, con diversi verbi come "sprechen", "sich unterhalten": z.B.: Worüber habt ihr gestern bei der Party gesprochen? = Di che cosa avete parlato ieri |

| | durante il party? |
|---|---|
| **um wen / was?** | = intorno a chi / che cosa? NB: Anche in senso traslato o figurato con diversi verbi come "sorgen um", "sich Sorgen machen um + Akk." (si veda pag. 469), "sich kümmern um", "leidtun um" ecc. - in italiano "per chi?" z.B.: <br> -Um wen macht sich die Dame so viele Sorgen? = Per chi é così preoccupata questa signora? <br> -Es tut mir leid um ihn. = Mi spiace per lui. |
| **worum?** | = per che cosa? di che cosa? z.B.: Worum streitet ihr denn wieder? = Ma per che cosa litigate di nuovo? - Worum handelt es sich denn hier? = Ma di che si tratta qui? (Vedi pag. 457) <br> NB: Particolare attenzione richiede il verbo "bitten + Akk. + um + Akk." z.B.: Worum bittet der denn? Was will er denn? = Ma che chiede quello lì? Che vuole? (Vedi pag. 417) |
| **unterhalb wessen?** } | = al di sotto di che cosa? z.B.: Unterhalb des Dorfes erstreckt sich ein Wald. = Sotto il paese si estende un bosco. |
| **voll wessen?** | = pieno di che cosa? NB: A tale domanda si risponde con "voller" ( Si tratta di una forma fissa, di un vecchio genitivo, vedi pag. 137) o "voll von" z.B.: Unsere Terrasse ist voller Sonne. = La nostra terrazza è piena di sole |
| **von wann an?** | = da quale momento? da quando in poi? |
| **von wann.. bis wann?** } | = da quando... fino a quando? z.B.:Wir schlafen meistens von 23 Uhr bis 7 Uhr morgens. = Dormiamo normalmente dalle (ore) 23 alle 7 del mattino. |
| **von wem?** | = a) di chi? NB: Sostituisce il genitivo per diversificare. z.B.: Wessen Wagen ist das? - Wem gehört dieser Wagen? – -Von wem ist dieser Wagen? = Di chi è questa macchina? <br> NB: Le prime due domande sono da preferirsi perché formate da complementi semplici senza preposizioni e quindi con soli quattro vocaboli. L'ultima domanda col complemento preposizionale "von + Dat." è formata da cinque parole e si dovrebbe quindi usare solo per diversificare il discorso. b) da chi? |
| **wovon?** | = di che cosa? z.B. Wovon sprichst du denn? = Ma di che parli? |
| **von wo?** | = da che luogo? da che parte? da (di) dove? z.B.: Von wo kommt dieser Zug? = Da dove viene questo treno? |
| **von wo aus?** | = a partire da dove? da dove? z.B.: Von wo aus beginnt der Umzug? = Da dove parte la sfilata? <br> { -Von diesem Fenster aus hat man eine schöne Aussicht. = Da questa finestra si ha una bella vista. - Von wo aus? = Da dove? - Von hier aus. = Da qui. |
| **vor wem?** | = a) davanti a chi? (con stato in luogo) z.B.: Der Angeklagte saß vor dem Richter, ohne auf dessen Fragen zu ant- |

| | |
|---|---|
| | antworten. = L'imputato sedeva davanti al giudice senza rispondere alle sue domande. |
| | b) di chi? (traslato) (si veda pag. 450)   z.B.: Das Kind fürchtet sich vor dir; du bist zu ernst und zu streng. = Il bambino ha paura di te; sei troppo serio e severo |
| vor wen? | =  davanti a chi? (con moto a luogo)   z.B.: Der Angeklagte musste noch einmal vor den Richter treten.  =  L'imputato dovette comparire nuovamente di fronte al giudice. |
| wovor? | = davanti a che cosa? di che cosa?  NB: In senso figurato con vari verbi come "sich fürchten vor +  Dat."  z.B.: Wovor fürchtest du dich denn? Fürchtest du dich vor dem Hund? = Ma di che cosa hai paura? Del cane? |
| während wessen? | = durante che cosa?   z.B.: Während des Essens sollte man nicht zu viel sprechen.  =  Durante i pasti (= mentre si mangia) non si dovrebbe parlare troppo. |
| was für ein, eine, ein? was für einer, eine, eines? | = quale?   NB: Può essere aggettivo o pronome interrogativo. Con "was für ein" si chiede di una persona o cosa indeterminata nel senso di "di che tipo? di che genere?" e si risponde con l'articolo indeterminativo. (Si vedano le pag. 42 e 493) |
| | z.B.: Was für ein Kleid möchten Sie? Ein klassisches oder ein sportliches?  =  Che tipo di vestito desidera? Un vestito classico o sportivo? |
| wegen wessen? wegen wem? | = a causa di chi, di che cosa?   NB: La prep. "wegen" può reggere nella parlata comune anche il dativo:  z.B.: Wegen (wessen) wem ist das passiert?  =  Per colpa di chi è successo ció? |
| | -Wegen ihm ist es passiert. = È successo per colpa sua. |
| welcher, -e-, es? | = quale?  NB: Può essere aggettivo o pronome interrogativo. Esso serve a chiedere di una persona o cosa determinata. A "welcher" si risponde a differenza di "was für ein?" con l'articolo determinativo. (si vedano le pag. 41-42 e 493) z.B.: Welches ist dein Wagen? = Qual' è la tua macchina? - Es ist der rote dort. = È quella rossa. |
| | -Welches Kleid ziehst du heute an? = Quale vestito (fra quelli che possiedi) indossi (ti metti) oggi? |
| weshalb? weswegen? | = per quale motivo? perché? (Si vedano le pagine 198 e 203) z.B.: Weswegen weint denn das Kind die ganze Zeit? = Ma perché il bimbo continua a piangere? |
| wie wann? | = come quando?   z.B.: Jetzt machst du wieder den gleichen Fehler wie bei der ersten Einladung unserer Freunde! = Ora stai facendo lo stesso errore che hai già commesso al primo invito fatto ai nostri amici. |
| wie wen, was? | = come chi, che cosa? (complemento di paragone riferito |

| | al complemento oggetto) z.B.: Unser Chef hat diesen netten Jungen wie einen armen Schlucker behandelt. = Il nostro capo ha trattato questo gentile ragazzo come un povero diavolo (come un poveretto). |
|---|---|
| wie wer, was? | = come chi, che cosa? (compl. di paragone riferito al soggetto) z.B.: Peter ist so fleißig wie Richard. = Pietro è diligente tanto quanto Riccardo [é così diligente come...]. |
| wie oft? | = quante volte? z.B.. Wie oft warst du schon in Deutschland? = Quante volte sei stata già in Germania?<br>- Ich war mindestens schon zehn Mal in dem Land. = Sono stata per lo meno già una decina di volte in quel paese. |
| wie sehr? | = quanto? (riferito a verbi di affetto, per indicare intensità (Si veda pag. 205.) z.B.: Liebst du mich? = Mi ami?<br>-Ja, sehr! = Sì, molto!<br>-Aber, wie sehr? = Ma quanto? |
| wieso? | = perché? come mai? z.B.: Wieso sagst du das? = Come mai dici questo? |
| wie weit? | = quanto ci vuole per giungere a? quanto dista? z.B.: Wie weit ist es bis zum Bahnhof? = Quanto dista la stazione? |
| zu wem? | = da chi? NB: Si usa anzitutto per moto verso persona: z.B.: Zu wem gehst du? = Da chi vai?<br>= a chi? NB: Si usa pure davanti al complemento di termine col verbo "sagen", quando è seguito dal discorso diretto: z.B.: Frau Braun sagt zu ihrem Mann: "Du Paul, ein Telegramm von Walter! Er kommt heute". = La signora Braun dice a suo marito: "Senti Paolo, un telegramma di Walter! Viene oggi".<br>NB: Il discorso diretto può anche restare sottinteso: z.B.:<br>-Was sage ich zu ihm? = Che gli dico? |
| wozu? | = a che scopo? perché? z.B.: Wozu nützt das? = A che serve ció? - Wozu so viel Aufregung? = Ma perché così tanta agitazione? |
| zu welchem Preis? | = a che prezzo? z.B.: Zu welchem Preis habt ihr das alte Haus verkauft? = A che prezzo avete venduto la vostra vecchia casa?<br>-Wir haben es zu einem hohen Preis verkaufen können, weil es im Stadtzentrum steht. = L'abbiamo potuta vendere ad un alto prezzo perché si trova in centro. |
| zu welchen Bedingungen? | = a che condizioni? z.B.: Zu welchen Bedingungen liefert ihr an die Kunden? = A che condizioni fornite i Vs. clienti? - Wir beliefern sie zu folgenden Bedingungen: Ware frei unser Haus, drei Wochen Zahlungsziel und 3% Skonto. = Noi li forniamo alle seguenti condizioni: merce franco nostra fabbrica, termine di pagamento a tre settimane e 3% di sconto (vedi pag. 539). |

# Das Personalpronomen

( Il pronome personale )

## Singular

### 1. Person

| Nom.: | **ich** | = io |
|---|---|---|
| Gen.: | **meiner** | = di me |
| Dat.: | **mir** | = a me |
| Akk.: | **mich** | = me |

### 2. Person

| Nom.: | **du** | = tu |
|---|---|---|
| Gen.: | **deiner** | = di te |
| Dat.: | **dir** | = a te |
| Akk.: | **dich** | = te |

### 3. Person

| | *männlich* | | *weiblich* | | *sächlich* | |
|---|---|---|---|---|---|---|
| Nom.: | **er** | = lui; egli | **sie** | = lei; essa | **es** | |
| Gen.: | **seiner** | = di lui | **ihrer** | = di lei | **seiner** | |
| Dat.: | **ihm** (sich) | = a lui | **ihr** (sich) | = a lei | **ihm** (sich) | |
| Akk.: | **ihn** (sich) | = lui | **sie** (sich) | = lei; essa | **es** (sich) | |

## Plural

### 1. Person

| Nom.: | **wir** | = noi |
|---|---|---|
| Gen.: | **unser** | = di noi |
| Dat.: | **uns** | = a noi |
| Akk.: | **uns** | = noi |

### 2. Person

| Nom.: | **ihr** | = voi |
|---|---|---|
| Gen.: | **euer** | = di voi |
| Dat.: | **euch** | = a voi |
| Akk.: | **euch** | = voi |

### 3. Person

| Nom.: | **sie** | = loro, essi |
|---|---|---|
| Gen.: | **ihrer** | = di loro |
| Dat.: | **ihnen** (sich) | = a loro |
| Akk.: | **sie** (sich) | = loro, essi |

### Höflichkeitsform

| Nom.: | **Sie** | = Lei - Loro |
|---|---|---|
| Gen.: | **Ihrer** | = di Lei - di L. |
| Dat.: | **Ihnen** (sich) | = a Lei - a Loro |
| Akk.: | **Sie** (sich) | = Lei - Loro |

NB: Per la forma di cortesia si usa la terza persona plurale scritta con lettera maiuscola.

27

1. Regola d'oro (= fondamentale!):
   ==Il pronome personale puro, cioè non determinato da preposizione, ha la precedenza su tutte le altre parti del discorso, perfino sul soggetto, quando questo è formato da un sostantivo==, sta tuttavia dopo il soggetto formato da "==man==":

   z.B.: -Hat heute der Lehrer Peter geprüft? = Oggi l'insegnante ha interrogato Pietro?
   -Ja, heute hat *ihn* der Lehrer geprüft. = Sì, l'insegnante lo ha interrogato oggi.
   -Peter hat uns erzählt, dass *ihn* gestern eine Polizeistreife auf der Autobahn gestoppt hat. = Pietro ci ha raccontato che ieri una pattuglia della polizia lo ha fermato sull'autostrada.
   -Was machst du, wenn ==man dir== nicht hilft? = Che fai, se nessuno ti aiuta? (NB: "si" passivante: "....,se non vieni aiutata?")

2. Per quanto riguarda la posizione del ==pronome riflessivo, sta dopo i pronomi personali non riflessivi== quando viene a trovarsi assieme ad essi nella medesima proposizione:

   z.B.: -Hat sich Peter aus der Bank Geld geholt? = Pietro è andato a prelevare del denaro in banca?
   -Ja, er hat *es sich* daraus geholt. = Sì, è andato a prelevarlo lì (cioé in banca).

3. Il pronome personale ha come tutti i pronomi la funzione di sostituire un sostantivo. Esso esiste per rendere il linguaggio umano meno pesante, più versatile e vario. È quindi ovvio che ==il pronome non può essere normalmente usato prima della parte del discorso alla quale esso si riferisce==, in quanto verrebbe a mancare il punto di riferimento e si avrebbe un'incomprensione. Il pronome personale va quindi perlopiù usato dopo l'esternazione del sostantivo o della parte del discorso alla quale esso si riferisce; ciò avviene soprattutto: a) nelle risposte;
   b) nelle proposizioni principali o dipendenti che seguono una proposizione antecedente nella quale viene espressa la parte del discorso di riferimento al pronome.
   Non è quindi possibile usare pronomi nelle domande se ad essi manca il punto di riferimento; così, neppure nelle proposizioni che precedono, facendo seguire il punto di riferimento nella proposizione successiva:

   z.B.:-Wie lange will sie in Hamburg bleiben? = Quanto tempo lei vuole restare ad Amburgo?
   Se in antecedenza non si è parlato della persona alla quale il pronome "sie" viene riferito, non si capisce a quale persona questa domanda faccia riferimento!

   -Wie lange will Erika in Hamburg bleiben? = Quanto tempo vuole restare ad Amburgo Erika?
   -==Sie== hat es nicht gesagt. = Lei non l'ha detto.

   -~~Sie~~ hat nicht gesagt, wie lange ~~Erika~~ in Hamburg bleiben will (errato).

   -==Erika== hat nicht gesagt, wie lange ==sie== in Hamburg bleiben will (corretto). = Erica non ha detto quanto tempo vuole restare ad A.

28

# Gebrauch des Pronomens "es"

( Uso del pronome "es" )

Il pronome "es" si usa:

1. Anzitutto, come tutti gli altri pronomi personali, ==in sostituzione di perso-sone, animali e cose neutre==:
   z.B.:-Dieses Kind ist sehr lebendig, es gibt keine Ruhe. = Questo bambi-no è molto vivace, non sta fermo.
      -Ich habe am Meer ein nettes Mädchen kennen gelernt; es sendet mir täglich viele SMS. = Al mare ho conosciuto una ragazza carina; lei mi manda ogni giorno molti messaggini.

   NB:
   I nomi comuni di persone femminili o maschili con il genere gramma-ticale neutro, perché uscenti con i suffissi diminutivi "-chen" o "-lein", quando nella frase o nel contesto sono accompagnati dal nome proprio oppure dal cognome, non vengono sostituiti col pronome personale "es". Il pronome di riferimento deve concordare col genere naturale della persona per la quale nel contesto si indica il nome o cognome:
   z.B.: -Fräulein Gisela lernt Sprachen. Sie besucht jetzt die Sprachenfa-kultät an der Universität München. = La signorina Gisella studia lingue. Ella frequenta adesso la facoltà di lingue all'Università di Mo-naco.
      -Walter ist ein lebendiges Bübchen; er gibt keine Ruhe. = Walter è un maschietto vivace; non sta fermo.

2. ==Come soggetto di verbi o forme verbali impersonali==: si tratta di un ger-manismo non solo comune a tutte le lingue germaniche, inglese com-preso, ma anche ai dialetti del Nord-Italia (influenzati dai goti e longo-bardi) ed è pure comune al francese, influenzato dai franchi provenien-ti dalla Franconia (Baviera del Nord).
   z.B.:-Es regnet. = Piove.  NB: -inglese: It rains. - -francese: Il pleut.
                              -dialetti settentrionali italiani: El pieuv.

   | | |
   |---|---|
   | -Es blitzt. | = Lampeggia. |
   | -Es donnert. | = Tuona. |
   | -Es hagelt. | = Grandina. |
   | -Es schneit. | = Nevica. |
   | -Es ist kalt / warm. | = Fa freddo / caldo. |
   | -Es ist spät. | = È tardi. |
   | -es gibt | = c'é  z.B.: Es gibt einen Gott (Akk.). = Dio c'é. = Dio esiste. (Alla lettera: "Esso" [= l'insieme delle cose ] dà [= fa risultare] un Dio.) |
   | -Es hat geklingelt. | = È suonato (di campanello). |

29

|  |  |  |
|---|---|---|
| ⎰ | -Wie geht es? | = Come va? |
| ⎱ | -Mir geht's gut. | = Sto bene. (dialetti settentrionali: "A mi la va ben".) |
| | -Gefällt es? | = Piace? |
| ⎰ | -Gefällt es dir hier? | = Ti piace (stare) qui? |
| ⎱ | -Mir gefällt es nicht. | = A me non piace. (dialetto lombardo "El me pias no".) |
| | -Es ist wahr. | = È vero. (dialetti settentrionali: "L'é vero. / L'é vera".) |
| | -Es ist richtig / falsch. | = È giusto / errato, sbagliato. |

3. <mark>Come soggetto di un predicato nominale nelle espressioni personali di identificazione</mark>. Anche in questo caso si tratta di un germanismo comune non solo a tutte le lingue germaniche, ma presente anche nei dialetti italiani del settentrione e nel francese per l'influsso del germanico su di essi. Il nome del predicato è in tali casi formato da un pronome personale, mentre il pronome impersonale "es" funge da soggetto:

z.B:-Wer ist es ? Bist du es? = Chi é? Sei tu?
     -Ja, ich bin es. = Sì, sono io. (francese: "C'est moi".)
                      (inglese: "It's me".)

   predicato   soggetto
   nominale

|  |  |  |
|---|---|---|
| ⎰ | -Ist er es? | = È lui? |
| ⎱ | -Ja, er ist es. | = Sì, è lui. (dialetti settentrionali: "Sì, l'é lu".) (inglese: "It's him" - francese: "C'est lui".) |
| ⎰ | -Seid ihr es? | = Siete voi? |
| ⎱ | -Ja, wir sind es. | = Sì, siamo noi. |
| ⎰ | -Waren sie es? | = Erano loro? |
| ⎱ | -Ja, sie waren es. | = Sì, erano loro. |
| | -Bist du es gewesen? | = Sei stato tu? |
| | -Nein, ich war es nicht. | = No, non sono stato (fui) io. |

4. <mark>Come soggetto impersonale di un verbo passivo, tuttavia, solo nella costruzione diretta della proposizione principale</mark>. Usando infatti l'inversione, il soggetto impersonale "es" si rende superfluo. Lo scopo quindi del soggetto impersonale "es" in questi casi è quello di salvaguardare la costruzione diretta della proposizione principale che, senza il pronome "es", diverrebbe una domanda: Si tratta perciò di un soggetto pleonastico (una specie di "tappabuco": termine non ufficiale, ma piú comprensibile agli alunni):

z.B.: -Es   wird gearbeitet  hier. = Qui si lavora. (= costruzione diretta)

   sogg.   predicato passivo

-Es muss ihm von euch verziehen werden.
(= Ihr müsst ihm verzeihen.) = Dovete perdonarlo. [Corrisponde alla costruzione latina: *A
vobis ei ignoscendum est.* = Da parte vostra
deve essere perdonato a lui.]

(costlruzione
diretta)

Tuttavia:
-Hier wird gearbeitet. = Qui si lavora.
-Ihm muss von euch verziehen werden! =
Dovete perdonarlo!

(costruzione
inversa =
Umstellung)

5. In sostituzione di un predicato nominale sottinteso:

z.B.: -Bist du böse? = Sei arrabbiato? (Sei in collera?)

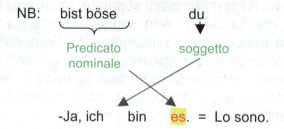

NB:    bist böse                du

        Predicato            soggetto
        nominale

        -Ja, ich    bin    es. = Lo sono.

6. Come soggetto pleonastico anticipato quando si vuol posporre il soggetto, quando cioé si vuole esprimere il soggetto dopo il predicato (=
dopo la forma finita del predicato) mantenendo tuttavia la costruzione
diretta della proposizione principale. Anche in questi casi l'uso del pronome personale "es" è quello di salvaguardare tale costruzione e di
non cadere nella costruzione inversa della domanda. Il soggetto anticipato "es" serve quindi anche qui da pleonasmo (da "tappabuco"). Ció
vale anche per le proposizioni soggettive, vedi pag. 235, regola 4. Lo
scopo di posporre il soggetto, pur mantenendo la costruzione diretta
della proposizione principale, è quello di variare il discorso. Questo sistema fa parte della parlata popolare quotidiana; è quindi molto in uso.
La maggioranza delle favole inizia col soggetto pleonastico (eufonico)
anticipato;

z.B.: -Es          war          einmal          ein König.

sogg. pleo-        predicato      complemento        soggetto
nastico (eu-       verbale        di tempo
fonico) anti-
cipato

= C'era una volta un re.

Attenzione! Il predicato deve concordare col vero e proprio soggetto, non col soggetto pleonastico "es", così come col nome del predicato nel caso del sogg. eufonico: "Das sind meine Geschwister":

z.B.: -Es     waren     gestern     viele Leute     in der Kirche.

soggetto     predicato     complemento     soggetto     complemento di
eufonico     verbale     di tempo                 luogo
anticipato

= Ieri c'era molta gente in chiesa.

7. Come soggetto di un predicato nominale, non solo nelle espressioni personali di identificazione (come al punto 3), ma in tutte le frasi nelle quali il nome del predicato combacia col soggetto, in cui sarebbe cioé il vero soggetto. Siccome tuttavia il vero soggetto funge da nome del predicato, esso viene anticipato eufonicamente dal pronome "es" che, anche in questo caso, serve da pleonasmo (da "tappabuco") per salvaguardare la costruzione diretta della principale (si veda la regola nr. 3 del pronome dimostrativo, pag. 34). Usando infatti l'inversione, il soggetto pleonastico o eufonico "es" diventa superfluo:

z.B.: -Es     ist Mittwoch     heute. = Oggi è mercoledì.

soggetto     predicato     complemento
pleonastico     nominale     di tempo
anticipato     (il nome del predicato
              "Mittwoch" sarebbe qui
              di per sé il vero soggetto!)

Tuttavia con l'inversione:

-Heute ist Mittwoch. = Oggi è mercoledì.

--------

-Es ist mein Geburtstag am Sonntag. = Domenica è il mio compleanno.

Tuttavia con l'inversione:

-Am Sonntag ist mein Geburtstag. = Domenica è il mio compleanno.

8. Come complemento oggetto pleonastico d'appoggio ad una proposizione oggettiva che segue:
    z.B.: Man hält es fast für unglaublich, dass so viele Menschen unsere schöne Umwelt derart verschmutzen. = Lo si ritiene quasi incredibile che così tante persone inquinino il nostro bel mondo in tal modo.

32

# Das Demonstrativpronomen

( Il pronome dimostrativo )

1. Sono pronomi dimostrativi:

| | |
|---|---|
| der, die, das | = questo, questa |
| dieser, diese, dieses | = questo, questa |
| jener, jene, jenes | = quello, quella |
| solcher, solche, solches | = tale |
| derselbe, dieselbe, dasselbe | = stesso, lo stesso |
| derjenige, diejenige, dasjenige | = colui, colei |
| selbst | = stesso, da sé, da solo |
| alle | = tutti |

2. **der, die, das**  = questo, questa  NB: Spesso sta anche per "quello, -a"

## Beugung

### Singular

| | *männlich* | *weiblich* | *sächlich* |
|---|---|---|---|
| Nom. | der | die | das |
| Gen.: | dessen | deren | dessen |
| Dat.: | dem | der | dem |
| Akk.: | den | die | das |

### Plural

| | |
|---|---|
| Nominativ: | die |
| Genitiv: | deren, derer |
| Dativ: | denen |
| Akkusativ: | die |

N.B:
Il pronome dimostrativo è il padre dell'articolo determinativo. Nelle lingue antiche infatti non vi era articolo, perché le desinenze dei singoli casi (perlopiù 6 casi) erano ben distinte fra loro e quindi autosufficienti per determinare la funzione logica delle parti del discorso. Quando, con l'usura del linguaggio, le desinenze dei singoli casi cominciarono ad uniformarsi, per cui venne a mancare la chiarez-

33

za logica, fu necessario anteporre al sostantivo qualcosa che lo determinasse. In un primo tempo funsero da appoggio determinativo le preposizioni, in un secondo tempo venne creato e anteposto al sostantivo l'articolo. Così come per la lingua volgare, nel susseguente italiano, l'articolo determinativo "il, lo, la" fu tratto dal pronome dimostrativo latino *"ille, illa, illud"*, altrettanto avvenne per il tedesco. Dal pronome dimostrativo germanico *"thero, thie"*, in seguito *"der, diu, daz"*, si dedusse con qualche piccola semplificazione l'articolo determinativo tedesco.

3. **das** = sogg. eufonico

Il pronome dimostrativo usato come soggetto di un predicato nominale il cui nome del predicato combacia col soggetto, è cioè la stessa persona o cosa del soggetto, sta sempre al neutro singolare. In tali casi il pronome dimostrativo soggetto non è altro che l'anticipazione eufonica del nome del predicato:

> z.B.: -**Das** ist mein Vater. = Questo è mio padre.
> -**Das** ist meine Mutter. = Questa è mia madre.
> -**Das** sind meine Geschwister. = Questi sono i miei fratelli e le mie sorelle.

> NB: Germanismo che ha influenzato anche l'inglese e i dialetti del Nord Italia:
> z.B.: -It's my father.   -   L'é me pare.

La stessa regola vale per il pronome interrogativo "welches" e per il pronome personale "es":

> z.B.: -Welche**s** ist dein Wagen? = Qual è la tua macchina?
> -**Es** ist der rote (Wagen) dort. = È quella là rossa [...la rossa là].

NB: Tuttavia:
Il pronome riferito a persona, quando viene usato in risposta ad una domanda nella quale è stato espresso il nome della persona, deve concordare col genere della persona nominata. Ciò avviene anche nel caso in cui il pronome funga da soggetto di un predicato nominale il cui nome del predicato combacia col soggetto.

> z.B.: -Wie ist Peter in der Schule? = Com'è Pietro a scuola?
> -Er ist ein fleißiger Junge. = È un ragazzo diligente.

> -Wie ist Sara in der Schule? = Com'è Sara a scuola?
> -Sie ist eine tüchtige Schülerin. = È un'alunna molto capace.

4. **derer**

Il pronome dimostrativo funge in tutte le sue forme, ad eccezione di "derer", anche da pronome e congiunzione relativa per introdurre proposizioni secondarie relative. Il genitivo plurale "derer" invece serve quasi esclusivamente come pronome dimostrativo d'appoggio delle proposizioni correlative, viene cioè usato nelle proposizioni principali dalle quali dipende la correlativa:

> z.B.: -Der Lehrer lobte die Arbeit derer, die in der Schulbibliothek ge-arbeitet hatten. = L'insegnante lodó il lavoro di quelli [coloro] che avevano lavorato nella biblioteca scolastica.

## 5. der da / der dort

Il pronome "der, die, das", usato come dimostrativo in luogo di "dieser, diese, dieses", può essere rafforzato dagli avverbi "da" , "hier", "dort", come del resto avviene anche in italiano "questo qua, quello là":

> z.B.: -"Ist der Platz hier noch frei?", fragt Herr Breuer einen Passagier. = "È ancora libero questo posto?", chiede il signor Breuer ad un pas-seggero.
> -"Leider nicht. Der Platz ist besetzt, aber der dort ist noch frei", ant-wortet der Passagier. = "Purtroppo no. Il posto è occupato, ma quello là è ancora libero", risponde il passeggero.
> -Wer sind die da? = Chi sono quelli là (costoro)?

## 6. dessen, deren

I genitivi del pronome dimostrativo "dessen, deren, dessen" pl. "deren" oltre che a sostituire in tedesco il possessore espresso dal genitivo sas-sone, corrispondono in italiano spesso al pronome indefinito "ne":

> z.B: -Ist das Giselas (Peters) Haus?
> Ja, es ist deren (dessen) Haus.
> -Dessen bin ich nicht ganz sicher. = Non ne sono del tutto sicuro.
> (= Non sono del tutto sicuro di ció.)
> -Hast du noch Bücher von mir? = Hai ancora libri miei?
> -Ich hab deren noch drei. = Ne ho ancora tre. [Alla lettera, in un italiano scorretto: "Di essi ho ancora tre". ]

## 7. solcher - solch

Il pronome dimostrativo "solcher", quando è preceduto dall'articolo in-determinativo, segue la declinazione mista dell'aggettivo attributivo; può tuttavia restare anche indeclinato se è seguito da un altro aggettivo:

> z.B.: Nom.: ein solches (solch) braves Mädchen
> Gen.: eines solchen (solch) braven Mädchens
> Dat.: einem solchen (solch) braven Mädchen
> Akk.: ein solches (solch) braves Mädchen

-Wie hast du dir denn von einer solchen (solch) schlimmen Person helfen lassen können? = Ma come hai potuto lasciarti aiutare da una persona del genere (... così malvagia)?

NB: Se invece il pronome "solcher" è seguito dall'articolo indeterminativo, esso resta indeclinato:

    z.B.:-Solch einem braven Mädchen begegnet man selten! = È raro incontrare una ragazza così brava!
    -Peter ist solch ein netter Junge! = Pietro è un ragazzo così carino (cortese, simpatico)!

## 8. derselbe - derjenige

Oltre ai pronomi dimostrativi semplici "der, dieser, jener, solcher", esistono due pronomi dimostrativi composti:

    derselbe = (lo) stesso; (il) medesimo
    derjenige = quello; colui

Questi presentano una doppia declinazione: una declinazione interna (la prima) concernente la parte iniziale del pronome ed una declinazione esterna (la seconda) riguardante la parte finale del pronome:
a) la declinazione interna (= la prima) è quella dell'articolo determinativo;
b) la declinazione esterna (= la seconda) è quella dell'aggettivo attributivo debole.

### Beugung

#### Singular

| | *männlich* | *weiblich* | *sächlich* |
|---|---|---|---|
| Nom.: | derselbe | dieselbe | dasselbe |
| Gen.: | desselben | derselben | desselben |
| Dat.: | demselben | derselben | demselben |
| Akk.: | denselben | dieselbe | dasselbe |
| | | | |
| Nom.: | derjenige | diejenige | dasjenige |
| Gen.: | desjenigen | derjenigen | desjenigen |
| Dat.: | demjenigen | derjenigen | demjenigen |
| Akk.: | denjenigen | diejenige | dasjenige |

## Plural

|        |            |              |
|--------|------------|--------------|
| Nom.:  | dieselben  | diejenigen   |
| Gen.:  | derselben  | derjenigen   |
| Dat.:  | denselben  | denjenigen   |
| Akk.:  | dieselben  | diejenigen   |

z.B.: -Ich habe diesen Kuchen mit derselben Butter, demselben Mehl, denselben Zutaten gebacken, aber er ist nicht gut geworden. = Ho fatto [cucinato nel forno] questa torta con lo stesso burro, la stessa farina, con gli stessi ingredienti, ma non è venuta buona.

-Wir leben in einem Hochbau desselben Stadttviertels. = Noi abitiamo in un condominio dello stesso quartiere.

-Diejenigen, die Böses tun, wird Gott bestrafen. = Dio castigherà coloro che compiono del male.

NB: In merito alla semplificazione di "derjenige, der" con "wer" e di "dasjenige, das" con "was", si veda il capitolo "Der Relativsatz", regola 9, pag. 246-247.

## 9. zu + derselbe

Quando "derselbe" è preceduto dalle preposizioni "zu; in; von" le due parti perlopiú si separano usando la preposizione articolata:

z.B.: -(zu demselben Preis) = zum selben Preis = allo stesso prezzo
-(zu derselben Zeit) = zur selben Zeit = nello stesso tempo
-(zu derselben Stunde) = zur selben Stunde = alla stessa ora
-(in demselben Jahr) = im selben Jahr = nello stesso anno
-(von demselben Verfasser) = vom selben Verfasser = dello stesso autore
-Wenn Sie sofort in bar bezahlen, lasse ich Ihnen diesen Artikel zum selben Preis wie die anderen. = Se lei mi paga subito in contanti, le lascio questo articolo allo stesso prezzo degli altri.

Tale separazione di solito non avviene con le altre preposizioni né con l'espressione "ein und derselbe":

-aus demselben Material  = dello stesso materiale
-mit denselben Worten  = con le stesse parole
-durch dieselbe Tür  = attraverso la stessa porta
-Ich bin auf denselben Gedanken gekommen. = Ho avuto lo stesso pensiero. [Sono pervenuto alla stessa conclusione.]
-Wir wohnen schon seit vierzig Jahren in ein und demselben Haus. = Abitiamo già da quarant'anni nella stessa casa.

## 10. derjenige, der

"Derjenige" si usa per lo piú prima di un pronome relativo per formare la correlazione (si veda la proposizione correlativa = Korrelativsatz, capitolo della proposizione relativa, regola 9, pag. 246-247) oppure prima di un genitivo, ma in quest'ultimo caso si preferisce usare il semplice pronome dimostrativo "der, die, das":

    z.B: -Diejenigen, die sich für das Wohl, den Frieden und den Fortschritt der Menschheit opfern, sollen geehrt werden. = Coloro che si sacrificano per il bene, la pace e il progresso dell'umanità, devono essere onorati.

    -Unsere Klassenarbeit war viel schwieriger als die (diejenigen) der anderen Klassen. = Il nostro compito in classe è stato di gran lunga (molto) piú difficile di quelli delle altre classi.

## 11. selbst

a) "Stesso", nel senso di "in persona, da sé, da solo, proprio io / tu / lui / lei / noi / voi / loro" (= latino "*ipse*"), si rende in tedesco non con "derselbe", ma col pronome indeclinato "selbst":

    z.B.: -Du hast es doch selbst gesagt! = Ma l'hai detto tu stesso!

    -Ich habe den Kuchen selbst gebacken. = Io stessa ho fatto la torta. (Ho fatto la torta da sola.)

    -Das müsst ihr selbst machen. = Dovete fare ció da voi.

    -Erkenne dich selbst! = Conosci te stesso! (NB: Latino: *Nosce te ipsum!*)

    -Das solltest du um deiner selbst willen tun. = Dovresti farlo nel tuo proprio interesse.

    -Peter ist die Güte selbst. = Peter è la bontà in persona.

b) può avere il significato di "anche":

    z.B.: -Mir ist es selbst peinlich. = È penoso anche per me.

c) "selbst" collocato prima del sostantivo o pronome a cui si riferisce significa "perfino":

    z.B.: -Das würde selbst ein Kind verstehen. = Ció lo capirebbe perfino (anche) un bambino.

    -Die Grippe war diesen Winter so stark und bös, dass selbst unser Arzt daran erkrankte. = L'influenza quest'inverno è stata così forte e brutta che si è ammalato perfino il nostro medico.

# Das unbestimmte Pronomen

( Il pronome indefinito )

1. Sono pronomi indefiniti:

| | |
|---|---|
| einer, eine, eines | = uno, una |
| keiner, keine, keines | = non uno, non una; non ne; nessuno |
| welcher, welche, welches | = un po'; qualche; ne |
| was für einer, eine, eines? | = di che tipo? di che specie? |
| mancher, manche, manches | = taluno; diversi |
| anderer, andere, anderes | = altro |
| etwas | = qualcosa; un po' |
| nichts | = nulla (NB: Si veda capitolo "Die Negation" pag. 223) |
| man | = si |
| jemand | = qualcuno |
| jeder, jede, jedes | = ogni |
| jedermann | = ognuno |
| niemand | = nessuno (NB: Si veda capitolo "Die Negation", pag. 222) |

2. **einer, eine, eines (eins)**    = uno, una

## Beugung

| | männlich | weiblich | sächlich |
|---|---|---|---|
| Nom.: | einer | eine | eines |
| Gen.: | eines | einer | eines |
| Dat.: | einem | einer | einem |
| Akk.: | einen | eine | eines |

Il pronome indefinito "einer, eine, eines" (che non è seguito da un sostantivo, ma lo sostituisce, sta cioé al posto del sostantivo come appunto viene espresso dal termine latino "*pro-nomen*" = al posto del nome) è il padre dell'articolo indeterminativo. Nelle lingue antiche infatti non c'era articolo perché le desinenze delle declinazioni del sostantivo e dell'aggettivo erano ben distinte tra loro e quindi autosufficienti per determinare la funzione logica delle parti del discorso. Quando, con l'usura del linguaggio, molte desinenze vennero uguagliate, e ció a scapito della chiarezza logica, si rese necessario anteporre ai sostantivi qualcosa che determinasse meglio la loro funzione logica: precisamente, l'articolo.

Così come per il volgare, il successivo italiano, l'articolo indeterminativo venne fatto derivare dal pronome indefinito latino "*unus, una, unum*", altrettanto avvenne per il tedesco. Dal pronome indefinito germanico "*en, an, ains*" in seguito "einer, eine, eines" si dedusse, con qualche piccola semplificazione, l'articolo indeterminativo tedesco. Ecco perché le due strutture si assomigliano; la loro differenza è data solo dai due nominativi maschile e neutro e dall'accusativo neutro messi in evidenza nel quadro della declinazione sopra indicato.

{
  z.B.:-Hast du ein Auto? = Hai un'auto?
      -Ja, ich habe eines. = Sì, ne ho una. (NB: "das Auto")

{
      -Hast du einen Wagen? = Hai una macchina?
      -Ja, ich habe einen. = Sì, ne ho una. (NB: "der Wagen")

NB:1

==Il complemento oggetto formato dal pronome indefinito "einer, eine, eines" sta sempre dopo il complemento di termine==, sia che questo sia formato da pronome sia che esso sia formato da sostantivo:

{
  z.B.:-Gib mir bitte einen Apfel! Gibst du auch meinem Freund Walter einen? =
      Dammi per favore una mela! Ne dai una anche al mio amico Walter?
      -Ja gern, ich gebe dir und auch ihm einen. = Sì, volentieri, ne do una a te e
      una anche a lui.

NB:2

"einen" si declina eccezionalmente come un aggettivo nell'espressione: "==zum einen==...., ==zum anderen==":

    z.B.: Zum einen sag' ich ja, zum anderen nein. = All'una cosa dico sì, all'altra no.

3.   **keiner, keine, keines (keins)**   = (nessuno) non uno,
                                         non una, non ne

Il pronome indefinito "keiner, keine, keines" ==segue al singolare la declinazione di "einer, eine, eines"==, al plurale invece la declinazione dell'articolo determinativo plurale.

Confrontando l'uso di "keiner, keine, keines" con la lingua italiana, valgono anche per esso le regole dell'aggettivo negativo "kein, keine, kein" molto utili quando si traduce dall'italiano al tedesco. (Si veda in proposito il capitolo "Die Negation", uso di "kein", regola 1, pag. 220):

{
  z.B.:-"Brauchen wir Brot?", fragt Robert seinen Freund Erich. = "Abbiamo
      bisogno di pane?", chiede Robert al suo amico Erich.
      -Ja, wir haben keins (keines) mehr zu Hause. = Sì, non ne abbiamo più in
      casa.

{
      -Hast du einen Wagen? = Hai una macchina?
      -Nein, ich habe keinen. = No, non ne ho.
      -Keiner ist dem anderen gleich. = Nessuno (nessun uomo) è uguale
      all'altro.

{ -Welches von diesen zwei Büchern möchten Sie? = Quale di questi due libri
  desidera?
  -Ich möchte keines von beiden. = Nessuno dei due.

---

| **welcher, welche, welches** | = a) un po'; qualche; ne;  b) quale?<br>c) (al plur.) alcuni / alcune |

Il suo impiego ha luogo:

a) anzitutto come pronome indefinito nelle proposizioni affermative e corrisponde spesso alla particella pronominale italiana "ne".
Tutti e quattro i genitivi "dessen, deren, dessen, deren" di "welcher" si usano esclusivamente come pronome relativo. Anche le altre forme di "welcher, welche, welches" possono fungere da pronome relativo, ossia da congiunzione relativa per introdurre proposizioni relative interrogative indirette.

## Beugung

### Singular

|        | *männlich*      | *weiblich*      | *sächlich*        |
|--------|-----------------|-----------------|-------------------|
| Nom.:  | welcher         | welche          | welches           |
| Gen.:  | welches, dessen | welcher, deren  | welches, dessen   |
| Dat.:  | welchem         | welcher         | welchem           |
| Akk.:  | welchen         | welche          | welches           |

### Plural

|      |                |
|------|----------------|
| Nom. | welche         |
| Gen. | welcher deren  |
| Dat. | welchen        |
| Akk. | welche         |

{ z.B.:- "Haben wir Brot zu Hause?", fragt Richard seinen Freund Erich.
  = "Abbiamo del pane in casa?", chiede Riccardo al suo amico Erich.
  -Ja, wir haben noch welches. = Sì, ne abbiamo ancora.
  -Hast du Briefmarken? = Hai dei francobolli?
  -Ja, ich habe welche. = Sì, ne ho alcuni.

-Sage mir bitte, welches dein Wagen ist. = Dimmi per favore qual è la tua macchina. (Per la spiegazione riguardante qui la scelta del genere neutro "welches" si veda il capitolo: "Demonstrativpronomen" regola 3, pag. 34)

41

b) come pronome o aggettivo interrogativo per introdurre proposizioni interrogative dirette. Con "welcher, -e, -es" si chiede di una persona o cosa determinata e si risponde con l'articolo determinativo:

> z.B.: -Welch es sind deine Freunde? (Pron.) = Quali sono i tuoi amici?
> Es sind die Jungen, die dort am runden Tisch sitzen. = Sono i ragazzi che siedono là intorno al tavolo rotondo.
>
> -Welches Kleid ziehst du heute an, das rote oder das blaue?- (Adjektiv) = Quale vestito (tra quelli che possiedi, quindi ben determinati) indossi oggi: quello rosso o quello azzurro?
>
> -Ich ziehe das blaue an. = Indosso quello blu.
>
> -Mit welchem Zug kommt Walter? = Con quale treno arriva Walter?
>
> -Er kommt mit dem Schnellzug an. = Arriva col direttissimo.

c) In frasi esclamative "welcher, -e, -es" spesso si contrae in "welch" e resta indeclinato:

> z.B.:-Welch ein Pech! = Che sfortuna!
>
> -Welch ein Wunder! = Che miracolo!
>
> -Und doch, welch Glück, geliebt zu werden, und lieben, Götter, welch ein Glück! (**Goethe** Friederinkenlyrik, Gedicht "Willkommen und Abschied") = E nonostante tutto (cioé nonostante il distacco) che fortuna essere amati e poter amare, o dei, che felicità!

5. **was für einer, eine, eines?**     = di che tipo? di che specie? = pronome indefinito

**was für ein, eine, ein?**     = di che tipo? di che genere? = a) aggettivo b) avverbio pronominale interrogativo

Sia come pronome indefinito interrogativo, sia come aggettivo, si usa per introdurre proposizioni interrogative dirette e indirette. Come pronome segue la declinazione del pronome indefinito, come aggettivo la declinazione dell'articolo indeterminativo.

Sia con "was für einer, eine, eines?" che con "was für ein, eine, ein" si chiede di una persona o cosa indeterminata nel senso di "di che tipo? – di che genere?" e si risponde con l'articolo indeterminativo:

> z.B.:-Ich möchte mir ein Kleid kaufen. = Vorrei comprarmi un vestito.
>
> -Was für eines möchten Sie? (Pronomen) = Di che tipo lo vuole?
>
> -Was für ein Kleid möchten Sie, ein klassisches oder ein sportliches? (Adj.) = Che vestito desidera? Un vestito classico o sportivo?
>
> -Ich möchte ein sportliches. = Vorrei un vestito sportivo (Ne vorrei uno sportivo).

NB:

La preposizione "für" non influisce sull'articolo indeterminativo o sul pronome indefinito! L'aggettivo o pronome "was für ein, eine, ein" "was für einer, eine, eines" può invece essere determinato da una preposizione che lo precede:

> z.B.:-Mit was für einem Wagen fahrt ihr in die Ferien? Mit einem großen oder mit einem kleinen? = Con che macchina andate in vacanza? Con una grande o con una piccola?
> -Wir fahren mit einem großen Wagen, weil wir zu dritt sind und viel Gepäck haben. = Noi andiamo con una macchina grande perché siamo in tre e abbiamo molti bagagli.

NB:

**"was für + Substantiv Plural"** (Adjektiv) = quali? che? che tipo di? che genere di?

Il "was für" in qualità di aggettivo può riferirsi senza alcun articolo ad un sostantivo plurale, acquistando il significato di "che tipo di? che genere di? che razza di?"; l'articolo cade sia perché "ein" non ha plurale sia perché il "di" italiano è partitivo e in tedesco non esiste:

> z.B.:-Was für Bücher magst du? = Che tipo di libri ti piacciono?
> -Mir gefallen Krimis. = A me piacciono i libri gialli.
> -Was sind das für Menschen? = Che razza di gente è questa?
> -Was sind das für Reden? = Ma che (razza di) discorsi sono questi?

NB:

**"was für welche?"** (Pronomen) = Si usa come pronome nel senso di "di che tipo? di che genere?" con riferimento ad una pluralità e col sostantivo sottinteso (cioé senza un sostantivo al suo seguito) perché, trattandosi di un pronome, questo lo sostituisce:

> z.B.:-Ich möchte Hosen für meinen Mann. = Vorrei dei pantaloni per mio marito.
> -Was für welche? = Di che tipo?

6. | **man** | = si

Pronome indefinito indeclinato, derivato dal sostantivo "der Mann", così come lo stesso pronome indefinito francese "on" deriva dal latino "homo". Si usa:

a) in sostituzione del sostantivo plurale "die Leute = la gente":

> z.B.:-Man sagt, dass Paul nach Amerika verreist sei. = Si dice (= la gente dice) che Paolo sia andato in America.

b) in sostituzione spesso ironica dei pronomi personali "ich; wir":

z.B.:-Man tut, was man kann. = Si fa quello che si può.
-Man wusste es schon, aber man wird nicht gefragt. = Lo si sapeva (Lo sapevo), ma nessuno me l'ha mai chiesto.

c) in sostituzione di "una persona onesta, educata, per bene":
z.B.:-Wenn andere reden, muss man schweigen. = Quando parlano gli altri si deve tacere. [= ...una persona educata tace.]
-Das darf man nicht tun. = Ció non si fa. [= una persona per bene non fa ció.]

d) in sostituzione di "irgend jemand = qualcuno":
z.B.:-Man schlug die Tür zu. = Qualcuno ha sbattuto la porta.
-Man schreit. = Qualcuno sta gridando.

---

NB: Col pronome impersonale "man = si" si ha spesso fra la lingua italiana e il tedesco una divergenza logica nella concordanza col predicato. Mentre infatti in italiano in una frase col soggetto "si" e un complemento oggetto plurale il predicato concorda col complemento oggetto e non col soggetto, in tedesco, come in tutte le lingue classiche, il predicato deve sempre concordare col soggetto. Quindi il soggetto "man" richiede sempre, come è ovvio, il predicato espresso alla terza persona singolare e non alla terza persona plurale come in italiano.
Se la frase attiva italiana espressa col cosiddetto "si" passivante (= passivo implicito) viene convertita in frase passiva (= passivo esplicito), allora le due lingue non hanno divergenze.

---

z.B.:-Hier kann man frische Erdbeeren kaufen = Qui si possono comprare fragole fresche.

NB: Hier können man frische Erdbeeren kaufen. (errore grave!)

Tuttavia: Hier können frische Erdbeeren gekauft werden. = Qui possono essere comprate fragole fresche (Col passivo esplicito le due lingue concordano).

-Bei der Sendung über die Frage einer Umgehungsstraße in Heimhausen sah man zuerst einige Bilder vom Verkehr auf der Hauptstraße, dann die Reporter und die Leute auf dem Marktplatz. = Nella trasmissione sul problema di una circonvallazione ad Heimhausen si videro dapprima alcune immagini del traffico sulla strada principale, poi i reporter e la gente sulla piazza del mercato.

7. **jemand** = qualcuno

Oggigiorno si usa perlopiú indeclinato; le desinenze della declinazione appaiono soprattutto in formule grammaticali (si veda: "jemanden nach etwas fragen", pag. 419) per evidenziare quale caso regge un determinato verbo:

| Nominativ: | jemand |
|---|---|
| Genitiv: | jemandes |
| Dativ: | jemandem |
| Akkusativ: | jemanden |

z.B.:-Das war jemandes anderen Werk.  =  Questa fu (è stata) opera di
qualcun altro.
-Heute ist keine Schule, die Lehrer streiken. Trotzdem gehen wir
aber zur Schule! Vielleicht finden wir jemand.  =  Oggi non c'è
scuola, gli insegnanti scioperano. Ma andiamo ugualmente a scuola! Forse troviamo qualcuno.
-"jemanden nach etwas fragen"  =  chiedere qualcosa a qualcuno (=
formula grammaticale del verbo "fragen", pag. 419)
-"jemanden um etwas bitten"  =  chiedere qualcosa a qualcuno (=
formula grammaticale del verbo "bitten", pag. 417)

8. **jedermann**   = 1. chiunque; ognuno; ciascuno - 2. tutti (al posto
di "alle").

Si tratta di un derivato da "jeder Mann" e si usa nella maggioranza dei
casi indeclinato:
z.B.:-Diese Probe wird jedenmann von der Unschuld des Angeklagten
überzeugen.  =  Questa prova convincerà chiunque dell'innocenza
dell'imputato.
-Gisela ist gegen jedenmann (anche: jedermann) freundlich.  =  Gisella è gentile con tutti [Alla lettera: = verso ognuno].

La forma declinata piú classica è quella del genitivo "jedermanns" che si
usa per lo più in forme fisse o idiomatiche o quando la specificazione è
indispensabile:
z.B.:-Das ist nicht jedermanns Sache.  =  Questo non è da tutti. (Non è da
tutti una cosa del genere).
-Ich will nicht, dass dieser Brief in jedermanns Hände gelangt.
(kommt).  =  Non voglio che questa lettera vada nelle mani di tutti.

**mancher, manche, manches**    = a) (sing.) qualcuno; taluno
b) (plur.) qualche; più d'uno;
diversi; parecchi; parecchi cose

a) In qualità di pronome segue la declinazione del pronome indefinito
"einer, eine, eines":
z.B.: -Mancher von den Gläubigen schlief bei der zu langen Predigt ein.
= Durante la predica troppo lunga qualcuno dei fedeli si  addormentó.
-Manche unter den jungen Damen waren in einer wirklich zu provo-
zierender Bekleidung aufgetreten.  =  Qualcuna fra le giovani signore si era presentata in un abbigliamento veramente troppo provo-
cante.

-Manche geben Paul recht, andere wieder nicht. = Taluni danno
ragione a Paolo, altri no.
-Komm! Ich muss dir manches erzählen. = Vieni! Debbo raccontarti
parecchie cose.
-Mit Harren und Hoffen hat's mancher getroffen. (Sprichwort) = Chi
la dura la vince. (Più d'uno l'ha spuntata perseverando e sperando).

b) In qualità di aggettivo non ha di solito alcun influsso sull'aggettivo attributivo che segue (l'aggettivo che segue si declina quindi forte) e
mantiene normalmente un significato di pluralità:
   z.B.: -Es gibt manche gute Leute bei uns im Dorf. = C'è parecchia buona
   gente nel nostro paese.
   -Manches Mal wird auch Peter zornig. = Qualche volta anche Pietro
   si arrabbia.
   -Trotz mancher, beinahe unüberwindlicher Schwierigkeiten hat es
   Gisela doch geschafft. = Nonostante diverse difficoltà quasi in-
   sormontabili Gisella ce l'ha fatta.
   -Wenn mancher Mann wüsste, wer mancher Mann wär', gäb' mancher Mann manchem Mann manchmal mehr Ehr' ! (= Zungen-
   brecher = scioglilingua) = Se uno sapesse chi è la persona che
   ha davanti, la terrebbe in maggiore considerazione [alla lettera in un
   pessimo italiano: "Se qualcuno sapesse chi è taluno, piú d'uno a
   volte terrebbe qualche persona in piú onore"].

c) Davanti all'aggettivo attributivo declinato forte si usa spesso "manch"
indeclinato, così pure davanti al pronome indefinito "einer, eine, eines":
   z.B.:-Manch alte Menschen leiden leider an Alzheimer. = Diverse persone anziane soffrono purtroppo di alzheimer.
   -Wir haben zusammen manch schöne Stunden verbracht. = Abbiamo trascorso assieme parecchie ore belle.
   -Manch einer möchte plötzlich zu Geld kommen, aber das ist nicht so
   ganz einfach. = Taluni vorrebbero improvvisamente arricchirsi, ma
   la cosa (l'impresa) non è così semplice.
   -Manch unbedachtes Wort kann beleidigen und schlimme Folgen haben. = Qualche parola sconsiderata (avventata) può offendere e
   avere brutte conseguenze. (In italiano suona quasi meglio il plurale:
   "Parole sconsiderate possono offendere e...)

# Das Possessivpronomen

( Il pronome possessivo )

| Besitzer (possessore) | | Bezug zur besessenen Sache oder Person (Relazione con la cosa o persona posseduta) | | | |
|---|---|---|---|---|---|
| | | | Singular | | Plural |
| | | *männlich* | *weiblich* | *sächlich* | |
| | ich | Nom. meiner | meine | meines | meine |
| | | Gen. meines | meiner | meines | meiner |
| | | Dat. meinem | meiner | meinem | meinen |
| | | Akk. meinen | meine | meines | meine |
| | du | Nom. deiner | deine | deines | deine |
| | | Gen. deines | deiner | deines | deiner |
| | | Dat. deinem | deiner | deinem | deinen |
| | | Akk. deinen | deine | deines | deine |
| Singular | er es | Nom. seiner | seine | seines | seine |
| | | Gen. seines | seiner | seines | seiner |
| | | Dat. seinem | seiner | seinem | seinen |
| | | Akk. seinen | seine | seines | seine |
| | sie | Nom. ihrer | ihre | ihres | ihre |
| | | Gen. ihres | ihrer | ihres | ihrer |
| | | Dat. ihrem | ihrer | ihrem | ihren |
| | | Akk. ihren | ihre | ihres | ihre |
| | wir | Nom. unserer | unsere | unseres | unsere |
| | | Gen. unseres | unserer | unseres | unserer |
| | | Dat. unserem | unserer | unserem | unseren |
| | | Akk. unseren | unsere | unseres | unsere |
| Plural | ihr | Nom. eurer | eure | eures | eure |
| | | Gen. eures | eurer | eures | eurer |
| | | Dat. eurem | eurer | eurem | euren |
| | | Akk. euren | eure | eures | eure |
| | sie | Nom. ihrer | ihre | ihres | ihre |
| | | Gen. ihres | ihrer | ihres | ihrer |
| | | Dat. ihrem | ihrer | ihrem | ihren |
| | | Akk. ihren | ihre | ihres | ihre |

# Regeln zur Anwendung des Possessivpronomens

( Regole sull'uso del pronome possessivo )

**Nota preliminare**

Fino all'edizione del 1998 la grammatica tedesca "Duden" definiva "pronome possessivo" anche l'aggettivo possessivo. La denominazione delle due diverse strutture -"aggettivo possessivo" e "pronome possessivo" - è stata per secoli identica per tutte le grammatiche tedesche. L'edizione "Duden 4 - Die Grammatik" del 1998 fa per la prima volta una distinzione tra aggettivo possessivo e pronome possessivo. L'aggettivo possessivo viene denominato con l'inconsueto, strano appellativo "possessives Artikelwort", mentre il pronome possessivo mantiene, almeno nel titolo del rispettivo paragrafo (edizione 2006, pagina 283, paragrafo 368), l'appellativo classico "possessives Pronomen". Tuttavia, le definizioni "possessive Attribute - possessive Artikelwörter - Artikelwörter mit pronominalem Charakter" che appaiono nelle delucidazioni dello stesso paragrafo creano confusione, per cui si tratta di una spiegazione artificiosa e veramente poco chiara.

Essendo questa una grammatica tedesca destinata esclusivamente agli italiani, è opportuno attenersi alle precedenti nomenclature greco-latine e adattare la denominazione e suddivisione delle due strutture alla grammatica e alla mentalità italiana, tanto più che, mentre in italiano fra il pronome e l'aggettivo possessivo non vi è nella loro forma alcuna differenza, in tedesco invece il pronome possessivo si differenzia dall'aggettivo possessivo nei nominativi singolari maschile e neutro, e nell'accusativo singolare neutro.

La differenza logica fra "pron. possessivo" e "agg. possessivo" consiste nel fatto che il "pronome possessivo" sostituisce la cosa o persona posseduta: sta infatti, come afferma la stessa definizione *"pro-nomen"*, al posto del nome. L'aggettivo possessivo invece (si veda in proposito il capitolo: "Das Adjektiv - Das possessive Adjektiv", pag. 127) non è mai usato da solo, ma è sempre seguito da un sostantivo, cioé dalla cosa o dalla persona posseduta.

## *Regole*

1. Il pronome possessivo si declina al singolare come il pronome indefinito, al plurale come l'articolo determinativo (il pronome indefinito infatti non ha plurale).

2. Nell'uso del pronome possessivo è necessario, all'inizio dell'apprendimento della lingua, prestare attenzione alla duplice scelta da fare:
   a) scelta del pronome possessivo in base alla persona o cosa che possiede, in base cioè al possessore. Particolare attenzione richiede la terza persona singolare: si usa "sein" con possessore maschile o neutro, "ihr" con possessore femminile:

   z.B.: ⎧ -Ist das Richards Wagen?    = È questa la macchina di R. ?
          ⎩ Ja, das ist seiner.          = Sì, è la sua.

          ⎧ -Ist das Giselas Wagen?    = È questa la macchina di G.?
          ⎩ Ja, es ist ihrer.           = Sì, è la sua.

   b) La seconda scelta consiste nel far concordare il pronome possessivo - selezionato in base al possessore - con il numero, genere e caso della persona o cosa posseduta. Si inizia col controllo del numero perché, se la persona o cosa posseduta si trova al plurale, il genere cade.

NB: **Per la scelta del caso è necessario fare l'analisi logica,** a meno che il pronome possessivo non venga determinato da una preposizione che regge un solo caso come p. es. "mit + Dat.":

z.B.:
{ -Fährst du mit Richards Wagen? = Vai con la macchina di Riccardo?
-Nein, ich fahre mit mein**em**. = No, vado con la mia. (singolare, maschile, mit + Dat.)

{ -Ist das Inges Haus? = È questa la casa di Inge?
-Ja, es ist ihr**es**. = Sì, è la sua. (singolare, neutro, nominativo)

{ -Ich habe keinen Bleistift. = Non ho alcuna matita.
-Nimm mein**en**! = Prendi la mia. (singolare, maschile, accusativo)

{ -Wessen Skier sind das? Gehören sie etwa Gisela? = Di chi sono questi sci? Sono forse di Gisella?
-Ja, es sind ihr**e**. = Sì, sono i suoi. (plurale, nominativo)

{ -Mit meinen Schuhen beschmutze ich dir den ganzen Boden, hast du keine Hauspantoffeln für mich? = Con le mie scarpe ti sporco tutto il pavimento, non hai delle pantofole di casa per me?
-Ja, ich gebe dir Papis Pantoffeln. = Sì, ti do quelle di papà.
-O nein, mit sein**en** kann ich wirklich nicht gehen. = O no, con le sue non riesco proprio a camminare. (plurale, mit + Dat.)

3. Come nelle lingue antiche - che non avevano l'articolo - così anche nel germanico e di conseguenza in tedesco, il pronome possessivo si usava e si usa senza articolo perché si determina da solo - è cioé autosufficiente nella determinazione logica - secondo una regola comune a tutte le lingue germaniche, inglese compreso:

z.B.
{ -Mein (= Possessivadjektiv) Vater arbeitet bei einer großen Firma und deiner (= Possessivpronomen)? = Il mio (aggettivo possessivo) papà lavora presso una grande ditta, e il tuo (pronome possessivo)?
-Meiner (= Possessivpronomen) arbeitet in einer kleinen Firma. = Il mio (pronome possessivo) lavora in una ditta piccola.

4. Nel gergo comune la desinenza "es" del nominativo e accusativo neutro viene spesso abbreviata ed espressa con la sola "-s": meines = meins - deines = deins... usw.:

{ z.B.: -Ist das dein Buch? = È questo il tuo libro?
-Ja, es ist meins. = Sì, è il mio.

{ -Gehört Peter dieses Auto? = Questa macchina è di Pietro?
-Ja, es ist seins. = Sì, è la sua.

# Pronominaladverbien

(Avverbi pronominali. - Fügungen zwischen Pronomen und Praeposition = Fusioni fra pronome e preposizione)

A) Il pronome riferito a persona, quando è determinato da una preposizione, non si fonde mai con essa:

> z.B.: -Für wen arbeiten die Eltern? Arbeiten sie für ihre Kinder? = Per chi lavorano i genitori? Lavorano per i loro figli?
> -Ja, sie arbeiten für sie. = Sì, (loro) lavorano per loro.

B) Il pronome riferito a cosa, specialmente se essa è di genere neutro, quando è determinato da una preposizione, si fonde con questa nei modi seguenti:

1. *Nelle proposizioni positive o negative e all'interno delle interrogative con*

a) da + Praep. quando questa inizia per consonante:

| | |
|---|---|
| dabei | = bei dem |
| dadurch | = durch das |
| dafür | = für das |
| dagegen | = gegen das |
| dahinter | = hinter dem / das |
| dámit | = mit dem    NB: damít = affinché (congiunzione finale – vedi pag. 270) |
| danach | = nach dem |
| daneben | = neben dem / das |
| davon | = von dem |
| davor | = vor dem / das |
| dázu | = zu dem   NB: dázu = a) in merito a ció, b) a ció  -dazú = a) in aggiunta  b) assieme a ció  c) in piú |
| dazwischen | = zwischen dem / das |

> z.B.:-Hast du etwas gegen deinen Schnupfen genommen? = Hai preso qualcosa contro il tuo raffreddore?
> -Nein, ich habe noch nichts dagegen genommen. = No, non ho ancora preso nulla contro di esso.
> -Bist du mit deinem Arbeitsplatz zufrieden? = Sei contento del tuo posto di lavoro?
> -Ja, ich bin dámit zufrieden. = Sì, ne sono contento.

b) da + r + Praep. quando la preposizione inizia per vocale:

| | |
|---|---|
| daran | = an dem / das |
| darauf | = auf dem / das |
| daraus | = aus dem |
| darin | = in dem / das |

| darüber | = über dem / das |
|---|---|
| darum | = um das |
| darunter | = unter dem / das |

z.B.:-Glaubst du an Ufos? = Credi negli ufo?
  -Nein, ich glaube nicht daran. = No, non ci credo.
  -Wollen Brauns auch über die Cauch ein Bild hängen? = I Braun
  vogliono appendere un quadro anche sopra il divano?
  -Ja, sie wollen auch darüber eins hängen. = Sì, ne vogliono ap-
  pendere uno anche sopra di esso.


## 2. In testa alle proposizioni interrogative dirette e indirette

Come avverbio pronominale interrogativo in testa alle proposizioni interrogative dirette e in funzione di congiunzione in testa alle proposizioni interrogative indirette si fonde con:

a) wo + Praep. quando la preposizione inizia per consonante:

| wobei | = bei [was] | NB: Infatti non esiste "wem" |
|---|---|---|
| womit | = mit [was] | per le cose, per cui la fusio- |
| wonach | = nach [was] | ne diventa indispensabile! |
| wovor | = vor was | |
| wovon | = von [was] | |
| wozu | = zu [was] | |
| wodurch | = durch was | |
| wofür | = für was | |
| wogegen | = gegen was | |

z.B.: -Das ist das Kleid, wovon ich dir gesprochen habe. = Questo è
  il vestito del quale ti ho parlato.
  -Wofür lernst du Deutsch? = A che scopo impari il tedesco?
  (Qual è lo scopo per cui... ?)
  -Peter hat das Ziel erreicht, wonach er strebte. = Pietro ha rag-
  giunto la meta a cui tendeva.

b) wo + r + Praep. quando la preposizione inizia per vocale:

| woran | = an was |
|---|---|
| worauf | = auf was |
| woraus | = aus [was] |
| worin | = in was |
| worüber | = über was |
| worunter | = unter was |
| worum | = um was |

z.B: -Worüber beklagst du dich? = Di che cosa ti lamenti?
-Wir verstehen noch immer nicht, worüber du dich beklagst. = Non comprendiamo ancora di che cosa ti lamenti.
-Woraus besteht dieser Tisch? Aus Nussbaumholz? = Di che cosa è fatto questo tavolo? È di noce?
-Ja, er besteht daraus. = Sì, è fatto con questo materiale.

NB: Il vantaggio dell'uso delle fusioni non è soltanto quello di abbreviare il discorso, perché in luogo di due vocaboli se ne usa uno soltanto, ma anche quello di non dover controllare il caso da scegliere, il che presenta per i principianti e gli stranieri una notevole facilitazione. Non è necessario studiare a memoria gli elenchi delle fusioni; è sufficiente memorizzare le regole con almeno un esempio.

## Fügungen zwischen Adverbien und Praepositionen

( Fusioni fra avverbi e preposizioni )

Fusioni usate come avverbi pronominali si ottengono pure con gli avverbi "hier / da + Praeposition". Non si tratta di avverbi pronominali interrogativi, anche se qualche volta possono trovarsi all'inizio di una domanda.
Questo elenco non va naturalmente studiato a memoria; esso serve per avere un'idea delle varie possibilità di fusione degli avverbi "hier / da" con le preposizioni. La scelta della preposizione dipende nella stragrande maggioranza dei casi dal verbo, occorre cioè sapere quale preposizione regge il verbo della frase. Si tratta di fusioni molto in uso nel linguaggio quotidiano; esse servono, talvolta, anche a sostituire (tradurre) il gerundio italiano.

| hieran daran | = 1. a ciò; qui  2. da ciò; ciò; vi; ne<br>z.B.:-Hieran (daran) kann man erkennen, dass du lügst.<br>= Da ciò si può capire che tu menti. |
|---|---|
| hieraus daraus | = 1. (fuori) di qui; da qui  2. ne; da ciò; da questo<br>z.B.:-Hier ist ein Glas. Darf ich hieraus (daraus) trinken?<br>= Qui c'è un bicchiere. Posso bere da (con) questo?<br>[Alla lettera: "...da questo?"]<br>-Das darf sich nicht wiederholen, hieraus müssen wir lernen! = Ciò non si deve ripetere, da ciò dobbiamo imparare.<br>-Hieraus (daraus) folgt, dass... = Da ciò consegue che... (Ne consegue che...) |
| hierbei<br><br>dabei | hierbei: 1. in quest'occasione  2. qui accluso (beiliegend = in allegato) 3. riguardo a ciò - dabei: 1. gerundio italiano vedi pag. 323  2. und dabei =  e invece; e tuttavia; e ció nonostante (ciononostante)  3. dabei haben  = aver con sé<br>z.B.:-Trotz des Verbotes haben die Kinder gebadet; hierbei (dabei) ist ein Mädchen ertrunken. = Nonostante il divieto i bambini hanno fatto il bagno; ció |

| | |
|---|---|
| | facendo (= in tale circostanza) una bambina è annegata. NB: Si veda pag. 322, regola 4 <br> { -Wann kochst du? = Quando cucini? <br> Ich bin gerade dabei = Sto cucinando. <br> -Sarah ist krank und dabei stets fröhlich = Sarah é ammalata e ció nonostante sempre allegra. |
| **hierdurch** <br> **dadurch** | = 1. per di qua; attraverso questo luogo   2. in tal modo; con ciò; così   3. con la presente (stile epistolare) <br>   z.B.:-Da sind zwei Türen. Soll ich hierdurch gehen oder dadurch? = Qua ci sono due porte. Devo passare di qua o di là (da questa porta o da quella?) <br>   -Hierdurch (dadurch) gewinne ich Zeit. = In tal modo guadagno tempo (= ciò facendo, guadagno tempo). <br>   -Hierdurch teilen wir Ihnen mit, dass... = Con la presente Vi comunichiamo che... |
| **hierfür** <br> **dafür** | = 1. perciò; per questo   2. invece; al posto di ciò; in cambio   3. a questo scopo; a tal fine; per questo <br>   z.B.:-Was hast du hierfür (dafür) bezahlt? = Quanto hai pagato per ciò (... per questo articolo)? <br>   -Hierfür (dafür) gebe ich doch kein Geld aus! = Ma non spendo soldi per questo [per 'sta roba]! <br>   -Du bist hierfür (dafür) der richtige Mann. = Tu sei proprio l'uomo giusto per fare ciò. |
| **hierin** <br> **darin** | = 1. in ciò; su ciò   2. per questo <br>   z.B.:-Hierin (darin) gebe ich Ihnen Recht. = In ciò le do ragione. <br>   -Hierin (darin) sehe ich kein Problem. = Non vedo alcun problema in ciò. |
| **hiermit** <br> **damit** | = 1. con questo; con ciò; ne; ci   2. con la presente (stile epistolare) <br>   z.B.:-Was wollen Sie hiermit (damit) sagen? = Che vuol dire lei con ciò? <br>   -Hiermit (damit) kann ich wirklich nichts anfangen. = Non so proprio cosa farmene (di ció). <br>   -Schluss damit (hiermit)! = Basta ora! (Basta ora con questi argomenti! ... con questa discussione!) <br>   -Hiermit benachrichtigen wir Sie, dass... = Con la presente Vi comunichiamo che... |
| **woraufhin?** <br> **daraufhin** | = 1. a (verso) che cosa? – in seguito a che cosa?   2. a ció - in seguito a ció - sotto questo punto di vista <br>   z.B.:-Worauf zielst du denn, nur auf Gewinn? = A che cosa miri, solo al profitto? <br>   -Natürlich, ich ziele, wie übrigens alle, vor allem daraufhin. = Naturalmente ....soprattutto a ció. |

# DAS SUBSTANTIV
oder
## DAS HAUPTWORT

( Il sostantivo )

## Erläuterungen zur Erklärung und Erlernung der Beugung des Substantivs
( Delucidazioni riguardanti la spiegazione e l'apprendimento della declinazione del sostantivo )

Ignorata dalla maggioranza delle grammatiche moderne, la declinazione del sostantivo viene presentata nella grammatica ufficiale tedesca del "Duden" - Volume 4, edizione 2006, alle pagine 146 - 254. - Si tratta di una delucidazione scientifica, lontana dalla pratica e difficile da memorizzare perfino per i professionisti. Il lato positivo del "Duden" è che le spiegazioni riguardano i piú minuziosi dettagli strutturali e le piú svariate eccezioni di ogni struttura: per cui serve ottimamente, ma unicamente come grammatica di consultazione.

Siccome invece questa grammatica vuol dare un apporto pratico, vuol essere un valido, concreto strumento di sostegno per giungere ad una parlata corretta, si ritiene necessario proporre la declinazione del sostantivo in modo succinto e chiaro. Questa struttura comprende infatti decine di migliaia di voci. Una grammatica destinata agli stranieri non può quindi semplicemente ignorare la grossa difficoltà di scelta delle molteplici desinenze a cui va incontro il discente. La persona straniera non è in grado nei primi cinque anni di apprendimento del tedesco di giungere all'assuefazione del linguaggio come il bambino che nasce e cresce in un ambiente dove si parla un buon tedesco e ha a disposizione tutti gli anni della fanciullezza per la totale e piú naturale assimilazione della propria lingua. Per la persona straniera che inizia ad acquisire il tedesco a dieci o quattordici anni e alla quale manca l'assuefazione, ossia l'abitudine al linguaggio, è controproducente fidarsi dell'orecchio per un numero così elevato di sostantivi. Lo studente ha quindi indubbiamente bisogno di chiarire le idee e di riferirsi ad uno schema ridotto e semplificato di regole essenziali per non cadere in errore. Non per nulla ogni buon vocabolario indica sempre, oltre al genere del sostantivo, anche il suo paradigma composto dai seguenti casi:

| nominativo singolare | genitivo singolare | nominativo plurale |
|---|---|---|
| das Brot | des Brotes | die Brote |
| das Haus | des Hauses | die Häuser |

che di solito per ragioni di economia di spazio viene riportato abbreviato:

das Brot, -es, -e

Se il sostantivo prende la metafonesi (= l'Umlaut) al plurale, allora per il plurale si indica il sostantivo per intero:

das Haus, -es, Häuser.

Conoscendo infatti questi tre casi, ogni persona è in grado di declinare qualunque sostantivo. Ora, paragonando la struttura del sostantivo con quella dei verbi forti, si nota subito che, mentre i paradigmi dei verbi forti sono all'incirca solo 180, quindi facilmente memorizzabili, i paradigmi dei sostantivi sono invece decine e decine di migliaia, per cui ci si domanda: cos'é piú facile per la persona straniera, memorizzare migliaia di paradigmi o non piuttosto memorizzare il meccanismo per individuarli con certezza? Tanto piú che lo scheletro essenziale delle regole sulla declinazione del sostantivo, indicato in questa grammatica, si riduce a sole otto pagine e l'insieme delle regole facilita nella maggioranza dei casi anche l'individuazione del genere.

Com'é possibile che alcune grammatiche tedesche, stampate in Italia, persino quelle ritenute fra le migliori, possano affermare: "Non c'é regola fissa per la formazione del plurale?" La conseguenza di questa affermazione, o peggio, della falsa opinione che la declinazione del sostantivo sia superflua ed inutile, è che il mancato insegnamento della stessa in tutte le scuole di ogni ordine e grado produce una generalizzata incertezza nella padronanza di questa importantissima struttura, incertezza riscontrata e constatata sia con alunni di quinta liceo sia con studenti universitari e con la quasi totalità delle persone che ormai lavorano e che tali scuole hanno frequentato. Certo, partendo dal principio che, pur facendo centinaia di errori, ció non sia affatto allarmante, perché è sufficiente solo farsi in qualche modo intendere, allora si tende volutamente ad una scuola basata sul pressappochismo che prepara persone senza una vera competenza per quanto riguarda il tedesco.

## *Indicazioni pratiche per la comprensione e l'apprendimento della declinazione del sostantivo*

Per un celere, preciso e sicuro apprendimento dello schema riguardante la declinazione del sostantivo, vengono qui dati preziosi suggerimenti approvati e convalidati da coloro che lo hanno appreso e dal quale hanno tratto grande profitto.

### 1. *Tipi di declinazione*

La declinazione del sostantivo si divide in tre parti:
  a) declinazione forte: comprendente sostantivi di tutti e tre i generi,
  b) declinazione debole: comprendente sostantivi maschili e femminili,
  c) declinazione mista: comprendente sostantivi maschili e neutri.

### 2. *La premessa*

La declinazione del sostantivo viene introdotta da una premessa che riguarda il dativo plurale di tutti i sostantivi. Esso viene formato nella quasi totalità dei casi sempre con le desinenze "-n" o "-en". Al fine di non dover piú ripetere il dativo plurale nei singoli gruppi (o classi), lo si indica una volta per tutte come premessa. Prendono al dativo plurale la desinenza "-n" i sostantivi con tema uscente in "e" o in consonante liquida "-r" "-l", mentre quelli che per natura hanno già il suffisso "-en" non aggiungono naturalmente nessun'altra desinenza al terzo caso del plurale. Ecco perché si può affermare che, fatta eccezione per diversi sostantivi stranieri provenienti dal francese, dall'inglese e di alcuni neologismi (derivati dalle lingue classiche) aventi il plurale in "-s" (dei quali in questo capitolo si dà un elenco a pag. 90), tutti gli altri formano il dativo plurale in "-n" o "-en".

### 3. *Aggiunte orali al succinto schema scritto*

Per facilitare la memorizzazione, lo schema della declinazione è ridotto all'osso in modo da poterlo restringere in sole otto pagine. È chiaro che la persona che vuole spiegare, o mostrare di sapere, la declinazione del sostantivo ad altri, deve aggiungere oralmente allo schema frasi introduttive o complementari come le seguenti che nello schema restano sottintese:
- a) "Al primo gruppo della declinazione maschile forte appartengono..."
- b) "Essi (questi sostantivi) prendono al genitivo singolare una "-s".
- c) Se il gruppo indica per il genitivo singolare "-s" o "-es", il discente deve specificare: "Al genitivo singolare "-es" per i monosillabi, "-s" per i polisillabi".
- d) Quando il gruppo indica una desinenza per il plurale, lo studente deve per es. specificare: "Essi formano il plurale in "-e". Il dativo plurale invece non viene menzionato perché è stato messo fuori discussione dalla premessa".

### 4. *Specificazioni orali per le desinenze del genitivo e la "-e" del dativo singolare che sta scomparendo ed è in gran parte facoltativa*

Nei gruppi (o nelle classi) in cui la maggioranza è formata da monosillabi, viene indicata nel genitivo singolare prima la "-es" per i monosillabi, quindi la "-s" per i polisillabi. Se nel gruppo la maggioranza è formata da polisillabi, allora viene nel genitivo prima indicata la "-s" dei polisillabi, poi la "-es" per i monosillabi. Oggigiorno vi è la tendenza di formare anche il genitivo singolare di molti monosillabi solo con la desinenza "-s", ma è ancora sempre meglio dire "des Buches" anziché "des Buchs"; la desinenza "-es" è indispensabile per i sostantivi con tema in consonante dentale p. es.: "des Kindes" - "des Staates" - "des Geheimnisses". Il secondo gruppo della declinazione maschile forte afferma: "monosillabi in maggioranza + polisillabi ecc.": ciò può essere detto perché moltissimi composti come ad esempio "der Bauernhof" hanno come secondo sostantivo un monosillabo che al genitivo singolare può essere espresso in ambedue i modi: "des Bauernhofes" come pure "des Bauernhofs"; oggigiorno prevale quest'ultima versione.
Come accennato nel titolo di questo paragrafo, la desinenza "-e" del dativo singolare nella declinazione maschile e neutra forte, che fino alla metà del secolo scorso era per i monosillabi obbligatoria, ora sta scomparendo ed è diventata facoltativa: non è quindi necessario prenderla in considerazione. In questa grammatica essa viene indicata fra parentesi perché, se la si dovesse incontrare in giornali o riviste (come ad esempio "dem Kinde"), si sappia che non è errore, anzi, in taluni casi come "im Grunde", è ancora molto in uso.

### 5. *Significato dei suffissi marcati in colore giallo*

I suffissi marcati in giallo indicano non solo a quale gruppo di declinazione appartiene un sostantivo, ma anche il loro genere: ció è un grandissimo vantaggio perché, specialmente nei primi anni dell'apprendimento, la difficoltà dell'individuazione del genere è enorme. Con la declinazione del sostantivo il discente può individuare il genere di circa il 70% dei sostantivi.

## 6. *Posizione degli esempi nello schema*

Quando un gruppo è formato da centinaia o migliaia di sostantivi, alcuni di questi, di solito un esempio per suffisso, vengono indicati sul lato destro del gruppo, ossia della regola, lasciando per chiarezza uno spazio intermedio vuoto. Quando invece il gruppo è formato da un numero limitato di sostantivi che non superano le venti unità, allora si tratta di eccezioni; essi vengono elencati in colore rosso sotto la regola. L'elenco dei gruppi facenti eccezione spesso non viene indicato in ordine alfabetico, ma in ordine logico, sì da facilitarne la memorizzazione con l'associazione di immagini mentali. I gruppi che fanno eccezione vanno studiati a memoria in filastrocca rispettando l'ordine indicato.

## 7. *Le tre aggiunte alla declinazione del sostantivo*

Le eccezioni riguardanti:
    a) il primo gruppo della declinazione femminile forte
    b) il secondo gruppo della declinazione neutra forte
    c) il gruppo maschile debole
che superano le venti unità, vengono riportate, staccate dalle rispettive regole, sul quarto foglio della declinazione con il titolo: "aggiunta alla declinazione...". Scopo di tale separazione è ridurre lo schema essenziale della declinazione a soli tre fogli (ossia a sei pagine). Non tutti i sostantivi delle aggiunte (aggiunta alla declinazione femminile forte - aggiunta alla declinazione neutra forte) sono scritte in rosso. È sufficiente che il discente impari a memoria solo i sostantivi indicati in rosso, gli altri a volte o non hanno il plurale o sono meno usati.

## 8. *Nota sulla declinazione maschile debole*

La regola riguardante il gruppo maschile debole inizia con la seguente introduzione marcata in giallo: "Nomi comuni di persona o animale". Si tratta di una indicazione importantissima perché, fatte pochissime eccezioni, tutti i sostantivi del gruppo maschile debole sono appunto nomi comuni di persona o animale; tuttavia non tutti i nomi comuni di persona o animale appartengono a questo gruppo, anzi, la maggioranza di essi appartiene alla declinazione forte. Ecco allora che dopo la suddetta introduzione vengono indicati in modo specifico tre punti che spiegano quali nomi comuni di persona e animale seguono la declinazione debole.

## 9. *Delucidazioni sulla declinazione femminile debole*

Il secondo gruppo della declinazione femminile debole col plurale in "-n" nasce dal fatto che, se un sostantivo finisce già in "-e" o "-ie", non ha bisogno di un ulteriore "e" al plurale; altrettanto vale per i sostantivi con tema in consonante rotante o liquida "-r; -l" che prendono in tutte le declinazioni solo "-n" al plurale perché, fatte poche eccezioni, le consonanti rotanti si rifiutano alla fine dei vocaboli di stare fra due "e": p.es.: die Schwestern (e non certo: Schwestern), die Kartoffeln (e non certo: Kartoffeln)!

## 10. *Gli esempi declinati*

Gli esempi declinati vengono elencati a parte, dopo lo schema della declinazione. Essi non devono essere ritenuti essenziali per lo studio. Sono tuttavia molto utili perché mostrano per ogni gruppo (o classe) l'applicazione pratica delle regole. Accanto agli esempi declinati si trovano delle note (= NB:) che danno ulteriori importanti chiarimenti: esse riguardano p.es. la metafonesi o altri particolari non trascurabili.

## 11. *Metodo di memorizzazione*

Perché la declinazione del sostantivo diventi un valido strumento di controllo, il discente deve memorizzare l'intero schema in modo perfetto, sì da poter permettere alla propria mente di trovare in un attimo la desinenza corretta. Questo controllo è sempre possibile quando si scrive, ma per chi familiarizza con questa struttura, possedendola in modo preciso, essa diventa un validissimo strumento di aiuto anche quando si parla. È dimostrato che, se parlando sfugge un errore riguardante la declinazione, la persona competente è in grado di autocorreggersi anche durante la conversazione. Ogni schema richiede naturalmente uno studio impegnativo. Molti alunni sono riusciti con un po' di buona volontà a memorizzare alla perfezione la declinazione del sostantivo indicata in questa grammatica. Il segreto della memorizzazione sta, come per tutte le strutture grammaticali importanti da ricordare, nella frequente ripetizione. Non è sufficiente ripetere tale schema a voce, ma è necessario riportarlo tale e quale per iscritto su fogli da paragonare con l'originale per autocorreggersi. Ogni tanto occorrono ripassi di tutta la struttura e in seguito, una volta che questa è stata assimilata alla perfezione, sono sufficienti dei richiami saltuari che riguardino l'una o l'altra declinazione da puntualizzare.

La declinazione del sostantivo si rende necessaria soprattutto per controllare la formazione del plurale e del genitivo singolare dei sostantivi, tenendo presente che il singolare di tutti i sostantivi femminili resta invariato.

# Kontrollmethode zur Beugung des Substantivs

( Metodo di controllo della declinazione del sostantivo )

Nel controllare a quale declinazione appartiene un sostantivo si procede nel seguente modo:

1. Controllo del genere.

2. Controllo dell'eventuale suffisso, cioè della parte terminale del sostantivo.

3. In mancanza di un suffisso si procede al controllo delle sillabe: si tratta di un monosillabo o di un polisillabo?

4. Vanno naturalmente tenuti presenti i gruppi che fanno eccezione.

# BEUGUNG DES SUBSTANTIVS

( Declinazione del sostantivo )

Premessa:
Il dativo plurale di tutti i sostantivi e di tutte le declinazioni termina sempre in "-n" o "-en". Fanno eccezione solo i sostantivi stranieri derivati dal francese e inglese come pure neologismi derivanti da lingue classiche (greco, latino) aventi "-s" in tutto il plurale: z.B.: das Hotel, -s, -s / das Büro, -s, -s / das Auto, -s, -s... usw.

## Starke Beugung
( declinazione forte )

-s

1. *männlich*

a) "-er, -el, -en":
   -gen. sing.: "-s"

    der Schüler = l'alunno
    der Onkel = lo zio
    der Schatten = l'ombra

b) monosillabi in maggioranza + polisillabi in "-ich, -ig, -ing" e tutti i polisillabi non uscenti in "-er, -el, -en":
   -gen. sing.: "-es, -s"
   -(dat. sing.: -e)
   -plur. : "-e"

    der Baum = l'albero
    der Bus = l'autobus
    der Kuss = il bacio
    der Schrank = l'armadio
    der Tag = il giorno
    der Zug = il treno
    der Kranich = la gru (uccello)
    der Teppich = il tappeto
    der Honig = il miele
    der Käfig = la gabbia
    der Frühling = la primavera
    der Jüngling = il giovanotto
    der Abend = la sera
    der König = il re
    der Friseúr = il barbiere
    der Passagíer = il passeggero
    der Tenór = il tenore
    der Majór = il maggiore

Eccezioni:
-der Charakter, -s, -e = il carattere
-das Messing, -s = l'ottone
-das Reisig, -s, -e = il ramo secco

c) 14 sostantivi:
   -gen. sing.: "-es, -s"
   -(dat. sing.: -e)
   -plur.: "-er"

| | | | |
|---|---|---|---|
| der Gott | = il dio (dei) | der Irrtum | = l'errore (ideologico) |
| der Geist | = lo spirito | der Reichtum | = la ricchezza |
| der Leib | = il corpo | der Rand | = il margine |
| der Bösewicht | = il malvagio | der Wald | = il bosco |
| der Mann | = l'uomo | der Strauch | = il cespuglio |
| der Mund | = la bocca | der Wurm | = il verme |
| der Vormund | = il tutore | der Ski (Schi) | = lo sci |

59

a)  "-sal", "kunft", "-unft", "-nis" +
    una quarantina di monosillabi
    (vedi aggiunta): -plur.: "-e"

    Eccezioni:
    -das Schicksal, -s, -e = il destino
    -das Scheusal, -s, -e = il mostro

die Drangsal = la tribolazione, la calamità
die Mühsal = la fatica
die Trübsal = l'afflizione
die Finsternis = l'oscurità
die Kenntnis = la conoscenza
die Auskunft = l'informazione
die Ankunft = l'arrivo
die Zukunft = il futuro
die Vernunft = l'intelletto
die Zunft = la corporazione, la gilda

b)  due sostantivi: restano inva-
    riati in tutti i casi (dativo plur.
    escluso):
    die Mutter = la mamma
    die Tochter = la figlia

---

## 3. *sächlich*

a)  "-er, -el, -en, -chen, -lein,
    ge-e":
    -gen. sing.: "-s"

    Eccezione:
    -die Gebärde, -, -n = il gesto

das Fenster = la finestra
das Kapitel = il capitolo
das Übel = il male
das Eisen = il ferro
das Leben = la vita
das Mädchen = la bambina
das Fräulein = la signorina
das Gemüse = la verdura
das Gemälde = la pittura

b)  Polisillabi in maggioranza u-
    scenti in "-ett, -ment" + tutti gli
    altri non uscenti in "-er, -el,
    -en, -chen, -lein, ge-e, -tum" +
    una cinquantina di monosil-
    labi (vedi aggiunta):
    -gen. sing.: "-s, -es"
    -plur.: "-e"

das Bukett = mazzo di fiori
das Duett = il duetto
das Tablett = il vassoio
das Dokument = il documento
das Element = l'elemento
das Experiment = l'esperimento
das Geschenk = il regalo
das Geschäft = il negozio, l'affare
das Papier = la carta
das Paket = il pacco
das Geheimnis = il segreto
das Gespräch = il colloquio
das Erlebnis = l'esperienza
das Gebet = la preghiera
das Brot = il pane
das Jahr = l'anno
das Werk = a) l'opera  b) l'azienda

c) Monosillabi in maggioranza + polisillabi in "-tum":
-gen. sing.: "-**es**, -**s**"
-plur.: "-**er**"

Eccezioni:
-das Gehalt, -es, -hälter = lo stipendio
-das Geschlecht, -es, -er = la generazione, la stirpe
-das Gesicht, -es, -er = il viso
-das Gespenst, -es, -er = il fantasma, lo spettro, lo spirito
-das Gemach, -s, -ächer = la camera stanza (da letto)

das Buch = il libro
das Dorf = il villaggio
das Ei = l'uovo
das Haus = la casa
das Kleid = il vestito
das Land = la campagna, la regione, lo Stato
das Licht = la luce
das Schild = l'insegna
das Schwert = la spada
das Altertum = l'antichità
das Eigentum = la proprietà
das Heldentum = l'eroismo

## Schwache Beugung
( Declinazione debole )

1. *männlich*

Nomi comuni di persona e animale, (siccome la maggioranza dei nomi comuni di persona e animale non appartiene a questo gruppo, è quindi necessario sapere quali) precisamente i seguenti, quelli:
1. terminanti in "-e ";
2. nomi di popolo uscenti in "-e ";
3. nomi comuni di persona e animale stranieri, accentati sull'ultima sillaba:
4. + aggiunta

-tutti i casi: "-**n**, -**en**" (nominativo singolare escluso)

Eccezioni:
a) I nomi comuni stranieri uscenti in "-ier", "-eur", "-or", pur essendo accentati sull'ultima sillaba, non fanno parte di questo gruppo, ma seguono la declinazione forte maschile del secondo gruppo, pure: der Kapitän, -s, -e = il capitano.
b) das Junge, ein Junges, Junge, die Jungen (aggettivo sostantivato) = il cucciolo, l'animale piccolo

der Bote = il messaggero
der Junge = il ragazzo
der Knabe = il ragazzo
der Kollege = il collega
der Kunde = il cliente
der Neffe = il nipote
der Pate = il padrino
der Affe = la scimmia
der Löwe = il leone
der Ochse = il bue
der Chinese = il cinese
der Franzose = il francese
       (= l'uomo francese)
der Pole = il polacco
der Advokát = l'avvocato
der Soldát = il soldato
der Komandánt = il comandante
der Aspiránt = l'aspirante, postulante
der Elefánt = l'elefante
der Regént = il capo di Stato, il regnante, il reggente
der Studént = lo studente
der Christ = il cristiano
der Juríst = Il giurisprudente, giurista
der Komponíst = il compositore
der Polizíst = il poliziotto
der Touríst = il turista
der Sozialíst = il socialista

61

a) "-ei, -eit, -heit, -keit, -anz, -enz, -ik, -in, -ion, -itis, -schaft, -sis, -tät, -ucht, -ung, -ur" + i restanti polisillabi e mono-sillabi:
-plur.: "-**en**"

NB: I sostantivi uscenti in "-sis" sostituiscono la desinenza classica "-is" con la tedesca "-en":
die Praxis, -, Praxen = ufficio, studio, ambulatorio
Per i sostantivi uscenti in "-ucht" e "-urcht" si veda a pag. 114

Eccezioni:
-der Skorpion, -s, -e = lo scorpione
-der Spion, -s, -e = lo spione
-das Stadion, -s, Stadien = lo stadio
-das Ei, des Eies, die Eier = l'uovo
-der Sprung = il salto
-der Ursprung = l'origine

die Partei = il partito
die Arznei = la medicina
die Arbeit = il lavoro
die Krankheit = la malattia
die Schwierigkeit = la difficoltà
die Bilanz = il bilancio
die Tendenz = la tendenza
die Fabrik = la fabbrica
die Musik = la musica
die Lehrerin = l'insegnante donna
die Religion = la religione
die Revolution = la rivoluzione
die Bronchitis = la bronchite
die Wissenschaft = la scienza
die Basis = la base
die Universität = l'università
die Bucht = il golfo, la baia
die Schlucht = la forra, il baratro
die Übung = l'esercizio
die Zeitung = il giornale
die Figur = la figura
die Antwort = la risposta
die Tür = la porta
die Frau = la signora

b) "-er, -el, -e, -ie":
-plur.: "-**n** "

die Feder = la piuma; penna
die Schwester = la sorella
die Gabel = la forchetta
die Kartoffel = la patata
die Seite = la pagina
die Stunde = l'ora (durata)
die Tasche = la tasca; borsa
die Familie = la famiglia
die Industrie = l'industria
die Kastanie = la castagna

# Gemischte Beugung

( Declinazione mista )

a) sost. derivati da lingue classiche uscenti in "-or" e accentati sulla penultima o terzultima sillaba, non sull'ultima:
-gen. sing.: "-**s**"
-plur.: "-**en**"

der Asséssor = l'assessore
der Diréktor = il direttore
der Dóktor = il dottore
der Proféssor = il professore
der Mónitor = il monitor. il visore
NB: fa eccezione:
der Motór = il motore

62

b) sost. di derivazione latina u-
scenti in "<mark>-asmus</mark>; <mark>-ismus</mark>":
plur.: "**-en**"
NB: Essi sostituiscono la desinenza
latina "-us" con quella tedesca "-en"

der Fanatismus = il fanatismo
der Faschismus = il fascismo
der Organismus, -, Organismen =
l'organismo
der Sarkasmus = il sarcasmo
der Razzismus = il razzismo

c) 18 sostantivi:
-gen. sing.: "**-s**, **-es**"
-plur.: "**-en**, **-n**"

| | | | |
|---|---|---|---|
| der Konsul | = il console | der Lorbeer | = l'alloro |
| der Nachbar | = il vicino di casa | der Stachel | = il pungiglione |
| der Untertan | = il suddito | der Dorn | = la spina |
| der Vetter | = il cugino | der Schmerz | = il dolore (fisico) |
| der Typ | = il tipo | der Pantoffel | = la pantofola |
| der Papagei | = il pappagallo | der Staat | = lo stato |
| der Pfau | = il pavone | der Zins | = l'interesse (bancario) |
| der Muskel | = il muscolo | der See | = il lago |
| der Nerv | = il nervo | der Strahl | = il raggio |

d) 13 sostantivi:
-gen. sing.: "**-ens**"
<mark>-tutti gli altri casi</mark>: "**-n**, **-en**"

| | | | |
|---|---|---|---|
| der Glaube | = la fede | der Name | = il nome |
| der Wille | = la volontà | der Buchstabe | = la lettera dell'alfabe- |
| der Friede | = la pace | | to |
| (Frieden) | | der Same | = il seme |
| der Gedanke | = il pensiero | der Haufe | = il mucchio |
| der Schade | = il danno | der Fleck | = la macchia |
| (Schaden) | | der Fels | = la roccia |
| der Schreck | = lo spavento | der Funke | = la scintilla |

---

**2. *sächlich***

a) derivati da lingue classiche (latino, greco) in: "-um, -us, -os,
-al, -il, - on, <mark>-ma</mark>":
-gen. sing.: "**-s**"
-plur.: "**-en**, **-ien**"

das Album = l'albo
das Gymnasium = il ginnasio
das Virus = il virus
das Epos = il poema epico
das Kapital = il capitale
das Reptil = il rettile
das Triptychon = il trittico (altare)
das Dogma = il dogma
das Thema = il tema
das Schisma = lo scisma (NB: esiste
anche il plurale: die Schismata)

Eccezioni:
-das Modus, -, die Modi = il modo
-die Firma, -, die Firmen = la ditta

NB:
Sostantivi di lingue classiche assunti dalla parlata tedesca di recente (cioé non nei secoli scorsi ), e quindi non connaturati, non prendono al plurale la desinenza tedesca "-en", ma mantengono quella classica: tali sostantivi non vengono di solito elencati nei vocabolari comuni, ma solo in quelli concernenti la specializzazione della quale fanno parte: z.B.: das Psychofarmakum, des Psychofarmakums, die Psychofamaka = lo psicofarmaco.

b)   10 sostantivi:
     -gen. sing.: "-s, -es"
     -plur.: "-n, -en"

| | | | |
|---|---|---|---|
| das Auge | = l'occhio | das Ende | = la fine |
| das Ohr | = l'orecchio | das Interesse | = l'interesse |
| das Hemd | = la camicia | das Insekt | = l'insetto |
| das Bett | = il letto | das Juwel | = il gioiello |
| das Leid | = il dolore (morale) | das Mosaik | = il mosaico |

c)   das Herz  =  il cuore (con declinazione particolare)

| | | |
|---|---|---|
| das  Herz | die  Herzen | (inglese: "heart" risale |
| des  Herzens | direttamente al ger- | |
| dem Herzen | der  Herzen | manico: "hert", gotico "hairto") |
| das  Herz | den Herzen | |
| | die  Herzen | |

------------------------

*Ricapitolazione riassuntiva dei suffissi marcati in giallo*

I suffissi marcati in giallo nelle varie regole della declinazione del sostantivo non indicano soltanto il gruppo e la declinazione alla quale appartengono i rispettivi sostantivi, ma anche il loro genere. In tal modo la declinazione del sostantivo è di grande aiuto anche per l'individuazione del genere che all'inizio dell'apprendimento della lingua presenta grosse difficoltà.
Visione d'insieme dei suffissi indicanti anche il genere:
1. sostantivi uscenti in "-ing": sono in gran parte maschili (si vedano le eccezioni nel paragrafo "Genus der Substantive" in "-ing", pag. 113);
2. sostantivi uscenti in "-ich; -ig; -asmus; -ismus": sono tutti maschili;
3. sostantivi uscenti in "-sal": sono per lo piú femminili;
4. sostantivi in "-chen; -lein; ge - e" "-ett; -ment" "-ma": sono tutti neutri;
5. sostantivi in "-ei, -eit, -heit, -keit, -anz, -enz, -ion, -itis, -schaft, -sis, -tät, -ung, -ur": sono, fatte poche eccezioni, tutti femminili;
6. sostantivi uscenti in "-ucht"; "-urcht": sono tutti femminili (si veda il paragrafo "Hauptwörter in -ucht; -urcht", pag. 114-115);

7. sostantivi di cose concrete e astratte uscenti in "-e": sono per il 98% dei casi femminili (si veda "Hauptwörter mit Endung -e" pag. 104-106);
8. sostantivi di cose uscenti in "-ie ": sono tutti femminili!

## Ergänzung zur starken weiblichen Beugung

( Aggiunta alla declinazione femminile forte )

Al primo gruppo femminile forte appartiene una quarantina di monosillabi; essi raddolciscono la vocale tematica al plurale (l'elenco è ridotto ai più importanti):

| | | | | | |
|---|---|---|---|---|---|
| die Hand | = la mano | (inglese.: "hand") | die Gans | = l'oca | (ingl.: "goose") |
| die Frucht | = il frutto | (ingl.: "fruit") | die Haut | = la pelle | (ingl.: "hide") |
| die Maus | = il topo | (ingl.: "mouse") | die Kunst | = l'arte | |
| die Angst | = la paura, l'ansia | | die Luft | = l'aria | |
| die Flucht | = la fuga | (ingl.: "flight") | die Lust | = la voglia | (ingl.: "lust") |
| die Ausflucht | = il pretesto | | die Macht | = la potenza | (ingl.: "might") |
| die Bank | = la panca, il banco | | die Magd | = l'ancella | (ingl.: "maid") |
| die Braut | = la sposa (termine usato nei giorni precedenti il matrimonio e nel giorno del matrimonio) (ingl.: "bride") | | die Nacht | = la notte | (ingl.: "night") |
| | | | die Not | = la miseria, il bisogno | |
| | | | die Nuss | = la noce | (ingl.: "nut") |
| | | | die Sau | = la scrofa | (ingl.: "sow") |
| die Brust | = il petto | (ingl.: "breast") | die Stadt | = la città | |
| die Faust | = il pugno | (ingl.: "fist") | die Wand | = la parete | |
| die Kuh | = la mucca | (ingl.: "cow") | die Wurst | = la salsiccia, il salame | |

## Ergänzung zur starken sächlichen Beugung

( Aggiunta alla declinazione neutra forte )

Al secondo gruppo della declinazione neutra forte appartiene una cinquantina di monosillabi; nessuno di questi sostantivi raddolcisce la vocale tematica al plurale:

| | | | | | |
|---|---|---|---|---|---|
| das Beet | = l'aiuola | (ingl.: "bed") | das Pferd | = il cavallo | |
| das Beil | = la scure | | das Pfund | = la libbra | (ingl.: "pound") |
| das Bein | = gamba, osso | (ingl.: "bone") | das Pult | = il leggio, la cattedra | |
| das Boot | = la barca | (ingl.: "boat") | das Recht | = il diritto | (ingl.: "right") |
| das Brot | = il pane | (ingl. "bread") | das Reich | = il regno | |
| das Ding | = la cosa | (ingl.: "thing") | das Rohr | = la canna, il tubo | |
| das Fest | = la festa | (ingl.: "feast") | das Ross | = il destriero, cavallo | |
| das Gas | = il gas | | das Salz | = il sale | (ingl.: "salt") |
| das Haar | = i capelli, il pelo | (ingl. "hair") | das Schaf | = la pecora | (ingl.: "sheep") |
| das Heft | = il quaderno | (ingl.: "haft") | das Schiff | = la nave | (ingl.: "ship") |
| das Jahr | = l'anno | (ingl.: "year") | das Schwein | = il maiale | (ingl.: "swine") |
| das Los | = la sorte, il biglietto della lotteria (ingl.: "lot") | | das Spiel | = il gioco | |
| | | | das Stück | = il pezzo | |
| das Mal | = la volta | (ingl.: "male") | das Tier | = l'animale, la bestia | |
| das Maß | = la misura | (ingl.:"measure") | das Tor | = il portone, il goal | |
| das Meer | = il mare | | das Werk | = 1.l'opera letteraria, 2. la fabbrica (ingl.: "work") | |
| das Netz | = la rete | (ingl.: "net") | | | |
| das Moos | = il muschio | (ingl.: "moss") | das Zelt | = la tenda | |

| das Paar | = il paio, la coppia (ingl.: "pair") | das Ziel | = a) il fine, lo scopo, b) il traguardo |
|---|---|---|---|

## Ergänzung zur schwachen männlichen Beugung

### ( Aggiunta alla declinazione maschile debole )

Nomi comuni di persona o animale che, pur avendo perso la desinenza "-e" del nominativo singolare che avevano durante il medioevo, fanno ancor oggi parte della declinazione maschile debole:

| | |
|---|---|
| der Bär | = l'orso |
| der Bauer | = il contadino |
| der Bayer | = il bavarese (la persona bavarese) |
| der Bub | = il bambino, il ragazzo (prima dell'età della pubertà) |
| der Bursch | = il giovanotto  (esiste ancora la versione: "der Bursche") |
| der Fürst | = il principe (elettore) |
| der Graf | = il conte |
| der Held | = l'eroe |
| der Herr | = il signore  NB:  Con declinazione particolare: al singolare  "-n", al plurale "-en": |

| | | |
|---|---|---|
| Nom.: | der Herr | die Herren |
| Gen.: | des Herrn | der Herren |
| Dat.: | dem Herrn | den Herren |
| Akk.: | den Herrn | die Herren |

| | |
|---|---|
| der Hirt | = il pastore |
| der Lump | = lo straccione, il vagabondo, il pezzente |
| der Mensch | = l'uomo (nel senso di "genere umano") |
| der Narr | = il pazzo, il matto |
| der Pfaff | = il prete, il sacerdote |
| der Prinz | = il principe (ereditario = figlio del re) |
| der Spatz | = il passero |
| der Tor | = il pazzo, il matto |

Eccezione: fra i pochissimi sostantivi maschili di cose appartenenti alla debole maschile sono da tener presenti:

| | |
|---|---|
| der Automát | = (la macchinetta) il distributore automatico |
| der Diamant | = il diamante |
| der Kónsonant | = la consonante |
| der Komet | = la cometa |
| der Planet | = il pianeta |
| der Paragráph | = il paragrafo |
| der Satellít | = il satellite |

NB: Esistono vari altri sostantivi scientifici uscenti in "-it" o "-ith" che tuttavia nella parlata comune sono raramente in uso:
-der Monolíth, -en, -en  =  il monolito (grande sasso solitario)
-der Stalaktít, -en, -en  =  la stalattite (nelle grotte, concrezione calcarea che pende dall'alto)

# GEBEUGTE BEISPIELE ZUR BIEGUNG DES SUBSTANTIVS

( Esempi declinati riguardanti la declinazione del sostantivo )

## Starke Beugung

( Declinazione forte )

-s

### 1.*männlich*

| a) | der Schüler | die Schüler | |
|---|---|---|---|
| | des Schülers | der Schüler | |
| | dem Schüler | den Schülern | |
| | den Schüler | die Schüler | |
| | | | |
| | der Onkel | die Onkel | |
| | des Onkels | der Onkel | |
| | dem Onkel | den Onkeln | |
| | den Onkel | die Onkel | |
| | | | |
| | der Schatten | die Schatten | NB: I sostantivi uscenti in "-en" hanno già per natura una "en" al plurale, per cui al dativo plurale non va aggiunta alcuna desinenza! |
| | des Schattens | der Schatten | |
| | dem Schatten | den Schatten | |
| | den Schatten | die Schatten | |
| | | | |
| b) | der Zug | die Züge | NB: Circa il 98% dei monosillabi di tutte le declinazioni prendono l'Umlaut al plurale, se hanno la vocale radicale modificabile. Fanno eccezione i monosillabi del secondo gruppo neutro forte e pochi altri (si veda elenco a pag. 92). |
| | des Zuges | der Züge | |
| | dem Zug(e) | den Zügen | |
| | den Zug | die Züge | |
| | | | |
| | der Baum | die Bäume | |
| | des Baumes | der Bäume | |
| | dem Baum | den Bäumen | |
| | den Baum | die Bäume | |
| | | | |
| | der Abend | die Abende | |
| | des Abends | der Abende | |
| | dem Abend | den Abenden | |
| | den Abend | die Abende | |

| | |
|---|---|
| der Passagíer | die Passagíere |
| des Passagiers | der Passagiere |
| dem Passagier | den Passagieren |
| den Passagier | die Passagiere |

NB: I nomi comuni di persona uscenti in "-ier" ed "-eur", pur essendo accentati sull'ultima sillaba, non fanno parte della declinazione debole!

| | |
|---|---|
| der Friséur | die Friséure |
| des Friseurs | der Friseure |
| dem Friseur | den Friseuren |
| den Friseur | die Friseure |

| | |
|---|---|
| der Tenór | die Tenö́re |
| des Tenors | der Tenöre |
| dem Tenor | den Tenören |
| den Tenor | die Tenöre |

NB: L'unico sostantivo uscente in "-or" accentato sull'ultima sillaba che fa parte della declinazione mista è "der Motor, -s, -en" = il motore

| | |
|---|---|
| der Majór | die Majóre |
| des Majors | der Majore |
| dem Major | den Majoren |
| den Major | die Majore |

| | | |
|---|---|---|
| c) | der Mann | die Männer |
| | des Mannes | der Männer |
| | dem Mann | den Männern |
| | den Mann | die Männer |

| | |
|---|---|
| der Reichtum | die Reichtümer |
| des Reichtums | der Reichtümer |
| dem Reichtum | den Reichtümern |
| den Reichtum | die Reichtümer |

NB: Tutti i sostantivi maschili e neutri uscenti in "-tum" prendono l'Umlaut al plurale.

## 2.weiblich

| | | |
|---|---|---|
| a) | die Hand | die Hände |
| | der Hand | der Hände |
| | der Hand | den Händen |
| | die Hand | die Hände |

| | |
|---|---|
| die Trübsal | die Trübsale |
| der Trübsal | der Trübsale |
| der Trübsal | den Trübsalen |
| die Trübsal | die Trübsale |

| | | |
|---|---|---|
| die Finsternis | die Finsternisse | NB: I sostantivi sia femminili che neutri uscenti in "-nis" raddoppiano la "-s" del tema al plurale. |
| der Finsternis | der Finsternisse | |
| der Finsternis | den Finsternissen | |
| die Finsternis | die Finsternisse | |

b)

| | | |
|---|---|---|
| die Mutter | die Mütter | NB: "Mutter" e "Tochter" prendono l'Umlaut al plurale (per il doppio significato di "Mutter" si veda pag. 534). |
| der Mutter | der Mütter | |
| der Mutter | den Müttern | |
| die Mutter | die Mütter | |

---

## 3. sächlich

a)

| | |
|---|---|
| das Fenster | die Fenster |
| des Fensters | der Fenster |
| dem Fenster | den Fenstern |
| das Fenster | die Fenster |

| | |
|---|---|
| das Mädchen | die Mädchen |
| des Mädchens | der Mädchen |
| dem Mädchen | den Mädchen |
| das Mädchen | die Mädchen |

| | |
|---|---|
| das Fräulein | die Fräulein |
| des Fräuleins | der Fräulein |
| dem Fräulein | den Fräulein |
| das Fräulein | die Fräulein |

b)

| | |
|---|---|
| das Geschenk | die Geschenke |
| des Geschenks | der Geschenke |
| dem Geschenk | den Geschenken |
| das Geschenk | die Geschenke |

| | | |
|---|---|---|
| das Papier | die Papiere | NB: I sostantivi sia neutri che maschili uscenti in "-ier" non sono da considerarsi uscenti in "-er"! Ció che conta è la pronuncia, non la grafia; così pure "der Passagier". |
| des Papiers | der Papiere | |
| dem Papier | den Papieren | |
| das Papier | die Papiere | |

| | |
|---|---|
| das Tier | die Tiere |
| des Tieres | der Tiere |
| dem Tier | den Tieren |
| das Tier | die Tiere |

|                      |                     |                                                                                                                          |
|----------------------|---------------------|--------------------------------------------------------------------------------------------------------------------------|
| das Geheimnis        | die Geheimnisse     | NB: I sostantivi neutri in "-nis" raddoppiano la "s" del tema non solo al plurale, ma anche al genitivo singolare.        |
| des Geheimnisses     | der Geheimnisse     |                                                                                                                          |
| dem Geheimnis        | den Geheimnissen    |                                                                                                                          |
| das Geheimnis        | die Geheimnisse     |                                                                                                                          |
| das Jahr             | die Jahre           | NB: I monosillabi del secondo gruppo neutro forte non prendono l'Umlaut al plurale.                                       |
| des Jahres           | der Jahre           |                                                                                                                          |
| dem Jahr(e)          | den Jahren          |                                                                                                                          |
| das Jahr             | die Jahre           |                                                                                                                          |

c)
|                      |                     |                                                                                                                          |
|----------------------|---------------------|--------------------------------------------------------------------------------------------------------------------------|
| das Buch             | die Bücher          |                                                                                                                          |
| des Buches           | der Bücher          |                                                                                                                          |
| dem Buch             | den Büchern         |                                                                                                                          |
| das Buch             | die Bücher          |                                                                                                                          |
| das Land             | die Länder          |                                                                                                                          |
| des Landes           | der Länder          |                                                                                                                          |
| dem Land(e)          | den Ländern         |                                                                                                                          |
| das Land             | die Länder          |                                                                                                                          |
| das Altertum         | die Altertümer      | NB: I sostantivi sia neutri che maschili uscenti in "-tum" prendono l'Umlaut al plurale.                                  |
| des Altertums        | der Altertümer      |                                                                                                                          |
| dem Altertum         | den Altertümern     |                                                                                                                          |
| das Altertum         | die Altertümer      |                                                                                                                          |
|   l'antichità |   i monumenti antichi |                                                                                              |
| das Eigentum         | die Eigentümer      | NB: Diversi sostantivi neutri in "-tum" possono al plurale cambiare significato.                                          |
| des Eigentums        | der Eigentümer      |                                                                                                                          |
| dem Eigentum         | den Eigentümern     |                                                                                                                          |
| das Eigentum         | die Eigentümer      |                                                                                                                          |
|   la proprietà |   i proprietari |                                                                                                    |

## Schwache Beugung

( Declinazione debole )

1. *männlich*

|              |              |
|--------------|--------------|
| der Junge    | die Jungen   |
| des Jungen   | der Jungen   |
| dem Jungen   | den Jungen   |
| den Jungen   | die Jungen   |

70

| | | |
|---|---|---|
| der Franzose | die Franzosen | |
| des Franzosen | der Franzosen | |
| dem Franzosen | den Franzosen | |
| den Franzosen | die Franzosen | |
| der Student | die Studenten | |
| des Studenten | der Studenten | |
| dem Studenten | den Studenten | |
| den Studenten | die Studenten | |
| | | |
| der Christ | die Christen = i cristiani | Per "Cristo" a volte in tedesco si usa la declinazione latiina: |
| des Christen | der Christen | Nom.: Christus |
| dem Christen | den Christen | Gen.: Christi |
| den Christen | die Christen | Dat.: Christo |
| | | Akk.: Christum |
| | | |
| der Tourist | die Touristen | |
| des Touristen | der Touristen | |
| dem Touristen | den Touristen | |
| den Touristen | die Touristen | |
| | | |
| der Mensch | die Menschen | NB: Sostantivo appartenente ai nomi comuni di persona che hanno perso la "-e" del nominativo singolare (si veda aggiunta pag. 66). |
| des Menschen | der Menschen | |
| dem Menschen | den Menschen | |
| den Menschen | die Menschen | |

## 2. weiblich

| | | | |
|---|---|---|---|
| a) | die Übung | die Übungen | |
| | der Übung | der Übungen | |
| | der Übung | den Übungen | |
| | die Übung | die Übungen | |
| | | | |
| | die Schülerin | die Schülerinnen | NB: I sost. femminili uscenti in "-in" raddoppiano la "-n" finale del tema al plurale. |
| | der Schülerin | der Schülerinnen | |
| | der Schülerin | den Schülerinnen | |
| | die Schülerin | die Schülerinnen | |
| | | | |
| | die Arbeit | die Arbeiten | |
| | der Arbeit | der Arbeiten | |
| | der Arbeit | den Arbeiten | |
| | die Arbeit | die Arbeiten | |

| | | |
|---|---|---|
| die Frau | die Frau**en** | |
| der Frau | der Frau**en** | |
| der Frau | den Frau**en** | |
| die Frau | die Frau**en** | |
| | | |
| die Antwort | die Antwort**en** | |
| der Antwort | der Antwort**en** | |
| der Antwort | den Antwort**en** | |
| die Antwort | die Antwort**en** | |

NB: Per "restanti monosillabi e polisillabi" s'intendono, come dice la regola, tutti i sostantivi femminili non inclusi nella declinazione forte femminile del primo gruppo e non compresi fra quelli aventi i suffissi indicati in questo gruppo.

**b)**

| | | |
|---|---|---|
| die Feder | die Feder**n** | |
| der Feder | der Feder**n** | |
| der Feder | den Feder**n** | |
| die Feder | die Feder**n** | |
| | | |
| die Gabel | die Gabel**n** | |
| der Gabel | der Gabel**n** | |
| der Gabel | den Gabel**n** | |
| die Gabel | die Gabel**n** | |
| | | |
| die Katze | die Katze**n** | |
| der Katze | der Katze**n** | |
| der Katze | den Katze**n** | |
| die Katze | die Katze**n** | |
| | | |
| die Fliege = mosca | die Fliege**n** | |
| der Fliege | der Fliege**n** | |
| der Fliege | den Fliege**n** | |
| die Fliege | die Fliege**n** | |
| | | |
| die Eiche = quercia | die Eiche**n** | |
| der Eiche | der Eiche**n** | |
| der Eiche | der Eiche**n** | |
| die Eiche | die Eiche**n** | |
| | | |
| die Blume | die Blume**n** | |
| der Blume | der Blume**n** | |
| der Blume | den Blume**n** | |
| die Blume | die Blume**n** | |
| | | |
| die Stunde | die Stunde**n** | |
| der Stunde | der Stunde**n** | |
| der Stunde | den Stunde**n** | |
| die Stunde | die Stunde**n** | |

NB: Molti sostantivi di animali e il 98% circa dei sostantivi di cose sia concrete che astratte uscenti in "-e" sono di genere femminile (si confronti allo scopo il paragrafo dei "sostantivi uscennti in "-e", pagine 104-106).

| | |
|---|---|
| die Tasche | die Tasche**n** |
| der Tasche | der Tasche**n** |
| der Tasche | den Tasche**n** |
| die Tasche | die Tasche**n** |
| | |
| die Seite | die Seite**n** |
| der Seite | der Seite**n** |
| der Seite | den Seite**n** |
| die Seite | die Seite**n** |

# Gemischte Beugung

( Declinazione mista )

Viene detta declinazione mista perché il singolare è forte (infatti al gentivo singolare questi sostantivi prendono le desinenze forti "-s" o "-es"), mentre il plurale è tutto debole (essi hanno in tutti i casi le desinenze deboli "-n" o "-en"). Le uniche eccezioni sono formate dal quarto gruppo maschile misto, che è debole anche nel dativo e accusativo singolare, e dal sostantivo "Herz" che prende la desinenza debole "-en" anche al dativo singolare.

### 1. *männlich*

a)

| | | |
|---|---|---|
| der Proféssor | die Professór**en** | |
| des Professor**s** | der Professor**en** | |
| dem Professor | den Professor**en** | |
| den Professor | die Professor**en** | |
| | | |
| der Dóktor | die Doktór**en** | NB: L'accento tonico di questi sostantivi che al singolare si trova sulla penultima sillaba al plurale si sposta sulla terzul-tima. |
| des Doktor**s** | der Doktor**en** | |
| dem Doktor | den Doktor**en** | |
| den Doktor | die Doktor**en** | |
| | | |
| der Asséssor | die Assessór**en** | |
| des Assessor**s** | der Assessor**en** | |
| dem Assessor | den Assessor**en** | |
| den Assessor | die Assessor**en** | |
| | | |
| der Motór | die Motor**en** | NB: Si tratta di un'eccezione perché porta l'accento tonico sull'ultima sillaba. Tutti gli altri sost. uscenti in "-or" e accen-tati sull'ultima sillaba appar- |
| des Motor**s** | der Motor**en** | |
| dem Motor | den Motor**en** | |
| den Motor | die Motor**en** | |

tengono al secondo gruppo maschile forte.

b)

| | |
|---|---|
| der Vetter | die Vettern |
| des Vetters | der Vettern |
| dem Vetter | den Vettern |
| den Vetter | die Vettern |
| | |
| der See | die Seen |
| des Sees | der Seen |
| dem See | den Seen |
| den See | die Seen |
| | |
| der Staat | die Staaten |
| des Staates | der Staaten |
| dem Staat(e) | den Staaten |
| den Staat | die Staaten |

c)

| | | |
|---|---|---|
| der Gedanke | die Gedanken | NB: I sostantivi di questo gruppo prendono la desinenza "-n" o "-en" della declinazione debole anche al dativo e accusativo singolare. |
| des Gedankens | der Gedanken | |
| dem Gedanken | den Gedanken | |
| den Gedanken | die Gedanken | |
| | | |
| der Fels | die Felsen | |
| des Felsens | der Felsen | |
| dem Felsen | den Felsen | |
| den Felsen | die Felsen | |

## 2. sächlich

a)

| | | |
|---|---|---|
| das Album | die Alben | NB:I sostantivi latini uscenti in "-um", "us", "-os" e i greci uscenti in "-a" perdono queste desinenze classiche al plurale; esse vengono sostituite dalla desinenza tedesca "-en". |
| des Albums | der Alben | |
| dem Album | den Alben | |
| das Album | die Alben | |
| | | |
| das Virus | die Viren | NB: I sostantivi di derivazione classica uscenti in "-us" e "-os" non prendono la desinenza "-s" al genitivo singolare. |
| des Virus | der Viren | |
| dem Virus | den Viren | |
| das Virus | die Viren | |

| | | |
|---|---|---|
| das Epos | die Epen | |
| des Epos | der Epen | |
| dem Epos | den Epen | |
| das Epos | die Epen | |
| | | |
| das Paradigma | die Paradigmen | |
| des Paradigmas | der Paradigmen | |
| dem Paradigma | den Paradigmen | |
| das Paradigma | die Paradigmen | |
| | | |
| das Schisma | die Schismen | NB: Esiste anche il plurale irregolare: "die Schismata". |
| des Schismas | der Schismen | |
| dem Schisma | den Schismen | |
| das Schisma | die Schismen | |
| | | |
| das Kapital | die Kapitalien | NB: I sostantivi latini in "-al" e "-il" mantengono tali desinenze latine al plurale; siccome esigono per eufonia la desinenza tedesca "-ien", si può anche affermare che formano il plurale in "-alien" e "-ilien". |
| des Kapitals | der Kapitalien | |
| dem Kapital | den Kapitalien | |
| das Kapital | die Kapitalien | |
| | | |
| das Reptil | die Reptilien | |
| des Reptils | der Reptilien | |
| dem Reptil | den Reptilien | |
| das Reptil | die Reptilien | |
| | | |
| **b)** das Auge | die Augen | |
| des Auges | der Augen | |
| dem Auge | den Augen | |
| das Auge | die Augen | |
| | | |
| das Bett | die Betten | |
| des Bettes | der Betten | |
| dem Bett(e) | den Betten | |
| das Bett | die Betten | |
| | | |
| das Mosaik | die Mosaiken | |
| des Mosaiks | der Mosaiken | |
| dem Mosaik | den Mosaiken | |
| das Mosaik | die Mosaiken | |
| | | |
| das Juwel | die Juwelen | NB: La consonante liquida " l " sta nel plurale di questo sostantivo alla fine del vocabolo fra due "e" senza alcuna elisione delle stesse, come invece avviene normalmente. |
| des Juwels | der Juwelen | |
| dem Juwel | den Juwelen | |
| das Juwel | die Juwelen | |

# Der sächsische Genitiv

( Il genitivo sassone )

Il genitivo sassone porta questo nome perché fu per la prima volta usato dalle tribú dei sassoni, cioé i germani della Sassonia, che un tempo popolavano tutta la Germania del Nord. Oggigiorno invece la Sassonia è limitata alle tre regioni "Niedersachsen, Sachsen-Anhalt e Sachsen". Quella parte del popolo sassone che migró in Inghilterra continuó ad usarlo anche nella nuova terra.

1.  Il genitivo sassone si ottiene posponendo al possessore espresso al genitivo la persona o la cosa posseduta senza articolo. Il possessore (sia maschile che femminile) viene espresso al genitivo con l'aggiunta di una "-s". Se il nome del possessore termina con una dentale sibilante "-z, -s, -sch, -ß", anzichè aggiungere la "-s" si usa l'apostrofo:
    z.B.: -Georgs Eltern = i genitori di Giorgio [Alla lettera: "di Giorgio genitori"]
    -Fritz' Wagen = la macchina di Fritz
    -Ingrids Freund = l'amico di Ingrid
    -Wessen Buch ist das? = Di chi è questo libro? [Alla lettera: "Di chi libro è questo?"]
    -Es ist Giselas Buch. = È il libro di Gisella.
    -in Fräulein Mosers Zimmer = nella stanza della signorina Moser
    -Fischers Fritz fischt frische Fische, frische Fische fischt Fischers Fritz. (Zungenbrecher = scioglilingua) = Fritz, il figlio del pescatore, pesca pesci freschi, pesci freschi pesca Fritz, il figlio del pescatore.

2.  Il genitivo sassone si usa nella lingua tedesca perlopiù solo con i nomi propri, sia di persone sia geografici:
    z.B.: -Roms Kirchen      = le chiese di Roma
    -Deutschlands Flüsse = i fiumi della Germania

3.  Quando la cosa posseduta è indeterminata, cioè accompagnata dall'articolo indeterminativo, il genitivo sassone non va applicato:
    z.B.:-Der junge Goethe wohnte in einem kleinen Haus von Frankfurt. = Il giovane Goethe abitava in una piccola casa di Francoforte.
    NB: Il nome del possessore non deve essere preceduto dall'agg. possessivo:
    z.B.: -Ich musste meines Vaters Auto benutzen (errato). = Ho dovuto usare la macchina di mio papà. = Ich musste das Auto meines Vaters benutzen (corretto).

NB:
Mentre gli inglesi hanno fatto del genitivo sassone quasi un imperativo categorico, una forma costrittiva, in tedesco invece c'è maggiore libertà d'uso. Pur trattandosi della forma più breve, più spiccia e bella per esprimere il possesso, è possibile usare anche altre forme per variare il discorso, per evitare cioé ripetizioni cacofoniche, soprattutto quando i genitivi si susseguono con una certa frequenza. A tale scopo esistono in tedesco quattro modi diversi che permettono di specificare o di esprimere il possesso:
    z.B.: -Heinrichs Haus
    -das Haus Heinrichs          = la casa di Enrico
    -das Haus des Heinrich
    -das Haus von Heinrich

# Beugung (Deklination) der Eigennamen

( Declinazione dei nomi propri )

1. L'unica desinenza che va aggiunta ai nomi propri é:

   a) la "-s " al genitivo singolare per indicare specificazione o possesso; essa si aggiunge sia nel formare il genitivo sassone sia quando il possessore viene posposto alla persona o alla cosa posseduta:

   |  |  |
   |---|---|
   | z.B.:-Heinrichs Haus | = la casa di Enrico |
   | das Haus Heinrichs | = la casa di Enrico |
   | -Giselas Eltern | = i genitori di Gisella |
   | die Eltern Giselas | = i genitori di Gisella |
   | -Deutschlands Flüsse | = i fiumi della Germania |
   | die Flüsse Deutschlands | = i fiumi della Germania |

   b) la desinenza "-s " si usa fin da antichi tempi in tutto il plurale per
   indicare il gruppo famigliare, ossia l'intera famiglia:

   z.B.:-Sind Brauns heute nicht zu Hause? = I Braun oggi non sono
   in casa?

   Si tratta di un germanismo esistente in Germania ancor prima
   che in Inghilterra si formasse l'inglese. Durante la formazione
   della nuova lingua inglese, la desinenza "-s" venne in Inghilterra
   estesa al plurale di quasi tutti i sostantivi.

2. Nelle specificazioni, ossia nella formazione del genitivo, i nomi propri
   non prendono alcuna desinenza quando una parte del discorso che li
   accompagna o li determina viene già espressa al genitivo (= è cioé
   contrassegnata dalla "-s" , ossia dalla desinenza del genitivo forte):

   z.B.: -die Ermordung des Caesar = l'assassinio di Cesare
   -die Briefe des großen Dichters Goethe = le lettere del grande poeta Goethe
   -die Briefe des Goethe = le lettere di Goethe
   -die Bewohner des heutigen Deutschland = gli abitanti della
   Germania odierna (dell'attuale Germania)

3. L'epiteto (o apposizione) "Herr" non ha alcun influsso sul nome proprio
   che segue, anche quando davanti ad esso viene a trovarsi la forma
   declinata del genitivo "Herrn" (in quanto trattasi di desinenza della
   declinazione debole):

   z.B.:-Herrn Meyers Haus = la casa del signor Mayer

   se infatti l'epiteto (o apposizione) "Herrn" avesse influsso, allora, in base alla seconda regola, il nome proprio non dovrebbe ricevere la desinenza "-s".

77

NB: Tuttavia: i titoli appartanenti alla declinazione debole maschile, se vengono a trovarsi dopo l'epiteto "Herrn" (declinato con "-n"), si devono anch' essi flettere con la desinenza "-n, -en":

> z.B.:-Ist das das Referat Herrn Präsidenten Professor Wilhelm Wiesers? = È questa la relazione del Sig. Presidente Prof. Wilhelm Wieser?

4. Titoli e nomi che precedono un cognome declinato, cioé il cognome recante la desinenza "-s ", restano invariati:

> z.B.:-Professor Doktor Johann Kohlmanns Haus = la casa del Prof. Dott. Johann Kohlmann
> -Präsident Professor Wilhelm Wiesers Referat = la relazione (il referto) del Presidente Prof. Wilhelm Wieser

5. Quando il nome proprio non declinato è preceduto da vari titoli, solo il primo titolo prende la desinenza "-s ":

> z.B.:-das Haus des Professors Doktor Johann Kohlmann = la casa del Prof. Dott. Johann Kohlmann
> -das Haus des Bürgermeisters Professor Doktor Pernter = la casa del borgomastro Prof. Dott. Pernter

6. Davanti ai nomi propri il titolo "Doktor" resta sempre invariato, non prende cioé alcuna desinenza:

> z.B.:-die Zauberkünste des Doktor Faust = le magie del Dott. Faust

7. La preposizione "von" usata davanti al cognome per indicare appartenenza o discendenza nobiliare non influisce sul cognome quando esso, esprimendo possesso o specificazione, viene a trovarsi nel genitivo e riceve perciò la desinenza "-s":

> z.B.:-die wunderschönen Lieder Joseph Freiherrn von Eichendorffs = le bellissime poesie di Joseph Freiherrn von Eichendorff

8. I nomi propri maschili (sia nomi che cognomi) uscenti in consonante dentale sibilante "-s, -ß, -z, -tz, -x" formano il genitivo aggiungendo un apostrofo oppure la desinenza "-ens":

> z.B.:-Horaz' Gedichte - Horanzens Gedichte = le poesie di Orazio
> -Fritz' Wagen - Fritzens Wagen = la macchina di Fritz

9. I nomi femminili uscenti in "-a" oppure in "-e" possono formare il genitivo, oltre che con la semplice desinenza "-s", anche con i suffissi "-ens" o "-ns":

> z.B.:-Inges Eltern - Ingens Eltern = i genitori di Inge

NB: Tuttavia la forma "Mariens", riguardante il nome "Maria", è per lo piú riservata alla Madonna:

> z.B.:-Marias Himmelfahrt - Mariens Himmelfahrt = l'Assunzione di Maria al cielo

10. I nomi propri dei mesi formano spesso il genitivo senza desinenza:

> z.B.:-in den ersten Tagen des Januar (anche:..des Januars) = nei primi giorni di gennaio.
> -am Anfang des März (anche: ...des Märzes) = agli inizi di marzo

> NB: Tuttavia:
> -am Anfang des Monats März = agli inizi del mese di marzo

11. Nomi propri di persona uscenti in "-s, -z., -x" , che normalmente devono essere usati (come tutti i nomi propri di persona) senza articolo, quando vengono a trovarsi al genitivo, richiedono l'articolo per indicare con maggiore chiarezza sia il possesso che la specificazione. Se tuttavia si usa il genitivo sassone è ovvio che l'articolo va omesso!

> z.B.:-die Gedichte des Horaz = le poesie di Orazio (oppure col genitivo sassone: Horaz' Gedichte - Horazens Gedichte)
> -die Reden des Demostenes = i discorsi di Demostene

## Nota conclusiva sull'uso del genitivo

Non è affatto vero che il genitivo sta scomparendo dalla lingua tedesca: basta leggere un qualunque articolo di giornale per constatarne l'uso ancora frequente, tanto piú che sostituire tutti i genitivi con "von + Dat." significherebbe impoverire il tedesco. La specificazione espressa al genitivo richiede infatti meno vocaboli, è cioé un modo espressivo piú breve, perché si tratta di un complemento semplice e non di un complemento preposizionale. Il "von + Dat." va quindi usato limitatamente per variare il discorso e nei pochi casi in cui il genitivo non è applicabile. Per non incorrere in cacofonie e povertà espressiva, è molto piú opportuno usare con frequenza il genitivo!

# Erörterungen zu den geographischen Namen

( Considerazioni sui nomi geografici )

Nota preliminare:

Le osservazioni sui nomi geografici enunciate nelle varie strutture grammaticali sarebbero di per sé già sufficienti per raggiungere una certa sicurezza nell'uso degli stessi. Al fine tuttavia di ottenere un quadro generale piú chiaro, vengono qui ripetute e completate le note sui nomi geografici sparse nei vari capitoli di questa grammatica.

---

A) *Genere dei nomi geografici*

---

1. I nomi propri di villaggi, città, continenti e isole singole sono tutti neutri:
   - z.B.:-das romantische Bacharach am Rhein  =  la romantica Bacharach sul Reno (villaggio)
     - -das touristische San Remo an der Blauen Küste  =  la turistica San Remo sulla Costa Azzurra (cittadina)
     - -Das sonnige Capri zieht viele Touristen an. =  Capri piena di sole attira molti turisti. [La soleggiata Capri...]

   NB:
   Dal momento dunque che i nomi propri di tutti i siti abitati, anche dei piú piccoli, sono di genere neutro, il pronome e gli aggettivi possessivi riferiti a qualunque sito umano devono anch'essi essere di genere neutro, devono cioé concordare col nome del villaggio o della città nel genere, se nella domanda (o in precedenza) è stato citato il nome del luogo abitato:
   - z.B.:-Wodurch ist Köln berühmt?  =  Che cosa rende famosa Colonia? [Alla lettera: Attraverso che cosa è famosa Colonia?]
     - -Es ist nicht nur durch seinen Dom, sondern auch durch seine zwölf romanischen Kirchen, die vielen römischen Funde und nicht zuletzt durch sein "Kölnisch Wasser 4711" berühmt. = Essa non è famosa solo per il suo duomo, ma anche per le sue dodici chiese romaniche, per i molti reperti romani e, non da ultimo, anche per l'acqua di Colonia 4711.

2. La stragrande maggioranza dei nomi propri di Stati sono di genere neutro:
   - z.B.:-Deutschland, das im vorigen Jahrhundert zwei Kriege verlor, ist nunmehr ein demokratisches Land geworden. = La Germania, che

nel secolo scorso ha perso due guerre, è ormai diventata un paese democratico.

-Andorra, das zwischen Spanien und Frankreich liegt, ist eine kleine Republik. = L'Andorra, che si trova fra la Spagna e la Francia, è una piccola repubblica.

3. ==Solo pochi Stati sono di genere femminile: in Europa soltanto cinque. Esistono tuttavia diverse regioni di genere femminile, alcune delle quali uscenti in "-ei", "-ie"==:

| z.B.: | -die Schweiz | = la Svizzera |
|---|---|---|
| | -die Slowakei | = la Slovacchia |
| | -die Ukraine | = l'Ucraina |
| | -die Moldau | = la Moldavia |
| | -die Türkei | = la Turchia |
| | -die Mongolei | = la Mongolia |
| | -die Lombardei | = la Lombardia |
| | -die Normandie | = la Normandia |
| | -die Krim | = la Crimea |
| | -die Pfalz | = il Palatinato |
| | -die Toskana | = la Toscana |
| | -die Basilicata | = la Basilicata |
| | -die Brianza | = la Brianza |

4. ==Sono di genere maschile pochissimi Stati, soprattutto arabo-asiatici, nonché la regione dei Balcani, il Vaticano== e alcuni distretti tedeschi o distretti risalenti ad appartenenza di popoli di lingua tedesca, composti con il termine "Gau" (vecchio vocabolo germanico che stava ad indicare il distretto o la regione abitata da una determinata tribú germanica):

| z.B.: | -der Irak | = l'Iraq |
|---|---|---|
| | -der Iran | = l'Iran |
| | -der Libanon | = il Libano |
| | -der Pakistan | = il Pakistan |
| | -der Sudan | = il Sudan |
| | -der Balkan | = i Balcani |
| | -der Vatikan | = il Vaticano |
| | -der Breisgau (um Freiburg) | = la Brisgovia (distretto di Friburgo) |
| | -der Vinschgau (das Vinschgautal) | = la Val Venosta (in Alto Adige: la valle che si estende da Merano ai laghi di Resia) |
| | -der Allgäu | = l'Algovia (distretto bavarese che si estende fra Kempten e l'Austria) |

5. Alcuni Stati - associazione di Stati, gruppi di Stati simili, gruppi di isole che formano uno Stato o una regione come pure qualche regione - sono usati solo al plurale (= *pluralia tantum*):

| z.B.: | -die Niederlande | = i Paesi Bassi |
|---|---|---|
| | -die Vereinigten Staaten = die USA | = gli Stati Uniti d'America |
| | -die Philippinen | = le Filippine |
| | -die Azoren | = le Azzorre |
| | -die Balearen | = le Baleari |
| | -die Kanaren | = le Canarie |
| | -die Malediven | = le Maldive |
| | -die Abruzzen | = l'Abruzzo – gli Abruzzi |

---

B) Uso dell'articolo coi nomi geografici

---

1. Tutti i nomi geografici neutri si usano senza articolo quando non sono accompagnati da aggettivi attributivi o da specificazioni:
   z.B.: -Italien ist schön. = L'Italia è bella.
   -Asien ist groß. = L'Asia è grande.
   -Amerika verdankt diesen Namen dem italienischen Entdecker A-merigo Vespucci. = L'America deve il suo nome all'esploratore italiano Amerigo Vespucci.

2. I nomi geografici neutri accompagnati da un aggettivo attributivo o da un complemento di specificazione, ossia da un genitivo, richiedono l'articolo:
   z.B.:-Das schöne Italien gefällt mir. = La bella Italia mi piace.
   -Das Italien des fünfzehnten Jahrhunderts liebte die Künste. = L'Italia del XV secolo amava le arti.
   -Das kalte Grönland, die größte Insel der Welt, erfährt jetzt einen großen Klimawandel. = La fredda Groenlandia, la piú grande isola del mondo, sta subendo un grande cambiamento climatico.

3. L'aggettivo "ganz" nel senso di "intero, tutto" resta indeclinato e senza articolo quando si riferisce e precede nomi geografici neutri:
   z.B.:-Ganz Italien war schon oft wegen tragischer Erdbeben in Trauer. = Tutta (l'intera) l'Italia è stata spesso in lutto a causa di tragici terremoti.
   -Im März des Jahres 1848 war ganz Mailand in Aufruhr. = Nel marzo del 1848 tutta Milano era in subbuglio.

-In ganz Deutschland gibt es keine so großen, schönen, süßen Trauben wie die Süditaliens. = In tutta la Germania non vi sono grappoli d'uva così grandi, belli e dolci come quelli dell'Italia meridionale.

Tuttavia:

L'aggettivo "ganz" nel senso di "intero, tutto" richiede davanti a sé l'articolo determinativo se riferito a nomi geografici femminili, maschili o plurali e segue la declinazione debole dell'aggettivo attributivo:

    z.B.:-Die ganze Schweiz ist reich an Wäldern. = Tutta la Svizzera è ricca di boschi.

    -Der ganze Balkan hat in den letzten Jahrzehnten traurige Kriege erlitten. = Tutti i Balcani hanno subito delle tristi guerre negli ultimi decenni.

4. I nomi geografici femminili, maschili e plurali richiedono l'articolo:

    z.B.:-Die Schweiz hat viele schöne Berge. = La Svizzera ha molte, belle montagne.

    -Die Türkei liegt in Asien, nur ein kleiner Teil der Türkei gehört Europa an. = La Turchia si trova in Asia, solo una piccola parte della Turchia appartiene all'Europa.

    -Die Lombardei erhielt diesen Namen von den germanischen Langobarden. = La Lombardia ricevette questo nome dal popolo germanico dei Longobardi.

    -In der Toscana gibt es die schönsten Renaissancestädte der Welt. = Nella Toscana si trovano le più belle città rinascimentali del mondo.

    -Der Libanon war früher wegen seiner großen Zedern berühmt. = Una volta il Libano era rinomato per i suoi grandi cedri.

5. I nomi comuni "Stadt, Republik, Reich, Union", usati come apposizioni davanti ai nomi propri di città o Stati neutri oppure formanti la seconda parte di un nome proprio geografico composto, devono essere accompagnati dal proprio articolo determinativo:

    z.B.:-die Stadt Mailand = la città di Milano

    -das Königreich England = il Regno Unito d'Inghilterra

    -die Republik Österreich = la Repubblica austriaca

    -die Republik San Marino = la Repubblica di San Marino

    -die Bundesrepublik Deutschland = la Repubblica Federale Tedesca

    -die Sowjetunion existiert nicht mehr. = L'Unione Sovietica non esiste più.

C) La specificazione con i nomi geografici

1. La forma di specificazione piú breve e bella da adottare per i nomi geografici è indubbiamente il genitivo sassone (si veda la regola del genitivo sassone, pag. 76):

> z.B.:-Deutschlands Flüsse = i fiumi della Germania
> -Italiens Städte = le città d'Italia
> -Australiens Ureinwohner = gli aborigeni dell'Australia
> -Afrikas Savannen = le savane dell'Africa

2. Si può specificare bene anche usando il nome geografico espresso al genitivo e preceduto dalla cosa posseduta accompagnata dal proprio articolo:

> z.B.:-die Flüsse Deutschlands = i fiumi della Germania
> -die Städte Italiens = le città d'Italia
> -die Entdeckung Amerikas = la scoperta dell'America
> -die Macht des alten Roms = la potenza della vecchia Roma

3. Per specificare monumenti, manifestazioni, cose tipiche di una città si usa, in luogo della forma "von + Dat.", l'aggettivo indeclinato derivato dal nome della città con l'aggiunta della desinenza "-er"; l'aggettivo in "-er" va scritto con lettera maiuscola (si vedano in proposito le eccezioni alla declinazione dell'aggettivo attributivo: regola 2, pag. 133):

> z.B.:-die Mailänder Scala = la Scala di Milano
> -die Berliner Mauer = il muro di Berlino
> -der Kölner Karneval = il carnevale di Colonia
> -der Wiener Stephansdom = il duomo di S. Stefano di Vienna
> -der Frankfurter Flughafen = l'aeroporto di Francoforte

4. Con i nomi geografici uscenti in consonante sibilante "-s, -x, -z, -tz" si preferisce non usare il genitivo sassone recante l'apostrofo; in questi casi è meglio esprimere la specificazione con la preposizione "von + Dat.". Si consiglia tuttavia di limitare l'uso di "von + Dat." e di preferire, quando è possibile, le altre forme di specificazione indicate nei primi tre punti:

> z.B.:-der Eiffelturm von Paris = la torre Eiffel di Parigi
> -die Bewohner von Mainz = gli abitanti di Magonza
> -die Teilung von Görlitz = la divisione di Görlitz (effettuata in modo simile alla divisione di Gorizia)

# Hauptwörter mit unregelmäßigem Plural

( Sostantivi con plurale irregolare )

1. **das Aspirin**, des Aspirins, die Aspirintabletten = l'aspirina

> NB:  Non esiste il plurale "die Aspirins" , perché l'aspirina fu  introdotta nel 1899 non in America o Inghilterra, bensì in Germania dal Dr. H. Dreser. Con molte medicine in pillole per il plurale si usa il composto con "Tablette  =  pillola".

> z.B.:-Nimm doch noch ein Aspirin gegen deine Kopfschmerzen! = Su, prendi un'altra aspirina contro il tuo mal di testa!
> -Ich hab' doch schon zwei Aspirintabletten genommen, aber sie haben nicht gewirkt.  =  Ma ne ho già prese due e non hanno avuto effetto!

---------------

2. **der Bau**, des Baues, die Bauten = l'edificio, lo stabile

> NB:  Si noti il verbo corrispondente: "bauen, baute, gebaut = costruire".   Molti alunni, influenzati dall'inglese "to bild", confondono questo verbo con "bilden, bildete, gebildet = formare", verbo germanico che in Inghilterra ha cambiato significato. Infatti nel vecchio sassone "bilidi" significava "il segno, il simbolo" e nell'Althochdeutsch "biliden" voleva dire "formare, foggiare".

> z.B.:-Die Stadt Como hat mehrere alte Renaissancebauten. = La  città di Como ha diversi edifici rinascimentali.

---------------

3. **der Dank**, des Dankes, die Dankbezeigungen, die Danksagungen = il ringraziamento

> z.B.:-Für die erwiesenen Hilfeleistungen erwarten sich die Helfer wenigstens schlichte Danksagungen (Dankbezeigungen)  = Per gli aiuti prestati i soccorritori si aspettano almeno dei semplici ringraziamenti.

---------------

4. **der Fachmann**, des Fachmanns, die Fachleute = lo specialista, il tecnico

> NB:  La maggioranza dei composti con "Mann" forma il plurale irregolare con "Leute", ma fa eccezione "der Schutzmann, -es, die Schutzmänner = il vigile".

> z.B.: -Auch im Bereich der Computer brauchen viele große Firmen oft Fachleute, um verschiedene Probleme zu lösen.  =  Anche nel campo dei computer molte ditte grosse hanno bisogno di tecnici per risolvere diversi problemi.
> -Aus dieser vortrefflichen Fakultät sind bereits viele ausgezeichnete Fachleute hervorgegangen.  =  Da questa ottima facoltà sono già usciti dei tecnici molto esperti.

---------------

5. **das Fleisch**, des Fleisches, die Fleischwaren = la carne

> NB:  Per molti generi alimentari la formazione del plurale richiede un composto con "die Art  =  la specie, la qualità" o con "die Ware  =  la merce", per cui si tratta di plurali irregolari.

> z.B.:-In den großen Kaufhäusern von Cantú gibt es eine reiche Auswahl

an Fleischwaren. = Nei grandi centri commerciali di Cantú c'é una ricca scelta di carni.

-------------

6. **die Furcht**, der Furcht, die Befürchtungen (+ vor + Dat.) = la paura, il timore

NB: Per l'eventuale plurale è necessario usare la forma plurale del sostantivo "die Befürchtung, -, -en" oppure il plurale di "die Angst, -, die Ängste".

z.B.:-Meine Befürchtungen, dass du früher oder später einen Unfall gebaut hättest, weil du einfach zu schnell fährst, haben sich leider bewahrheitet. = I miei timori che tu prima o poi avresti fatto un incidente perché guidi troppo velocemente si sono purtroppo avverati.

-------------

7. **das Gepäck**, des Gepäcks, die Gepäckstücke = il bagaglio, i bagagli

NB: Essendo "das Gepäck" un *singulare tantum,* per esprimere "piú bagagli" si ricorre al plurale del composto "das Gepäckstück, -es, die Gepäckstücke" oppure al plurale di "das Kolli, des Kollis, die Kollis" (termine austriaco derivato dall'italiano). È questo un germanismo che ha influenzato la lingua inglese, perché "luggage" e "baggage" sono dei *singularia tantum*.

z.B.:-Wie viele Gepäckstücke (Kollis) haben Sie? = Quanti bagagli (colli) ha?
-Ich habe nur drei Gepäckstücke: zwei Koffer und eine große Tasche. = Ho soltanto tre bagagli: due valigie e una grande borsa.

-------------

8. **das Gemüse**, des Gemüses, die Gemüsearten = la verdura, gli ortaggi

NB: Per molti generi alimentari la formazione del plurale richiede un composto con "die Art = la specie, la qualità" o con "die Ware = la merce", per cui si tratta di plurali irregolari. – Così pure: das Obst. des Obstes, die Obstarten = la frutta.

z.B.:-Wir essen jede Woche verschiedene Gemüse- und Obstarten, weil ja in jeder Gemüse- und Obstart diverse Vitamine vorhanden sind. = Ogni settimana mangiamo svariate qualità di verdura e frutta perché ogni verdura e ogni frutto contiene diverse vitamine.

-------------

9. **das Genus**, des Genus, die Genera = a) la specie, il genere, il tipo   b) il genere grammaticale

z.B.:-Die deutsche Sprache unterscheidet so wie die alten klassischen Sprachen drei grammatikalische Genera. = La lingua tedesca distingue così come le vecchie lingue classiche tre generi grammaticali.

-------------

10. **der (das) Graffiti**, des Graffitis, die Graffiti = il graffito (termine proveniente dall'italiano):

z.B.:-In dieser Stadt gibt es manche Toren, die die Wände vieler Häuser mit Graffiti beschmutzen. = In questa città vi sono diversi stolti che imbrattano le pareti di molte case con graffiti.

11. **die Hilfe**, der Hilfe, die Hilfen und die Hilfeleistungen = l'aiuto

> NB: Il plurale "die Hilfen" = gli aiuti (si usa nel senso di "appoggio, assistenza")
> Il plurale "die Hilfeleistungen" = gli aiuti (= "prestazioni di aiuto, soccorsi").

> z.B.:-Um die Pleite dieser berühmten, großen Firma zu meiden, fehlten leider die finanziellen Hilfen. = Per evitare il fallimento di questa grande e rinomata ditta mancarono purtroppo gli aiuti finanziari.
> -Beim letzten schrecklichen Erdbeben in Iran kamen die ersten internationalen Hilfeleistungen aus Russland. = Quando ci fu l'ultimo spaventoso terremoto in Iran, i primi soccorsi (aiuti) internazionali vennero dalla Russia.

-----------------

12. **der Kaufmann**, des Kaufmanns, die Kaufleute = il commerciante
> z.B.:-Dieses Jahr sind die Kaufleute mit dem Weihnachtsgeschäft sehr zufrieden. = Quest'anno i commercianti sono molto soddisfatti delle vendite natalizie.

-----------------

13. **das Knie**, des Knies, die Knie

> NB: La pronuncia del plurale [Kni = "i" lunga] oppure [Kni-e = dieresi, pronuncia separata] = il ginocchio, le ginocchia (plurale irregolare anche in italiano):

> z.B.:-Dem Neuling zitterten die Knie, als er zum ersten Mal auf die Bühne trat. = Al novello attore tremavano le ginocchia quando calcó per la prima volta il palcoscenico.
> -Der Pilger warf sich vor dem Altar auf die Knie und flehte um Gnade für seine kranke Tochter. = Il pellegrino cadde in ginocchio davanti all'altare implorando la grazia per la sua figliola ammalata.

-----------------

14. **der Landmann**, des Landmanns, die Landleute = 1. il contadino, l'agricoltore  2. il campagnolo  3. l'abitante della campagna

> NB: Il termine comune per "contadino" è "der Bauer, des Bauern, die Bauern", mentre "der Landmann" ha un significato piú generale.  Quest'ultimo termine non va confuso con "der Landsmann, des Landsmanns, die Landsleute = il compaesano"

> z.B.:-Die Landleute genießen gegenüber den Stadtbewohnern eine reinere, gesündere Luft. = Rispetto ai residenti in città, gli abitanti della campagna godono di un'aria piú pura e salutare.
> -Die Bauern brauchen heutzutage viele Maschinen für ihre Landwirtschaft. = Oggigiorno i contadini hanno bisogno di molte macchine per la loro agricoltura.

-----------------

15. **die Liebe**, der Liebe, die Liebeleien = l'amore

> NB: In tedesco non esiste il plurale "gli amori" - "die Liebeleien" significa "gli amorini" "il flirt", mentre "die Lieben = le persone care":

z.B.: -Sich Liebeleien hinzugeben, war diese Frau zu ernst und solide. = Questa signora era troppo seria e solida per darsi a degli amorini.

------------

16. **der Lob**, des Lobes, die Lobsprüche = la lode
z.B.: -Der Schulleiter hielt Lobsprüche auf die Gastfreundlichkeit der deutschen Familien, die die ausländischen Schüler aufgenommen hatten. = Il preside fece delle lodi alle famiglie tedesche per la gentile ospitalità riservata agli alunni stranieri.

------------

17. **der Rat**, des Rates, die Ratschläge = il consiglio

NB: der Rat, des Rates, die Räte = il consigliere (comunale o di altri enti).

z.B.: -Wie oft hab' ich schon an die guten Ratschläge meiner Mutter gedacht! Sie waren mir ein Wegweiser im Leben. = Quante volte ho già pensato ai buoni consigli di mamma! Essi mi sono serviti da guida nella vita.

------------

18. **der Raub**, des Raubes, die Raubzüge, die Raubereien = a) la rapina, il brigantaggio b) il rapimento

NB: I plurali dei sostantivi "der Raubzug, -s, -üge" = la scorreria" - "die Rauberei, -, -en" suppliscono il plurale mancante della voce "der Raub":

z.B.: -Die Küsten Süditaliens wurden im Mittelalter von den Raubzügen der Piraten heimgesucht. = Nel medioevo le coste dell'Italia meridionale venivano funestate dalle rapine dei pirati.

------------

19. **der Regen**, des Regens, die Regengüsse, die Regenfälle = la pioggia
z.B.: -Die ständigen Regengüsse dieser Woche haben das ganze Gemüse im Garten verdorben. = Le continue pioggie di questa settimana hanno rovinato tutta la verdura dell'orto.

------------

20. **der Saal**, des Saales, die Säle = la sala

NB: L'irregolarità del plurale non sta nel fatto che questo sostantivo prende al plurale la metafonesi, ma nella riduzione della vocale tematica ad una sola "a"!

z.B.: -Die Säle dieses Museums enthalten kostbare Gemälde aus dem 15. Jahrhundert. = Le sale di questo museo conservano preziosi quadri del XV secolo.

------------

21. **der Schmuck**, des Schmuckes, die Schmuckstücke = i gioielli, i monili
NB: Essendo "der Schmuck" un *singulare tantum*, per enumerare più gioielli o indicare il numero degli stessi si ricorre al plurale del composto "das Schmuckstück, -es, die Schmuckstücke":

z.B.: -Die Königin von England hat wohl viel kostbaren Schmuck; wahrscheinlich weiß sie selbst nicht, wie viele Schmuckstücke sie besitzt. = La regina d'Inghilterra ha senz'altro molti gioielli preziosi; probabilmente non sa neppure lei quanti ne ha.

------------

22. **der Seemann**, des Seemanns, die Seeleute = l'uomo di mare, anche "il marinaio"

     z.B.: -Die Seeleute freuen sich nach jeder langen Seefahrt wieder in der Heimat an Land zu kommen. = Dopo ogni lunga navigazione i marinai si rallegrano di sbarcare nel proprio paese.

------------

23. **der Sport**, des Sportes, die Sportarten, die Sportdisziplinen = lo sport

     z.B.: -Die griechische Olympiade kannte nur fünf Sportarten; an den modernen Olmapiaden hingegen nehmen Sportler aller Sportdisziplinen teil. = Le olimpiadi greche conoscevano solo cinque specie di sport; alle olimpiadi moderne partecipano invece atleti di tutte le discipline sportive.

------------

24. **der Streit**, des Streites, die Streitigkeiten, die Streitereien = la lite, il litigio

     z.B.:- Die Streitigkeiten unserer Politiker sind oft wirklich lächerlich. = Le liti dei nostri politici sono spesso veramente ridicole.

------------

25. **der Tod**, des Todes, die Todesfälle = la morte, i casi di morte

     z.B.: -In Europa führen Drogen seit mehreren Jahrzehnten zu Tausenden von Todesfällen. = Le droghe procurano in Europa da diversi decenni migliai di morti.

------------

26. **der Trost**, des Trostes, die Tröstungen = la consolazione, il conforto

     NB:    Il plurale del sostantivo "die Tröstung, -, -en" che detiene lo stesso significato supplisce il plurale mancante della voce "Trost":

     z.B.: -Paul versprach seinen Eltern, sich zu bessern, die schlechten Freundschaften zu meinden und sich ab sofort mit Fleiß dem Universitätsstudium zu widmen, aber es waren immer wieder leere Versprechungen und Tröstungen. = Paolo prometteva ai suoi genitori di migliorare, di evitare le cattive compagnie e di dedicarsi da subito con diligenza allo studio universitario, ma si trattava sempre di promesse e consolazioni vane.

------------

27. **das Unglück**, des Unglücks, die Unglücksfälle = a) la sfortuna    b) la disgrazia, la sciagura , la calamità   c) l'incidente, il sinistro, la disgrazia

     z.B.: -Diese Mutter hat die Unglücksfälle ihrer Familie mit Starkmut und Ergebung auf sich genommen. = Questa mamma ha accettato le disgrazie della sua famiglia con fortezza d'animo e rassegnazione.

------------

28. **das Wasser,** des Wassers, die Gewässer = l'acqua

     z.B.: -Es ist unerlässlich den Schutz der Gewässer vor Verunreinigung durch industrielle Abwässer zu fördern. = È indispensabile favorire (promuovere) la protezione delle acque dall'inquinamento causato da quelle dei scarichi industriali. NB: die Abwässer = le acque di scarico
Il plurale "die Wässer" viene praticamente usato quasi sempre solo con l'aggiunta di prefissi.

# Hauptwörter mit "-s" im Plural

### ( Sostantivi che prendono la desinenza "-s" in tutto il plurale )

La desinenza "-s " al plurale è un vecchio germanismo limitato nel germanico ai soli cognomi, per indicare l'insieme della famiglia ossia il gruppo famigliare. Ancor'oggi in tedesco si dice: "Sind heute Brauns zu Hause? = I Braun sono a casa oggi?" Al tempo della formazione dell'inglese (1066 - 1300) tale sistema venne in Inghilterra esteso, con qualche eccezione, a tutti i sostantivi.

Per parecchi sostantivi derivati dall'inglese (z.B.: das Hotel, das Picknick, die Party usw.), altri derivati dal francese (z.B.: das Bonbon, das Büro, das Etui usw.), nonché per i neologismi derivati dalla lingua greca e riguardanti invenzioni tecnologiche moderne (z.B.: das Foto, das Auto usw.), anche il tedesco mantiene la desinenza "-s " in tutto il plurale. Si tenga tuttavia presente che non tutti i sostantivi provenienti dall'inglese o dal francese si comportano in questo modo: diversi, come p.es.: "der Computer, -s, die Computer" oppure "die Garage, -, die Garagen", formano il plurale seguendo le regole della declinazione tedesca. Vengono qui elencati in ordine alfabetico solo alcuni fra i sostantivi piú in uso, che formano tutto il plurale con la desinenza "-s ". NB: Una eccezione risalente a vecchia data si ha con: "der Uhu, des Uhus, die Uhus" = il gufo reale. Quest'elenco non si studia a memoria; marcare invece con crocetta le voci usate in modo errato!

1. das Abonnement, des Abonnements, die Abonnements = l'abbonamento
2. das Auto, des Autos, die Autos = la macchina, l'auto, l'utilitaria
3. der Bankier, des Bankiers, die Bankiers = il banchiere
4. die Bar, der Bar, die Bars = il bar
5. der Bikini, des Bikinis, die Bikinis = il bikini, due pezzi
6. das Bonbon, des Bonbons, die Bonbons = la caramella
7. das Büro, des Büros, die Büros = l'ufficio (di ditte private, non per uffici pubblici, per i quali si usa il termine "das Amt". z.B. das Postamt = l'ufficio postale; das Gemeindeamt = il comune usw.)
8. das Café, des Cafés, die Cafés = il caffé (locale, nel senso di "bar")
   NB: Da non confondere con "der Káffee" = il caffé (bevanda), che in un tedesco corretto mantiene l'accento tonico sulla prima sillaba, cioé sulla "a" del tema.
9. die CD, der CD, die CDs (= die Kompaktschallplatte) = il CD
10. der Chef, des Chefs, die Chefs = a) il titolare, il proprietario  b) il superiore, il direttore, il capo  c) (militare) il comandante
11. der Scheck, des Schecks, die Schecks (raro –e) = l'assegno
12. die Couch, der Couch, die Couchs (anche "die Cauchen" o "die Couches come in inglese) = il divano
13. der Clown, des Clowns, die Clowns = il clown, il pagliaccio
14. das Detail, des Details, die Details = il dettaglio, il particolare  (die Einzelheit)
15. die Disko, der Disko, die Diskos = la discoteca (auch "die Diskothek, -, -en")
16. das E-Mail, des E-Mails, die E-Mails (anche femminile: die E-Mail, der E-Mail, die E-Mails ) = messagio con posta elettronica
17. das Etui, des Etuis, die Etuis = a) l'astuccio, la custodia (per matite ecc.)  b) la guaina, il fodero (per coltelli, pugnali ecc.)
18. das Foto, des Fotos, die Fotos = la foto, la fotografia
19. der Gummi, des Gummis, die Gummis (r Radiergummi) = la gomma per cancellare
20. das Handy, des Handys, die Handys = il telefono mobile, il telefonino
21. das Hotel, des Hotels, die Hotels = l'hotel
22. der Káffee, des Káffees, die Káffees = il caffé (bevanda)
23. die Kamera, der Kamera, die Kameras = a) la macchina fotografica b) la telecamera
24. der Karton, des Kartons, die Kartons (in Austria anche "die Kartone") = la scatola di

cartone,  il cartone

25. das Kino, des Kinos, die Kinos = il cinema,  la sala cinematografica

26. das Labor, des Labors, die Labors = il laboratorio

27. der LKW (Lkw), des LKWs (Lkws), die LKWs (Lkws) (= abbreviazione per Lastkraft-
    wagen”) = il camion, il Tir

28. der PKW (Pkw), des PKWs (Pkws), die PKWs (Pkws) (= abbreviazione per Personen-
    kraftwagen) = l’auto, l’utilitaria, la macchina

29 das Menü, des Menüs, die Menüs = a) il menu  b) la lista delle vivande  (= die Speise-
    karte)

30. das Milieu, des Milieus, die Milieus = l’ambiente

31. das Mopp, des Mopps, die Mopps =  lo spazzolone a frange (per pulire pavimenti),
    la scopa a frange,  il moccio

32. das Mopped, des Moppeds, die Moppeds = il motorino,  il ciclomotore

33. der Nazi, des Nazis, die Nazis (sinonimo di “der Nationalsozialist, des Nationalsozia-
    listen, die Nationalsozialisten) = il nazista

34. das Niveau, des Niveaus,  die Niveaus = il livello, il grado  (sostantivo usato soprat-
    tutto in campo economico e di sviluppo culturale) z.B.: Das wirtschaftliche Niveau
    vieler afrikanischer Länder ist sehr niedrig.  =  Il livello commerciale di molti paesi
    africani è bassissimo.

35. der Park, des Parks, die Parks (in Svizzera e Austria anche “die Parke”) = il parco (sia
    privato che pubblico, come pure “il parco naturale”)

36. die Party, der Party, die Partys (anche all’inglese “die Parties”) =  il party, la festa, il
    trattenimento

37. das Picknick, des Picknicks, die Picknicks (anche “Picknicke”, quest’ultimo plurale è
    anzi piú usato!) = il picnic, sosta con spuntino o pasto completo all’aperto

38. der Plaid, des Plaids, die Plaids =  (termine scozzese) il plaid, la coperta da viaggio,
    piccola coperta

39. die Pizza, der Pizza, die Pizzas = la pizza  (termine napoletano)

40. die Pizzeria, der Pizzeria, die Pizzerias =  la pizzeria

41. das Restaurant, des Restaurants, die Restaurants  =  il ristorante (NB: è opportuno
    usare  anche  i  sinonimi  equivalenti  di  origine  prettamente  tedesca  come:  das
    Gasthaus,  die Gaststätte,  die Raststätte,  der Gasthof)

42. die Saison, der Saison, die Saisons = la stagione (p.es. turistica)

43. das Taxi, des Taxis, die Taxis  =  il taxi  (NB: Nella Germania del Nord si usa pure
    “die Taxe, der Taxe, die Taxen”, ma si tratta di un uso molto locale e ristretto)

44. der Tank, des Tanks, die Tanks (anche “die Tanke”)  =  a) il serbatoio (per la benzina)
    b) la cisterna (der Tankwagen  =  l’autocisterna)   c) la tanica, il bidone (= der
    Karnister)  d) (nel gergo militare) il carro armato (= der Panzer)

45. der Tee, des Tees, die Tees  =  il tè

46. der Test, des Tests, die Tests (anche die Teste) =  la prova, l’esame, il  test (vedi
    pag. 511)

47. der Tip, des Tips, die Tips (= der Hinweis) =  il suggerimento, il cenno, il consiglio

48. der Trend, des Trends, die Trends  =  la tendenza, il trend (termine usato soprattutto
    in campo economico e nella statistica)

49. das Trio, des Trios, die Trios  =  il trio,  il terzetto

50. der (das) Trikot, des Trikots, die Trikots = la maglia, la maglietta (calcio)

51. das Training, des Trainings, die Trainings  =  l’allenamento   NB: der Trainingsanzug
    =  la tuta sportiva

52. der Waggon, des Waggons, die Waggons (in Austria anche “die Waggone”) = a) la
    carrozza ferroviaria, il vagone   b) il carro merci

53. der Zoo, des Zoos, die Zoos = il giardino zoologico

# Einsilbige Hauptwörter ohne Umlaut im Plural

( Sostantivi monosillabi senza l'Umlaut al plurale )

Oltre ai monosillabi del secondo gruppo neutro forte, ve ne sono diversi che, pur avendo la vocale radicale modificabile, non prendono l'Umlaut (= la metafonesi) al plurale. Ció vale anche per i loro composti quando il secondo termine del sostantivo è formato da uno di questi monosillabi. Non è necessario studiare a memoria la lista qui riportata, per altro incompleta; è sufficiente marcare tali sostantivi man mano che si riscontrano. I piú importanti fra essi sono:

1. der Aal, des Aales, die Aale = l'anguilla
2. der Arm, des Armes, die Arme = il braccio; per cui: der Vorderarm, des Vor-
derarms, die Vorderarme = l'avambraccio
   NB: Da non confondere con: der Arme, ein Armer, Arme, die Armen = il povero, la persona povera (Si veda "Homonyme", nr. 9, pag. 485)
3. das Band, des Bandes, die Bande = il vincolo; per cui: das Liebesband, des Liebesbandes, die Liebesbande = il vincolo amoroso, il legame d'af-
fetto NB: Da non confondere con "das Band, des Bandes, die Bänder" = il nastro - "der Band, des Bandes, die Bände" = il volume - die Band, - ,-s = il piccolo complesso musicale (Si veda "Homonyme", nr. 46, pag. 506)
4. die Bank, der Bank, die Banken = la banca (istituto di credito)
   NB: Da non confondere con "die Bank, der Bank, die Bänke" (NB: decli-
nazione forte femm. primo gruppo) = a) il banco  b) la panca (Si veda "Homonyme", nr. 25, pag. 493)
5. der Bub, des Buben, die Buben = il bambino, il ragazzo (fino all'età della pu-
bertà) - Termine usato nella Germania del Sud + Austria: z.B.:-Ist es ein Bub oder ein Mädchen? = È un maschietto o una femminuccia? - Nella Germania del Nord si preferisce dire: "Ist es ein Junge oder ein Mädchen?"
6. die Burg, der Burg, die Burgen = il castello, la rocca, la fortezza (medioevale)
   NB: Nella Germania del Nord Il termine "das Schloss, -es, Schlösser" viene invece riferito alle residenze reali settecentesche tipo "Schloss Versailles", in Italia "Stupinigi", la "Reggia di Caserta" ecc.
7. der Bus, des Busses, die Busse = l'autobus, il bus
8. der Dolch, des Dolches, die Dolche = il pugnale
9. der Dom, des Domes, die Dome = il duomo
10. der Dorn, des Dornes, die Dornen = la spina (NB: declinazione mista); per cui: der Rosendorn, des Rosendorns, die Rosendornen = la spina della rosa - der Hagedorn = il biancospino... usw.
11. die Frau, der Frau, die Frauen = a) la signora  b) la donna;  per cui: die Hausfrauen = le casalinghe - die Putzfrauen = le donne delle pulizie - die Ehefrauen = le donne sposate... usw.
12. der Fund, des Fundes, die Funde = a) il ritrovamento, il rinvenimento b) il reperto archeologico
13. der Graf, des Grafen, die Grafen = il conte
14. der Grad, des Grades, die Grade = a) il grado  b) la graduazione  c) l'intensità; per cui: der Temperaturgrad, des Temperaturgrads, die Tempera-
turgrade = il grado di temperatura

15. der Hund, des Hundes, die Hunde = il cane; per cui: der Seehund, des See-
      hundes, die Seehunde = la foca
16. der Laut, des Lautes, die Laute = a) il suono, la voce  b) il grido; il rumore;
      per cui: der Umlaut, des Umlauts, die Umlaute = la metafonesi - der
      Wortlaut = il testo - der Klagelaut = il lamento
17. der Lump, des Lumpen, die Lumpen = a) lo straccione, il vagabondo, il pez-
      zente  b) il mascalzone, il nulla di buono
18. der Mond, des Mondes, die Monde = la luna
19. das Moos, des Mooses, die Moose = il muschio
20. der Narr, des Narren, die Narren = il pazzo, il matto
21. der Ochs, des Ochsen, die Ochsen = il bue
22. der Ort, des Ortes, die Orte = a) il luogo  b) la località; per cui: der Wall-
      fahrtsort, des Wallfahrtsortes, die Wallfahrtsorte = il santuario - der
      Geburtsort = il luogo di nascita - der Badeort, des Badeortes, die
      Badeorde = la località balneare... usw.
23. der Pfad, des Pfades, die Pfade = il sentiero
24. der Pfaff, des Pfaffen, die Pfaffen = il sacerdote, il prete
25. der Pfau, des Pfaues, die Pfauen = il pavone  (NB: declinazione mista)
26. der Pol, des Poles, die Pole = il polo
27. der Punkt, des Punktes, die Punkte = a) il punto  b) l'argomento
28. der Ruf, des Rufes, die Rufe = a) la chiamata  b) il grido, l'esclamazione;
      per cui: der Anruf, des Anruf(e)s, die Anrufe = la telefonata - der
      Hilferuf, des Hilferuf(e)s, die Hilferufe = il grido di aiuto - der Alarm-
      ruf, des Alarmrufs, die Alarmrufe = il grido di allarme... usw.
29. der Spatz, des Spatzen, die Spatzen = il passero
30. der Schuh, des Schuhes, die Schuhe = la scarpa; per cui: der Winterschuh,
      des Winterschuhs, die Winterschuhe = la scarpa invernale - der
      Damenschuh = la scarpa da donna... usw.
31. der Staat, des Staates, die Staaten = a) lo Stato, il paese sovrano; per cui:
      der Bundesstaat = lo Stato federale... usw.
32. der Strahl, des Strahles, die Strahlen = il raggio  (NB: declinazione mista!); per
      cui: der Sonnenstrahl, des Sonnenstrahl(e)s, die Sonnenstrahlen = il
      raggio di sole, il raggio del sole... usw.
33. der Stoff, des Stoffes, die Stoffe = a) la stoffa  b) la materia; per cui: der
      Kunststoff, des Kunststoff(e)s, die Kunststoffe = la materia sintetica, il
      prodotto sintetico... usw.
34. der Tag, des Tages, die Tage = il giorno; per cui: der Arbeitstag, des Ar-
      beitstag(e)s, die Arbeitstage = il giorno feriale - der Feiertag, des
      Feiertag(e)s, die Feiertage = il giorno festivo... usw.
35. der Thron, des Thrones, die Throne = il trono
36. der Tor, des Toren, die Toren = il matto, il pazzo  NB: Da non confondere con
      "das Tor, des Tores, die Tore = il portone  b) porta della città  c) il cancello
      c) il goal (Si veda "Homonyme", nr. 31, pag. 497)
37. das Wort, des Wortes, die Worte = la parola (parola parlata, nel senso di
      "discorso") NB: Da non confondere con "das Wort, des Wortes, die Wörter"
      = la parola (nel senso di "vocabolo"), il vocabolo (Si veda "Homonyme",
      nr. 39, pag. 502)

# Mehrsilbige Hauptwörter mit Umlaut im Plural

( Sostantivi polisillabi con l'Umlaut al plurale )

La maggioranza dei sostantivi polisillabi non raddolcisce la vocale tematica al plurale, non prende cioé l'Umlaut (= la metafonesi). Esigono sempre l'Umlaut al plurale i polisillabi sia maschili che neutri uscenti in "-tum". Fanno eccezione alla regola generale un gruppo ridotto di polisillabi, alcuni dei quali molto ricorrenti. È ovvio che anche i sostantivi composti prendono l'Umlaut al plurale, se il secondo termine è formato da uno dei qui elencati polisillabi. Non si tratta di un elenco completo né è necessario studiare la lista a memoria; è sufficiente marcare quelli piú in uso man mano che si riscontrano e adoperano. Si tenga inoltre presente che tutti i polisillabi aventi l'Umlaut al singolare lo mantengono anche al plurale z.B.: das Geschäft, des Geschäftes, die Geschäfte = il negozio, l'affare.

1.  der Abfall, des Abfalls, die Abfälle  =  a) il cascame   b) i rifiuti, le immondizie; per cui: der Küchenabfall  =  i rifiuti umidi... usw.
2.  der Acker, des Ackers, die Äcker  =  il campo; per cui: der Kartoffelacker, des Kartoffelackers, die Kartoffeläcker  =  il campo di patate
3.  der Altar, des Altars, die Altäre  =  l'altare
4.  der Anfang, des Anfangs, die Anfänge  =  a) l'inizio, il principio;  per cui: der Arbeitsanfang  =  l'inizio dei lavori (del lavoro)  b) l'origine, i primordi z.B.: die Anfänge einer Wissenschaft  =  gli inizi di una scienza
5.  der Apfel, des Apfels, die Äpfel  =  la mela; per cui: der Granatapfel, des Granatapfels, die Granatäpfel  =  la melagrana... usw.
6.  der Ausdruck, des Ausdruck(e)s, die Ausdrücke  =  l'espressione
7.  die Auskunft, der Auskunft, die Auskünfte  =  l'informazione
8.  der Betrag, des Betrags, die Beträge = l'importo
9.  der Boden, des Bodens, die Böden  =  a) il terreno  b) il pavimento   NB: Esiste al plurale anche la versione "die Boden" senza Umlaut. Nella Germania del Sud ed in Austria si preferisce la forma con l'Umlaut "die Böden", in tal modo il plurale risalta con chiarezza. Per cui: der Zimmerboden, des Zimmerbodens, die Zimmerböden  =  il pavimento della stanza  -  der Fußboden, des Fußbodens, die Fußböden = il pavimento
10. der Bruder, des Bruders, die Brüder  =  il fratello; per cui: der Stiefbruder, des Stiefbruders, die Stiefbrüder  =  il fratellastro... usw.
11. das Denkmal, des Denkmals, die Denkmäler  =  il monumento
12. der Faden, des Fadens, die Fäden  =  il filo    NB: Esiste al plurale anche la "versione "die Faden", ma è da preferire per maggior chiarezza die Fäden".
13. der Garten, des Gartens, die Gärten  =  a) il giardino   b) l'orto; per cui: der Kindergarten, des Kindergartens, die Kindergärten = l'asilo [= il giardino dei bambini] - der Tiergarten = lo zoo... usw.
14. der Graben, des Grabens, die Gräben  =  il fossato, il fosso  (declinazione maschile primo gruppo)  NB: Da non confondere col monosillabo: "das Grab, des Grabes, die Gräber  =  a) la fossa  b) la tomba (declinazione neutra terzo gruppo)
15. der Hafen, des Hafens, die Häfen  =  il porto; per cui: der Flughafen, des Flughafens, die Flughäfen  =  l'aeroporto... usw.
16. der Hammer, des Hammers, die Hämmer  =  il martello; per cui: der Holzhammer, des Holzhammers, die Holzhämmer  =  il martello di legno  -

wder Presslufthammer  =  il martello pneumatico... usw.

17. der Handel, des Handels, die Händel  =  la lite, il litigio, la zuffa  (sinonimo di "der Streit")  NB: Da non confondere con "der Handel, des Handels" (*singulare tantum*) = il commercio.

18. der Laden, des Ladens, die Läden  =  a) il negozio  b) l'imposta, la persiana, la persiana avvolgibile, per cui: der Fensterladen, des Fensterladens, die Fensterläden  =  la persiana della finestra,  la gelosia  NB: Da non confondere con "die Lade, der Lade, die Laden"  =  il cassetto.  (Si veda "Homonyme", nr. 36, pag. 499)  z.B.:-Dieser Schrank ist sehr praktisch, weil er viele Schubladen hat.  =  Questo armadio è molto pratico perché ha molti cassetti.

19. der Mangel, des Mangels, die Mängel  =  a) il difetto  b) la mancanza

20. der Mantel, des Mantels, die Mäntel  =  il mantello; per cui: der Regenmantel, des Regenmantels, die Regenmäntel  =  l'impermeabile

21. die Mutter, der Mutter, die Mütter  =  la mamma, per cui: die Schwiegermutter, der Schwiegermutter, die Schwiegermütter  =  la suocera - die Großmutter, der Großmutter, die Großmütter  =  la nonna... usw.

22. der Nagel, des Nagels, die Nägel  =  a) l'unghia  b) il chiodo; per cui: der Fingernagel, des Fingernagels, die Fingernägel  = l'unghia del dito - der Reißnagel  =  la puntina da disegno... usw.

23. der Ofen, des Ofens, die Öfen  =  a) la stufa  b) il forno; per cui: der Kachelofen, des Kachelofens, die Kachelöfen  =  la stufa in ceramica - der Backofen, des Backofens, die Backöfen  =  il forno per la cottura del pane... usw.

24. der Reichtum, des Reichtums, die Reichtümer  =  la ricchezza
    NB: Tutti i polisillabi sia maschili che neutri uscenti in "-tum" esigono l'Umlaut! z.B.: das Alterum, des Altertums, die Altertümer  =  (significa al singolare) l'antichità; (al plurale) i monumenti antichi

25. der Sattel, des Sattels, die Sättel  =  la sella

26. der Schaden, des Schadens, die Schäden  =  il danno (NB: declinazione mista!); per cui: der Transportschaden, des Transportschadens, die Transportschäden  =  i danni dovuti al trasporto - der Sachschaden, des Sachschadens, die Sachschäden  =  il danno materiale

27. der Schnabel, des Schnabels, die Schnäbel  =  il becco

28. der Schwager, des Schagers, die Schwäger  =  il cognato

29. der Tenor, des Tenors, die Tenöre  =  il tenore

30. die Tochter, der Tochter, die Töchter  =  la figlia; per cui: die Schwiegertochter, der Schwiegertochter, die Schwiegertöchter  =  la nuora

31. der Vater, des Vaters, die Väter  =  il padre, il papà; per cui: der Schwiegervater, des Schwiegervaters, die Schwiegerväter  =  il suocero - der Großvater, des Großvaters, die Großväter  =  il nonno... usw.

32. der Vogel, des Vogels, die Vögel  =  l'uccello; per cui: der Wandervogel, des Wandervogels, die Wandervögel  =  l'uccello migratore

33. der Wagen, des Wagens, die Wägen  =  a) il carro  b) la macchina  c) la carrozza (vagone)  (NB: È corretta anche la versione "die Wagen" senza Umlaut); per cui: der Speisewagen  =  la carrozza ristorante - der Liegewagen  =  la carrozza con cuccette

# Hauptwörter mit bloßem Plural

( Sostantivi usati solo al plurale = *"pluralia tantum"* )

Elenco dei *"pluralia tantum"* piú in uso:

| | | |
|---|---|---|
| 1. | die Chemika-lien | = i prodotti chimici:<br>z.B.:-Im Ruhrgebiet werden viele flüssige und fe-ste Chemikalien erzeugt. = Nella Ruhr si pro-ducono molti prodotti chimici fluidi e solidi. |
| 2. | die Eltern | = i genitori:<br>NB: Esistono i termini "der Elter - die Elterin = il genitore - la genitrice", ma sono termini vera-mente brutti e sconosciuti alla grande massa del popolo; oltre a ció, anche inutili, perché, al loro posto, si usano semplicemente le voci "der Vater" e "die Mutter". In pratica il termine "Eltern" viene usato esclusivamente al plurale!<br>z.B.: -Meine Eltern haben mich lieb. = I miei ge-nitori mi amano. |
| 3. | die Ferien | = le ferie, le vacanze:<br>z.B.: -Die Arbeiter haben keine langen Weih-nachtsferien, aber die Weihnachtsferien der Schüler und der Studenten sind lang. = I lavora-tori non hanno vacanze natalizie lunghe, ma le vacanze di Natale degli alunni e degli studenti sono lunghe.<br>NB: Il termine "die Ferien" è molto più usato del termine "Urlaub", in quanto può essere riferito non solo agli studenti, ma anche ai lavoratori.<br>-die Betriebsferien = le ferie della ditta<br>z.B.: -Im August (haben wir) hat unsere Firma Be-triebsferien. = In agosto la nostra ditta chiude per ferie. |
| 4. | die Geschwi-ster | = i fratelli (nel senso di "fratello + sorella"):<br>NB: Si tratta del plurale del sostantivo "das Ge-schwister", che però al singolare non viene in pratica mai usato e quasi stona.<br>z.B.: -Hast du Geschwister? = Hai fratelli e sorel-le?<br>-Ja, ich habe einen Bruder. = Sì, ho un fratello.<br>-Ja, ich habe einen Bruder und eine Schwester. = Sì, ho un fratello e una sorella. |
| 5. | die Großeltern | = i nonni [i genitori grandi]:<br>NB: Vale lo stesso discorso fatto per il sostantivo |

| | | |
|---|---|---|
| | | "genitori" (punto 2); per il singolare si usano le voci "der Großvater - die Großmutter"! z.B.: -Alle meine Großeltern leben noch. = Tutti i miei nonni vivono ancora. |
| 6. | die Immobilien | = i beni immobili: z.B.: -Peter hat seine ganzen Ersparnisse in Immobilien angelegt. = Pietro ha investito tutti i suoi risparmi in beni immobili. |
| 7. | die Leute | = la gente, le persone: NB: Si tratta di un vecchio germanismo: ecco perchè anche in inglese "people" è un "plurale tantum". z.B.: -Was sagen denn die Leute? = Ma che dice la gente? -Gestern waren viele Leute im Stadion. = Ieri c'era tanta gente nello stadio. |
| 8. | die Masern | = il morbillo: z.B.:-Unsere Kinder hatten alle schon die Masern. = I nostri bambini hanno già tutti avuto il morbillo. |
| 9. | die Möbel | = i mobili: NB: Mentre in inglese "furniture" è un "singulare tantum", in tedesco "Möbel" si usa solo al plurale! z.B.: -Für unsere neue Wohnung brauchen wir ein paar Möbel. = Per il nostro nuovo appartamento ci occorrono alcuni mobili. NB: Quando è necessario usare il singolare, si adopera l'espressione "das Möbelstück" = il mobile". z.B.: -Fürs Wohnzimmer brauchen wir noch ein Möbelstück. = Per il soggiorno abbiamo ancora bisogno di un mobile. |
| 10. | die Personalien | = i dati personali, le generalità: z.B.: -Geben Sie mir bitte ihre Personalien an! = Mi dia per favore le sue generalità! |
| 11. | die Röteln | = la rosolia: z.B.: -Wenn eine schwangere Frau die Röteln bekommt, könnte dies fürs Kind gefährlich werden. = Se una gestante prende la rosolia, ció potrebbe essere pericoloso per il nascituro. |
| 12. | die Windpocken | = la varicella: z.B.:-Unsere Tochter liegt mit den Windpocken im Bett. = La nostra figliola è a letto con la varicella. |

# Hauptwörter mit bloßem Singular

( Sostantivi usati solo al singolare = "*singularia tantum*" )

Come in tutte le lingue europee, vi sono anche in tedesco diversi sostantivi usati solo al singolare, soprattutto astratti. L'elenco seguente indica soltanto alcuni dei "*singularia tantum*" piú in uso e, fra essi, solo quelli che divergono dall'italiano, perché in italiano vengono usati anche al plurale:

| 1. | das Beneh-men, -s | = a) il comportamento   b) la condotta   c) le buone maniere, l'educazione, la creanza: z.B.:-Diese Kinder sind ungezogen, man muss ihnen ein korrektes Benehmen beibringen.  = Questi ragazzi sono maleducati, è necessario insegnare loro le buone maniere. |
|---|---|---|
| 2. | das Besteck, -s | = le posate  (= l'insieme delle posate come pure una sola parte di esse): NB: Per l'insieme delle posate "cucchiaio, forchetta, coltello" non esiste un plurale, mentre esiste per i singoli pezzi: -der Löffel, des Löffels, die Löffel = il cucchiaio -die Gabel, der Gabel, die Gabeln = la forchetta -das Messer, -s, die Messer = il coltello z.B.:- Herr Ober, mir fehlt das Besteck, können Sie es mir bringen? = Signor cameriere, mi mancano le posate, me le può portare? |
| 3. | das Elend, -s | = a) la miseria, l'indigenza, la povertà   b) l'affanno il dolore: z.B.:-Paul schilderte sein Elend, um sich zu entlasten.  =  Paolo descrisse le sue miserie per scaricarsi. -Unsere Freunde saßen alle da wie ein Häufchen Elend. = I nostri amici stavano tutti seduti là come miseri tapini [Alla lettera:... come un mucchietto di miseria]. |
| 4. | das Fleisch, -es | = la carne: N.B: Con molti alimenti si hanno in tedesco sostantivi usati solo al singolare. Per l'eventuale plurale si usa il termine "die Fleischwaren" = le carni. - die Wurstwaren = gl'insaccati, i salumi z.B.:-Wir essen im Allgemeinen nicht viel Fleisch. = Noi in genere non mangiamo molta carne. |

| | | |
|---|---|---|
| 5. | die Furcht, -<br>**+ vor + Dat.** | = la paura, il timore:<br>    NB: Per l'eventuale plurale si usa: "die Befürch-tung, der Befürchtung, die <mark>Befürchtungen</mark>", op-pure il plurale di "die Angst, -, die <mark>Ängste</mark>".<br>    z.B.:-Es hat wirklich keinen Sinn, den Kindern Furcht vor Gespenstern einzuflößen. = Non ha veramente alcun senso incutere ai bambini ti-mori e paure degli spiriti. |
| 6. | das Futter, -s | = a) il foraggio (per animali), la pastura  b) il bec-chime, mangime (per volatili, animali piccoli):<br>    z.B.:-Bei Schnee muss das Wild lange nach Fut-ter suchen. = Con la neve la selvaggina deve cercare a lungo per trovare foraggio.<br>    -Dieses Pferd ist (steht) gut im Futter. = Questo cavallo è ben nutrito.<br><br>= c) la fodera (per vestiti):<br>    z.B.:-Das Futter im Ärmel hat sich gelöst und ist zerrissen, man muss es ausbessern. = Si è staccata e rotta la fodera della manica, va ag-giustata. |
| 7. | das Geld, -es | = il denaro, i soldi:<br>    NB: Il plurale <mark>"die Gelder" è usato solo nel gergo bancario, nel senso di "valute"</mark>, mentre nella par-lata quotidiana "Geld" si usa solo al singolare.<br>    z.B.:-Wie viel Geld hast du mit? = Quanti soldi hai con te?<br>    -Leider hab' ich zu wenig Geld bei mir. = Purtroppo ho troppo poco denaro (troppo pochi soldi) con me. |
| 8. | das Gemüse, -s | = la verdura:<br>    NB: Per l'eventuale plurale si usa il termine "die <mark>Gemüsearten</mark>" = le verdure (a volte, ma più ra-ramente, si può usare anche il termine "die Ge-müsewaren"):<br>    z.B.:-Wir essen jeden Tag entweder rohes oder gekochtes Gemüse. = Noi ogni giorno mangia-mo verdura cruda o cotta.<br><br>    NB: Per verdure specifiche usate solo al singolare si veda il nr. 16 di questo paragrafo, pag. 101 |
| 9. | das Gepäck, -s | = il bagaglio, i bagagli:<br>    NB: Si tratta di un <mark>germanismo riscontrabile an-</mark> |

che in inglese, perché anche in inglese i due termini "the baggage" come pure "the luggage" sono dei *singularia tantum*.

z.B.:-Reisende müssen auf ihr Gepäck aufpassen. = I passeggeri (viaggiatori) devono prestare attenzione ai loro bagagli.

NB: Per l'eventuale plurale, se si vuole cioé specificare il numero dei bagagli, si usa il termine "das Gepäckstück, -es, die Gepäckstücke". In Austria è in uso anche il termine proveniente dall'italiano: "das Kolli, des Kollis, die Kollis":

z.B.:-Wie viele Gepäckstücke (Kollis) haben Sie? = Quanti bagagli (colli) ha?

-Ich habe nur drei Gepäckstücke: zwei Koffer und eine große Tasche. = Ho soltanto tre bagagli: due valigie e una grande borsa.

| | | |
|---|---|---|
| 10. | das Glück, -es | = a) la fortuna, la buona sorte: |

z.B.:-Glück muss man haben! = è questione di fortuna. - Wir hatten noch einmal Glück. = L'abbiamo ancora una volta scampata bella. (Abbiamo avuto di nuovo fortuna).

-Da kannst du wohl (wirklich) von Glück reden! = Puoi proprio chiamarti fortunato!

= b) il successo:

z.B.:-Paul hat bei den Frauen Glück gehabt. = Paolo ha avuto successo con le donne.

= c) la felicità:

z.B.: -Giselas Glück wurde durch nichts betrübt. = Nulla turbava la felicità di Gisella.

NB: Per l'eventuale plurale si usa il composto: der Glücksfall, des Glücksfalls, die Glücksfälle = il colpo di fortuna.

z.B.:-Das war ein reiner Glücksfall. = È stato un puro colpo di fortuna.

-Hätte doch auch ich solche Glücksfälle! = Avessi anch'io tali colpi di fortuna!

| | | |
|---|---|---|
| 11. | der Groll, -es<br>der Hass, -es | = il rancore, l'astio, il corruccio<br>= l'odio: |

z.B.:-Wer gegen jemand Groll und Hass hegt, lebt nicht nach den Grundprinzipien des Evangeliums. = Chi nutre rancori e odio contro qualcuno, non vive secondo i principi fondamentali del Vangelo.

| | | |
|---|---|---|
| 12. | das Obst, -es | = la frutta:<br>N.B.: Per l'eventuale plurale si usa sia "die Obst-arten" sia "die Obstwaren".<br>z.B.:-Die Kinder von Familie Krüger essen zum Nachtisch Obst, denn so sagt Frau Krüger, das ist sehr gesund. = I bambini della famiglia Krüger mangiano come dessert frutta perché, così dice la signora Krüger, essa è molto sana. |
| 13. | die Rache, - | = la vendetta:<br>NB: mentre in italiano si può usare anche il plurale "le vendette", in tedesco esso non esiste!<br>z.B.:-Man soll nie aus Rache handeln. = Non si deve mai agire per vendetta.<br>-Alle fürchteten die Rache des Feindes. = Tutti temevano la vendetta (le vendette) del nemico. |
| 14. | der Schmuck, -es | = i gioielli, i monili:<br>NB: Per ottenere l'eventuale plurale si usa il termine "das Schmuckstück, -es, die Schmuck-stücke".<br>z.B.: -Gisela liebt Schmuck; sie trägt jeden Tag etwas Schmuck. = A Gisella piacciono i gioielli; ne porta ogni giorno.<br>-Die Königin von England hat bekanntlich viel kost-baren Schmuck. = La regina d'Inghilterra ha, com'é noto, molti gioielli preziosi. |
| 15. | der Schnee, -s | = la neve:<br>NB: Non esiste il plurale "le nevi".<br>z.B.:-Der ewige Schnee der Erdpole. = Le nevi permanenti (eterne) dei poli.<br>-arktischer Schnee = le nevi artiche<br>-Es wird Schnee geben. = Nevicherà. |
| 16. | der Spinat, -s | = gli spinaci:<br>z.B.: Heute gibt es Spiegeleier mit Spinat. = Oggi si mangia uova al tegamino e spinaci.<br>NB: Diverse altre verdure non hanno un plurale in tedesco e sono dei *singularia tantum*, così:<br>-der Rotkohl = il cavolo rosso (molte specie di cavoli)<br>-der Blumenkohl = i broccoli<br>-das Kraut = i crauti<br>-der Mangold = la bietola, le coste<br>-der Lattich = la lattuga ecc. |

| 17. | das Unglück, -es | = a) la sfortuna, la disgrazia, la sciagura, la rovina:<br>NB: Per l'eventuale plurale si usa: die Unglücks-fälle = le disgrazie.<br>z.B.:-Der letzte Weltkrieg hat unzählige Menschen ins Unglück gestürzt. = L'ultima guerra mondiale ha causato la rovina di innumerevoli persone.<br>-Ein schweres, schreckliches Unglück ist heute im Bergwerk passiert. = Una grave, spaventosa disgrazia è avvenuta oggi in miniera.<br>-Das Unglück wollte es, dass Peter gerade in dem Moment vorbeifuhr, als der große Stein vom Berg fiel. = Sfortuna volle che Pietro passasse proprio nel momento in cui cadde il grosso sasso.<br><br>= b) l'infelicità:<br>z.B.:-Mit der Ehe begann Inges Unglück. = L'infelicità di Inge iniziò col matrimonio.<br>NB: -Glück im Unglück haben = aver fortuna nella sfortuna |
|---|---|---|
| 18. | der Unterricht, -s | = a) la lezione  b) l'insegnamento, la scuola, l'insieme delle lezioni:<br>NB: Si usa per l'insegnamento nelle scuole di ogni ordine e grado, dalle elementari alla maturità.<br>z.B.:-Wir haben jeden Tag fünf Stunden Unterricht. = Abbiamo ogni giorno cinque ore di scuola.<br>-Wie lange dauert der Deutschunterricht? = Quanto dura la lezione di tedesco?<br>NB: Per l'eventuale plurale si usa il composto: die Unterrichtsstunden:<br>z.B.:-Wie viele Unterrichtsstunden habt ihr pro Tag? = Quante ore di lezione avete al giorno? |
| 19. | der Urlaub, -s | = a) la vacanza, b) le ferie, c) il permesso (militare):<br>NB: Non si usa mai per le vacanze scolastiche, ma solo per le vacanze di lavoratori, impiegati e militari. Mentre il termine Urlaub può essere sostituito dal sostantivo "die Ferien", quest'ultimo non può essere sostituito da Urlaub, se si tratta di vacanze scolastiche. |

| | | |
|---|---|---|
| | | z.B.: -Wann fahrt ihr in Urlaub? (= Wann fahrt ihr in die Ferien?) = Quando andate in vacanza?<br>-Peter arbeitet bei einer großen Firma und bekommt Urlaub nur im August. = Pietro lavora presso una grande ditta e ha le ferie solo in agosto. |
| 20. | der Verkehr, -s | = il traffico:<br>NB: Anche se qualche vocabolario indica il plurale di questo sostantivo, in pratica esso è raramente in uso. - Si notino le seguenti espressioni molto ricorrenti:<br>-der öffentliche Verkehr = i trasporti pubblici<br>-der ruhende Verkehr = i veicoli fermi (veicoli in sosta)<br>-der außereheliche Verkehr = i rapporti extraconiugali<br>z.B.:-In Heimhausen ist der Straßenverkehr zu stark geworden. = Ad Heimhausen il traffico stradale è diventato troppo intenso.<br>-Zwischen Italien und Deutschland ist ein reger Warenverkehr. = Fra l'Italia e la Germania c'é un vivo scambio di merci. |
| 21. | der Wahn, -s | = a) l'illusione, l'inganno  b) la pazzia, la follia:<br>z.B.:-Hitlers Wahn hat Deutschland und Europa in tiefes Leid und Elend gestürzt. = Le follie di Hitler hanno provocato alla Germania e all'Europa profondo dolore e miseria.<br>NB: -"Und die Treue, sie ist doch kein leerer Wahn!" = La fedeltà non è una pura illusione! (**Schiller**, Ballade: "Die Bürgschaft" ). |
| 22. | der Wille, -ns | = la volontà:<br>NB: Mentre in italiano il plurale è usato soprattutto nelle forme testamentarie "le ultime volontà", in tedesco il plurale non si usa nella parlata comune, anche se qualche vocabolario lo indica.<br>z.B.:- Welches war sein lezter Wille? = Quali sono state le sue ultime volontà?<br>-Endlich konnten diese Völker ihren Willen zur Unabhängigkeit durchsetzen. = Finalmente questi popoli poterono far valere la loro volontà d'indipendenza. |

# Genera der Hauptwörter mit Endung "-e"

( Ricapitolazione e visione generale sul genere dei sostantivi uscenti in "-e "
con infine l'aggiunta delle eccezioni )

1.  I nomi comuni maschili di persona (qualcuno anche di animale) uscenti in "-e"
    appartengono alla declinazione maschile debole (si veda la declinazione
    maschile debole del sostantivo, pag. 61):

| z.B.: | der Erbe | = l'erede |
|---|---|---|
| | der Gatte | = il marito, il coniuge, il consorte |
| | der Heide | = il pagano |
| | der Jude | = l'ebreo |
| | der Riese | = il gigante |
| | der Sklave | = lo schiavo |
| | der Zeuge | = il testimone |
| | der Bulle | = a) il toro  b) animale maschio di grande cor-poratura |
| | der Drache | = il drago |
| | der Falke | = il falco |
| | der Hase | = la lepre |
| | der Rabe | = il corvo |
| | usw. | |

2.  Aggettivi e participi sostantivati, quando seguono la declinazione debole del-
    l'aggettivo attributivo e nella frase si trovano in funzione di soggetto o nome
    del predicato (si vedano le regole dell'aggettivo sostantivato a pag. 139):

| z.B.: | bös = cattivo | -der Böse | = a) il demonio b) il cattivo |
|---|---|---|---|
| | | -das Böse | = il male |
| | krank = malato | -der Kranke | = l'ammalato |
| | reisend = viaggiante | -der Reisende | = il viaggiatore |
| | verwundet = ferito | -der Verwundete | = il ferito |
| | usw. | | |

3.  Il 98% circa dei sostantivi di animali e cose concrete o astratte uscenti in "-e"
    sono di genere femminile e appartengono alla declinazione femminile debole
    secondo gruppo che comprende migliaia di sostantivi, dei quali se ne indi-
    cano qui solo alcuni (si tratta di uno dei gruppi piú vasti!):

| z.B.: | | die Ameise | = la formica |
|---|---|---|---|
| | | die Biene | = l'ape |
| | | die Fliege | = la mosca |
| alcuni fra i sostan- | | die Henne | = la gallina |
| tivi di animali: | | die Katze | = il gatto |
| | | die Mücke | = la zanzara |
| | | die Schwalbe | = la rondine |
| | | die Taube | = la colomba |

|  |  |  |
|---|---|---|
| alcuni fra i sostanti-<br>vi di piante: | die Birke<br>die Buche<br>die Eiche<br>die Esche<br>die Fichte<br>die Tanne | = la betulla<br>= il faggio<br>= la quercia<br>= il frassino<br>= l'abete rosso<br>= l'abete bianco |
| alcuni fra i sostanti-<br>vi di fiori: | die Blume<br>die Nelke<br>die Rose<br>die Tulpe | = il fiore<br>= il garofano<br>= la rosa<br>= il tulipano |
| alcuni fra i moltissi-<br>mi sostantivi di co-<br>cose concrete: | die Ecke<br>die Fassade<br>die Flasche<br>die Garage<br>die Gasse<br>die Küche<br>die Lampe<br>die Limonade<br>die Maschine<br>die Marmelade<br>die Pfanne<br>die Pupille<br>die Straße<br>die Schublade<br>die Schere, -, -n<br><br><br>die Tasse<br>die Tuberkulose | = l'angolo<br>= la facciata<br>= la bottiglia<br>= il garage<br>= il vicolo<br>= la cucina<br>= la lampada<br>= la limonata<br>= la macchina<br>= la marmellata<br>= la pentola<br>= la pupilla<br>= la strada<br>= il cassetto<br>= le forbici  [NB: il sing.<br>tedesco = "la forbice"<br>= un paio di forbici !]<br>= la tazza<br>= la tubercolosi |
| alcuni fra i sostan-<br>tivi di cose astrat-<br>te: | die Alternative<br>die Buße<br>die Freude<br>die Idee<br>die Initiative<br>die Liebe<br>die Reue<br>die Treue<br>usw. | = l'alternativa<br>= la penitenza<br>= la letizia, la gioia<br>= l'idea<br>= l'iniziativa<br>= l'amore<br>= il pentimento<br>= la fedeltà |

4. Sostantivi maschili uscenti in "-e " appartenenti al terzo e secondo gruppo della declinazione maschile mista (= si veda decl. del sostantivo, pag. 63):

| z.B.: | der Glaube<br>der Wille<br>der Friede(n)<br>der Gedanke<br>der Schade(n)<br>der Name<br>der Buchstabe<br>der Same | = la fede<br>= la volontà<br>= la pace<br>= il pensiero<br>= il danno<br>= il nome<br>= la lettera dell'alfabeto<br>= il seme |

105

| der Haufe | = il mucchio |
| der Funke | = la scintilla |
| der See | = il lago |

5. (si veda declinazione mista neutra del sostantivo, pag. 64):

| z.B.: | das Auge | = l' occhio |
| | das Ende | = la fine |
| | das Interesse | = l'interesse (NB: nel senso di: "aver interesse per", non l'interesse bancario) |

6. Sostantivi neutri di cose con prefisso "ge-" e suffisso "-e" appartenenti al secondo gruppo neutro forte:

| z.B.: | das Gemüse | = la verdura |
| | das Gequatsche | = il chiacchierio, le chiacchiere |
| | das Gemälde | = la pittura, il dipinto, (il quadro) |

7. Eccezioni: si tratta di sostantivi di cose non femminili uscenti in "-e " e non facenti parte delle classi o dei gruppi delle declinazioni su menzionate. Alcuni di questi sostantivi sono dei "*singularia tantum*" che non hanno quindi un plurale proprio, bensì un plurale eventualmente irregolare. Ad eccezione di "das Konklave" che appartiene al secondo gruppo della declinazione mista neutra, tutti gli altri sostantivi indicati in elenco formano il plurale con la desinenza "-s". La lista qui riportata non vuol essere completa:

| z.B.: das Café, -s, -s | = il cafè (locale), il bar |
| der Charme, -s | = la grazia, il fascino |
| der Káffee, -s, -s | = il caffé (bevanda) |
| der Käse, -s, die Käsearten | = il formaggio |
| der Klee, -s, die Kleearten | = il trifoglio |
| das Klischee, -s, -s | = a) il cliché (cliscè), matrice (in tipografia)  b) espressione priva di originalità |
| der Kode, -s, -s  (der Code, -s, -s) | = il codice, il cifrario |
| das Komitee, -s, -s | = il comitato |
| das Konklave, -s, -n | = il conclave |
| der Schmee, -s, (*singulare tantum*) | = le sciocchezze, le assurdità, la baggianata  z.B.: Das ist alles Schmee! = Sono tutte sciocchezze (bugie)! |
| der Schnee, -s, (*singulare tantum*) | = la neve |
| der Tee, -s, -s | = il té |

# Genera der Hauptwörter mit Endung "-ik; ick"

( Generi dei sostantivi uscenti in "-ik; -ick" )

---

### 1. weiblich

La stragrande maggioranza dei sostantivi col suffisso "-ik" è di genere femminile e appartiene al primo gruppo della declinazione femminile debole. In italiano essi corrispondono di solito a nomi comuni uscenti in "-ica". Eccone alcuni fra i tanti esempi, che riguardano:

a) diversi rami della scienza e sono nella stragrande maggioranza dei *singularia tantum*:

    z.B.: -die Ästhetik, - = l'estetica
         -die Botanik, - = la botanica
         -die Ethik, - = l'etica, la filosofia morale, la morale
         -die Germanistik, - = la germanistica
         -die Lyrik, - = la lirica
         -die Mathematik, - = la matematica
         -die Musik, - = la musica
         -die Optik, - = l'ottica
         -die Physik, - = la fisica
         -die Scholastik, - = la scolastica (corrente filosofica)

b) attività umane:

         -die Dynamik, - = a) la dinamica  b) il dinamismo, lo slancio
         -die Gymnastik, - = la ginnastica
         -die Kritik, -, -en = la critica
         -die Politik, - = la politica
         -die Problematik, - = la problematica

c) manufatti:

         die Keramik, -, -en = la ceramica
         -die Plastik, -, -en = la plastica

---

### 2. männlich

Sono di genere maschile:

a) alcuni sostantivi soprattutto di origine inglese, russa ed araba; essi appartengono a varie declinazioni desumibili dal paradigma:

    z.B.: -der Bolschewik, -en, -en = il bolscevico (comunista russo)
         -der Mastik, -s = il mastice
         -der Schick, -es = l'eleganza, lo chic (termine prettamente tedesco proveniente dall'espressione "was sich schickt" = "ció che si addice")
         -der Sputnik, -s, -s = lo Sputnik (prime sonde spaziali russe)
         -der Streik, -s, -s = lo sciopero (di origine inglese, derivato dal termine germanico "streichen, strich, gestrichen")
         -der Scheik, -es, -e (-s) = lo sceicco
         -der Trick, -s, -s (-e) = a) il trucco  b) lo stratagemma, l'astuzia
         (deriva dal tardo latino "triccare" ital. "truccare" poi inglesizzato)

b) <mark>sostantivi geografici</mark>:

    z.B.: -der Atlantik, -s = l'Oceano Atlantico

            -der Pazifík, -s = l'Oceano Pacifico

---

**3. sächlich**

Fra i rari sostantivi neutri aventi il suffisso "-ik" si tenga presente:

    z.B.: -das Mosaík, -s, -en = il mosaico (secondo gruppo neutro misto)

# Genera der Hauptwörter mit Endung "-tum"

( Generi dei sostantivi uscenti in "-tum" )

---

**1. sächlich**

La stragrande maggioranza dei sostantivi col suffisso "-tum" è di genere neutro. Essendo perlopiú dei <mark>sostantivi astratti riguardanti religioni, culture, usi e costumi</mark>, essi, ad eccezione di alcuni, non hanno il plurare e appartengono alla declinazione neutra forte del terzo gruppo. I piú importanti sono:

    z.B.: -das Altertum, -s, Altertümer = l'antichità

            -das Brauchtum, -s, Brauchtümer = usi e costumi, usanze

            -das Christentum, -s = il cristianesimo

            -das Eigentum, -s, Eigentümer = la proprietà, i beni (immobili)

            -das Griechentum, -s = la grecità, l'ellenicità, la cultura ellenica

            -das Heidentum, -s = il paganesimo

            -das Heiligtum, -s, Heiligtümer = il santuario, il luogo santo

            -das Heldentum, -s = l'eroismo

            -das Judentum, -s = il giudaismo, l'ebraismo

            -das Luthertum, -s = il luteranesimo

            -das Rittertum, -s = la cavalleria, il ceto dei cavalieri, la cultura
                  cavalleresca

            -das Römertum, -s = la romanità, la cultura latina di Roma

            -das Schrifttum, -s = la letteratura, l'insieme delle cose scritte

            -das Volkstum, -s = il carattere nazionale di un popolo

---

**2. männlich**

Fra i pochi sostantivi maschili uscenti in "-tum" ve ne sono due importanti per la loro frequenza che appartengono al terzo gruppo della declinazione maschile forte:

    z.B.: -der Irrtum, -s, Irrtümer = l'errore, lo sbaglio (ideologico)

            -der Reichtum, -s, Reichtümer = la ricchezza

# Genera der Hauptwörter mit Endung "-in"

## ( Generi dei sostantivi uscenti in "-in" )

I sostantivi uscenti in "-in" possono essere di genere femminile, neutro e maschile; i primi due generi sono facilmente individuabili:

### 1. weiblich

Sono di genere femminile tutti i sostantivi indicanti un'agente femminile, indicanti cioé il mestiere di una persona femminile. Tali sostantivi derivano perlopiú dall'agente maschile uscente in "-er" con l'aggiunta del suffisso "-in" (ad es.: der Lehrer / die Lehrerin) e appartengono al primo gruppo femminile debole; essi raddoppiano al plurale la "-n" finale del tema. Ecco alcuni esempi:

z.B.: -die Schülerin, -, -nen = l'alunna
-die Arbeiterin, -, -nen = la lavoratrice
-die Köchin, -, -nen = la cuoca
-die Sekretärin, -, -nen = la segretaria
-die Ansagerin, -, -nen = a) l'annunciatrice  b) la presentatrice

### 2. sächlich

Sono di genere neutro moltissimi sostantivi riguardanti materie chimiche e loro derivati, nonché materie chimiche biologiche. I nomi delle materie chimiche di base sono perlopiú dei "*singularia tantum*", ossia non hanno il plurale. Si tratta di un numero elevatissimo di sostantivi, soprattutto scientifici, appartenenti al secondo gruppo della declinazione neutra forte. I sostantivi corrispondenti italiani presentano i suffissi "-ina", "-ino". Eccone alcuni fra i piú frequenti:

z.B.: -das Albumin, -s, -e = l'albumina
-das Anilin, -s = l'anilina
-das Aspirin, -s, die Aspirintabletten = l'aspirina
-das Benzin, -s, -e = la benzina
-das Chinin, -s = il chinino
-das Dioxin, -s = la diossina
-das Globulin, -s, -e = la globulina
-das Hämoglobin, -s, = l'emoglobina
-das Heroin, -s = l'eroina
-das Insulin, -s = l'insulina
-das Koffein,  s = la coffeina
-das Morphin, -s = la morfina
-das Nikotin, -s = la nicotina
-das Penizillin, -s, -e = la penicillina
-das Purin, -s, -e = la purina
-das Sacharin, -s = la saccarina
-das Streptomyzin, -s = la streptomicina
-das Terpentin, -s, -e = l'acqua ragia, la trementina

-das Tein, -s, (auch Thein) = la teina
-das Toxin, -s, -e = la tossina
-das Vakzin, -s, -e = il vaccino
-das Vaselin, -s = la vaselina
-das Vitamin, -s, -e = la vitamina

Eccezioni:  -die Medizin, -, en = la medicina (primo gruppo femm. debole)
-der Urin, -s, -e = l'urina, l'orina  (secondo gruppo masch. forte)

---

### 3. männlich

a) Diversi sostantivi riguardanti la mineralogia e la botanica: appartengono al secondo gruppo della declinazione maschile forte. Anche qui i corrispondenti sostantivi italiani presentano il suffisso "-ino": Eccone alcuni fra i piú ricorrenti:

> z.B.:-der Jasmin, -s, -e = il gelsomino
> -der (das) Kaolin, -s. -e = il caolino (creta per fare la porcellana)
> -der Rosmarin, -s, -e = il rosmarino
> -der Rubin, -s, -e = il rubino
> -der Serpentin, -s, -e = il serpentino (tipo di marmo)
> -der Travertin, -s, -e = il travertino (tipo di marmo)

Eccezione:  -das Plátin, -s = il platino (secondo gruppo decl. neutra forte)

b) Alcuni sostantivi di persone e cose: si tratta perlopiú di polisillabi appartenenti al secondo gruppo della declinazione maschile forte:

α) nomi comuni di persone: i corrispondenti sostantivi italiani presentano anche qui il suffisso "-ino":
> z.B.:-der Harlekin, -s, -e = l'arlecchino
> -der Libertin, -s, -s (anche der Libertiner, -s, - ) = il libertino, il dissoluto
> -der Mandarin, -s, -e = il mandarino (dignitario indiano-cinese)
> NB: Da non confondere con "die Mandarine, -e, -en" = il mandarino (frutto)

β) sostantivi di cose, soprattutto manufatti: si tratta di polisillabi appartenenti perlopiú al secondo gruppo della declinazione maschile forte:
> z.B.:-der Gobelin, -s, -s = l'arazzo
> -der Kamin, -s, -e = il camino
> -der Mokassin, -s, -e (-s) = il mocassino (tipo di scarpa)
> -der Popelin, -s, -e = il popelin (tipo di tessuto)
> -der Termin, -s, -e = a) il termine, la data di scadenza  b) la scadenza

γ) sostantivo astratto:
> z.B.: -der Ruin, -s, -e = la rovina, il crollo (finaziario); il disfacimento, lo sfacelo  (secondo gruppo declin. maschile forte)
> NB: Da non confondere con "die Ruine, -,-n" = la rovina (di edifici), il rudere  (secondo gruppo decl. femminile debole)

# Genera der Hauptwörter mit der Endung "-ling; -ing"

## ( Generi dei sostantivi uscenti in "-ling; -ing")

### 1. männlich

La stragrande maggioranza dei sostantivi coi suffissi "-ling; -ing" è di genere maschile e appartiene al secondo gruppo della declinazione maschile forte:

| | | |
|---|---|---|
| 1. | der Bückling, -s, -e | = a) l'inchino, la riverenza  b) l'aringa affumicata<br>   z.B.:-einen Bückling vor jemandem machen = fa-<br>   re un inchino di fronte a qualcuno |
| 2. | der Eindringling, -s, -e | = l'intruso |
| 3. | der Erstling, -es, -e | = a) il primogenito (tra i figli)  b) la primizia (di frutti o fiori)<br>   z.B.:-Die Erstlinge unter den Frühlingsblüten sind wohl die Veilchen. = Le violette sono le primizie primaverili (=... i primi fiori della primavera). |
| 4. | der Fasching, -s, -e | = il carnevale  (sinonimo di "der Kárneval") |
| 5. | der Feigling, -s, -e | = il vile, il codardo |
| 6. | der Findling, -s, -e | = il trovatello (sia di bambino che di animale abbandonato e trovato) |
| 7. | der Flüchtling, -s, -e | = il profugo, il fuggiasco<br>   z.B.:-Über 12 Millionen deutsche Flüchtlinge mussten die Ostgebiete - Schlesien, Pommern und Ostpreußen - verlassen, die an Polen übergingen. = Piú di 12 milioni di profughi tedeschi dovettero lasciare le zone orientali - la Slesia, la Pomerania, la Prussia Orientale - che passarono alla Polonia. |
| 8. | der Frühling, -s, -e | = la primavera<br>   z.B.:-Schöner Frühling, komm doch wieder, / Lieber Frühling komm doch bald, / Bring uns Blumen, Laub und Lieder, / Schmücke wieder Feld und Wald! (**Hoffmann von Fallersleben** "Die Sehnsucht nach dem Frühling") |
| 9. | der Häftling, -s, -e | = il detenuto, il carcerato |
| 10. | der Häuptling, -s, -e | = il capo, il caporione<br>   z.B.: -der Häuptling des Stammes = il capotribú |
| 11. | der Hering, -s, -e | = l'aringa, l'acciuga |
| 12. | der Jüngling, -s, -e | = il giovanotto |
| 13. | der Lehrling, -s, -e | = l'apprendista |
| 14. | der Liebling, -s, -e | = il prediletto, il beniamino, il pupillo |

| 15. | der Mischling, -s, -e | = a) il meticcio   b) il mezzo sangue |
|---|---|---|
| 16. | der Neuling, -s, -e | = il novellino, il principiante, il debuttante<br>z.B.:-Hand aufs Herz! Wer will schon zeigen, dass er ein Neuling ist? = Siamo sinceri! Chi mai vuol mostrare di essere un principiante? |
| 17. | der Nützling, -s, -e | = l'animale utile |
| 18. | der Pflegling, -s, -e | = il bambino affidato alla cura di qualcuno |
| 19. | der Pfifferling, -s, -e | = il gallinaccio (fungo giallo), il cantarello<br>z.B.:-Das Zeug da ist keinen Pfifferling wert. = Questa roba non vale un fico secco (... non vale niente). |
| 20. | der Pudding, -s, -e<br><br>der Schokopudding<br>der Vanillepudding | = il budino<br>NB: Così pure i suoi composti:<br>= il budino al cioccolato<br>= il budino alla vaniglia |
| 21. | der Ring, -es, -e<br><br><br><br><br><br><br><br>der Ehering<br>der Goldring<br>der Silberring<br>der Boxring | = l'anello<br>NB: Anche in inglese stessa voce e stesso significato: "the ring".<br>z.B.:-Ringe um die Augen haben = avere gli occhi cerchiati (le occhiaie).<br>NB: E tutti i suoi composti:<br>= l'anello nuziale<br>= l'anello d'oro<br>= l'anello d'argento<br>= il ring dei pugili |
| 22. | der Rohling, -s, -e | = a) il bruto (= uomo senza scrupoli<br>   b) il pezzo se milavorato, il pezzo ancora grezzo |
| 23. | der Säugling, -s, -e | = il lattante |
| 24. | der Schädling, -s, -e | = il parassita, l'insetto nocivo |
| 25. | der Schirmling, -s, -e | = il fungo parasole (sinonimo di "der Schirmpilz") |
| 26. | der Schmetterling, -s, -e | = la farfalla<br>z.B.:-Diese Tänzerinnen flattern hin und her so leicht wie Schmetterlinge. = Queste danzatrici svolazzano qua e là così leggere come farfalle. |
| 27. | der Schwächling, -s, -e | = il bambino o la bambina di costituzione fisica debole (vale pure per cuccioli fisicamente deboli) |
| 28. | der Setzling, -s, -e | = il piantone (arboscello del semenzaio pronto da trapiantare) |

| | | |
|---|---|---|
| 29. | der Sonderling, -s, -e | = la persona strana, la persona originale |
| 30. | der Spätling, -s, -e | = a) il frutto tardivo<br>b) il figlio nato dopo tanti anni di matrimonio |
| 31. | der Sperling, -s, -e | = il passero, il passerotto (sinonimo del temine più usato: "der Spatz, -en, -en") |
| 32. | der Sprössling, -s, -e | = a) il germoglio   b) il rampollo, il discendente |
| 33. | der Sträfling, -s, -e | = il detenuto, il carcerato, il recluso |
| 34. | der Weichling, -s, -e | = la persona rammollita, il pappa molle, l'effeminato |
| 35. | der Wildling, -s, -e | = a) l'animaletto selvatico   b) di ragazzino vivace, il diavoletto, "bimbo terremoto" |
| 36. | der Wirsing, -s, -e | = la verza, il cavolo verzotto |
| 37. | der Wunderling, -s, -e | = il tipo originale, il tipo bizzarro, lo stravagante |
| 38. | der Zögling, -s, -e | = l'allievo, l'alunno<br>NB: Al plurale vale per ambedue i sessi:<br>z.B.:-Wie viele Zöglinge hat diese Schule?<br>= Quanti alunni / alunne (allievi) ha questa scuola? |
| 39. | der Zwilling, -s, -e | = il gemello<br>NB: Attenzione ai derivati: |
| | der Drilling, -s, -e | = gemello trigemino |
| | der Vierling, -s, -e | = gemello quadrigemino |
| | der Fünfling, -s, -e | = figlio da parto di cinque gemelli |

## 2. sächlich

Possono essere considerate come eccezioni tutte le ==sostantivazioni verbali inglesi uscenti in "-ing", riguardanti attività==, molte delle quali sono state assunte in tedesco solo dopo la seconda guerra mondiale o addirittura di recente. Tali sostantivi sono tutti di genere neutro e formano il plurale in "-s":

z.B.: -das Doping, -s, -s   = il doping
-das Jogging, -s, -s   = la corsa, allenarsi correndo
-das Leasing, -s, -s   = affitto di impianti industriali
-das Meeting, -s, -s   = a) l'incontro, il convegno  b) la riunione
-das Shopping, -s, -s   = la spesa, la compera, lo shopping
-das Training, -s, -s   = l'allenamento, il training
usw.

# Hauptwörter mit Endung "-ucht " oder "-urcht "

## ( Sostantivi uscenti in "-ucht " o "-urcht " )

I sostantivi uscenti in "-ucht " o "-urcht " <mark>sono tutti di genere femminile</mark> e appartengono o alla declinazione femminile debole del primo gruppo, oppure alla femminile forte del primo gruppo. L'elenco qui riportato non vuol certo essere completo, ma indicare solo quelli piú in uso:

die Bucht, -, -en = a) l'insenatura, la baia   b) la sinuosità, la curvatura   c) il golfo
        die Felsenbucht = la baia formata da scogli, baia di scogli
        die Hafenbucht = la baia del porto
        die Meeresbucht = la baia del mare, il golfo
        die Seebucht = la baia del lago
die Flucht, - ,-en (anche: die Flüchte) = a) la fuga, l'evasione   b) l'esodo
        die Ausflucht = a) la scappatoia, il sotterfugio   b) l'uscita segreta
        die Fahnenflucht = la diserzione   [alla lettera: fuga dalla propria bandiera, abbandono della propria bandiera]
        die Gedankenflucht = la sconnessione delle idee
        die Landflucht = l'esodo dalle campagne, la deruralizzazione
        die Stadtflucht = l'esodo dalla città
        die Weltflucht = la fuga dal mondo
        die Wirklichkeitsflucht = la fuga dalla realtà
        die Zuflucht = a) il rifugio, il riparo, l'asilo   b) la via d'uscita, la scappatoia
die Frucht, -, Früchte = a) il frutto   b) il risultato, il frutto, l'effetto
        die Beerenfrucht = la bacca
        die Erstlingsfrucht = la primizia
        die Feldfrucht = il frutto della terra, il prodotto agricolo   [alla lettera: frutto dei campi]
        die Gartenfrucht = il frutto di giardino, frutto di orto, l'ortaggio
        die Herbstfrucht = il frutto autunnale
        die Hülsenfrucht = la leguminosa (fagioli, piselli, lenticchie ecc.)
        die Sommerfrucht = il frutto estivo
        die Steinfrucht = la drupa (= ogni frutto carnoso avente un nocciolo = "einen Stein" come: ciliege, pesche, albicocche ecc.)
        die Südfrucht = il frutto meridionale o tropicale
        die Trockenfrucht = la frutta secca
        die Waldfrucht = la frutta di bosco
        die Wildfrucht = la frutta selvatica
        die Winterfrucht = la frutta invernale
die Furcht, - (*singulare tantum*) = a) la paura   b) il timore   NB: Furcht haben <mark>vor</mark> = aver paura di - Furcht einjagen <mark>vor</mark> = incutere paura di
        die Ehrfurcht = il profondo rispetto, la riverenza, il timore reverenziale
        die Gespensterfurcht = la paura degli spiriti
        die Gottesfurcht = il timor di Dio
        die Kriegsfurcht = la paura (della) per la guerra
        die Menschenfurcht = il timore della gente, timore di fronte alle persone

die Todesfurcht  =  la paura della morte

die Schlucht, -, -en  =  a) la forra, la gola   b) il precipizio, il baratro, la voragine

    die Bergschlucht  =  la gola della montagna, il dirupo

    die Felsenschlucht  =  il dirupo roccioso, il dirupo nella roccia

    die Gebirgsschlucht  =  la gola di una catena montuosa

    die Talschlucht  =  la gola, la forra di una valle

    die Waldschlucht  =  il baratro nel bosco, il dirupo in mezzo al bosco

die Sucht, -, Süchte  =  a) l'avidità, la smania    b) la mania, la brama, la bramosia
        c) la dipendenza da (alcool, fumo, droghe ecc.)

    die Alkoholsucht  =  la dipendenza dall'alcool, l'alcoolismo, la dipsomania

    die Ehrsucht  =  l'ambizione   NB: glühende Ehrsucht  =  ambizione smodata

    die Eifersucht  =  la gelosia

    die Gelbsucht  =  a) l'itterizia  [alla lettera: malattia che fa ingiallire]

    die Gewinnsucht  =  a) l'avidità di guadagno  b) la cupidigia

    die Habsucht  =  a) l'avidità  (sinonimo di "Habgier")   b) l'avarizia (sinoni-
        mo di "der Geiz")

    die Herrschsucht  =  l'ambizione di dominare, l'avidità di dominio

    die Mondsucht (Mondsüchtigkeit)  =  il sonnambulismo   NB: Mond = luna

    die Prunksucht  =  la mania dello sfarzo, la mania del lusso

    die Putzsucht  =  la mania delle pulizie

    die Rachsucht  (sinonimo di "die Rachgier")  =  la sete (brama) di vendetta

    die Rauschgiftsucht  =  la dipendenza dalla droga

    die Ruhmsucht  (sinonimo di "die Ruhmbegierde")  =  la sete di gloria

    die Sehnsucht  =  a) la nostalgia  b) la brama, il forte desiderio, l'anelito

    die Selbstsucht  =  l'egoismo

    die Stehlsucht  =  la cleptomania

    die Streitsucht  =  la litigiosità, l'indole litigiosa

    die Trunksucht  =  l'alcoolismo, la dipsomania, la dipendenza dall'alcool

    die Wassersucht  =  l' idropisia

die Wucht, -, -en  =  l'impeto,  la potenza

    die Wellenwucht - die Wogenwucht  =  l'impeto delle onde

    die Sturmwucht  =  a) l'impeto della tempesta  b) impeto dell'assalto

die Zucht, -, -en  =  a) la disciplina  b) l'allevamento   c) la coltura, la coltivazione

    die Bienenzucht  =  l'apicoltura, l'allevamento delle api

    die Blumenzucht  =  la floricoltura

    die Fischzucht  =  la pescicoltura (anche: piscicoltura)

    die Geflügelzucht  =  l'allevamento di pollame

    die Gemüsezucht  =  l'orticoltura

    die Pferdezucht  =  l'allevamento di cavalli

    die Hundezucht  =  l'allevamento di cani

    die Rassenzucht  =  l'allevamento di una razza animale

    die Rosenzucht =  la rosicoltura

    die Selbstzucht  =  l'autodisciplina

    die Schweinezucht  =  l'allevamento di suini

    die Unzucht  =  a) la lussuria, la libidine  b) la fornicazione

    die Viehzucht  =  l'allevamento del bestiame

# ZEITERGÄNZUNGEN

( Complementi di tempo )

## Zeitergänzungen mit Substantiv

( Complementi di tempo formati da sostantivo )

---

*1. GENITIV = genitivo*

---

Si usa:
a) quando il tempo del complemento è indeterminato (= complemento di tempo indeterminato); in tal caso esso è per lo piú accompagnato dall'articolo indeterminativo:

| z.B.:-eines Tages | = un giorno |
|---|---|
| -eines Morgens | = una mattina |
| -eines Abends | = una sera |
| -des Nachts | = di notte |

-Eines Tages besuchten uns plötzlich unsere Freunde aus Deutschland. = Un giorno vennero improvvisamente a trovarci i nostri amici dalla Germania.
-Des Nachts kann ich oft nicht schlafen. = Di notte spesso non riesco a dormire.
-Ich möchte nicht, dass du mich eines schönen Morgens verlässt. = Non vorrei che tu un bel giorno [alla lettera: una bella mattina] mi lasciassi.

b) con le preposizioni:

| -während | = durante |
|---|---|
| -innerhalb | = entro |

z.B.:-Während des Unterrichts muss man aufpassen. = Durante le lezioni bisogna prestare attenzione.
-Ich komme innerhalb einer Stunde. = Vengo entro un'ora.

## 2. AKKUSATIV = accusativo

Si usa:

a) quando il tempo del complemento è determinato; in tal caso esso è per lo più accompagnato da aggettivi dimostrativi che, per loro natura, determinano senza bisogno dell'appoggio di un articolo. Qualcuno di questi complementi esprime anche durata di tempo:

| z.B.: | | |
|---|---|---|
| -diesen Abend | = questa sera | |
| -jede Stunde | = ogni ora | |
| -einige Stunden | = alcune ore | |
| -mehrere Stunden | = diverse ore | |
| -manche Stunden | = parecchie ore | durata di tempo |
| -alle Tage | = tutti i giorni | |
| -viele Tage | = molti giorni | |
| -wenige Tage | = pochi giorni | |
| -etliche Tage | = parecchi giorni | |
| -jene Woche | = quella settimana | |
| -vergangenen Monat | | |
| -letzten Monat | = il mese scorso | |
| -vorigen Monat | | |
| -letzten Winter | = l'inverno scorso | |
| -voriges Jahr | = l'anno scorso | |
| -nächsten Sommer | = l'estate ventura | |

z.B.: -Ich fahre beinahe alle Tage nach Mailand zu den Vorlesungen. = Vado quasi tutti i giorni a Milano alle lezioni universitarie.

-Für diese Hausaufgabe braucht es einige (manche, mehrere) Stunden. = Per questo compito di casa ci vogliono diverse (parecchie, alcune) ore.

-Man hat viele Jahrhunderte am Kölner Dom gebaut. = Intorno al duomo di Colonia si è lavorato per secoli.

NB: -alle vierzehn Tage = ogni 15 giorni  -  ~~jede fünfzehn~~ Tage  (errato)

b) complemento di tempo con o senza articolo per indicare durata di tempo alla domanda "wie lange" (L'avverbio "lang" può restare sottinteso.)

| z.B.: | | |
|---|---|---|
| -die halbe Woche | = metà settimana |
| -die ganze Zeit | = tutto il tempo, tutto il giorno |
| -eine Stunde lang | = per un'ora |
| -einen Monat – Monate lang | = per un mese - per mesi |
| -ein Jahr lang – Jahre lang | = per un anno - per anni |
| -ein Leben lang | = per tutta la vita; una vita intera |
| -eine Zeit lang | = per un po'; per un po' di tempo |
| -Einen Augenblick bitte! | = Un momento prego! |

z.B.: -Was treibst du denn die ganze Zeit (den ganzen Tag)? = Che (fai) combini tutto il giorno?

z.B.: -Wie lange bleibst du in Deutschland? = Quanto ti fermi in Germ.?
-Ich bleibe nur einen Monat (lang) dort. = Resto là solo un mese.

NB: Ich bleibe ~~für~~ einen Monat dort (errato).

-Es ist schon lange her, dass wir uns nicht sehen. = È già da tempo che non ci vediamo.

c) con le preposizioni:

"auf" - "für" - "gegen" - "über" - "um"

z.B.: -Für nächstes Mal gebe ich euch folgende Hausaufgaben. = Per la prossima volta vi do i seguenti compiti.
-Um diese Zeit bin ich nicht zu Hause. (Anche: Um die Zeit bin ich nicht zu Hause.) = A quell'ora non sono in casa.
-Ich leihe dir den Wagen auf eine Woche. = Ti presto la macchina per una settimana.
-Das ganze Jahr über freuen sich die Menschen auf den Urlaub. = Durante tutto l'anno la gente si rallegra pensando alle ferie.

---

## 3. DATIV = dativo

Si usa con tutte le altre preposizioni ad eccezione di quelle su indicate, reggenti cioè il genitivo o l'accusativo:

| z.B.: | |
|---|---|
| -am Montag | = di lunedi, lunedi |
| -am nächsten Tag | = il giorno dopo (appresso) |
| -am Morgen | = al mattino |
| -zu Mittag | = a mezzogiorno |
| -zur Zeit | = in questo / quel momento |
| -aus jener Zeit | = di quell'epoca; di quel tempo |
| -seit einem Monat | = da un mese |
| -vor einem Monat | = un mese fa |
| -in einem Monat | = fra un mese |
| -in der Nacht | = di notte |
| -bei Nacht / bei Tag | = di notte / di giorno |
| -bei dem Wind und Wetter | = con questo tempaccio |
| -beim Essen | = durante il pasto |
| -nach dem Essen | = dopo mangiato |
| -zwischen den Mahlzeiten | = fra i pasti |
| -von nächster Woche an | = a partire dalla settimana prossima (ventura) |
| -mit dem Frühling | = con la primavera |
| -zwei Mal in der Woche,<br>-zwei Mal die Woche,<br>-zwei Mal pro Woche | = due volte alla settimana |

| NB: Attenzione all'espressione: -nach wie vor | = ancor sempre; come sempre [alla lettera = "sia prima che dopo"] |

z.B.:-Seit einem Monat studiert Peter in München. = Pietro studia da un mese a Monaco.
  -Zu Mittag esse ich heute auswärts. = Quest'oggi a mezzogiorno mangio fuori casa.
  -Vor einem Jahr konnte ich noch nicht so gut Deutsch. = Un anno fa non sapevo ancora così bene il tedesco.
  -Wir haben zwei Mal die Woche Deutschunterricht. = Abbiamo lezione di tedesco due volte alla settimana.
  -Das Problem ist nach wie vor ungelöst geblieben. = Il problema è rimasto ancora [= sia prima che dopo] irrisolto.

---

## 4. DIE ADVERBIALFORM = la forma avverbiale

La forma avverbiale, per complementi di tempo formati da sostantivo, si ottiene scrivendo il sostantivo con lettera minuscola + l'aggiunta del suffisso "-s"; questa forma si usa soprattutto con le parti del giorno e con i giorni della settimana per indicare iterazione ossia ripetitività nel senso di "ogni":

| z.B.: | -morgens | = al mattino; ogni mattina |
| | -vormittags | = nella mattinata; al mattino |
| | -mittags | = a mezzogiorno |
| | -nachmittags | = di pomeriggio; nei pomeriggi |
| | -abends | = di sera; ogni sera; alla sera |
| | -nachts | = di notte |
| | -samstags | = di sabato; ogni sabato |
| | -sonntags | = di domenica; ogni domenica |

Fanno eccezione alla regola della ripetitività:

| z.B.: | -anfangs | = all'inizio |
| | -tags zuvor | = il giorno prima |
| | -tags darauf | = il giorno dopo (seguente) |
| | -tagsüber | = durante il giorno, di giorno |
| | -notfalls | = in caso di bisogno   NB: = "Im Falle der Not" |

z.B.: -Wann stehst du morgens auf? = Quando ti alzi al mattino?
  -Sonntags fahren wir meistens (ins Gebirge) in die Berge. = La domenica andiamo di solito (il più delle volte) in montagna.
  -Das Erlernen jeder Sprache ist anfangs schwierig. = L'apprendimento di ogni lingua è difficile all'inizio.
  -Was machst du denn tagsüber, wenn du keine Schule hast? = Ma che fai durante il giorno, se non hai scuola?

## Temporaler Gebrauch der Praepositionen "in, an, zu"

( Uso temporale delle preposizioni "in, an, zu" )

## 1. in

Si usa:

a) **con le ere**:

z.B.: -im Terziär = nell'era terziaria
-im Quartär = nell'era quaternaria
-in der Eiszeit = all'epoca glaciale

b) **con le epoche storiche**:

z.B.: -in der Vorzeit = nella preistoria; nell'epoca primitiva
-in der Eisenzeit = nell'età del ferro
-im Altertum = nell'antichità
-im Mittelalter = nel medioevo
-in der Neuzeit = nell'era moderna

c) **con i millenni**:

z.B.: -Wir leben schon im dritten Jahrtausend. = Noi viviamo già nel terzo millennio.

d) **con i secoli**:

z.B.: -Im zwanzigsten Jahrhundert gab es zwei schreckliche Weltkriege. = Nel XX secolo ci furono due terribili guerre mondiali.
-Christus ist im ersten Jahrhundert geboren. = Cristo nacque nel 1° secolo (= nel primo secolo).

e) **con i decenni**:

z.B.: -Ich bin im neunten Jahrzehnt des vorigen Jahrhunderts geboren. = Sono nato /-a nel nono decennio del secolo scorso.

f) **con gli anni, ma solo se accompagnati dall'espressione "Jahr"; se invece la cifra riguardante l'anno non viene accompagnata dal sostantivo "Jahr", non occorre alcuna preposizione**:

z.B.: -Der zweite Weltkrieg endete im Jahr 1945 (corretto).  Oppure:
-1945 endete der zweite Weltkrieg (corretto). = La Seconda guerra mondiale terminó nel 1945.

-Im 1945 endete der zweite Weltkrieg (scorretto).

g) **con le stagioni ed i semestri**:

z.B.: -im Winter = d'inverno; durante l'inverno
-im Sommer = d'estate; durante l'estate
-im Frühling = in primavera
-im Herbst = in autunno
-im ersten Semester = nel primo semestre

**h) con i mesi:**

　　　z.B.: -im Mai  =  nel mese di maggio
　　　　　　-in diesem Monat  =  in questo mese
　　　　　　-im nächsten Monat  =  il (nel) prossimo mese
　　　　　　Tuttavia: **Ende Juli** = alla fine di luglio – **Anfang August** = all'inizio
　　　　　　di agosto

NB: Ad una persona italiana viene spontaneo dire all'inizio dell'apprendimento della lingua:

　　　　　　-"~~Den~~ nächsten Monat fahre ich nach Deutschland."　　　(errato)

anziché:

　　　　　　-"Nächsten Monat fahre ich nach Deutschland."　　　⎫
　　　　　　oppure:　　　　　　　　　　　　　　　　　　　　⎬　(corretto)
　　　　　　-"Im nächsten Monat fahre ich nach Deutschland."　　⎭

perché sia in italiano che in tedesco il complemento di tempo può essere espresso
con l'accusativo. In tedesco tuttavia:

　　α）l'uso dell'accusativo puro + articolo indica perlopiú, fatte pochissime eccezio-
　　　　ni, durata di tempo! Si veda il paragrafo "Zeitergänzungen", nr. 2 Akkusativ,
　　　　regola b), pag. 117:
　　　　　　z.B.:-den ganzen Monat  =  tutto il mese
　　　　　　　　-einen Monat lang  =  per un mese

　　β）l'uso dell'accusativo per indicare tempo determinato va di solito espresso da
　　　　aggettivi dimostrativi senza articolo; gli aggettivi dimostrativi infatti si deter-
　　　　minano nella stragrande maggioranza dei casi da soli e l'articolo diventa su-
　　　　perfluo. Si veda in proposito il paragrafo "Zeitergänzungen", nr. 2. Akkusativ,
　　　　regola a), pag. 117:
　　　　　　z.B.:-nächsten Monat  =  il mese venturo

　　Nelle eccezioni riscontrabili come ad esempio:
　　　　　　-Das nächste Jahr komme ich nicht mehr.　⎫
　　oppure　　　　　　　　　　　　　　　　　　　⎬ = L'anno venturo non
　　　　　　-Nächstes Jahr komme ich nicht mehr.　　⎭　　vengo piú.

　　é indubbiamente da preferire, fra le due possibilità, l'ultima versione.

　　γ）Per indicare tempo determinato si può pure usare un complemento preposi-
　　　　zionale. Si veda in proposito il paragrafo "Zeitergänzungen", nr. 3 Dat., p. 118:
　　　　　　z.B.: -im nächsten Monat  =  il mese venturo

　　Con sostantivi riguardanti il tempo, l'accusativo puro (= accusativo non deter-
　　minato da preposizione) può naturalmente essere usato anche come comple-
　　mento oggetto; in tali casi quindi non si tratta piú di un complemento di tempo:
　　　　z.B.: Ich　verbringe　den nächsten Monat　in Deutschland.
　　　　　　　▼　　　▼　　　⎣＿＿＿＿＿⎦　⎣＿＿＿＿⎦
　　　　　　sogg.　predicato　complemento　complemento
　　　　　　　　　verbale　　oggetto　　　di luogo

**i) per indicare azione futura**, cioé azione che ha ancora da venire; se si
tratta di un'azione non troppo avanzata nel futuro il verbo si può
coniugare anche al presente:
　　　　z.B.: -in Zukunft  =  in futuro

**121**

-in Bälde  =  fra poco
-in einer Woche  =  fra una settimana
-in einem Monat  =  fra un mese

l) con i sostantivi "Stunde", "Minute", "Moment", "Augenblick":
z.B.: -in der Todesstunde = nell'ora della morte
-in der 29. Minute der zweiten Halbzeit. = Al ventinovesimo minuto del secondo tempo
-in diesem (dem) Moment (Augenblick)  =  in questo (quel) momento

l)  con forme idiomatiche:
-im Frieden  =  in tempo di pace
-im Krieg  =  in tempo di guerra
-in der Jugend  =  nella giovinezza
-im Alter  =  nella vecchiaia
-im Leben  =  nella vita
-in der Früh  =  al mattino presto
-in der Nacht  =  di notte
-in der Dämmerung  =  al crepuscolo
-in diesem Moment  =  in questo momento
-in letzter Zeit = letzthin = negli ultimi tempi, ultimamente

## 2. an

Si usa:

a) con i giorni della settimana e l'espressione "Tag":
z.B.: -am Samstag  =  il sabato, di sabato
-am Donnerstag  =  al giovedi, di giovedi
-an den Feiertagen  =  nei giorni di festa
.an dem Tag  =  in quel giorno  (invece di: "an jenem Tag")

b) con le parti del giorno:
z.B.: -am Morgen  =  al mattino
-am Vormittag  =  nella mattinata
-am Nachmittag  =  al pomeriggio
-am Abend  =  alla sera
Tuttavia:
-in der Frühe  =  al mattino presto
-zu (am) Mittag  =  a mezzogiorno  (NB: preferibile "zu")
-in der Dämmerung  =  al crepuscolo
-in der Nacht - bei Nacht  =  di notte
-um Mitternacht  =  a mezzanotte

c) con le date usate in un contesto, ma non con le date di lettere o documenti! (queste ultime non esigono alcuna preposizione e si formano con l'accusativo puro espresso dall'articolo determ. "den".):
z.B.: -Weihnachten wird am 25. Dezember gefeiert.  =  Il Natale si festeggia il 25 dicembre.
-Ich bin am 06. 03. 2005 geboren.  =  Sono nato il 6 marzo 2005.

122

**d)** con espressioni idiomatiche:

> z.B.: -am Anfang = all'inizio  Tuttavia: **Anfang August** = all'inizio di agosto
> -am Ende = alla fine  Tuttavia: **Ende November** = a fine novembre
> -am hellichten Tage = in pieno giorno
> -an **dem** Abend = in quella sera (invece di: "an jenem Abend")
> -an **dem** Tag = quel giorno (invece di: "an jenem Tag")

## 3. zu

Si usa:

**a)** con le festività:

> z.B.: -zu Weíhnachten = a Natale, per Natale – Tuttavia anche: an Weih-
> nachten
> -zu Neujáhr = a Capodanno z.B.: Alles Gute zum neuen Jahr! = Ogni
> bene per l'anno nuovo!
> -zu Ostern = a Pasqua
> -zum ersten Mai = il primo maggio
> -zu Allerheiligen = per i santi

NB: Alle persone straniere viene spontaneo dire:

> -am Weihnachten  (errato)

Si tengano invece presenti le seguenti forme corrette:

> α)-am Weihnachtstag = il giorno di Natale (Zeitergänzung = compl. di tempo)
> z.B.: -Was machst du am Weihnachtstag? = Che fai il giorno di Natale?

> β)-zu Weihnachten = per Natale, a Natale (Zeitergänzung, complemento di
> tempo)
> z.B.: -Was hast du zu Weihnachten bekommen? = Cos'hai ricevuto a
> Natale?

> γ)-den Weihnachtstag = il giorno di Natale (Akkusativobjekt = compl. oggetto)
> z.B.: -Wie hast du den Weihnachtstag verbracht? = Come hai trascorso il
> giorno di Natale?

> δ)-Weihnachten ⎫ il Natale (Subjekt oder Akkusativobjekt =
> -die Weihnacht ⎭       soggetto o complemento oggetto)
> z.B.: -Dieses Jahr war Weihnachten besonders schön. = Quest'anno il
> Natale è stato particolarmente bello.
> -Dieses Jahr feierten wir Weihnachten (die Weihnacht) bei unserer
> Großmutter. = Quest'anno abbiamo festeggiato il Natale dalla no-
> stra nonna.

**b)** con le ricorrenze:

> z.B.: -zum Geburtstag = per il compleanno
> -zum Namenstag = per l'onomastico
> -zu deiner Hochzeit = per le tue nozze
> -zum Todestag = nell'anniversario della morte

**c)** col sostantivo "Mal" = "volta, volte" indicante ripetitività:

> z.B.: -zum ersten Mal = per la prima volta
> -zum zweiten Mal = per la seconda volta

**123**

-zum letzten Mal  =  per l'ultima volta
-zu wiederholten Malen  =  per molte volte, ripetutamente

## d) con diverse espressioni idiomatiche:

z.B.: -zur Zeit  =  in questo periodo, adesso  =  derzeit, derzeitig
-zur rechten Zeit  =  per tempo  =  rechtzeitig
-zur gleichen Zeit  =  allo stesso tempo  =  gleichzeitig
-zu jeder Zeit  =  in ogni momento  =  jederzeit, (jederzeitig)
-zu etwas Zeit haben  =  aver tempo per

z.B.: -Dazu hab'ich ja gar keine Zeit. = Ma non ho affatto tempo per ció.
-Mir fehlt die Zeit dazu.  =  Per questa cosa mi manca il tempo.
-zur Stunde  =  in questo momento, subito, immediatamente
-zur selben Stunde  =  all'istante, nello stesso istante

z.B.:-"Den Dank, Dame, begehr' ich nicht!
Und verlässt sie zur selben Stunde."

(**Friedrich Schiller:** "Der Handschuh") = "Non bramo e non
chiedo alcun ringraziamento, damigella! E la piantó in asso, al-
l'istante".
-zum Schluss  (= am Ende)  =  alla fine
-zu Abend essen = cenare

z.B.: -Wann esst ihr zu Abend?  =  Quando cenate?
-zum Abendessen  =  per cena

z.B.: -Was gibt es zum Abendessen?  =  Cosa c'é per cena?
-zuletzt  =  alla fine, infine ( = "schließlich")  ⎫  NB: si tratta di
-zunächst  =  in un primo momento     ⎬  composti, in cui
-zuerst  =  prima       ⎪  "zu" è usato co-
-zuvor  =  prima       ⎭  me prefisso!
-heutzutage  =  oggigiorno, al giorno d'oggi

NB: Accade di sentire da persone straniere: ~~am~~ Mittagessen  (errato)

Si tengano invece presenti le seguenti forme corrette:

α) -beim Mittagessen       ⎫ = durante il pranzo (Zeitergänzung =
-während des Mittagessens  ⎭    compl. di tempo)

z.B.: -Beim Mittagessen (während des Mittagessens), nachdem alle Verwandten angekommen waren, überreichten sie mir ihre Weih-
nachtsgeschenke.  =  I parenti mi consegnarono i regali durante il
pranzo quando furono tutti presenti.

β) -zu Mittag  (é piú usato che non "am Mittag") = a mezzogiorno (Zeitergänzung = compl. di tempo)

z.B.: -Was essen wir heute zu Mittag?  =  Cosa mangiamo oggi a mezzogiorno?
-Bist du zu Mittag zu Hause?  =  Sei a casa a mezzogiorno?

γ) -zum Mittagessen  =  a / per pranzo  (Zeitergänzung = compl. di tempo)

z.B.: -Kommst du heute zu uns zum Mittagessen?  =  Oggi vieni da noi a
pranzo.
-Was gibt es heute zum Mittagessen?  =  Che (c'é) si mangia oggi
per pranzo?

# DAS ADJEKTIV

( L'aggettivo )

## Das numerale Adjektiv

( L'aggettivo numerale )

### A) Die Kardinalzahlen = i numerali cardinali

| | | | |
|---|---|---|---|
| 0 null | 10 zehn | 20 zwanzig | ---- |
| 1 eins | 11 elf | 21 einundzwanzig | 10 zehn |
| 2 zwei | 12 zwölf | 22 zweiundzwanzig | 20 zwanzig |
| 3 drei | 13 dreizehn | 23 dreiundzwanzig | 30 dreißig |
| 4 vier | 14 vierzehn | 24 vierundzwanzig | 40 vierzig |
| 5 fünf | 15 fünfzehn | 25 fünfundzwanzig | 50 fünfzig |
| 6 sechs | 16 sechzehn | 26 sechsundzwanzig | 60 sechzig |
| 7 sieben | 17 siebzehn | 27 siebenundzwanzig | 70 siebzig |
| 8 acht | 18 achtzehn | 28 achtundzwanzig | 80 achtzig |
| 9 neun | 19 neunzehn | 29 neunundzwanzig | 90 neunzig |

| | |
|---|---|
| 100 hundert (einhundert) | 200 zweihundert |
| 101 hunderteins | 300 dreihundert |
| 102 hundertzwei | 1.000 tausend |
| | 1.000.000 eine Million |

NB: 1. Quando il numero 1 è seguito da un sostantivo diventa articolo e concorda nel genere e caso col sostantivo:

z.B.:-hundert und ein Euro = 101,00 € = hunderteins (NB: senza €)
-ein Euro fünfzig = eins fünfzig = 1,50 €

2. Il sostantivo esprimente l'unità di misura, quando è preceduto da un numero, si usa sempre indeclinato e non al plurale:

z.B.:-hundert Euro = 100,00 €
-fünfzig Cent = 0,50 € [È errato dire: " ~~Cents~~ "]

NB: Per il numero 100 nella Germania del Nord si insiste sull'espressione "ein-hundert"; è tuttavia altrettanto esatta e più che sufficiente la versione più semplice "hundert" che, essendo più breve, è da preferirsi!

3. I numeri cardinali possono a volte essere usati anche come aggettivi attributivi:
a) col suffisso "-er" restano indeclinati: z.B.: in den fünfziger Jahren
b) a volte seguono la declinazione forte: z.B.: die Mutter dreier Kinder (gen. plur.) = la mamma di tre bambini

4. Se sostantivati, usati cioé come sostantivi, sono di genere femminile:
a) In Mathe erhielt ich eine Eins. = In matematica ho preso un uno (= ottimo).

## B) *Die Ordinalzahlen  =  i numeri ordinali*

1. I numeri ordinali si formano dai cardinali aggiungendo:
   a) la desinenza "-t " dal 2 al 19
   b) la desinenza "-st "dal 20 in avanti:

   z.B.:  -zwei-t-er              = secondo
          -vier-t-er              = quarto
          -fünf-t-er              = quinto
          -zehn-t-er              = decimo
          -zwanzig-st-er          = ventesimo
          -einundzwanzig-st-er    = ventunesimo

2. Eccezioni alla prima regola: sono irregolari nella formazione dei numeri ordinali:

   -erster        = primo
   -dritter       = terzo

3. I numeri ordinali seguono la declinazione forte, debole, mista dell'aggettivo attributivo:

   z.B.:  -erster, erste, erstes          } declinazione
          -zehnter, zehnte, zehntes          forte

          -der erste, die erste, das erste        } declinazione
          -der zehnte, die zehnte, das zehnte        debole

          -Das ist mein erstes Kind.              } declinazione
          -Das ist unser erster freier Tag.          mista

4. Le forme avverbiali dei numeri ordinali si ottengono con l'aggiunta della desinenza "-ens", se espresse in cifre, esigono un punto:

   z.B.:  -erstens  = 1.  = in primo luogo;  per prima cosa
          -zweitens = 2.  = in secondo luogo;  per seconda cosa.
          -drittens = 3.  = in terzo luogo;  per terza cosa

5. I numerali ordinali espressi in cifre esigono sempre un punto:

   z.B.:  -Cantù, den 31. 12. 2007 (Spiegazione letterale di questa data = den einunddreißigsten Tag des zwölften Monats zweitausendsieben: le cifre riferite al giorno e al mese sono numeri ordinali, mentre la cifra riferita all'anno è sempre formata da un numero cardinale).

          -Ich bin am 8. 7. 1999 geboren. (lettura: ...am achten siebten neunzehnhundertneunundneunzig) = Sono nata l' 8 - 7 -1999.

6. Si notino le forme idiomatiche nelle espressioni:

   z.B.:-zu zweit (zweien) = in due – zu dritt (dreien) = in tre – zu viert = in quattro – zu fünf = in cinque ecc.
          Bei der gestrigen Party waren wir zu fünft. = Nel party di ieri eravamo in cinque.

# Das Possessivadjektiv

( L'aggettivo possessivo )

| Besitzer (possessore) | | | Bezug zur besessenen Sache oder Person ( relazione con la cosa o persona posseduta ) | | | |
|---|---|---|---|---|---|---|
| | | | Singular | | | Plural |
| | | | *männlich* | *weiblich* | *sächlich* | |
| Singular | ich | Nom. | mein | meine | mein | meine |
| | | Gen. | meines | meiner | meines | meiner |
| | | Dat. | meinem | meiner | meinem | meinen |
| | | Akk. | meinen | meine | mein | meine |
| | du | Nom. | dein | deine | dein | deine |
| | | Gen. | deines | deiner | deines | deiner |
| | | Dat. | deinem | deiner | deinem | deinen |
| | | Akk. | deinen | deine | dein | deine |
| | er es | Nom. | sein | seine | sein | seine |
| | | Gen. | seines | seiner | seines | seiner |
| | | Dat. | seinem | seiner | seinem | seinen |
| | | Akk. | seinen | seine | sein | seine |
| | sie | Nom. | ihr | ihre | ihr | ihre |
| | | Gen. | ihres | ihrer | ihres | ihrer |
| | | Dat. | ihrem | ihrer | ihrem | ihren |
| | | Akk. | ihren | ihre | ihr | ihre |
| Plural | wir | Nom. | unser | unsere | unser | unsere |
| | | Gen. | unseres | unserer | unseres | unserer |
| | | Dat. | unserem | unserer | unserem | unseren |
| | | Akk. | unseren | unsere | unser | unsere |
| | ihr | Nom. | euer | eure | euer | eure |
| | | Gen. | eures | eurer | eures | eurer |
| | | Dat. | eurem | eurer | eurem | euren |
| | | Akk. | euren | eure | euer | eure |
| | sie | Nom. | ihr | ihre | ihr | ihre |
| | | Gen. | ihres | ihrer | ihres | ihrer |
| | | Dat. | ihrem | ihrer | ihrem | ihren |
| | | Akk. | ihren | ihre | ihr | ihre |

# Regeln zur Anwendung des Possessivadjektivs

( Regole sull'uso dell'aggettivo possessivo )

1. L'aggettivo possessivo si declina al singolare come l'articolo indeterminativo, al plurale come l'articolo determinativo. (L'articolo indeterminativo infatti
non ha plurale. Per la forma di cortesia si usa la terza persona plurale scritta con lettera
maiuscola).

2. Nell'uso dell'aggettivo possessivo occorre, all'inizio dell'apprendimento
della lingua, prestare attenzione alla duplice scelta da fare:
   a) scelta dell'aggettivo possessivo in base alla persona o cosa che possiede, in base cioè al possessore. Particolare attenzione richiede la
   terza persona singolare: si usa "sein" con possessore maschile o
   neutro, "ihr" con possessore femminile:
      z.B.: -Der Vater liebt seinen Sohn, seine Tochter, seine Kinder. = Il pa-
      pà ama suo figlio, sua figlia, i suoi figli.
      -Die Mutter liebt ihren Sohn, ihre Tochter, ihre Kinder.

   b) La seconda scelta consiste nel far concordare l'aggettivo possessivo
   - selezionato in base al possessore - con il numero, genere e caso
   della persona o cosa posseduta: si inizia col controllo del numero
   perché, se la persona o cosa posseduta si trova al plurale, il genere
   cade. **Per la scelta del caso è necessario fare l'analisi logica!** (a
   meno che l'agg. poss. non sia preceduto da una preposizione che regge un solo caso):
      z.B.: -Peter fragt Gisela und Inge: "Wie geht es eurer Freundin Monika?
      Was macht denn eure Freundin Monika?" = Pietro chiede a
      Gisella e Inge: "Come sta la vostra amica Monica? Ma che fa la
      vostra amica Monica?" (Seconda scelta: a) singolare, femminile, dativo
      b) singolare, femminile, nominativo).
      -Fahrt ihr mit eurem Wagen? = Andate con la vostra macchina?
      (Seconda scelta: singolare, maschile, dativo).

3. L'aggettivo possessivo in tedesco si usa senza articolo perché si determina da solo (= è autosufficiente nella determinazione logica). Regola comune a tutte le lingue germaniche, inglese compreso:
      z.B.: -Mein Vater arbeitet bei einer großen Firma. = (Il) mio papà lavo-
      ra presso una grande ditta.

4. L'aggettivo possessivo sostantivato, usato cioè come sostantivo, va
scritto con la lettera maiuscola e richiede l'articolo determinativo. In tali
casi viene quindi a trovarsi in posizione attributiva e segue la declinazione debole dell'aggettivo attributivo:
      z.B.: -Man muss das Mein vom Dein unterscheiden! = Bisogna di-
      stinguere il mio dal tuo. (Eccezione idiomatica al posto di "das
      Meine")
      -Sind heute die Deinen zu Hause? = I tuoi sono a casa oggi?

# Unterschied zwischen praedikativem und attributivem Adjektiv

( Distinzione tra aggettivo predicativo e aggettivo attributivo )

## 1. *Das praedikative Adjektiv  =  l'aggettivo predicativo*

L'aggettivo è detto predicativo quando si riferisce da solo al predicato per spiegare le qualità dell'azione o del modo di essere; esso equivale ad un avverbio e resta quindi invariato. Si chiama aggettivo predicativo perché per natura non è un avverbio ma un aggettivo (infatti, dal punto di vista grammaticale, non si dovrebbe chiamare avverbio ciò che per natura è un aggettivo). Per l'analisi logica esso funge da complemento di modo e risponde alla domanda "wie?"

## 2. *Das attributive Adjektiv  =  l'aggettivo attributivo*

L'aggettivo è detto attributivo quando si riferisce a un sostantivo per spiegare le sue qualità ossia i suoi attributi; l'aggettivo attributivo deve sempre precedere il suo sostantivo (germanismo comune anche alla lingua inglese) e va declinato. Esso segue una triplice declinazione.

     z.B.: Peter    ist ein fleißig**er** Junge.

            Subjekt       nominales Praedikat

Rispetto all'esempio precedente, qui il predicato nominale è stato ampliato. L'aggettivo "fleißig" ora non si trova più tutto solo col verbo "essere", ma in compagnia del sostantivo "Junge" al quale va riferito. L'aggettivo "fleißig" quindi indica anche qui il modo di essere di Pietro, ma con riferimento al nome del predicato "ein Junge" di cui spiega le qualità o gli attributi, per cui vien chiamato "attributivo" e va declinato.

# Beugung des Adjektivs

( Declinazione dell'aggettivo )

---
**1. Starke Beugung = declinazione forte**
---

Quando:
l'aggettivo si declina forte ==quando non è preceduto da alcun articolo o aggettivo declinato come l'articolo==.

Come:
l'aggettivo forte è declinato ==come l'articolo determinativo== sia al singolare che al plurale, ==ad eccezione del genitivo singolare maschile e neutro.==

## Singular

| | *männlich* | *weiblich* | *sächlich* |
|---|---|---|---|
| Nom.: | großer Baum | schöne Frau | braves Kind |
| Gen.: | großen Baumes | schöner Frau | braven Kindes |
| Dat.: | großem Baum | schöner Frau | bravem Kind |
| Akk.: | großen Baum | schöne Frau | braves Kind |

## Plural

| Nom.: (= 1. Fall ) | brave Kinder |
|---|---|
| Gen.: (= 2. Fall ) | braver Kinder |
| Dat.: (= 3. Fall ) | braven Kindern |
| Akk.: (= 4. Fall ) | brave Kinder |

Beispiele:

-Kleines Haus, kleiner Aufwand; großes Haus, großer Aufwand! = Casa piccola, dispendio piccolo; casa grande, dispendio grande!

-Kleine Kinder, kleine Sorgen; große Kinder, große Sorgen! = Bambini piccoli, preoccupazioni piccole; bambini grandi, grandi preoccupazioni!

-Das Trinken starken Kaffees ist ungesund. = Bere caffè forte è malsano (declinazione forte, singolare, maschile, genitivo).

-Der Preis schöner Abendkleider ist meistens ziemlich hoch. = Il prezzo di abiti da sera belli è perlopiú molto alto (declinazione forte, plurale, genitivo).

-Sonnige Wohnung in ruhiger Lage zu vermieten. = Abitazione soleggiata in posizione tranquilla da affittare ( a) declinazione forte, singolare, femminile, nominativo - b) declinazione forte, singolare, femminile, dativo).

-Auf blöde Fragen antworte ich einfach nicht. = A domande stupide semplicemente non rispondo. (NB: antworten + auf + Akk. - qui si tratta dunque di un complemento preposizionale senza articolo: declinazione forte, plurale, accusativo).

## 2. Schwache Beugung = declinazione debole

Quando:
l'aggettivo si declina debole quando è preceduto dall'articolo determinativo o da aggettivi dimostrativi declinati come l'articolo determinativo (dieser, jener, solcher, jeder, welcher, alle... usw.).

Come:
l'aggettivo debole prende in tutti i casi la desinenza "-en" ad eccezione dei tre nominativi singolari + gli accusativi singolari femminile e neutro (= declinazione delle cinque "-e"). Al plurale assume sempre la des. "-en".

### Singular

| | *männlich* | *weiblich* | *sächlich* |
|---|---|---|---|
| Nom.: | der große Baum | die schöne Frau | das brave Kind |
| Gen.: | des großen Baumes | der schönen Frau | des braven Kindes |
| Dat.: | dem großen Baum | der schönen Frau | dem braven Kind |
| Akk.: | den großen Baum | die schöne Frau | das brave Kind |

### Plural

| | |
|---|---|
| Nom.: | die braven Kinder |
| Gen.: | der braven Kinder |
| Dat.: | den braven Kindern |
| Akk.: | die braven Kinder |

NB: Gli aggettivi dimostrativi plurali "viele, wenige, andere, mehrere, manche, einige, etliche" non influiscono sull'aggettivo attributivo che li segue. L'aggettivo attributivo che viene a trovarsi subito dopo uno di questi aggettivi dimostrativi usati al plurale si declina quindi forte (= declinazione parallela). Altrettanto avviene con gli aggettivi numerali "zwei, drei... usw." e "ein paar", mentre con "beide" prevale ancora la declinazione debole, anche se qualche scrittore moderno applica la forte.

| | |
|---|---|
| Nom.: | viele brave Kinder |
| Gen.: | vieler braver Kinder |
| Dat.: | vielen braven Kindern |
| Akk.: | viele brave Kinder |

Beispiele:
-Das kleine Haus gefällt mir. = La piccola casa mi piace (declinazione debole, singolare, neutro, nominativo).
-Die kleinen Kinder brauchen viel Pflege. = I bambini piccoli hanno bisogno di molte cure (declinazione debole, plurale, nominativo).

**131**

-Mit diesem alten Wagen will ich nicht mehr fahren. = Non voglio piú viaggiare con questa vecchia macchina (decl. debole, sing., maschile, dativo).

-Ich habe mehrere schöne und interessante Bücher zu Hause. = A casa ho diversi libri belli e interessanti (decl. forte, plurale, accusativo).

-Morgen, morgen nur nicht heute sagen alle faulen Leute! = Quel che puoi fare oggi, non rimandarlo al domani! [Alla lettera: "Domani, domani, purché non sia oggi, dicono tutte le persone pigre!"]

---

## 3. Gemischte Beugung = declinazione mista

Quando:
l'aggettivo si declina misto quando è preceduto dall'articolo indeterminativo, dagli aggettivi possessivi o da "kein".

Come:
l'aggettivo misto si declina forte nei casi diretti (come l'articolo determinativo al nominativo e accusativo), debole nei casi indiretti (con la desinenza "-en " al genitivo e dativo); il plurale è tutto debole.

### Singular

| | männlich | weiblich | sächlich |
|---|---|---|---|
| Nom.: | ein großer Baum | eine schöne Frau | ein braves Kind |
| Gen.: | eines großen Baumes | einer schönen Frau | eines braven Kindes |
| Dat.: | einem großen Baum | einer schönen Frau | einem braven Kind |
| Akk.: | einen großen Baum | eine schöne Frau | ein braves Kind |

### Plural

| | |
|---|---|
| Nom.: | meine braven Kinder |
| Gen.: | meiner braven Kinder |
| Dat.: | meinen braven Kindern |
| Akk.: | meine braven Kinder |

Beispiele:
-Ich möchte ein kleines Haus. = Io vorrei una casa piccola (declinazione mista, singolare, neutro, accusativo).

-Euer schönes Kind lacht immer. = Il vostro bel bimbo ride sempre (declinazione mista, singolare, neutro, nominativo).

-Ist das ein netter Junge! = Ma che bel ragazzo! (Ma che ragazzo gentile!) (declinazione mista, singolare, maschile, nominativo)

-Mit einem alten Wagen will ich nicht fahren. = Non voglio viaggiare con una macchina vecchia (declinazione mista, sing., maschile, dativo).

-Meine alten Bücher gebe ich nicht her. = Non svendo (non presto - non do via) i miei vecchi libri (declinazione mista, plurale, accusativo).

# Ausnahmen zur Beugung des attributiven Adjektivs

( Eccezioni alla declinazione dell'aggettivo attributivo )

1. Alcuni aggettivi stranieri riguardanti i colori e terminanti in "-a", come "rosa", "lilla", vengono usati indeclinati anche quando si trovano in posizione attributiva:

> z.B.:-Ich habe eine lila Bluse.  =  Ho una camicetta lilla.
> -Mir gefallen rosa Strümpfe.  =  A me piacciono le calze rosa.

NB: "orange" si usa solo come aggettivo predicativo, mentre la forma attributiva è "orangener, orangene, orangenes":

> z.B.:-Inge hat sich ein Kleid mit orangenen Tupfen gekauft.  =  Inge si è comperata un vestito punteggiato di arancione (a puntini arancione).

2. Aggettivi indeclinati in posizione attributiva si hanno pure con derivati da nomi di città per qualificare (indicandone il luogo) monumenti, manifestazioni, cose tipiche di una città. In tali casi si usa infatti come aggettivo attributivo il nome della città scritto con la lettera maiuscola e l'aggiunta della desinenza "-er "; esso resta sempre invariato.

> z.B.:-die Mailänder Scala  =  la Scala di MIlano (raramente un tedesco direbbe "die Skala von Mailand", anche se grammaticalmente corretto!)
> -der Kölner Dom.          =  il duomo di Colonia
> -die Frankfurter Messe  =  la fiera di Francoforte
> -der Hamburger Hafen  =  il porto di Amburgo
> Eccezione:
> -(das) Kölnisch Wasser (4711)  =  l'acqua di Colonia (4711)

# Veränderungen einiger Adjektive in der Beugung

( Cambiamento di alcuni aggettivi quando si declinano )

1. **hoch** = alto:

nella declinazione perde la "c": hoher, hohe, hohes, mentre la riprende nella forma del superlativo: höchst.

> z.B.: -Die Alpen sind ein hohes Gebirge, der Himalaya ist das höchste Gebirge.
> = Le Alpi sono un'alta catena montuosa, l'Himalaya è la catena montuosa più alta.

2. Gli aggettivi uscenti in consonante rotante "-r, -l" perdono la "-e" del tema, secondo il principio che le consonanti rotanti o liquide si rifiutano perlopiú di stare fra due "e" alla fine dei vocaboli. Va ogni volta elisa la "e" meno importante, in questo caso la "e" del tema:

> z.B.: -dunkel: dunkler, dunkle, dunkles = scuro
> -tapfer: tapfrer, tapfre, tapfres = coraggioso (anche: tapferer...)
> -teuer: teurer, teure, teures = caro
> - Ist das ein teures Auto! = Ma che cara quest'auto!
> - Das ist aber ein dunkles Zimmer! = Ma questa è una stanza buia!

# Schwankungen in der Beugung des attributiven Adjektivs

( Variazioni nella declinazione dell'aggettivo attributivo )

## 1. *Aggettivi dimostrativi preceduti da articoli o aggettivi possessivi*

Diversi aggettivi dimostrativi come "anderer, solcher, viele, wenige", se vengono a trovarsi in posizione attributiva (se cioé sono preceduti da un articolo, da "kein" o da aggettivi possessivi), flettono pure loro secondo il modello della declinazione debole o mista, sia che si trovino da soli sia che si trovino in compagnia di un altro aggettivo:

> z.B.: -Was machst du mit dem vielen Geld? = Che fai con tutti quei soldi?
> -Lass doch die anderen reden, wie sie wollen! Geh du deinem Weg nach! = Lascia che gli altri dicano ció che vogliono! Tu va per la tua strada!
> -Die wenigsten wissen bei einem Unfall, erste Hilfe fachmäßig zu leisten. = In caso di incidente pochi sanno prestare un aiuto d'emergenza competente (solo una parte minoritaria sa prestarlo).
> -Diesen Schaden hat der andere kleine Junge angerichtet. = Questo danno l'ha combinato (fatto) l'altro piccolo ragazzo.
> -Was? Du hast noch nie gehört, was am 11. September 2001 in New York passiert ist? Wie kann man ein solch(es) (oppure "solch") wichtiges, tragisches Ereignis ignorieren (nicht wissen)? = Cosa? Tu non hai mai sentito ció che è accaduto a New York l'11 settembre del 2001? Come si può ignorare un evento così importante e tragico?
> -Alles andere besprechen wir ein anderes Mal. = Tutto il resto lo discutiamo un'altra volta.
> - Das ist alles andere als richtig. = Ció è tutt'altro che giusto.
> -Ich will nichts anderes als Ruhe haben! = Non voglio altro che pace!

Si notino le forme idiomatiche: die einen...,die anderen = gli uni...,gli altri
das eine zum anderen = una cosa assieme all'altra
viel anderes mehr = tante altre cose (ancora)

> z.B.: -Die einen sind fleißig, die anderen faul. = Gli uni sono diligenti, altri pigri.
> -Der eine sagt so, der andere wieder ganz anders. = L'uno dice così, l'altro invece colà.
> -Gisela erzählte mir nicht nur das, sondern viel anderes mehr. = Gisella non mi raccontó solo questo, ma (bensì) tante altre cose.

## 2. *Precedenza di aggettivi dimostrativi indeclinati*

L'aggettivo attributivo preceduto da aggettivi dimostrativi indeclinati segue la declinazione forte. Si tratta di una variante molto usata nella parlata quotidiana perché, diversamente, l'aggettivo dimostrativo declinato richiederebbe la flessione debole dell'aggettivo attributivo che segue:

a) "solch" al posto di "solcher, solche, solches":

> z.B.: -solch herrliche Sonnentage = tali belle giornate (sta al posto di "solche herrlichen Sonnentage" che suonerebbe anche male):
> -Solch herrliche Sonnentage hatten wir schon lange nicht mehr. = È da tempo che non avevamo piú giornate di sole così splendide.

-mit solch herrlichem Wetter = con un tempo così meraviglioso [alla lettera: "con tale tempo meraviglioso"] (sta al posto di "mit solchem herrlichen Wetter"):
-Mit solch herrlichem Wetter ist es wohl schade, den ganzen Tag im Haus zu verbringen. = Con un tempo così meraviglioso è un peccato trascorrere tutto il giorno in casa.

-solch schöner, braver Mädchen (genitivo plur.) = di ragazze così belle e brave (sta al posto di "solcher schönen, braven Mädchen"):
-Die Eltern solch schöner, braver Mädchen können auf sie wohl stolz sein. = I genitori di ragazze così belle e brave possono ben essere orgogliosi di loro.

b) "welch" al posto di "welcher, welche, welches":
z.B.: -welch guter Mensch = che (quale) buon uomo (sta al posto di "welcher gute Mensch"):
-Du kannst gar nicht ahnen, welch guter Mensch dieser verstorbene Mann war! = Non puoi neanche immaginare che buon uomo fosse [in ted.: "era"] questo defunto!

-in welch kurzer Zeit = in che breve tempo (sta al posto di "in welcher kurzen Zeit"):
-Es ist erstaunlich zu beobachten, in welch kurzer Zeit die Reifen beim Formel 1-Rennen gewechselt werden. = È impressionante osservare in che breve tempo vengano cambiate le gomme durante la competizione della Formula 1.

-mit welch großen Opfern = con quali grandi sacrifici (sta al posto di "mit welchen großen Opfern"):
-Nur eine Mutter weiß, mit welch großen Opfern das Aufziehen und Erziehen der Kinder verbunden ist. = Solo una mamma sa quanti sacrifici comporta allevare ed educare i bambini.

c) "manch" al posto di "mancher, manche, manches" che, se usato al plurale, già appartiene a quegli aggettivi dimostrativi che non influiscono sull'aggettivo attributivo che segue; "mancher", usato al singolare, richiede la flessione debole dell'aggettivo che segue; tuttavia, se usato indeclinato, l'aggettivo che segue si declina forte:
z.B.: -manch frohe Stunden = parecchie ore liete (sta al posto di "manche frohe Stunden"):
-Mit meiner Frau hab' ich manch frohe Stunden verbracht. = Con mia moglie ho trascorso parecchie ore liete.

-mit manch zärtlichem Lächeln = con qualche delicato sorrisino (sta al posto di "mit manchem zärtlichen Lächeln"):
-Mit manch zärtlichem Lächeln haben viele Frauen oft Männer für sich gewonnen. = Spesso molte donne hanno conquistato gli uomini con parecchi delicati sorrisi.

-manch (ein) alter Mensch = diverse persone anziane (sta al posto di "mancher alte Mensch"):
-Manch alter Mensch leidet an Arthrose. = Parecchie persone anziane soffrono di artrosi.

## 3. *Aggettivo attributivo preceduto da "dieser, jener" + aggettivo possessivo*

L'aggettivo attributivo preceduto prima da "dieser" o "jener", poi da un aggettivo possessivo viene influenzato da quest'ultimo, seguendo così la declinazione mista:

> z.B.: -Paul ist zwar ein Freund von uns. Aber dieser unser lieber Freund hat uns letzthin sehr enttäuscht. = Paolo è sì un nostro amico, ma questo nostro caro amico ultimamente ci ha delusi.
>
> -Jenes euer großes Glück, das euch vor Jahren mit einem bedeutendem Lottogewinn küsste, hat euch am Ende scheinbar nicht viel genutzt. = Quella vostra grande fortuna che anni fa vi baciò con una importante (cospicua) vincita al lotto, alla fine non vi è giovata molto.

## 4. *Susseguenza di due o più aggettivi attributivi*

Quando un sostantivo è preceduto da due o più aggettivi attributivi, si possono avere le seguenti versioni:

a) si declinano tutti gli aggettivi, separandoli con virgole e coordinando l'ultimo aggettivo elencato con la congiunzione "und":

> z.B.: -Frau Schmidt ist nach langen, schweren Leiden gestorben. = La signora Schmidt è morta dopo aver sopportato lunghe e gravi sofferenze.
>
> -Peter duscht sich immer mit fließendem, kaltem und warmem Wasser. = Pietro fa la doccia sempre con l'acqua corrente, fredda e calda.

b) spesso il primo aggettivo viene usato indeclinato, ossia in modo avverbiale:

> z.B.:-Wir essen immer frisch gebackenes Brot. = Noi mangiamo sempre pane fresco [alla lettera in un pessimo ital.: frescamente cotto].
>
> -Die so schön klingenden Glocken unseres Domes läuten nur bei großen Festtagen und feierlichen Anlässen. = Le campane così ben squillanti del nostro duomo suonano soltanto nei giorni di festa o nelle grandi occasioni.

c) due aggettivi esprimenti ambedue un complessivo concetto d'insieme vengono a volte uniti, formando un composto. Ció accade specialmente con due aggettivi riferiti a colori oppure riferiti a qualità simili o contrastanti:

> z.B.:-Paul trinkt zu viel, er hat schon eine blaurote Nase (anche: blaue rote). = Paolo beve troppo: ha già un naso rosso-blu.
>
> -Heute ziehe ich die hellbraune Bluse an. = Oggi indosso la camicetta marrone-chiara.

-Ernst Theodor Amadeus Hoffmann hat schaurig-schöne Erzählun-
gen geschrieben. = E.T.A. Hoffmann ha scritto dei racconti belli e
raccapriccianti.

## 5. *Comportamento dell'aggettivo "voll"*

L'aggettivo "**voll**" nel senso di "pieno", quando si trova in posizione
attributiva, si comporta come tutti gli altri aggettivi:

> z.B.:-Bringt bitte die vollen Müllsäcke mit dem Wagen auf die Müllhalde!
> = Portate per favore i sacchi della spazzatura pieni alla discarica.

L'aggettivo "**voll**" nel senso di "pieno di", quando si trova in posizione
attributiva, si comporta in tre modi diversi:

a) declinato forte al genitivo plurale "**voller**": forma da preferire sia per
la brevità, sia per il significato interpretativo indicante completa pienezza:

> z.B.:-Wir haben eine Terrasse voller Sonne. = Abbiamo una terrazza
> piena di sole.
> -Am Ende des Krieges waren die Sieger voller Freude. = Alla fine
> della guerra i vincitori erano pieni di gioia.
> -Diese Eltern sind wegen ihrer kranken Tochter voller Sorgen. =
> Questi genitori sono pieni di preoccupazioni per la loro figlia am-
> malata.

b) si può usare anche indeclinato, ossia alla stregua di un avverbio: in
tal caso tuttavia non dà quel senso di completa pienezza come "voller":

> z.B.:-Wir haben eine Terrasse voll Sonne. = Abbiamo una terrazza pie-
> na di sole.

indeclinato si usa soprattutto nei casi in cui si vuol esagerare:

> z.B.:-Du bist ja voll Mehl! Was richtest du denn her? Einen Kuchen? =
> Ma sei piena di farina (magari si tratta solo di qualche macchia)!
> Che stai preparando? Un dolce?

c) La forma "voll von": è la meno opportuna e va usata solo per variare
il discorso. Per tutto il linguaggio umano vale infatti il principio
glottologico che, se un concetto può essere espresso in modo chia-
rissimo con un vocabolo in meno, sia da preferire l'espressione piú
breve e non quella piú lunga!

> z.B.:-Wir haben eine Terrasse voll von Sonne (= espressione piú pe-
> sante e indubbiamente meno piacevole).

## 6. Comportamento dell'aggettivo dimostrativo "alle - all"

a) L'aggettivo dimostrativo "alle" indica sempre una pluralità di persone o cose a differenza di "ganz" che indica l'interezza, la totalità di una cosa sola; l'aggettivo attributivo che segue si declina debole:

> z.B.:-alle alten Häuser = tutte le case vecchie
> -das ganze Haus = tutta la casa (la casa intera)

NB: Non si ha questa differenza fra "alle" e "ganz" con i sostantivi a-stratti usati al singolare:

> z.B.:-mit aller Kraft (mit der ganzen Kraft) = con tutta la forza
> -Es bedurfte allen Mutes (des ganzen Mutes), um so was zu unter-nehmen. = C'é voluto tutto il coraggio per intraprendere una co-sa del genere.

b) Per l'uso attributivo di "alle" davanti ad un sostantivo preceduto dal-l'articolo determinativo, da aggettivi dimostrativi o da un aggettivo possessivo, prevale oggigiorno la forma indeclinata "all"; ció avviene per evitare una doppia flessione cacofonica:

> z.B.: -all die Leute = tutte le (quelle) persone - Tuttavia: Die alle? = Tut-ti questi? NB: In tedesco il pronome dimostratvo "die" precede.
> -all diese Fehler = tutti questi errori
> -mit all seinen Kindern = con tutti i suoi bambini
> -all das, was...= tutto ció che ⎫
> -bei all dem, was = con tutto ció che ⎬ congiunzioni correlative
> -mit all dem Zeug = con tutta questa (quella) roba ⎭

c) Forme idiomatiche fisse con "alle":

> z.B.:-allen Ernstes = sul serio, seriamente, in tutta serietà
> -Sagst (meinst) du das allen Ernstes? = Lo dici (pensi) sul serio (in tutta serietà)?

> -allenfalls = semmai, eventualmente, se necessario
> -Man nuss immer sparen, um allenfalls in der Not einen Kreuzer zu haben. = Bisogna sempre risparmiare per avere eventualmente un gruzzolo nel bisogno.

> -alledem = tutto ció; tutto
> -Ich verstehe nichts von alledem (von all dem). = Non capisco nulla di tutto ció.

> -trotz alledem = nonostante tutto, nonostante tutto ció
> -Trotz alledem (all dem) beklagt sich Paul noch. = Nonostante tutto, Paolo si lamenta ancora.

> -mit alledem (bei alledem) = con tutto ció
> -Also ist Paul mit alledem (mit all dem), was er bekommen hat, noch nicht zufrieden? = Ma insomma (dunque), con tutto quello che ha ricevuto, Paolo non è ancora soddisfatto?

# Das substantivierte Adjektiv

### ( L'aggettivo sostantivato )

1. <mark>Ogni aggettivo può, volendo, essere sostantivato</mark>: in tali casi esso va scritto con la lettera maiuscola, ma segue sempre la declinazione forte, debole, mista dell'aggettivo attributivo:

| z.B.: | -gut | = buono (Adjektiv) |
|---|---|---|
| | NB: I due esempi qui indicati sono dei nominativi: | |
| | -der Gut<mark>e</mark> | = l'uomo buono (decl. debole, sing., maschile) |
| | -ein Gut<mark>er</mark> | = un uomo buono (decl. mista, sing., maschile) |
| | NB: Gli esempi qui indicati possono essere dei nominativi o accusativi: | |
| | -eine Gut<mark>e</mark> | = una donna buona (decl. mista, sing., femm.) |
| | -die Gut<mark>en</mark> | = i buoni (le persone buone) (decl. debole, plurale) |
| | -Gut<mark>e</mark> | = persone buone (decl. forte, plurale) |
| | -das Gut<mark>e</mark> | = il bene (decl. debole, singolare, neutro) |
| | -Alles Gut<mark>e</mark>! | = Ogni bene! (decl. debole, singolare, neutro) |

z.B.: -Die Guten kommen in den Himmel, die Bösen in die Hölle. = I buoni vanno in paradiso, i cattivi all'inferno.
-Alles Gute zu deinem Geburtstag. = Ogni bene per il tuo compleanno.

NB: das **Gut**, des **Gutes**, die **Güter** (Substantiv!) = a) la proprietà   b) la merce - der Güterzug = il treno merci

2. <mark>Anche i participi presenti e passati possono essere sostantivati</mark>: essi vanno quindi scritti con la lettera maiuscola e declinati come l'aggettivo attributivo:

| z.B.: | -reisen | = viaggiare (Infinitiv) |
|---|---|---|
| | -reisend | = viaggiante (Partizip Praesens) |
| | -der Reisend<mark>e</mark> | = il viaggiatore |
| | -ein Reisend<mark>er</mark> | = un viaggiatore |
| | -die Reisend<mark>en</mark> | = i viaggiatori |
| | -Reisend<mark>e</mark> | = viaggiatori |

z.B.: -Reisende müssen immer auf ihr Gepäck aufpassen. = Chi viaggia deve sempre prestare attenzione ai propri bagagli.

| z.B.: | -verletzen | = ferire, vulnerare (Infinitiv) |
|---|---|---|
| | -verletzt | = ferito (Partizip Perfekt) |
| | -der Verletzt<mark>e</mark> | = il ferito |
| | -ein Verletzt<mark>er</mark> | = un ferito |
| | -eine Verletzt<mark>e</mark> | = una donna ferita |
| | -die Verletzt<mark>en</mark> | = i feriti |
| | -Verletzt<mark>e</mark> | = feriti |

z.B.: -Beim Unfall in der Nähe von Cantù gab es mehrere Tote und viele Verletzte. = Nell'incidente (avvenuto) nei pressi di Cantù ci furono diversi morti e molti feriti.
-Die Verletzten wurden sofort mit Rettungswagen ins Krankenhaus eingeliefert. = I feriti vennero subito trasportati con le ambulanze all'ospedale.

3. ==Gli aggettivi preceduti dagli avverbi e pronomi indefiniti==

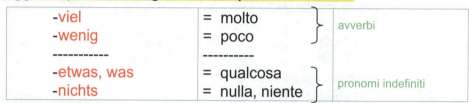

| -viel | = molto | } avverbi |
| -wenig | = poco | |
| ----------- | ---------- | |
| -etwas, was | = qualcosa | } pronomi indefiniti |
| -nichts | = nulla, niente | |

==vengono sostantivati==, scritti quindi con lettera maiuscola e ==seguono sempre la declinazione forte neutra dell'aggettivo attributivo==. Eventuali preposizioni che precedono i suddetti avverbi o pronomi influiscono sull'aggettivo attributivo che segue determinandolo:

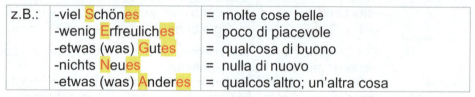

| z.B.: | -viel Schönes | = molte cose belle |
| | -wenig Erfreuliches | = poco di piacevole |
| | -etwas (was) Gutes | = qualcosa di buono |
| | -nichts Neues | = nulla di nuovo |
| | -etwas (was) Anderes | = qualcos'altro; un'altra cosa |

z.B.: -Heute hat der Lehrer den Unterricht *mit etwas Neuem* begonnen.
= Oggi l'insegnante ha iniziato la lezione con qualcosa di nuovo.
-Diese Bluse passt *zu* etwas Elegantem. = Questa camicetta si addice a qualcosa di elegante.

4. ==Gli unici veri e propri sostantivi== che, pur essendo tali, non seguono la declinazione del sostantivo, bensì la declinazione forte, debole e mista dell'aggettivo attributivo sono:

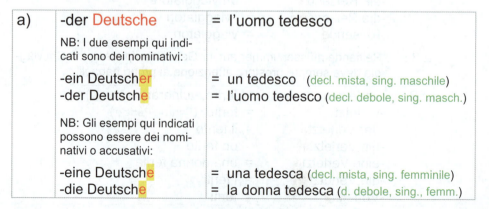

| a) | -der Deutsche | = l'uomo tedesco |
| | NB: I due esempi qui indicati sono dei nominativi: | |
| | -ein Deutscher | = un tedesco (decl. mista, sing. maschile) |
| | -der Deutsche | = l'uomo tedesco (decl. debole, sing. masch.) |
| | NB: Gli esempi qui indicati possono essere dei nominativi o accusativi: | |
| | -eine Deutsche | = una tedesca (decl. mista, sing. femminile) |
| | -die Deutsche | = la donna tedesca (d. debole, sing., femm.) |

| | | | |
|---|---|---|---|
| | -die Deutsch**en** | = i tedeschi | (decl. debole, plurale) |
| | -Deutsch**e** | = tedeschi | (decl. forte, plurale) |
| b) | -der Beamte | = l'impiegato (statale) | |
| | -ein Beamt**er** | = un impiegato | |
| | -der Beamt**e** | = l'impiegato | |
| | -die Beamt**en** | = gli impiegati | |
| | -Beamt**e** | = impiegati | |

NB: Eccezione:

-"die Beamtin" tuttavia segue la declinazione femminile debole primo gruppo del sostantivo:

| | |
|---|---|
| -die Beamt**in** | = l'impiegata |
| -eine Beamt**in** | = un'impiegata |
| -die Beamtin**nen** | = le impiegate |
| -Beamtin**nen** | = impiegate |

z.B.:-Ein Deutsch**er** war am Münchner Bahnhof sehr nett zu mir und hat mir aus der Patsche geholfen. = Un tedesco è stato molto gentile con me presso la stazione di Monaco, tirandomi fuori dai pasticci (dall'impaccio).

-Nicht alle Deutsch**en** waren Nazis (Nationalsozialisten). = Non tutti i tedeschi furono dei nazisti.

-Viele Deutsche, die sich damals gegen das Regime äußerten, starben in den Konzentrationslagern. = Molti tedeschi, che allora si opposero al regime, morirono nei campi di concentramento.

-In den öffentlichen Büros arbeiten mehr Beamtin**nen** als Beamt**e**. = Negli uffici pubblici lavorano piú impiegate che impiegati.

# Aufstellung der wichtigsten Substantivierungen

( Lista delle sostantivazioni più importanti )

Possono essere sostantivati molti aggettivi, participi presenti e passati. La sostantivazione si rende necessaria quando manca un corrispondente sostantivo. Si può tuttavia ricorrere alla sostantivazione anche per variare il discorso, quando nello stesso testo il sostantivo appropriato è stato già usato piú volte, ma in tali casi occorre farne un uso prudente per non allontanarsi troppo dalla parlata comune e non incorrere in improprietà linguistiche. Per esempio: In luogo del sostantivo "der Student" si potrebbe sì usare "der Studierende, ein Studierender, eine Studierende, die Studierenden, Studierende", ma ció dipende soprattutto dal contesto. Dal momento infatti che esiste il sostantivo ben chiaro ed appropriato "der Student", proveniente dal latino, l'uso della sostantivazione "der Studierende" è raro e ha del ricercato.

Con i seguenti elenchi incompleti si vuole solo dare al discente l'opportunità di intravedere quali sono le sostantivazioni piú frequenti. Non è affatto necessario imparare a memoria tali aride liste; è sufficiente solo marcare con una o piú crocette le sostantivazioni che si riscontrano leggendo o, se si usano in modo errato perché scambiate come un normale sostantivo, per non ripetere l'errore.

## A) *Substantivierungen aus dem Adjektiv = sostantivazioni derivate dall'aggettivo = aggettivi sostantivati*

1.  <u>alt</u> = vecchio: / der Alte, ein Alter, eine Alte, die Alten, Alte = la persona anziana  NB: tuttavia: das Alter, -s, - decl. forte neutra primo gruppo = l'età
2.  <u>andächtig</u> = devoto: / der Andächtige, ein Andächtiger, eine Andächtige, die An-dächtigen, Andächtige = la persona devota, il devoto
3.  <u>arm</u> = povero: / der Arme, ein Armer, eine Arme, die Armen, Arme = la persona povera, il povero  NB: tuttavia: der Arm, des Armes, die Arme, sostantivo appartenente alla declinazione maschile, forte, secondo gruppo = il braccio
4.  <u>bekannt</u> = conosciuto: / der Bekannte, ein Bekannter, eine Bekannte, die Bekann-ten, Bekannte = il conoscente
5.  <u>bereitwillig</u> = volenteroso, premuroso: / der Bereitwillige, ein Bereitwilliger, eine Bereitwillige , die Bereitvilligen = la persona disposta (all'aiuto), la persona premurosa
6.  <u>berühmt</u> = rinomato: / der Berühmte, ein Berühmter, die Berühmten, Berühmte = la persona rinomata
7.  <u>bewusstlos</u> = svenuto: / der Bewusstlose, ein Bewusstloser, die Bewusstlosen, Bewusstlose = la persona priva di conoscenza, lo svenuto
8.  <u>blind</u> = cieco : / der Blinde, ein Blinder, eine Blinde, die Blinden,
9.  Blinde = il cieco <u>blond</u> = biondo: / der Blonde, ein Blonder, die Blonde, die Blonden, Blonde = l'uomo biondo  NB: esiste anche il diminutivo: die Blondine, der Blondine, die Blondinen, sostantivo appartenente alla declinazione debole, femminile, secondo gruppo = la biondina
10. <u>dick</u> = grosso: / der Dicke, ein Dicker, die Dicken, Dicke = la persona grassa (grossa)
11. <u>dumm</u> = a) stupido, ignorante b) scemo / der Dumme, ein Dummer, ei-ne Dumme, die Dummen, Dumme = la persona stupida, ignorante
    NB: esiste anche il termine: der Dummian, des Dummians, die Dummiane, sostantivo appartenente alla declinazione maschile forte, secondo gruppo = lo stupido, lo sciocco, il minchione
12. <u>dunkel</u> = buio, scuro: / Ich mag das Dunkle nicht. = A me il colore scuro non va. - Wie kannst du so im Dunklen arbeiten? = Ma come puoi lavorare così nel buio?
13. <u>durstig</u> = assetato: / der Durstige, ein Durstiger, die Durstigen, Durstige = l'assetato, la persona assetata
14. <u>fremd</u> = estraneo, straniero: / der Fremde, ein Fremder, die Fremden, Fremde = la persona straniera
15. <u>freiwillig</u> = volontario: / der Freiwillige, ein Freiwilliger, eine Freiwillige, die Freiwilligen, Freiwillige = il volontario
16. <u>friedfertig</u> = pacifico, amante la pace / der Friedfertige, ein Friedfertiger, eine Friedfertige, die Friedfertigen, Friedfertige = la persona che ama la pace
17. <u>fromm</u> = pio / der Fromme, ein Frommer, eine Fromme, die Frommen, Fromme = la persona pia, persona molto religiosa  NB: da non confondere con: der Frömmler, des Frömmlers, die Frömmler, sostantivo appartenente al primo gruppo della declinazione maschile forte = il bigotto, il bacchettone

18. gesund = sano / der Gesunde, ein Gesunder, eine Gesunde, die Gesunden, Ge-sunde = la persona sana

19. gläubig = credente: / der Gläubige, ein Gläubiger, die Gläubigen, Gläubige = il credente NB: tuttavia: der Gläubiger, des Gläubigers, die Gläubiger, sostantivo appartenente alla declinazione forte, maschile, primo gruppo = il creditore

20. grün = verde: / der Grüne, ein Grüner, die Grünen, Grüne = i verdi (gli appartenenti al partito per la salvaguardia dell'ambiente)

21. groß = grande: / der Große, ein Großer, eine Große, die Großen, Große = la persona grande (cresciuta, adulta, alta) NB: tuttavia: die Größe, der Größe, die Größen, sostantivo appartenente alla declinazione femminile, debole, primo gruppo = a) la grandezza b) la taglia

22. heilig = santo: / der Heilige, ein Heiliger, eine Heilige, die Heiligen, Heilige = la persona santa, il santo, la santa

23. hübsch = carino, bello: / der Hübsche, die Hübsche, eine Hübsche, die Hübschen, Hübsche = la persona carina, bella

24. hungrig = affamato: / der Hungrige, die Hungrige, ein Hungriger, die Hungrigen, Hungrige = l'affamato, la persona affamata

25. interessiert = interessato: / der Interessierte, ein Interessierter, eine Interessierte, die Interessierten, Interessierte = la persona interessata NB: "der Interessent, des Interessenten, die Interessenten", sostantivo appartenente alla declinazione debole, maschile = l'interessato

26. -jährig = (suffisso) ..-enne, di anni: / der Zwanzigjährige, ein Zwanzigjähriger, eine Zwanzigjährige, die Zwanzigjährigen, Zwanzigjährige = il ventenne NB: allo tesso modo si declinano tutti gli altri aggettivi sostantivati con tale suffisso: z.B.: der Dreißigjährige, der Vierzigjährige, der Achtzigjährige... usw. = il trentenne, il quarantenne, l'ottantenne

27. jugendlich = adolescente, giovanile: / der Jugendliche, ein Jugendlicher, die Jugendlichen, Jugendliche = l'adolescente

28. klein = piccolo: / der Kleine, ein Kleiner, eine Kleine, die Kleinen, Kleine = il piccolo, la piccola, i piccoli ( anche: la persona di statura piccola )

29. krank = malato: / der Kranke, ein Kranker, eine Kranke, die Kranken, Kranke = la persona ammalata

30. leichtsinnig = superficiale: / der Leichtsinnige, ein Leichtsinniger, eine Leichtsinnige, die Leichtsinnigen, Leichtsinnige = la persona superficiale

31. reich = ricco: / der Reiche, ein Reicher, eine Reiche, die Reichen, Reiche = la persona ricca

32. reiselustig = amante dei viaggi: / der Reiselustige, ein Reiselustiger, eine Reiselustige, die Reiselustigen, Reiselustige = l'amante dei viaggi

33. schiffbrüchig = naufrago: / der Schiffbrüchige, ein Schiffbrüchiger, eine Schiffbrüchige, die Schiffbrüchigen, Schiffbrüchige = il naufrago

34. schlank = slanciato, snello / der Schlanke, ein Schlanker, eine Schlanke, die Schlanken, Schlanke = la persona snella, persona slanciata

35. schlau = furbo, astuto, scaltro / der Schlaue, ein Schlauer, eine Schlaue, die Schlauen, Schlaue = la persona furba, la persona scaltra

36. schwarz = nero: / der Schwarze, ein Schwarzer, die Schwarzen, Schwarze = il negro, la persona di colore

37. selbständig = indipendente: / der Selbständige, ein Selbständiger, eine Selbständige, die Selbständigen, Selbständige = la persona indipendente

38. steuerpflichtig = soggetto a imposta / der Steuerpflichtige, ein Steuerpflichtiger, eine Steuerpflichtige, die Steuerpflichtigen, Steuerpflichtige = il contri-buente NB: Vale per tutti i composti con "-pflichtig": der Schulpflichtige, ein Schulpflichtiger, die Schulpflichtigen, Schulpflichtige = persona che sottostà all'obbligo scolastico

39. stolz = superbo / der Stolze, ein Stolzer, eine Stolze, die Stolzen, Stolze = la persona superba, il superbo

40. stumm = muto / der Stumme, ein Stummer, eine Stumme, die Stummen, Stumme = la persona muta, il muto

41. taubstum = sordomuto / der Taubstumme, ein Taubstummer, eine Taubstumme, die Taubstummen, Taubstumme = il sordomuto, la persona sordomuta

42. tot = morto, defunto: / der Tote, ein Toter, eine Tote, die Toten, Tote = il defunto, la persona morta, il morto

43. ungebildet = ignorante, non educato: / der Ungebildete, ein Ungebildeter, die Ungebildeten, Ungebildete = la persona non erudita, ignorante

44. ungläubig = non credente: / der Ungläubige, ein Ungläubiger, die Ungläubigen, Ungläubige = il non credente

45. verwandt = imparentato: / der Verwandte, ein Verwandter, eine Verwandte, die Verwandten, Verwandte = il parente

46. weise = saggio, sapiente: / der Weise, ein Weiser, eine Weise, die Weisen, Weise = la persona saggia z.B.: die drei Weisen aus dem Morgenland = i tre re magi NB: Tuttavia: die Weise, der Weise, die Weisen, sostantivo appartenente alla declinazione femminile, debole, primo gruppo = a) il modo, la maniera b) la melodia, l'aria

47. weiß = bianco: / der Weiße, ein Weißer, die Weißen, Weiße = l'uomo bianco, la persona di colore bianco

## B) Substantivierungen aus dem Partizip Praesens = sostantivazioni derivate dal participio presente = participi presenti sostantivati

1. (dürsten) dürstend = avente sete: / der Dürstende, ein Dürstender, die Dürstenden, Dürstende = la persona assetata NB: Vedi anche la sostantivazione dell'aggettivo "durstig"!

2. (heimkehren) heimkehrend = che torna a casa, rimpatriante: / der Heimkehrende, ein Heimkehrender, die Heimkehrenden, Heimkehrende = la persona che torna a casa, la persona che rimpatria, il rimpatriato

3. (hungern) hungernd = avente fame: / der Hungernde, ein Hungernder, die Hungernden, Hungernde = l'affamato NB: Vedi anche la sostativazione dell'aggettivo "hungrig"

4. (leben) lebend = vivente: / der Lebende, ein Lebender, die Lebenden, Lebende = la persona vivente

5. (lieben) liebend = amante: / der Liebende, ein Liebender, die Liebenden, Liebende = l'amante, l'innamorato, la persona innamorata

144

6. (leiden) leidend = sofferente: / der Leidende, ein Leidender, die Leidenden, Leidende = la persona sofferente

7. (sehen) sehend = vedente: / der Sehende, ein Sehender, die Sehenden, Sehende = il vedente

8. (stehen) stehend = stante: / der Außenstehende, ein Außenstehender, die Außenstehenden, Außenstehende = la persona che sta fuori, la persona estranea

9. (sterben) sterbend = morente: / der Sterbende, ein Sterbender, die Sterbenden, Sterbende = il moribondo

10. (überleben) überlebend = sopravvivente: / der Überlebende, ein Überlebender, die Überlebenden, Überlebende = il sopravvissuto

11. (warten) wartend = aspettante, che è in attesa: / der Wartende, ein Wartender, die Wartenden, Wartende = la persona che aspetta, che è in attesa

12. (weinen) weinend = piangente: / der Weinende, ein Weinender, die Weinenden, Weinende = il piangente, la persona che piange

13. (wissen) wissend = ...che sa,... che è al corrente: / der Wissende, ein Wissender, die Wissenden, Wissende = la persona che sa, persona che è al corrente   NB: tuttavia: der Mitwisser, des Mitwissers, die Mitwisser, sostantivo appartente alla declinazione forte, maschile, primo gruppo = persona che è al corrente, che è a conoscenza, il connivente


## C) *Substantivierungen aus dem Partizip Perfekt = sostantivazioni derivate dal participio passato = participi passati sostantivati*

1. (abordnen) abgeordnet = delegato, demandato: / der Abgeordnete, ein Abgeordneter, eine Abgeordnete, die Abgeordneten, Abgeordnete = il deputato

2. (anklagen) angeklagt = accusato: / der Angeklagte, ein Angeklagter, eine Angeklagte, die Angeklagten, Angeklagte = l'accusato, la persona accusata

3. (ansprechen) angesprochen = interpellato: / der Angesprochene, ein Angespro-chener, eine Angesprochene, die Angesprochenen, Angesprochene = l'interpellato

4. (anstellen) angestellt = impiegato:/ der Angestellte, ein Angestellter, eine Angestellte, die Angestellten = l'impiegato ( in uffici di enti privati ), mentre l'impiegato statale = der Beamte (si veda la regola nr. 4 dell'aggettivo sostantivato, pag. 141)

5. (begeistern) begeistert = entusiasta: / der Begeisterte, ein Begeisterter, die Begeisterten, Begeisterte = la persona entusiasta   NB: altrettanto vale per i composti con "begeistert": der Sportbegeisterte, ein Sportbegeisterter, die Sportbegeisterten = la persona appassionata di sport - der Musikbegeisterte = la persona appassionata di musica

6. (beschenken) beschenkt = gratificato, ricevente un regalo: / der Beschenkte, ein Beschenkter, die Beschenkten, Beschenkte = chi riceve un regalo, la persona gratificata da regalo, il beneficiario

7. (bescheren) beschert = gratificato, persona che riceve un dono: der Bescherte, ein Bescherter, die Bescherten, Bescherte = la persona gratificata da un regalo

8. (besiegen, siegen) <u>besiegt</u> = sconfitto: / der Besiegte, ein Besiegter, eine Besiegte, die Besiegten, Besiegte = la persona sconfitta

9. (betreffen, treffen) <u>betroffen</u> = colpito: / der Betroffene, ein Betroffener, die Betroffenen, Betroffene = la persona colpita (da disgrazia, da accusa ecc.)

10. (betrügen) <u>betrogen</u> = ingannato: / der Betrogene, ein Betrogener, eine Betrogene, die Betrogenen, Betrogene = la persona ingannata

11. (deportieren) <u>deportiert</u> = deportato: / der Deportierte, ein Deportierter, eine Deportierte, die Deportierten, Deportierte = il deportato

12. (trinken) <u>betrunken</u> = ubriaco: / der Betrunkene, ein Betrunkener, die Betrunkenen, Betrunkene = la persona ubriaca, l'ubriaco  NB: tuttavia: der Trinker, des Trinkers, die Trinker, sostantivo appartenente alla declinazione forte, maschile, primo gruppo = il beone

13. (bestehlen) <u>bestohlen</u> = derubato: / der Bestohlene, ein Bestohlener, eine Bestohlene, die Bestohlenen, Bestohlene = la persona derubata

14. (bilden) <u>gebildet</u> = (formato) erudito: / der Gebildete, ein Gebildeter, die Gebildeten, Gebildete = la persona erudita, l'intellettuale

15. (empfehlen) <u>empfohlen</u> = raccomandato: / der Empfohlene, ein Empfohlener, die Empfohlenen, Empfohlene = la persona raccomandata

16. (einladen) <u>eingeladen</u> = invitato: / der Eingeladene, ein Eingeladener, die Eingeladenen, Eingeladene = l'invitato

17. (einschließen) <u>eingeschlossen</u> = rinchiuso, assediato: / der Eingeschlossene, ein Eingeschlossener, die Eingeschlossenen, Eingeschlossene = il rinchiuso, l'assediato. / (umzingeln) <u>umzingelt</u> = accerchiato: / der Umzingelte, ein Umzingelter, die Umzingelten... usw. = l'accerchiato, l'assediato

18. (einsperren) <u>eingesperrt</u>: = rinchiuso, incarcerato: / der Eingesperrte, ein Eingesperrter, die Eingesperrten, Eigensperrte = il rinchiuso, il carcerato

19. (erlösen) <u>erlöst</u> = salvato: / der Erlöste, ein Erlöster, die Erlösten, Erlöste = la persona salvata  NB: Tuttavia: der Erlöser, declinazione maschile, forte, primo gruppo del sostantivo = il Salvatore (Cristo Gesú)

20. (erschöpfen) <u>erschöpft</u> = esausto, stremato: / der Erschöpfte, ein Erschöpfter, eine Erschöpfte, die Erschöpften, Erschöpfte = la persona esausta, la persona stremata

21. (fallen) <u>gefallen</u> = caduto: / der Gefallene, ein Gefallener, die Gefallenen, Gefallene = il caduto in guerra

22. (fangen) <u>gefangen</u> = acchiappare, acciuffare: / der Gefangene, ein Gefangener, die Gefangenen, Gefangene = il prigioniero

23. (feiern) <u>gefeiert</u> = festeggiato: / der Gefeierte, ein Gefeierter, die Gefeierten, Gefeierte = la persona festeggiata, il festeggiato

24. (freisprechen) <u>freigesprochen</u> = assolto: / der Freigesprochene, ein Freigesprochener, eine Freigesprochene, die Freigesprochenen, Freigesprochene = la persona assolta

25. (heilen) <u>geheilt</u> = guarito: / der Geheilte, ein Geheilter, die Geheilten, Geheilte = la persona guarita  NB: Tuttavia: der Heiland, sostantivo appartenente al secondo gruppo della declinazione maschile, forte = il Salvatore (= Gesú il guaritore)

26. (lähmen) <u>gelähmt</u> = paralizzato: / der Gelähmte, ein Gelähmter, die Gelähmte, die Gelähmten, Gelähmte = la persona paralizzata, il paralitico

27. (lehren) gelehrt = erudito: / der Gelehrte, ein Gelehrter, eine Gelehrte, die Gelehrten, Gelehrte = la persona dotta, la persona erudita, il dotto

28. (lieben) geliebt = amato: / der Geliebte, ein Geliebter, eine Geliebte, die Geliebten, Geliebte = l'amato, la persona amata

29. (retten) gerettet = salvato: / der Gerettete, ein Geretteter, eine Gerettete, die Geretteten, Gerettete = la persona salvata NB: Tuttavia: der Retter = Cristo il salvatore

30. (rufen / berufen) = gerufen / berufen = chiamato / designato: / der Gerufene, die Gerufene, ein Gerufener, die Gerufenen, Gerufene = la persona chiamata - der Berufene, ein Berufener, eine Berufene, die Berufenen, Berufene = la persona designata, il designato

31. (schlagen) geschlagen = battuto, sconfitto: / der Geschlagene, ein Ge-schlagener, die Geschlagenen, Geschlagene = lo sconfitto

32. (schwören) geschworen = giurato: / der Geschworene, ein Geschworener, die Geschworenen, Geschworene = il giurato, la persona che ha prestato giuramento

33. (trösten) getröstet = consolato: / der Getröstete, ein Getrösteter, eine Getröstete, die Getrösteten, Getröstete = la persona consolata

34. (sterben) gestorben; verstorben = defunto (morto): / der Gestorbene - der Verstorbene, die Gestorbene - die Verstorbene, ein Gestorbener - ein Verstorbener, die Gestorbenen - die Verstorbenen, Gestorbene - Verstor-bene = il defunto, la persona deceduta

35. (verdammen) verdammt = dannato: / der Verdammte, ein Verdammter, eine Verdammte, die Verdammten, Verdammte = la persona dannata

36. (verhungern) verhungert = morto di fame: / der Verhungerte, ein Ver-hungerter, eine Verhungerte, die Verhungerten, Verhungerte = il morto di fame NB: Si veda anche l'aggettivo sostantivato "hungrig".

37. (verlieben) verliebt = innamorato: / der Verliebte, ein Verliebter, eine Verliebte, die Verliebten, Verliebte = l'innamorato, la persona innamorata

38. (verloben) verlobt = promesso in matrimonio, fidanzato: / der Verlobte, ein Verlobter, eine Verlobte, die Verlobten, Verlobte = il fidanzato, la fidanzata NB: "Die Verlobten" = "I promessi sposi" (**Manzoni**)

39. (verschwören) verschworen = congiurato: / der Verschworene, ein Ver-schworener, die Verschworenen, Verschworene = il congiurato

40. (vertreiben) vertrieben = cacciato: / der Vertriebene, ein Vertriebener, eine Vertriebene, die Vertriebenen, Vertriebene = il fuggiasco (= la persona cacciata via dal proprio paese)

41. (verurteilen) verurteilt = condannato: / der Verurteilte, ein Verurteilter, eine Verurteilte, die Verurteilten, Verurteilte = il condannato

42. (verwunden) verwundet = ferito: / der Verwundete, ein Verwundeter, eine Verwundete, die Verwundeten, Verwundete = la persona ferita

43. (zeichnen) gezeichnet = segnato: / der Gezeichnete, ein Gezeichneter, eine Gezeichnete, die Gezeichneten, Gezeichnete = la persona segnata dal destino

44. (zurückbleiben) zurückgeblieben = restare, rimanere: / der Zurückgeblie-bene, ein Zurückgebliebener, eine Zurückgebliebene, die Zurückgeblie-benen, Zurückgebliebene = il superstite - der Daheimgebliebene, ein Daheimgebliebener, die Daheimgebliebenen = la persona rimasta a casa (che non ha partecipato alla guerra, che non è andata al fronte)

# Steigerung des Adjektivs

( Comparazione dell'aggettivo )

---

## II Stufe oder Komparativ = comparativo

---

*Nota preliminare:*

La grammatica tedesca non suddivide il comparativo in:
-comparativo di maggioranza,
-comparativo di uguaglianza,
-comparativo di minoranza
come si fa in italiano. Anche l'edizione piú recente, la grammatica "Duden" del 2006, parla solo di "gleicher Grad / ungleicher Grad". Tuttavia, siccome questa grammatica è destinata a persone italiane, si preferisce adattarla alla mentalità italiana come si è fatto per il pronome possessivo. È infatti possibile fare tale distinzione anche per il tedesco, senza affatto incidere sulla strutturazione formale del comparativo; si tratta solo di una denominazione grammaticale diversa.

## 1. *Comparativo di maggioranza*

Si forma:
a)  ==aggiungendo al  grado positivo dell'aggettivo la desinenza "-er"== e raddolcendo in diversi casi la vocale radicale modificabile con l'Umlaut (= con la metafonesi). Al paragrafo 8 vengono indicati quegli aggettivi che, pur avendo la vocale radicale modificabile, non prendono l'Umlaut nella comparazione (cioé nella formazione del comparativo e superlativo), mentre alla fine di questo capitolo segue un elenco dei piú importanti aggettivi che formano la comparazione con la metafonesi (= Umlaut).
All'inizio dell'apprendimento della lingua il discente si trova di fronte alla difficoltà di confondere spesso l'aggiunta del suffisso "-er " - espressione del comparativo - con l'ulteriore aggiunta delle desinenze, quando l'aggettivo, espresso al comparativo, deve essere declinato.
La forma del grado positivo di un aggettivo in posizione attributiva, quando viene declinato al maschile, è infatti identica alla forma predicativa del suo comparativo, se questo non ha l'Umlaut.

z.B.: -Peter ist ein reicher Mann.      } = grado positivo declinato
= Pietro è un uomo ricco.            in funzione attributiva

-Wer ist reicher? Peter oder Paul? } = comparativo indeclinato
= Chi è piú ricco? Pietro o Paolo?     in funzione predicativa
-Peter ist reicher als Paul.

Per questo motivo si indicano nei riquadri di questo paragrafo e del paragrafo 5 (pag. 151) non solo le forme predicative (cioé indeclinate), ma anche le forme attributive (cioé declinate) dei comparativi:

| 1. Stufe primo grado grado positivo predicativo = indeclinato | 1. Stufe primo grado grado positivo attributivo = declinato | 2. Stufe secondo grado comparativo predicativo = indeclinato | 2. Stufe secondo grado comparativo attributivo = declinato |
|---|---|---|---|
| reich = ricco | reicher, reiche, reiches | reicher | reicherer, -e, -es |
| arm = povero | armer, arme, armes | ärmer | ärmerer, -e, es |
| alt = vecchio | alter, alte, altes | älter | älterer, -e, -es |
| fleißig = diligente | fleißiger, fleißige, fleißiges | fleißiger | fleißigerer, -e, -es |
| stark = forte | starker, starke, starkes | stärker | stärkerer, -e, -es |
| jung = giovane | junger, junge, junges | jünger | jüngerer, -e, -es |
| weiß = bianco | weißer, weiße, weißes | weißer | weißerer, -e, -es |
| weise = sapiente | weiser, weise, weises | weiser | weiserer, -e, -es |

z.B.:-Peter ist ein reicherer Mann als Paul. = Pietro è un uomo piú ricco di Paolo.

-Stelle mir bitte auch deinen jüngeren Bruder vor! = Presentami per favore anche il tuo fratello piú giovane.

-Mit Dixan erhält man eine weißere Wäsche. = Col Dixan si ottiene una biancheria piú bianca.

b) Se l'aggettivo termina per "-e", nel formare il comparativo si aggiunge solo la desinenza "-r":

| z.B.: | -weise | weiser | = sapiente | piú sapiente |
|---|---|---|---|---|
| | -leise | leiser | = silenzioso | piú silenzioso |
| | -gerade | gerader | = diritto | piú diritto |
| | -müde | müder | = stanco | piú stanco |
| | -feige | feiger | = vile | piú vile |

c) Il secondo termine di paragone sta come tutti i complementi di paragone nel caso del primo termine (cioé della parte del discorso di riferimento) e viene introdotto dalla congiunzione "als" che corrisponde all'italiano "di" oppure "che":

z.B.: -Ich bin müder als du. = Io sono più stanco di te.

-Breuers sind reicher als wir. = I Breuer sono più ricchi di noi.

-Du hast ihr mehr Geld gegeben als mir. = Tu hai dato a lei piú denaro che a me.

-Diese Firma arbeitet mit moderneren Maschinen als unseren. = Questa ditta lavora con macchine piú moderne delle nostre.

## 2. *Comparativo di uguaglianza*

Si forma con "so (ebenso)... wie", corrispondenti all'italiano "così... come" oppure "tanto... quanto":

> z.B.: -Er ist so groß wie ich. = Lui è (così) alto come (quanto) me.
>      -Sie ist ebenso brav wie du. = Lei è tanto brava quanto te.

Per la grammatica tedesca questa forma non viene considerata un comparativo, bensì un semplice primo grado positivo, perché l'aggettivo non subisce alcuna variazione.

## 3. *Comparativo di minoranza*

Si forma con: a) "weniger... als" = meno... di;
                b) "nicht so... wie" o "nicht so... als" = non così... come.

> z.B.: -Wir sind weniger reich als ihr. = Noi siamo meno ricchi di voi.
>      -Wir sind nicht so reich wie (als) ihr. = Noi non siamo così ricchi
>      come voi.

Le vecchie grammatiche tedesche definivano questo comparativo "der negative Grad" ossia "grado negativo". Infatti, in ambedue i casi - "weniger reich" e "nicht so reich" - l'aggettivo "reich" non subisce alcuna variazione, mentre "weniger" è il semplice comparativo di maggioranza di "wenig" avente qui una funzione negativa perché sta in sostituzione della negazione "nicht".

## 4. *Comparazione fra due aggettivi*

La comparazione fra due aggettivi, ossia fra due qualità, è resa da "mehr... als", "eher... als" (sistema germanico usato anche nella lingua inglese; in inglese tuttavia esso è stato ampliato a tutti i polisillabi):

> z.B.:-Dieses Mädchen ist mehr lieb als schön. = Questa ragazza è
>      più buona (amabile) che bella.
>      -Die Geschäfte hier sind eher nachteilig als vorteilhaft. = Gli affari qui sono piuttosto svantaggiosi che vantaggiosi.
>      -Am Ende der schweren Arbeit waren wir alle mehr tod als lebendig. = Alla fine del pesante lavoro eravamo tutti piú morti
>      che vivi.

## 5. *Aggettivi uscenti in consonante rotante o liquida "-l " e " -r "*

Gli aggettivi uscenti con tema in consonante rotante o liquida "-l " e "-r " perdono nella declinazione la "e" della loro sillaba finale, ossia la "e" del tema. Essi mantengono tale forma anche nel comparativo (in quanto le consonanti rotanti si rifiutano perlopiù di stare fra due "e" alla fine dei vocaboli. Si veda in proposito il capitolo del presente regolare "Das regelmäßige Praesens", regola 5, pag. 280: va elisa sempre la "e" meno importante). Tuttavia gli aggettivi uscenti in "-r " possono formare il comparativo anche mantenendo la "e" del tema:

| 1. Stufe<br>primo grado = positivo<br>aggettivo predicativo,<br>indeclinato | 2. Stufe<br>secondo grado<br>comparativo predicativo,<br>indeclinato | 2. Stufe<br>secondo grado<br>comparativo in posizione<br>attributiva, declinato |
|---|---|---|
| -edel<br>= prezioso, pregiato, nobile | -edler<br>= piú nobile, piú pregia-to, piú prezioso | -edlerer, edlere, edleres<br>= piú nobile, piú pregia-to, piú prezioso |
| Beispiele:<br>Dieser Mensch ist edel. = Quest'uomo è nobile (d'ani-mo).<br><br>Nicht jedes Metall ist edel. = Non ogni metallo è prezio-so. | Beispiele:<br>Dieser Mensch ist edler als seine Freunde. = Quest'uomo è piú nobile (d'animo) dei suoi a-mici.<br><br>Silber ist edler als Kupfer = L'argento è piú prezioso del ra-me. | Beispiele:<br>Das ist ein edlerer Mensch, er hat ein edleres Herz. = Questo è un uomo piú nobile, egli ha un cuore piú nobile.<br><br>Gold ist ein edleres Metall als Silber. = L'oro è un metallo piú prezioso dell'argento. |
| -dunkel<br>= buio, scuro | -dunkler<br>= piú buio, piú scuro | -dunklerer, dunklere, dunkleres = piú buio, piú scuro |
| Beispiele:<br>Das Zimmer ist dunkel. = Questa stanza è buia.<br><br>Der Pullover ist nicht dun-kel. = Questo pullover non è scuro. | Beispiele:<br>Aber dieses Zimmer ist noch dunkler als das andere. = Ma questa stanza è ancora piú buia dell'altra.<br><br>Dieser Pullover ist entschieden dunkler als der andere. = Que-sto pullover è decisamente piú scuro dell'altro. | Beispiele:<br>Das ist ein dunkleres Zimmer als das andere. = Questa è una stanza piú buia dell'altra.<br><br>Ein noch dunklerer Pullover wür-de mir besser gefallen. = Un pullover ancora piú scuro mi pia-cerebbe di piú. |
| -teuer<br>= caro, costoso | -teurer<br>= piú caro, piú costoso | -teurerer, teurere, teu-reres = piú caro, piú co-stoso |
| Beispiel:<br>Der Wagen ist aber teuer! = Ma che macchina cara! | Beispiel :<br>Der Wagen ist aber teurer als der andere = Ma questa è una macchina piú cara dell'altra! | Beispiel:<br>Das ist aber ein noch teurerer Wagen! = Ma questa è una macchina ancora piú cara! |

| -heiter = gaio, sereno | -heitrer anche: heiterer = piú gaio, piú sereno | -heitrerer, heitrere, heitreres, anche: heitererer heiterere, heitereres = piú gaio, piú sereno |
|---|---|---|
| Beispiel: Endlich ist das Wetter heiter. = Finalmente il tempo è sereno. | Beispiel: Endlich ist das Wetter heitrer. = Finalmente il tempo è piú sereno. | Beispiel: Heute ist ein heitreres (heitereres) Wetter als gestern. = Oggi il tempo è piú sereno di ieri. |
| -tapfer = valoroso, coraggioso | -tapfrer anche: tapferer = piú valoroso, piú coraggioso | -tapfrerer, tapfrere, tapfreres, anche: tapfererer tapferere, tapfereres = piú valoroso, piú coraggioso |
| Beispiel: Mein Junge, du kämpfst wirklich tapfer! = Ragazzo mio, tu lotti veramente in modo coraggioso! | Beispiel: Peter ist aber tapfrer (tapferer) als du. = Ma Pietro è piú coraggioso di te. | Beispiel: Peter ist ein tapfrerer Junge als du. = Pietro è un ragazzo piú coraggioso di te. |

## 6. *Rafforzamento del comparativo*

Il comparativo può essere rafforzato con gli avverbi: "viel", "weit", "bei weitem", "weitaus", "erheblich", "bedeutend", "entschieden", "wesentlich", "noch", "etwas", "schon etwas":

| z.B.: | -viel billiger | = molto più a buon prezzo |
|---|---|---|
| | -weitaus (bei weitem) besser | = di gran lunga migliore |
| | -erheblich teurer | = parecchio piú caro |
| | -entschieden schöner | = indubbiamente più bello |
| | -wesentlich klarer | = notevolmente piú chiaro |
| | -noch stiller | = ancora piú silenzioso |
| | -etwas ruhiger | = un po' piú calmo |
| | -schon etwas sicherer | = già un po' piú sicuro |

z.B.:-In den Kaufzentren sind manche Waren viel billiger als in den kleinen Geschäften. = Nei centri commerciali diverse merci sono molto piú a buon prezzo che non nei piccoli negozi.
-Ein Mercedes ist zwar teuer, aber ein Ferrari-Wagen bedeutend teurer. = Una Mercedes è cara, ma una Ferrari lo è parecchio di piú [alla lettera: "... parecchio piú cara"].

-Du schreibst jetzt wesentlich klarer als früher. = Adesso scrivi in modo decisamente piú chiaro di prima.

-Nachdem nun die Polizei Tag und Nacht immer anwesend ist, wurde es in unserem Stadtviertel etwas ruhiger. = Dal momento in cui (dopo che) la polizia si è resa presente giorno e notte, nel nostro quartiere c'é un po' piú di calma.

## 7. *Le congiunzioni "je...desto" nelle proposizioni comparative*

Le forme correlative italiane "quanto più..., tanto più", usate per introdurre proposizioni comparative, vengono rese in tedesco da "je..., desto" oppure "je..., umso". Sia "je" che "desto" sono sempre seguite immediatamente dall'aggettivo espresso al comparativo. Si tenga ben presente che:

a) la congiunzione "je" introduce una secondaria comparativa per cui si esige la trasposizione (= costruzione della proposizione dipendente);

b) la congiunzione "desto" introduce la principale e vuole l'inversione:

    z.B.:-Je fleißiger du eine Sprache lernst, desto schneller sprichst du sie. = Quanto piú diligentemente impari una lingua, tanto piú velocemente la parli.

    -Je gelehrter die Menschen sind, desto bescheidener erscheinen sie. = Quanto più eruditi sono gli uomini, tanto più umili appaiono.

## 8. *Aggettivi senza Umlaut nella comparazione*

Formano il comparativo senza Umlaut, ossia senza metafonesi, i seguenti aggettivi, anche se hanno la vocale radicale modificabile:

a) tutti i participi presenti e passati usati come aggettivi:

| z.B.: | | | |
|---|---|---|---|
| -passend | passender | = adatto | piú adatto |
| -geordnet | geordneter | = ordinato | piú ordinato |
| -betrogen | betrogener | = ingannato | piú ingannato |
| -gewandt | gewandter | = provetto | piú provetto |

b) tutti gli aggettivi stranieri:

| z.B.: | | | |
|---|---|---|---|
| -galant | galanter | = galante | piú galante |
| -logisch | logischer | = logico | piú logico |
| -imponent | imponenter | = imponente | piú imponente |
| -obskur | obskurer | = oscuro | piú oscuro |

c) tutti gli aggettivi uscenti coi suffissi: -el, -er, -en, -e, -bar, -sam, -lich, -ig, -haft e quelli aventi il dittongo "au":

| z.B.: | -dunkel | dunkler | = buio, scuro | piú buio |
|---|---|---|---|---|
| | -mager | magerer | = magro | piú magro |
| | -offen | offener | = aperto | piú aperto |
| | -gerade | gerader | = diritto | piú diritto |
| | -dankbar | dankbarer | = riconoscente | piú riconoscente |
| | -einsam | einsamer | = solitario | piú solitario |
| | -fraglich | fraglicher | = incerto | piú incerto |
| | -artig | artiger | = educato | piú educato |
| | -boshaft | boshafter | = cattivo | piú cattivo |
| | -fraulich | fraulicher | = femminile | piú femminile |
| | -laut | lauter | = chiassoso | piú chiassoso |
| | -schlau | schlauer | = furbo | piú furbo |

d) i seguenti singoli aggettivi, elencati qui in ordine alfabetico, con vocale radicale "a":

| z.B.: | -blank | blanker | = netto, pulito | piú netto, + pulito |
|---|---|---|---|---|
| | -brav | braver | = bravo | piú bravo |
| | -fahl | fahler | = sbiadito | piú sbiadito |
| | -falsch | falscher | = errato | piú errato |
| | -kahl | kahler | = calvo | piú calvo |
| | -klar | klarer | = chiaro | piú chiaro |
| | -knapp | knapper | = scarso | piú scarso |
| | -lahm | lahmer | = fiacco, debole | piú fiacco, + deb. |
| | -matt | matter | = opaco | piú opaco |
| | -platt | platter | = piatto | piú piatto |
| | -rasch | rascher | = veloce | piú veloce |
| | -sacht | sachter | = delicato | piú delicato |
| | -sanft | sanfter | = lieve, blando | piú lieve, +blando |
| | -satt | satter | = sazio | piú sazio |
| | -schlaff | schlaffer | = fiacco | piú fiacco |
| | -schlank | schlanker | = snello, slanciato | piú snello |
| | -starr | starrer | = rigido | piú rigido |
| | -straff | straffer | = teso, tirato | piú teso, + tirato |
| | -wahr | wahrer | = vero | piú vero |
| | -zahm | zahmer | = docile | piú docile |
| | -zart | zarter | = delicato | piú delicato |

e) i seguenti singoli aggettivi, elencati qui in ordine alfabetico, con vocale radicale "o":

| z.B.: | -froh | froher | = lieto | piú lieto |
|---|---|---|---|---|
| | -hohl | hohler | = incassato, cavo | piú incassato |
| | -morsch | morscher | = marcio | piú marcio |
| | -roh | roher | = a) crudo, grezzo | piú crudo, + gr. |
| | | | = b) rozzo | piú rozzo |
| | -schroff | schroffer | = brusco, rude | piú brusco, + r. |

| -stolz | stolzer | = superbo | piú superbo |
| -toll | toller | = formidabile | piú formidabile |
| -voll | voller | = pieno | piú pieno |

f) i seguenti singoli aggettivi, elencati qui in ordine alfabetico, con vocale radicale "u":

| z.B.: -bunt | bunter | = variopinto | piú variopinto |
|---|---|---|---|
| -dumpf | dumpfer | = cupo, confuso | piú cupo, + conf. |
| -dunkel | dunkler | = scuro | piú scuro |
| -muffig | muffiger | = ammuffito | piú ammuffito |
| -plump | plumper | = grossolano | piú grossolano |
| -pur | purer | = puro, schietto | piú puro, + sch. |
| -rund | runder | = rotondo | piú rotondo |
| -stumpf | stumpfer | = smussato | piú smussato |
| -stuzzig | stuzziger | = stupito, sorpreso | piú stupito, + sor. |
| -stur | sturer | = testardo | piú testardo |

---

## III. STUFE oder Superlativ = superlativo

---

## A) Absoluter Superlativ = superlativo assoluto

Si forma in tre modi:

1. premettendo, come in italiano, all'aggettivo positivo degli avverbi rafforzativi: "**sehr**, **gar**, **recht**, **ganz**, **besonders**, **echt**, außerordentlich, äußerst, überaus, ungemein, **höchst**, ausgesprochen, ausnehmend, unglaublich, unheimlich... usw.":

| z.B.: -sehr schön | = molto bello; assai bello; | |
|---|---|---|
| -gar schön | = proprio bello | bellissi- |
| -recht schön, echt schön | = proprio (veramente) bello | mo |
| -ganz schön | = del tutto bello | |
| -besonders schön | = paticolarmente bello; | |
| -äußerst interessant | = veramente interessante | |
| -höchst interessant | = interessantissimo | |
| -äußerst beliebt | = molto amato, amatissimo | |
| -überaus kostbar | = preziosissimo | |
| -überaus schwierig | = difficilissimo, particolarmente diff. | |
| -ungemein groß | = straordinariamente grande | |
| -unheimlich finster | = paurosamente buio | |
| -ausgesprochen hässlich | = veramente orrendo | |
| -ausnehmend höflich | = molto gentile [singolarmente gentile] | |
| -unglaublich schnell | = velocissimo, incredibilmente veloce | |
| -**wunschlos glücklich** | = felicissimo (senza ulteriori desideri) | |

2. formando un aggettivo composto col prefisso "erz-" = "arci-" in uso quasi esclusivamente con l'aggettivo indicato qui come esempio:

-erzdumm = arcistupido

NB: Mentre in italiano "arci-" serve a formare il superlativo di diversi altri aggettivi spregiativi, nonché anche di apprezzamento, come p.e. "arcicontento" ecc., in tedesco "erzdumm" è pressoché l'unico esempio di superlativo molto usato col prefisso "erz-"; altri, come "erzfaul", sono raramente in uso.

3. con dei composti:

a) usando per la composizione il sostantivo esprimente un fenomeno o una materia che presenta la qualità espressa dall'aggettivo al grado massimo; tali superlativi vengono formati da sostantivo + aggettivo. L'elenco qui riportato riguarda solo i piú ricorrenti:

| 1. | -bettelarm | (der Bettler = il mendicante / betteln, bettelte, gebettelt = mendicare + arm = povero) [= "povero al punto da dover mendicare"] = poverissimo |
|---|---|---|
| 2. | -bildschön | (das Bild = il quadro, la pittura + schön = bello) [= persona così bella da essere degna di una raffigurazione da parte di un rinomato pittore] = bellissimo |
| 3. | -bleischwer | (das Blei = il piombo + schwer = pesante) [fino all'era moderna era conosciuto come il metallo piú pesante = "pesante come il piombo"] = pesantissimo |
| 4. | -blitzschnell | (der Blitz = il fulmine + schnell = veloce) [la velocità del fulmine è indubbiamente fra le piú appariscenti = "veloce come un fulmine"] = velocissimo, fulmineo |
| 5. | -butterweich | (die Butter = il burro + weich = molle, tenero) [= "molle (tenero) come il burro"] = tenerissimo |
| 6. | -eiskalt | (das Eis = il ghiaccio + kalt = freddo) [= "freddo come il ghiaccio"] = freddissimo |
| 7. | -federleicht | (die Feder = la piuma + leicht = leggero) [la leggerezza della piuma che viene trasportata da un minimo alito di vento era un tempo simbolo di massima leggerezza = "leggero come una piuma"] = leggerissimo |

| 8. | -felsenfest | (der Fels = la roccia + fest = saldo, fisso) [= "saldo come una roccia, incrollabile"] = saldissimo |
|---|---|---|
| 9. | -feuerrot | (das Feuer = il fuoco + rot = rosso) [= "rosso come il fuoco" - in italiano invece l'oggetto del paragone è il peperone] = rosso come un peperone |
| 10. | -grundehrlich | (der Grund = il fondo, il fondamento + ehrlich = sincero) [= "sincero fino in fondo, fin nel piú profondo del cuore o dell'animo"] = sincerissimo |
| 11. | -himmelhoch | (der Himmel = il cielo + hoch = alto) [= "alto come il cielo; così alto da toccare il cielo"; ció secondo l'antica concezione mitico-religiosa di una volta celeste statica] = altissimo |
| 12. | -kerngesund | (der Kern = il nucleo, il centro, il nocciolo + gesund = sano) [= "sano fino al nocciolo, fin nella parte piú centrale" - Mentre in tedesco il termine di paragone è "il nocciolo", in italiano invece è "il pesce"] = sano come un pesce, sanissimo |
| 13. | -kinderleicht | (das Kind = il bambino + leicht = facile) [= "così facile da poter essere fatto o risolto anche da un bambino"] = facilissimo |
| 14. | -lichterloh | (das Licht = la luce + loh = ardente, fiammeggiante) [qui la luce viene riferita al grande chiarore di un terrificante incendio con fiamme altissime] = fiammeggiante, luminoso da terrificare<br>z.B.: "Ein Qualm, dann Flammen lichterloh,<br>Und noch zwanzig Minuten bis Buffalo."<br>(Ballata "John Maynard" di **Theodor Fontane**) |
| 15. | -mäuschenstill | (die Maus = il topo + still = silenzioso) [é tipico dei topi che, quando ci sono rumori in casa o gira il gatto, essi si rintanino, restando nel piú perfetto silenzio = "silenzioso come un topo"] = silenziosissimo |
| 16. | -mutterseelen-allein | (die Seele der Mutter = l'anima, lo spirito della madre o mamma + allein = solo) [= "talmente solo, da essere abbandonato perfino dallo spirito, dall'amore materno"] = solo soletto, completamente solo |
| 17. | -pechschwarz | (das Pech = la pece + schwarz) [= "nero come la pece" con la quale in tempi remoti venivano spalmate e annerite all'esterno barche e navi - In italiano invece l'oggetto del paragone è "il carbone"] = nerissimo |

| | | |
|---|---|---|
| 18. | -riesengroß | (der Riese = il gigante + groß = grande) [figura mitologica gigantesca per indicare grandezza straordinaria = "grande come un gigante"] <br> = grandissimo, gigantesco |
| 19. | -seelensgut <br> anche: <br> -seelengut | (die Seele = l'anima + gut = buono) [= "buono fino nell'anima, fin nel piú profondo del cuore"] <br> = buonissimo, "tanto, ma tanto buono" <br> z.B.:-Dieser Verstorbene war ein seelenguter Mensch. <br>    =  Questo defunto era una persona tanto, ma tanto buona! |
| 20. | -seelenver- <br> gnüt | (die Seele = l'anima + vergnüt = contento, divertito) [= "contento fino nel piú profondo del cuore"] <br> = felicissimo, felice e contento, del tutto pacificato dalla gioia |
| 21. | -schneeweiß | (der Schnee = la neve + weiß = bianco) [= "bianco come la neve"] = bianchissimo |
| 22. | -sonnenklar | (die Sonne = il sole + klar = chiaro) [= "chiaro come il sole"] <br> = chiarissimo |
| 23. | -steinhart | (der Stein = il sasso, la pietra + hart = duro) [= "duro come il sasso" ) = durissimo |
| 24. | -steinreich | (der Stein = la pietra, il sasso + reich = ricco) <br> [= "avere tanti soldi o tanti beni quante sono le pietre"] <br> = ricchissimo |
| 25. | -stockfinster | (der Stock = il bastone + finster = buio, scuro) <br> [= "così buio da non potersi orientare neppure con un bastone come fanno i ciechi"] <br> = completamente buio, buio pesto |
| 26. | -taghell | (der Tag = il giorno + hell = chiaro, luminoso, pieno di luce) [= "chiaro come il giorno, illuminato a giorno"] <br> = molto chiaro, illuminato a giorno <br> z.B.: "Alles rennet, rettet, flüchtet, <br>     Taghell ist die Nacht gelichtet." <br>     (**Schillers Glocke**: "Feuersbrunst" = "Incendio") <br>     = Tutti corrono, salvano, fuggono, la notte è illuminata a giorno. |
| 27. | -todmüde | (der Tod = la morte + müde = stanco) [= "stanco da morire, stanco come un moribondo che non è piú in grado di sollevare un dito"]. NB: Una volta tanto le due lingue combaciano; qui anche in italiano si ha un superlativo composto: <br> = stanco morto, stanchissimo |

| 28. | -weltbekannt | (die Welt = il mondo + bekannt = noto, conosciuto) [= "conosciuto in tutto il mondo"] = conosciutissimo |
|---|---|---|
| 29. | -weltberühmt | (die Welt = il mondo + berühmt = rinomato) [ = "rinomato in tutto il mondo"] = rinomatissimo |
| 30. | -wunderschön -wundervoll | (das Wunder = il miracolo + schön = bello / voll = pieno) [Il miracolo suscita meraviglia e tutti corrono per vederlo = "bello (pieno di splendore) come il miracolo". NB: *Idem* anche in inglese "wonderful"] = bellissimo, meraviglioso, stupendo |
| 31. | zuckersüß | (der Zucker = lo zucchero + süß = dolce) [= "dolce come lo zucchero"] = dolcissimo, zuccheroso |

b)  Usando <mark>due aggettivi</mark> che, a volte formano un composto, a volte invece, secondo il nuovo regolamento ortografico, (entrato in vigore pochi anni or sono) vanno scritti separati; così pure alcuni composti formati da <mark>preposizione + aggettivo</mark>:

| 1. | -bitterernst | ("bitter" = a) amaro b) doloroso c) triste d) pungente, mordente + "ernst" = serio) = molto serio |
|---|---|---|
| 2. | -bitterkalt | ("bitter" = a) amaro b) doloroso c) triste d) pungente, mordente + "kalt" = freddo ) = freddissimo, freddo pungente, molto freddo |
| 3. | -glühend heiß | ("glühend" = incandescente, arroventato, rovente + "heiß" = ardente, che scotta NB: "heiß" in inglese: "hot") = caldissimo, cocente, scottante |
| 4. | -schwer beladen | ("schwer" = a) pesante b) grave + "beladen" = carico) = stracarico, sovraccarico |
| 5. | -schwer krank | ("schwer" = a) pesante b) grave + "krank" = ammalato) = ammalato grave, molto ammalato |
| 6. | -schwer verletzt | ("schwer" = a) pesante b) grave + "verletzt" = ferito ) = gravemente ferito, molto conciato |
| 7. | -überreich | ("über" = oltre + "reich" = ricco) = straricco, ricchissimo |
| 8. | -überglücklich | ("über" = oltre + "glücklich" = felice) = strafelice, felicissimo |

## B) _Relativer Superlativ_ = _superlativo relativo_

### 1. _Superlativo relativo usato attributivamente_

Si ottiene ==aggiungendo al grado positivo dell'aggettivo i suffissi "-st"== ==o "-est"== (quest'ultimo per eufonia, quando il tema dell'aggettivo termina in consonante dentale o dentale-sibilante "-t, -d, -s, -ß, -sch, -x, -z, -tz"). Il superlativo relativo formato coi suddetti suffissi viene perlopiú ==usato attributivamente==, per cui va declinato e a tali suffissi vanno normalmente aggiunte le desinenze della ==declinazione debole dell'aggettivo attributivo==. Infatti il superlativo relativo paragona, confronta, mette in relazione la qualità di un determinato oggetto, fenomeno o persona con un gruppo e va quindi determinato; è cioé nella stragrande maggioranza dei casi accompagnato dall'articolo determinativo. Nei pochi casi in cui viene preceduto dall'aggettivo possessivo, segue la ==declinazione mista==.

(NB: Il superlativo relativo non è mai preceduto dall'articolo indeterminativo e da "kein")

z.B.: -der läng**ste** Weg = la via più lunga
-die kürz**este** Straße = la strada più breve
-Gisela ist meine lieb**ste** Freundin (...meine Lieblingsfreundin) = Gisella è la mia piú cara amica

### 2. _Superlativo relativo predicativo o avverbiale_

==Il superlativo relativo== usato predicativamente, usato cioé come aggettivo predicativo, perché si riferisce da solo al predicato, si forma in quattro modi, aventi tutti e quattro prevalentemente il significato di "nel modo piú... ", "nella maniera piú... ". In italiano tali superlativi vengono spesso resi col suffisso "-mente". Esso si ottiene:

a) aggiungendo al grado positivo dell'aggettivo il ==suffisso "-st" senza== ==alcuna ulteriore desinenza==. Tale sistema è tuttavia limitato a pochi aggettivi uscenti in "-ig" e "-ich". Questa forma in italiano non corrisponde, sempre e necessariamente, ad un superlativo:

| z.B.: | | |
|---|---|---|
| | -gefälligst | = per piacere, per favore, cortesemente |
| | -gütigst | = benevolmente, nella maniera piú benevole |
| | -baldigst | = il piú presto possibile, al piú presto |
| | -billigst | = nella maniera piú conveniente |
| | -herzlichst | = cordialmente, nel modo piú cordiale |
| | -freudigst | = contentissimo, lietissimo |
| | -freundlichst | = amichevolmente, nel modo piú amichevole |
| | -höflichst | = gentilmente, nel modo piú gentile |
| | -längst | = da molto tempo, da tanto, da un bel pezzo |

| | | |
|---|---|---|
| -möglichst | = (so viel als nur möglich) per quanto è possibile, possibilmente | |
| -ruhigst | = calmissimo, nella maniera piú tranquilla | |
| -trefflichst | = in modo eccellente, ottimamente | |

z.B.: -Würden Sie bitte gefälligst nicht so schreien? = Vorrebbe per per favore [Alla lettera: glielo chiedo nella maniera piú cortese] non gridare in quel modo?

-Wir brauchen diese Ware baldigst. = La merce ci occorre quanto prima (= il piú presto possibile).

-Peter und Gisela grüßten sich freundlichst. = Pietro e Gisella si salutarono amichevolmente [Alla lettera: nel modo più amichevole].

-Ihre Rechnung ist ja schon längst fällig. = [Ma] la sua fattura è scaduta ormai da molto tempo [Alla lettera: da lunghissimo tempo].

-möglichst kurz (so kurz wie möglich) = il piú breve possibile

-Fassen Sie sich bitte möglichst kurz! = Si spieghi per favore nel piú breve tempo possibile!

-Die Angelegenheit hast du trefflichst erledigt. = Hai sbrigato la faccenda in modo eccellente.

b) premettendo "am" e aggiungendo all'aggettivo il suffisso "-sten". Si tratta di una forma idiomatica che in italiano va spesso resa con una circonlocuzione:

z.B.: -Am schnellsten reist man mit dem Flugzeug. = In aereo si viaggia nel modo piú veloce.

-Am schönsten ist's daheim! = Casa dolce casa! (Il luogo dove si sta meglio è casa propria).

-Am schönsten blüht die Rose in den Monaten Mai-Juni. = La rosa raggiunge la sua massima fioritura nei mesi di maggio-giugno.

-Am besten ist es, du bleibst zu Hause! = La cosa migliore che tu possa fare è startene a casa.

-Du hast wohl am wenigsten von allen gearbeitet (gelernt). = Tu hai proprio lavorato (studiato) meno di tutti gli altri.

-Am liebsten höre ich Volksmusik. = Ció che piú volentieri ascolto è la musica popolare.

c) Aggiungendo al grado positivo il suffisso "-ste " preceduto da "aufs", quindi con: "aufs... -ste". Questa forma corrisponde in italiano agli avverbi uscenti col suffisso "-mente" oppure alle espressioni "nel modo piú", "nella maniera piú... ":

z.B.: -Heute grüßte mich Paul aufs freundlichste. = Oggi Paolo mi salutò gentilissimamente ( ... nel modo più gentile).

-Frau Becker erzieht ihre Kinder aufs strengste. = La signora Becker educa i suoi bambini nella maniera più severa (severissimamente).

-Peter ist in seiner Arbeit aufs peinlichste gewissenhaft. = Nel suo lavoro Pietro è coscienziosissimo (= coscienzoso al massimo), superpignolo [ alla lettera: tanto pignolo da soffrirne].

d) aggiungendo al grado positivo dell'aggettivo il suffisso "-stens"; in italiano tuttavia anche questa forma non corrisponde sempre ad un superlativo:

| z.B.: | -bestens | = nel migliore dei modi |
|---|---|---|
| | -höchstens | = al massimo, tutt'al piú |
| | -meistens | = il piú delle volte, per lo piú |
| | -mindestens | = come minimo, per lo meno |
| | -wenigstens | = per lo meno, almeno |

z.B.: -Das Problem hast du wirklich bestens gelöst. = Hai veramente risolto il problema nel modo migliore.

-Wie alt ist Herr Breuer, fünfzig? = Quanti anni ha il signor Breuer, cinquanta?

-Nein er ist höchstens vierzig Jahre alt, mehr nicht. = No, ne ha al massimo quaranta, non di piú.

-Abends gehe ich meistens früh zu Bett, denn ich bin müde. = Alla sera vado per lo piú (il piú delle volte) presto a letto perché sono stanco.

-Du bewegst dich zu wenig! Du solltest mindestens eine Stunde pro Tag spazieren gehen. = Tu ti muovi troppo poco! Dovresti fare come minimo un'ora di passeggiata al giorno.

-Iss wenigstens das Fleisch, wenn du sonst nichts willst. = Mangia almeno (per lo meno) la carne, se non vuoi altro.

## 3. *Complemento di paragone del superlativo relativo*

Il superlativo relativo mette perlopiù la qualità di una persona o cosa in relazione con altre: il secondo termine di paragone introdotto in italiano dalle preposizioni "di" - "fra" viene espresso in tedesco o col genitivo puro oppure con le preposizioni "von + Dat." o "unter + Dat.":

z.B.: -Peter ist der fleißigste der Schüler.
-Peter ist der fleißigste von den Schülern. } = Pietro è il piú diligente fra gli (degli) alunni.
-Peter ist der fleißigste unter den Schülern.

-Die beste aller Klassenarbeiten hat Gisela gemacht. = Gisella ha fatto il compito migliore ( Fra tutti i compiti il migliore è stato fatto da Gisella).

-Unter allen Klassenarbeiten war die Giselas die beste. = Fra tutti i compiti quello di Gisella è stato il migliore.

Anche in questa triplice scelta, la forma migliore, piú breve, snella e semplice è quella del genitivo.

## 4. Rafforzamento del superlativo relativo

Il superlativo relativo può essere rafforzato mediante il prefisso **"aller-"** oppure con l'avverbio **"weitaus"**:

z.B.: -das allerliebste Kind = il bambino di gran lunga più grazioso (il più grazioso di tutti i bambini)

-Das ist doch das Allerhöchste! = Ma questo è il colmo! - Ma è una cosa incredibile!

-das weitaus Beste = la cosa di gran lunga migliore

# C) Unregelmäßige Steigerung = comparazione irregolare

Nella maggioranza delle lingue indoeuropee esistono alcuni aggettivi e avverbi - perlopiù gli stessi - che in tutti gli idiomi presentano una comparazione irregolare. Anche in tedesco alcuni di essi hanno forme del tutto particolari, altri solo in parte.

### 1. des Adjektivs = dell'aggettivo:

| | positive Form =<br>I. Stufe | Komparativ =<br>II. Stufe | Superlativ =<br>III. Stufe |
|---|---|---|---|
| -buono | = gut | besser | best |
| -grande | = groß | größer | größt |
| -alto | = hoch | höher | höchst |
| -vicino | = nahe | näher | nächst |
| -nuovo | = neu | neuer | neuest |
| -caro | = teuer | teurer | teuerst |

### 2. des Adverbs = dell'avverbio:

| | | | |
|---|---|---|---|
| -molto | = viel | mehr | meist |
| -poco | = wenig | weniger<br>(minder) | wenigst<br>(mindest) |
| -volentieri | = gern | lieber | liebst |
| -presto | = bald | eher | ehest |

z.B.: -Deine Arbeit ist zwar gut, aber die von Paul ist besser. Die weitaus
beste Arbeit hat jedoch Peter gemacht. = Il tuo lavoro è sì buono, ma
quello di Paolo è migliore. Pietro tuttavia ha svolto il lavoro di gran
lunga migliore (fra tutti).

-Die Alpen sind ein hohes Gebirge, der Kaukasus ist ein höheres
Gebirge als die Alpen, der Himylaya ist das höchste Gebirge der Welt.
= Le Alpi sono una catena montuosa alta, il Caucaso è una catena
montuosa piú alta delle Alpi, l'Himalaya è la catena montuosa piú alta
del mondo.

-Monika braucht viel Zeit, um sich fertig zu machen, Inge braucht mehr Zeit als Monika, Gisela braucht am meisten (Zeit). (in tedesco = superaltivo relativo) = Monica adopera molto tempo per prepararsi, Inge adopera piú tempo di Monica, Gisella ne utilizza tantissimo (in italiano = superlativo assoluto). (Oppure: ... Gisella ne adopera piú di tutte (superlativo relativo anche in italiano).

NB:1 : Questo esempio quindi dimostra che fra le due lingue la comparazione non collima sempre perfettamente. Traducendo, si rende perciò necessaria una interpretazione logica contestuale che richiede una certa competenza bilinguistica.

-Bist du bald fertig mit der Arbeit? = Stai terminando il tuo lavoro? [Alla lettera: Il tuo lavoro lo terminerai presto?]
-Ich bin eher fertig als du denkst; am ehesten ist aber Peter fertig; schau doch seine Arbeit an! = Finisco prima di quanto tu pensi, ma Pietro finisce per primo: guarda un po' il suo lavoro!

NB:2  Si notino le forme molto usate, derivate dal superlativo "mindest" di wenig:
mindestens, zumindest (zum Mindensten) = perlomeno, come minimo
minderwertig = di scarso valore, scadente

NB:3  Attenzione di non confondere "mehr" con "mehrere"!
"mehr" = avverbio (comparativo di "viel") si usa invariato sia davanti a sostantivi singolari che plurali:
z.B.:  -Gisela braucht unbedingt mehr Geld. = Gisella ha assolutamente bisogno di piú soldi (di piú denaro).
-Heute waren mehr Leute im Stadiion als vorigen Sonntag. = Nello stadio c'era piú gente oggi che non domenica scorsa.
"mehrere" = aggettivo, segue la declinazione plurale dell'articolo determinativo:
z.B.:  -Diese Arbeit nahm mehrere Tage in Anspruch. = Per questo lavoro ci sono voluti piú giorni. [Questo lavoro ha richiesto piú giorni.]

## D) Aggettivi con l'Umlaut nella comparazione

Elenco degli aggettivi più in uso che nella comparazione esigono la metafonesi, ossia l'Umlaut della vocale radicale. Alcuni di essi possono essere usati in ambedue le versioni, cioé con o senza l'Umlaut:

| | Positive Form I. Stufe | Komparativ II. Stufe | Superlativ III. Stufe |
|---|---|---|---|
| 1. vecchio | = alt | älter | ältest |
| 2. grave, brutto | = arg | ärger | ärgst |
| 3. povero | = arm | ärmer | ärmst |
| 4. pauroso, turbato ansioso | = bang | bänger banger | bängst bangst |
| 5. pallido | = blass | blasser (blässer) | blassest (blässest) |
| 6. stupido | = dumm | dümmer | dümmst |
| 7. pio | = fromm | frömmer frommer | frömmst frommst |
| 8. sano | = gesund | gesünder | gesündest |

164

| | | | |
|---|---|---|---|
| 9. liscio | = glatt | glätter<br>glatter | glättest<br>glattest |
| 10. rozzo | = grob | gröber | gröbst |
| 11. grande | = groß | größer | größt |
| 12. duro | = hart | härter | härtest |
| 13. alto | = hoch | höher | höchst |
| 14. giovane | = jung | jünger | jüngst |
| 15. freddo | = kalt | kälter | kältest |
| 16. scarso, parco, povero | = karg | kärger<br>karger | kärgest<br>kargest |
| 17. intelligente, saggio, accorto | = klug | klüger | klügst |
| 18. ammalato | = krank | kränker | kränkst |
| 19. storto | = krumm | krümmer<br>krummer | krümmst<br>krummst |
| 20. corto | = kurz | kürzer | kürzest |
| 21. lungo | = lang | länger | längst |
| 22. vicino | = nah | näher | nächst |
| 23. bagnato | = nass | nässer<br>nasser | nässest<br>nassest |
| 24. rosso | = rot | röter | rötest |
| 25. tagliente, piccante, severo | = scharf | schärfer | schärfst |
| 26. stretto | = schmal | schmäler<br>schmaler | schmälst<br>schmalst |
| 27. debole | = schwach | schwächer | schwächst |
| 28. nero | = schwarz | schwärzer | schwärzest |
| 29. forte | = stark | stärker | stärkst |
| 30. caldo | = warm | wärmer | wärmst |

## Nota finale di suggerimento per lo studio

Soltanto due liste di aggettivi fra tutte quelle indicate nella comparazione sono da studiare a memoria in filastrocca:

a) la lista della "comparazione irregolare",
b) la lista degli "aggettivi con l'Umlaut nella comparazione", ossia quest'ultima; essa è infatti abbastanza esauriente. Si consiglia al discente, al fine di risolvere con meno fatica il problema della metafonesi, di memorizzare solo 23 dei sopraindicati aggettivi elencati in ordine alfabetico perché gli altri sette sono variabili.

Tutte le altre liste su riportate, come p. es. quelle degli aggettivi senza Umlaut, hanno solo lo scopo di assicurare un più preciso controllo. Come già spesso accennato in questa grammatica, non è affatto necessario memorizzare interminabili elenchi di vocaboli senza contesto, ma solo quelli che per motivi strutturali presentano delle eccezioni, in modo da supplire con le nozioni grammaticali l'insufficiente sicurezza.

165

# PRAEPOSITIONEN

( Le preposizioni )

## Nota preliminare

In campo linguistico l'uso appropriato delle preposizioni è una delle difficoltà maggiori: non solo per gli stranieri, ma anche per i parlanti la madrelingua. Oltre ai complementi di luogo, di tempo e di modo le preposizioni possono infatti determinare i piú svariati complementi, assumendo quindi molteplici significati, non soltanto quelli indicati nelle liste qui di seguito riportate. Spesso avviene che, nel passaggio da una lingua all'altra, lo stesso verbo e la stessa espressione richiedano preposizioni completamente diverse. Si veda in proposito il capitolo "Verben mit verschiedenen Praepositionen = Verbi con preposizioni differenti fra le due lingue" pagine 431 - 479.

In tedesco esistono quattro gruppi di preposizioni:
- preposizioni col genitivo,
- preposizioni col dativo,
- preposizioni con l'accusativo,
- preposizioni con l'accusativo o il dativo.

Mentre nella lingua latina la determinazione logica avveniva per lo piú in base al tipo di complemento e solo poche preposizioni determinavano il caso (come ad es. "per + acc."), in tedesco la maggioranza dei complementi sono preposizionali, vengono cioé determinati da preposizioni. Gli unici complementi puri, ossia complementi non determinati da preposizioni, sono in tedesco - oltre a qualche complemento di paragone - soltanto tre:
a) il complemento di specificazione, formato dal genitivo,
b) il complemento di termine, formato dal dativo,
c) il complemento oggetto, formato dall'accusativo.

Data quindi l'importanza delle preposizioni nella determinazione logica delle parti del discorso, è piú che saggio, anzi necessario, che la persona straniera impari bene a memoria le quattro filastrocche delle preposizioni, in modo da poter in ogni momento controllare quale caso debba essere applicato. Non è invece affatto necessario studiare a memoria anche i singoli significati delle preposizioni avulsi dal contesto perché, essendo essi molteplici e spesso idiomatici, vanno appresi con l'uso pratico della lingua, cioé ascoltando, leggendo, facendo esercizi e annotando eventuali errori.

# Praepositionen mit Dativ im Deutschen

( Preposizioni reggenti in tedesco il dativo )

| | |
|---|---|
| ab | = b) da;  a partire da;  da...in poi  -  b) detratto |
| aus | = a) da (moto da luogo)  -  b) di (compl. di materia)  -  c) risalente a (compl. di tempo) |
| außer | = a) eccetto;  tranne  -  b) fuori  -  c) oltre a |
| bei | = presso;  da (nel senso di presso) |
| entgegen | = contrariamente a;  in contrasto con |
| entsprechend | = corrispondente a;  conforme a |
| gegenüber | = di fronte a;  dirimpetto a |
| mit | = con;  assieme a;  in compagnia di |
| nach | = a) verso;  a (locale)  -  b) dopo (temporale)  -  c) secondo (modale) |
| nächst | = a) accanto a   b) dopo |
| nebst | = con;  insieme con;  unitamente a |
| samt | = con;  insieme con;  unitamente a |
| seit | = da (temporale);  a cominciare da (temp.) |
| von | = a) da (moto da luogo)  -  b) di (specificazione) |
| zu | = a) verso;  a (locale)  -  b) a; per (temporale) |
| zuwider | = contrario a |
| gemäß | = secondo;  conformemente a;  in conformità a;  corrispondente a |
| binnen | = entro;  fra;  nello spazio di;  nel giro di |

## Osservazione sulle note che seguono

Qui di seguito vengono indicate le norme che regolano l'uso locale soltanto di alcune delle suddette preposizioni che, per il loro uso quotidiano e a causa del loro significato simile o addirittura uguale, è facile scambiare.

# Lokaler Gebrauch der Praepositionen
## " zu; nach; von; aus; bei "

( Uso locale delle preposizioni: " zu, nach, von, aus, bei " )

1. **zu** = verso; a

Si usa:

a) <mark>con moto verso persona o persone</mark>:

> z.B.: -Ich gehe zur Großmutter, zum Onkel, zur Tante, zu den Freun-
> den, zum Arzt, zum Pfarrer,... usw. = Vado dalla nonna, dallo
> zio, dalla zia, dagli amici, dal medico, dal parroco ecc.

b) <mark>con moto a luogo verso parti di villaggio o città di genere maschile
o femminile</mark>:

> z.B.: -Ich gehe zur Kirche, zur Schule, zur Bank, zur Post, zur Apo-
> theke, zur Konditorei, zur Firma, zur Bibliothek, zur Papier-
> handlung, zur Schwimmhalle, zur Disko, zum Unterricht, zum
> Markt, zum Bäcker, zum Schuster, zum Konditor, zum Bahnhof,
> zum Friedhof, zum Tanz,... usw. = Io vado in chiesa, a scuola,
> in banca, alla posta, in farmacia, in pasticceria, in ditta, in bi-
> blioteca, in cartoleria, in piscina, in discoteca, a lezione, al mer-
> cato, dal panettiere, dal calzolaio, dal pasticciere, in stazione, al
> cimitero, al ballo ecc.

(Suggerimento per lo studio: elencare a fianco le parti di villaggio facendo un giro
immaginario, iniziando dalla parte di villaggio piú vicina a casa propria a quella piú
lontana. In tal modo si memorizzano non solo le espressioni riguardanti le parti di villaggio, ma anche il loro genere + la preposizione da usare)

NB: Con moto a luogo verso parti di villaggio o città di genere
neutro si usa per lo più la preposizione <mark>in + Akk.</mark> (Si può usare la
preposizione "in" anche con parti di villaggio o città di genere
femminile, ma solo per diversificare. Normalmente, è da preferire
la prep. "zu", perché in tal modo il complemento di luogo viene
espresso solo da due vocaboli e non da tre):

> z.B.: -Ich gehe ins Büro, ins Cafè, ins Restaurant, ins (zum) Gast-
> haus, ins Hotel, ins Kino, ins Theater, ins Konzert, ins Sta-
> dion, ins Krankenhaus (in die Schule, in die Konditorei, in die
> Disko),... usw. = Io vado in ufficio, al bar, al ristorante, in
> albergo, all'hotel, al cinema, a teatro, a concerto, allo stadio,
> all'ospedale (a scuola, in pasticceria, in discoteca) ecc.

(Suggerimento per lo studio: qui l'elenco delle parti di villagio o città è già preordinato
logicamente: un luogo di lavoro; quattro luoghi di ristoro; quattro luoghi di svago; un
luogo di sofferenza)

c) con stato in luogo nell'unica eccezione idiomatica:

**zu Haus(e)** = a casa (propria)

z.B.:-Heute bleibe ich zu Haus(e). = Oggi resto a casa.

NB:

Si notino le seguenti forme idiomatiche riguardanti sempre la formazione del complemento di luogo con "casa propria": mentre in italiano per indicare la propria casa si usa l'aggettivo possessivo, in tedesco questo viene rimpiazzato dal pronome personale determinato dalla preposizione "zu" per il moto a luogo e dalla prep. "bei" per lo stato in luogo. [Le espressioni che seguono suonano alla lettera, in un pessimo italiano, così: "da me (te, lui... ) a casa"]:

| | | |
|---|---|---|
| zu mir nach Hause | = a casa mia | |
| zu dir nach Hause | = a casa tua | |
| zu ihm (sich) nach Hause | = a casa sua (di lui) | espressioni |
| zu ihr nach Hause | = a casa sua (di lei) | usate solo con |
| zu uns nach Hause | = a casa nostra | moto a luogo |
| zu euch nach Hause | = a casa vostra | |
| zu ihnen (sich) nach Hause | = a casa loro | |

z.B.: -Wann kommst du zu mir nach Hause? = Quando vieni a casa mia? Quando vieni a trovarmi a casa?

-Ihr kommt nie zu uns nach Hause. = Voi non venite mai a trovarci. Non venite mai a casa nostra.

-Hab' Geduld! Wir haben es dir ja versprochen; dieses Jahr kommen wir bestimmt einmal auch zu dir nach Hause. = Abbi pazienza! Te l'abbiamo promesso; quest'anno verremo sicuramente anche a casa tua.

| | | |
|---|---|---|
| bei mir zu Hause | = a casa mia | |
| bei dir zu Hause | = a casa tua | |
| bei ihm (sich) zu Hause | = a casa sua (di lui) | espressioni |
| bei ihr zu Hause | = a casa sua (di lei) | usate solo con |
| bei uns zu Hause | = a casa nostra | stato in luogo |
| bei euch zu Hause | = a casa vostra | |
| bei ihnen (sich) zu Hause | = a casa loro | |

z.B.: -Schön ist es bei uns zu Hause. = A casa nostra è bello.

-Bei ihnen zu Hause geht es zu! Es ist immer der Teufel los. = Che casino a casa loro! È un inferno. (Fanno il diavolo a quattro.) [Alla lettera, in un pessimo italiano: "Es ist immer der Teufel los. = C'é il diavolo sbrigliato che fa quello che vuole."]

NB:

Le istruzioni su indicate sull'uso della prep. "zu" non sono esaurienti; si tratta unicamente delle regole piú ricorrenti per quanto riguarda il solo uso locale.

**2.** nach = verso; a

Si usa:

a) con moto a luogo verso villaggi e città (sono tutti neutri), verso Stati di genere neutro, verso continenti (sono tutti neutri):

z.B.:-Ich fahre nach Montorfano, nach Como, nach Deutschland, nach Australien. = Io vado a Montorfano (= villaggio), a Como, in Germania, in Australia.

NB: Con moto a luogo verso Stati di genere femminile, verso Stati usati al plurale e con espressioni geografiche generalizzanti si usa la preposizione in:

z.B.:-Ich fahre in die Schweiz, in die Slowakei, in die Türkei, in die Niederlande, in die USA (in die Vereinigten Staaten), ins Ausland, in die Stadt, ins Dorf,... usw. = Io vado in Svizzera, in Slovacchia, in Turchia, nei Paesi Bassi, negli Stati Uniti d'America, all'estero, in città, in paese ecc.

NB: Per quanto riguarda il genere dei nomi geografici, si veda il capitolo "Das Substantiv" - Erörterungen zu den geographischen Namen, pag. 80.

b) con moto a luogo direzionale:

z.B.:-Ich gehe nach rechts, nach links, nach oben, nach unten, nach vorn, nach hinten, nach Norden, nach Süden, nach Osten, nach Westen,... usw. = Io vado a destra, a sinistra, su (sopra, al piano superiore), giú (sotto, al piano inferiore), in avanti (verso la parte anteriore), verso il retro (verso la parte posteriore), verso (a) nord, verso sud, verso oriente, verso occidente ecc.

c) con moto a luogo verso casa propria: si tratta dell'unica parte di villaggio o città che richiede la prep. "nach" = forma idiomatica:

nach Haus(e) = a casa (propria)

z.B.:-Jetzt gehen wir nach Haus(e). = Ora andiamo a casa.

-Nach Hause, nach Hause, nach Hause geh'n wir nicht, bis dass der Tag anbricht, ja nach Hause geh'n wir nicht! = A casa, a casa, a casa non andiamo, finché non spunta il dì a casa non andiamo! (Canto bavarese che risuona soprattutto nelle birrerie di Monaco.)

NB:

Le istruzioni su indicate sull'uso della prep. "nach" non sono esaurienti; si tratta unicamente delle regole piú ricorrenti per quanto riguarda il solo uso locale.

**3.** **von** = da ( in senso locale indica "moto da luogo" )

Si usa:

a) per moto da persona o persone:

   z.B.:-Ich komme von den Großeltern, vom Onkel, von der Tante, von den Freunden, vom Arzt,... usw. = Vengo dai nonni, dallo zio, dalla zia, dagli amici, dal medico ecc.

b) con moto da parte di villaggio o città di qualunque genere:

   z.B.:-Ich komme vom Büro, von der Firma, von der Post, von der Schule, vom Markt, von der Apotheke, vom Krankenhaus,... usw. = Io vengo dall'ufficio, dalla ditta, dalla posta, dalla scuola, dal mercato, dalla farmacia, dall'ospedale ecc.

   Tuttavia:
   per la provenienza da casa propria si usa la forma idiomatica:
   von zu Hause = da casa (propria)
   z.B.:-Wir kommen eben von zu Hause. = Veniamo in questo momento da casa.

c) con moto da luogo direzionale:

   z.B.:-Ich komme von rechts, von links, von oben, von unten, von vorn, von hinten, vom Norden, vom Süden, vom Osten, vom Westen,... usw. = Io vengo da destra, da sinistra, da sopra (dal piano superiore), da sotto (dal piano inferiore), dal davanti (dalla parte anteriore), da dietro (dalla parte posteriore), dal nord, dal sud, da est (dall'oriente), da ovest (dall'occidente) ecc.

d) con moto da luogo occasionale, cioé da luogo al quale ci si è recati occasionalmente per affari, studio, visite, turismo ecc.:

   z.B.:-Mein Vater kommt heute von Berlin zurück. = Mio papà torna oggi da Berlino.
   -Wann kommst du von den Ferien, vom Meer, von Spanien zurück? = Quando ritorni dalle vacanze, dal mare, dalla Spagna?
   -Wir sind vor einer Woche von den Ferien zurückgekommen. = Siamo tornati dalla vacanze una settimana fa.
   -Unser Sohn kommt morgen von Heidelberg zurück, wo er Medizin studiert. = Nostro figlio torna domani da Heidelberg, dove studia medicina.

NB: Le istruzioni su indicate sull'uso della prep. "von" non sono esaurienti; si tratta unicamente delle regole piú ricorrenti per quanto riguarda il solo uso locale.

**4.** **aus** = da ( in senso locale indica "moto da luogo" )

Si usa:

**a)** con moto da luogo chiuso, nel momento stesso in cui si esce; questi complementi di moto da luogo vengono infatti perlopiù accompagnati da complementi di tempo esprimenti azione in svolgimento come: "gerade, eben, soeben, in diesem Moment, in diesem Augenblick". In tali casi in italiano si usa di solito il gerundio vedi pag. 323, regola 6:

> z.B.: -Die Leute kommen gerade (eben, in diesem Moment) aus der Kirche, aus dem Theater, aus dem Kino, aus dem Stadion,... usw. = La gente sta uscendo dalla chiesa, dal teatro, dal cinema, dallo stadio ecc.

NB: Se la provenienza da luogo chiuso non coincide col momento stesso in cui si esce, i suddetti complementi di tempo di solito non appaiono:

> z.B.: -Sind die Kinder schon aus der Schule gekommen? = Sono già arrivati i bambini dalla scuola?

**b)** con moto da luogo di origine o residenza: in questo caso a volte può venire a trovarsi anche un verbo di stato in luogo per indicare la provenienza, come il verbo "essere" = "sein":

> z.B.: -Herr Müller kommt aus Berlin. = Il signor Müller è un berlinese (... viene da Berlino).
> -Fräulein Rita Bartolini ist aus Italien. = La signorina Rita Bartolini viene dall'Italia (= è italiana).

NB: Le istruzioni su indicate sull'uso della prep. "aus" non sono esaurienti; si tratta unicamente delle regole piú ricorrenti per quanto riguarda il solo uso locale.

**5.** **bei** = a) presso - b) nei pressi di - c) da (nel senso di "presso")

NB: In italiano la preposizione "presso" viene spesso sostituita dalla preposizione "da". La preposizione "bei" può quindi corrispondere alla preposizione "da" italiana nel senso di "presso" e si usa esclusivamente per esprimere lo stato in luogo:

> z.B.: -Meine Freundin Monika wohnt bei ihren Großeltern. = La mia amica Monica vive dai nonni (= presso i nonni).
> -Ich bin pünktlich bei euch. = Saró puntuale da voi.
> -Rosenheim liegt bei München. = Rosenheim si trova nei pressi di Monaco.

# Praepositionen mit Akkusativ

( Preposizioni reggenti in tedesco l'accusativo )

| | |
|---|---|
| bis | = fino;  fino a;  sino a |
| für | = a) per;  a favore di;  - b) per conto di;  secondo  -  c) in cambio di;  al posto di;  invece di;  - d) in rapporto a;  per |
| durch | = a) attraverso;  - b) per mezzo di;  tramite - c) grazie a;  con l'aiuto di;  ad opera di  - d) durante;  per (temporale) |
| gegen | = a) contro;  contrario a;  - b) verso (temporale)  -  c) addosso a;  a;  -  d) circa;  pressapoco  -  e) nei riguardi di;  verso;  - f) in confronto a;  di fronte a;  -  g) dietro;  contro |
| ohne | = senza;  privo di |
| um | = a) intorno a;  attorno a;   -  b) vicino a;  intorno a;  - c) verso;  intorno a; (temporale) - d) per;  di;  - e) su |
| wider | = a) contro;  contrario a; (viene usata molto come prefisso) - b) contrariamente a<br>NB: Da non confondere con l'avverbio "wieder = di nuovo, nuovamente"! |
| entlang | = lungo |

# Gebrauch der Praepositionen "bis; entlang"

( Uso delle preposizioni "bis" ed "entlang" )

1. **bis**  = fino;  fino a;  sino a

La preposizione "bis" è una fra le poche che spesso richiede l'appoggio di un'altra preposizione. Essa si usa:
a) da sola con complementi di tempo e luogo non accompagnati da articolo e con l'indicazione dell'ora:

z.B.: -Bis gleich.　　　　} = A fra poco
　　　-Bis bald.
　　　-Bis heute Abend.  = A stasera.

-Bis Sonntag. = A domenica.
-bis gestern = fino a ieri
-bis zuletzt = fino alla fine, fino all'ultimo
-bis Ostern = fino a Pasqua
-bis Anfang / Ende März = fino all'inizio / alla fine di marzo
-Dieser Zug fährt nur bis Mainz, nicht bis Frankfurt. = Questo treno va solo fino a Magonza, non fino a Francoforte.
-Ich bleibe bis 12 Uhr hier. = Resto qui fino alle 12. (NB: in italiano con l'articolo, in tedesco no!)

b) con complementi di tempo e luogo accompagnati da articolo la preposizione "bis" viene rafforzata dalla preposizione "zu + Dat":

z.B.: -bis zum nächsten Tag = fino al giorno dopo
-bis zum Abend = fino alla sera
-Wir warteten bis zur letzten Minute. = Aspettammo fino all'ultimo minuto.
-Bis zur Uni braucht Peter zehn Minuten. = Pietro impiega 10 minuti fino all'università.
-Wir gingen bis zum Gipfel des Berges. = Andammo fino alla cima della montagna.
-Gehen wir bis zur nächsten Haltestelle! = Andiamo fino alla prossima fermata!
-bis zuvor = fino a poco fa

c) come risposta alla domanda "wie lange? = quanto tempo?" nonché "bis wohin? / wo? = fin dove?" la preposizione "bis" può venire a trovarsi in compagnia di altre preposizioni nella determinazione soprattutto di complementi di tempo e luogo:

z.B.: -bis vor kurzem = fino a poco fa
-bis vor wenigen Tagen = fino a pochi giorni fa
-bis nach den Ferien = fino a dopo le ferie
-bis auf weiteres (= vorläufig) = per il momento (cioè finchè non subentrano altri eventi, altre decisioni)
-bis nach Mitternacht = fino a dopo mezzanotte
-bis auf die Grundmauern hinab = fin giù alle fondamenta
-bis vors (vor das) Haus = fino davanti alla casa
-bis hinter das Haus = fin dietro la casa
-bis unter das Dach = fin sotto il tetto
-bis aufs Dach = fino al tetto
-bis an die Wolken = fino alle nubi
-bis über die Wolken = fin sopra le nubi
-bis ans Ende der Welt = fin dove finisce il mondo
-Manchmal arbeite ich bis nach Mitternacht. = Qualche volta lavoro fin dopo mezzanotte.

d) la prep. "bis" seguita dalla prep. "auf", cioé = "bis + auf" assume spesso (quando non si tratta di complemento di tempo) il significato di "ad eccezione / senza eccezione":

> z.B.: -Es waren alle da bis auf Herrn X. = C'erano tutti ad eccezione del signor X.
> -Achilles war bis auf die Ferse unverwundbar = Achille era invulnerabile ad eccezione del tallone.
> -Unsere Soldaten fielen bis auf den letzten Mann. = I nostri soldati caddero tutti fino all'ultimo uomo (= senza eccezione).
> -Ich habe mein ganzes Geld bis auf den letzten Cent ausgegeben. = Ho speso tutti i miei soldi fino all'ultimo centesimo.

## 2. entlang = lungo

Si usa:

a) con l'accusativo, se la prep. "entlang" viene posposta al complemento di riferimento (quest'uso è da preferire):

> z.B.:-Mittags gehen Peter und Hans die Ludwigstraße entlang, dann links um die Ecke zum Gasthaus Altschwabing. = A mezzogiorno Peter e Hans vanno lungo la Ludwigstraße poi, girando l'angolo, al ristorante Altschwabing.
> -Machen wir einen Spaziergang den Fluss entlang! = Facciamo una passeggiata lungo il fiume!

b) col dativo o genitivo, se la prep. "entlang" viene anteposta al complemento di riferimento:

> z.B.:-Machen wir doch einen Spaziergang entlang dem Fluss (entlang des Flusses) = Avanti! Facciamo una passeggiata lungo il fiume!

NB: In questa grammatica la preposizione "entlang" è stata elencata fra le preposizioni reggenti il solo accusativo perché è questo, in ultima analisi, il caso che prevale. Fra le varie grammatiche si notano infatti diverse divergenze: la grammatica "Duden", edizione 1959, § 582 affermava che l'uso del dativo, quando la preposizione precede, è antiquato. Al contrario, il recente vocabolario "Duden - Die deutsche Rechtschreibung", edizione 2000, afferma che, anteponendo "entlang" al sostantivo, è antiquato l'accusativo. Trattandosi quindi di una regola molto labile, collegata per lo più alle variazioni del linguaggio regionale, si consiglia alla persona straniera di posporre "entlang" al complemento di riferimento usando l'accusativo, perché questo sistema è ritenuto corretto da tutti i parlanti il tedesco.

## 3. um = intorno

La preposizione "um" sta spesso in compagnia dall'avverbio posposto "herum" per indicare o giro (compl. luogo) o tempo approssimativo (compl. di tempo):

> z.B.:-Um Berlin herum liegen schöne Seen. = Intorno a Berlino vi sono dei bei laghi.
> -Paul ist erst um Mitternacht herum zurückgekommen. = Paolo è tornato soltanto intorno alla mezzanotte.

175

# Praepositionen mit Dativ oder Akkusativ

( Preposizioni reggenti il dativo o l'accusativo )

| | |
|---|---|
| **an** | = a) a; presso; vicino a; - b) su; (fiumi) - c) per; di; a causa di; (malattie) - d) contro; a; (anlehnen + an = appoggiare; stehen + an, liegen + an = stare, trovarsi presso ecc.) |
| **auf** | = a) su; sopra; (con contatto) - b) in; - c) su; in; - d) per; (durata di tempo) - e) durante; - f) a; per; - g) a; su; con (strumenti musicali) - g) con; contro; verso; (zornig sein auf... usw.) |
| **hinter** | = a) dietro; dopo; (locale) - b) dietro; sotto (senso traslato figurato) |
| **in** | = a) verso; a; in (moto / stato + luogo chiuso) - b) a; di; in; in + art. = nel; nella (temporale) - c) tra; fra; (tempo futuro) - d) in; con; (vestiti) - e) in; con; a; su; per; di; (molti sensi traslati o figurati) ecc. |
| **neben** | = a) accanto a; vicino a; - b) oltre a; accanto a; fra; (sinonimo di "nebst") ecc. |
| **über** | = a) su; sopra; (senza contatto) - b) oltre; dall'altra parte di; al di là di; di là da; (strade; fiumi, margini) - c) su, sopra; (con contatto: per vestiti, liquidi che scorrono su qc.) - d) su; sopra; (traslato: siegen, regieren) - e) per; di; (traslato: freuen) - f) per; durante; (temporale) - g) piú di; oltre; (di prezzi e durata di tempo) ecc. |
| **unter** | = a) sotto; al di sotto di; - b) da sotto; dal di sotto; - c) meno di; al di sotto di; (temperatura) - d) inferiore a; (traslato) - e) tra; fra; (molti) NB: prevale lo stato in luogo + Dat |
| **vor** | = a) davanti a; di fronte a; (locale e traslato: legge) - b) in presenza di; al cospetto di (persone) - c) prima di; davanti a; alle porte di; (locale) - d) prima di; (temporale) - e) fa; (temporale: per azioni conclusesi nel passato) - f) per; di; a; (traslato in senso causale: sich fürchten vor + Dat.) ecc. |
| **zwischen** | = fra; tra (due) NB: Germanismo presente anche in inglese, pur con vocaboli differenti: "between = fra due" - "among (unter) = fra molti". |

# Anwendungsregeln

( Regole di massima per il discernimento del caso )

1. <mark>Auf die Frage wo? (= Zustand) + Dat</mark>. = Alla domanda "wo?" (stato in luogo) + dativo:

    z.B.: -Wir wohnen in der Gartenstraße. = Noi abitiamo in via dei giardini.

    -Die Wohnung im ersten Stock hat an der Südseite einen Balkon. = L'appartamento al primo piano ha un balcone nel lato sud.


2. <mark>Auf die Frage wann? (= im temporalen Sinn) + Dat</mark>. = (In senso temporale) alla domanda "wann? = quando?" + dativo:

    z.B.: -Am Sonntag fahre ich zu meiner Schwester. = Domenica vado da mia sorella.

    -Vor einem Monat war ich in Deutschland. = Un mese fa ero in Germania.

    -Was machen wir in der Zwischenzeit? = Che facciamo nel frattempo?


3. <mark>Auf die Frage wohin? (= Bewegung) + Akk</mark>. = Alla domanda "wohin?" (= con moto a luogo) + accusativo:

    z.B.: -Durch diese Tür kommt man auf die Terrasse. = Attraverso questa porta si va in terrazza.

    -Über die Couch wollen wir ein Bild hängen. = Sopra il divano vogliamo appendere un quadro.


4. <mark>Auf die Frage wie lange? (= Dauer) + Akk.</mark> = alla domanda "wie lange? = quanto tempo?" (= durata di tempo) + accusativo:

    z.B.: -Ich leihe dir den Wagen auf eine Woche. = Ti presto la macchina per una settimana.

    -Die Genesung hat über einen Monat gedauert. = La convalescenza è durata oltre un mese.

NB:
Col complemento di tempo indicante durata si usa anche il semplice accusativo puro senza l'ausilio di una preposizione per la sua determinazione. (Vedi: "Zeitergänzungen mit Akk." regola 2b, pag.117 ). Attenzione: in questi casi <mark>la preposizione italiana "per" viene sostituita dall'avverbio tedesco "lang"</mark>:

    z.B.: -Ich bleibe demnächst einen Monat in Deutschland. = Fra poco mi fermerò un mese in Germania.

    -Ist es wahr, dass du ein Jahr lang in Deutschland bleiben willst? È vero che tu vuoi stare per un anno in Germania?

**177**

5. <mark>Im übertragenen Sinn zu 80% (Prozent) + Akk.</mark> = In senso traslato o figurato nell'80% dei casi + accusativo (NB: per il restante 20% si veda l'ultimo paragrafo di questo capitolo, pag. 185):

       z.B.: -Ich denke oft an dich. = Ti penso spesso (Penso spesso a te = dativo in italiano).
         -Ich freue mich auf die Ferien. = Mi rallegro per le vacanze.
         -Der Kranke klagt über heftige Schmerzen. = Il malato lamenta (accusa) violenti dolori.

NB:

<mark>I verbi di arrivo</mark> come "ankommen, eintreffen = arrivare, giungere"; "landen = atterrare, andare a finire" ecc. <mark>sono verbi di stato in luogo</mark>, non di moto a luogo, in quanto con essi cessa il moto e le suddette preposizioni reggono quindi il dativo:

       z.B.:-Pünktlich um 13.23 Uhr kommt der Schnellzug in Frankfurt an. = Il direttissimo arriva a Francoforte alle ore 13.10 in punto. (quindi non: ~~nach~~ Frankfurt)
         -Wann bist du zu Hause angekommen? = Quando sei arrivato/-a a casa?
         -Alles landet früher oder später auf dem Müll. = Tutto prima o poi va a finire nella spazzatura.

NB:

Il verbo di arrivo "halten, hielt, <mark>hat gehalten</mark>" forma i tempi composti con l'ausiliare "haben". Il verbo di arrivo "landen" invece, se è usato intransitivamente, forma i tempi composti con "sein", ma quando è usato transitivamente, forma i tempi composti con "haben" + Akk.:

       z.B.: -Nachdem der Zug am Bahnhof gehalten hat, steigen die Leute aus und ein. = Dopo che il treno si è fermato in stazione, la gente scende e sale.
         -Unser Flugzeug ist gerade auf der Rollbahn gelandet. = Il nostro aereo è appena atterrato sulla pista.
         -Der Feind hat mit Landungsbooten Truppen auf den Strand gelandet. = Il nemico ha preso piede sulla spiaggia, facendo atterrare delle truppe con barconi di atterraggio.

## Die umschriebene Bewegung

( Il moto in luogo circoscritto )

<mark>Si ha un moto in luogo circoscritto quando chi descrive ed osserva, pur usando un verbo di moto, non è interessato ad indicare la meta, il termine, il traguardo verso il quale il moto avviene, ma soltanto il luogo, l'ambito,</mark>

entro il quale il moto si svolge. Il moto in luogo circoscritto quindi equivale ad uno stato in luogo con il quale le suddette preposizioni reggono il dativo:

> z.B.: -Die Kinder laufen im Garten herum. = I bambini corrono qua e là in giardino. (NB: In tal caso non ci interessa sapere se essi corrono verso il cancello o altre direzioni, ma ci interessa evidenziare solo l'ambito entro il quale i bambini corrono).
> -Jetzt gehen wir an der Garage vorbei und kommen zum Hauseingang. = Adesso passiamo davanti al garage e giungiamo alla porta d'ingresso (NB: Meta è la porta d'ingresso, non il garage).
> -Ein Schiff fährt auf dem Rhein. = Una nave sta viaggiando sul Reno (NB: Qui non si indica se la nave va verso nord o verso sud, si tratta quindi di moto in ambito circoscritto).

Eccezione:
Si ha stato in luogo e quindi il dativo anche con l'espressione "die Richtung" = "la direzione" usata senza accenno al traguardo o alla meta da raggiungere:

> z.B.: -Gehen Sie immer in dieser Richtung und Sie können sich nicht verfehlen! = Vada sempre in questa direzione e non può sbagliare!

## Lokaler Gebrauch der Praepositionen "an; auf; in; über"

( Uso locale delle preposizioni "an; auf; in; über" )

### 1. an

a) Uso corrispondente alle preposizioni italiane "a; allo; alla":

> z.B.: -am Ziel sein = essere (trovarsi) al traguardo
> -am Ziel ankommen = giungere, arrivare al traguardo
> -An der Grenze werden die Pässe kontrolliert. = Alla frontiera vengono controllati i passaporti.
> -Am Sonntag fahren wir ans Meer, nicht an den See. = Domenica andiamo al mare, non al lago.
> -Am Fuße des Berges liegt ein Dorf. = Ai piedi della montagna si trova un villaggio.
> -An der Ecke dieser Straße ist ein Unfall passiert. = All'angolo di questa strada (= angolo esterno) è accaduto un incidente.
>> NB: Da non confondere con l'angolo interno di un locale:
>> -Den Fernseher stellen wir dort in die Ecke. = Mettiamo il televisore là nell'angolo.
> -Gisela trägt zwei schöne Ringe an den Fingern. = Gisela porta due begli anelli alle dita.
> -Hunde müssen an der Leine geführt werden. = I cani devono essere condotti al guinzaglio.
> -Alle Passagiere waren schon an Bord. = Tutti i passeggeri erano già a bordo (anche: an Bord steigen = salire a bordo).

b) Uso corrispondente alla preposizione italiana "presso":

    z.B.:-Wir haben ein Haus am Comersee. = Abbiamo una casa presso il lago (al lago) di Como.

        -An welcher Universität studiert Walters Sohn? = Presso quale (in quale) università studia il figlio di Walter?

        -An der Küste liegt ein Schiff vor Anker. = Presso la costa ormeggia una nave.

c) **Uso completamente divergente rispetto alle prep. italiane "su; in; per":**

    z.B.:-Viele Leute standen am Ufer des Flusses. = Tanta gente stava sulla riva del fiume.

        -Die Früchte hängen noch am Baum. = I frutti sono ancora sull'albero (pendono ancora dall'albero).

        -Köln liegt am Rhein. = Colonia si trova sul Reno.

            NB: La lingua tedesca in questo caso è molto piú precisa dell'italiano, perché "sul" fiume si trovano solo i ponti, non le città; che sono invece "presso" il fiume. (NB: Köln liegt auf dem Rhein. = errore.)

        -Die Polizei war gleich an Ort und Stelle. = La polizia fu subito sul posto.

        -Der Unfall ist an dieser Stelle passiert. = L'incidente è avvenuto in questo posto.

        -Das kleine Mädchen zitterte am ganzen Leib. = La piccolina tremava in tutto il corpo.

        -Viele Sterne leuchten heute am Himmel. = Oggi brillano molte stelle nel cielo.

        -Die Mutter fasste das Kind am Arm und riss es an sich. = La mamma afferró il bambino per il braccio tirandolo verso di sé.

        -Das Kind zog die Katze am Schwanz. = Il bambino tiró il gatto per la coda.

        -Böse Buben ziehen oft die Mädchen an den Haaren. = I bimbi cattivi tirano spesso le bambine per i capelli.

## 2. auf

a) Uso corrispondente alle preposizioni italiane "su, sopra" indicanti contatto su una superficie, su una cima, su qualcosa:

    z.B.:-Auf der Spitze des Berges steht ein Kreuz. = Sulla cima della montagna c'é una croce.

        -Die Bücher liegen auf dem Tisch. = I libri sono sul tavolo.

        -Auf dem Dach ist die Antenne und natürlich der Kamin. = Sul tetto c'é l'antenna e, naturalmente, il camino.

        -Auf dem letzten Ast des Baumes sitzt ein großer Vogel. = Sull'ultimo ramo dell'albero sta un grande uccello.

        -Ich setze mich auf den Stuhl. = Io mi siedo sulla sedia.

            NB: Perché la sedia non ha braccioli, quindi non presenta uno spazio tridimensionale, mentre la poltrona sì.

Per cui:
-Ich setze mich in den Sessel. = Io mi siedo nella poltrona.
Tuttavia:
-Ich setzte mich auf die Couch. = Io mi siedo sul divano.
NB: Perché nel divano lo spazio pianeggiante prevale su quello tridimensionale.
-Jetzt müssen wir uns auf dem Heimweg (auf dem Weg nach Hause) machen! Es ist Zeit. = Adesso dobbiamo tornare a casa (dobiamo metterci sulla via del ritorno a casa). È ora.
NB: C'é tuttavia divergenza rispetto all'italiano nell'espressione:
-Werden wir auf demselben oder auf einem anderen Weg zurückkehren? = Torneremo per la stessa strada o per un'altra?
-Steig aufs Rad, aufs Motorrad, aufs Pferd! = Sali sulla (in) bicicletta, sulla moto, a (sul) cavallo!
NB: Tuttavia: per salire su mezzi chiusi o contenenti un vano, si usa in tedesco la preposizione "in":
-Steig bitte in den Wagen, in den Zug, ins Boot ein! = Sali, per favore, in macchina, sul (in) treno, in barca.
-Ich steige auf den Zug, auf das Flugzeug. = (errore!) Significherebbe salire sul tetto del treno, dell'aereo.
-Der Prinz küsste Schneewittchen auf den Mund und sie erwachte vom Schlaf. = Il principe baciò Biancaneve sulla bocca e lei si risvegliò dal sonno.
-Dieses Fenster geht auf den Garten. = Questa finestra dà sul giardino.
-Auf der rechten Seite meines Zimmers steht gleich das Bett, auf der linken Seite der Schreibtisch und ein Bücherschrank. = Sul lato destro della mia camera c'é subito il letto, sul lato sinistro la scrivania e una libreria.
NB: Tuttavia: mentre in italiano si può anche dire "da questa parte / dall'altra parte", in tedesco si usa sempre "auf":
-Auf dieser Seite der Stadt herrschen Armut, Verkommenheit und Schmutz, auf der anderen Seite herrscht der Luxus. = Da questa parte della città regnano la povertà, il degrado e la sporcizia, dall'altra il lusso.

b) **Uso divergente dalla prep. italiana "in": "auf" si usa soprattutto con contatto su spazi pianeggianti anche se recintati, a volte anche con ambienti chiusi come "la posta; la banca; la camera" e con espressioni translate**
z.B.: -Gehen wir auf die Terrasse! = Andiamo in terrazza!
-Während der Pause spielen die Schüler auf dem Schulhof. = Durante l'intervallo gli alunni giocano nel cortile della scuola.
NB: Eccezione: Die Kinder spielen im Garten. = I bambini stanno giocando nel (in) giardino.
-In diesem Sommer waren wir im Urlaub auf dem Land. Wir wohnten auf einem Bauernhof. = Quest'estate abbiamo trascorso le ferie in campagna. Eravamo in una fattoria.
NB: "auf einem Bauernhof" perché la fattoria non ha di solito soltanto il cortile come zona pianeggiante, ma si estende anche su prati e campi.

-Dieses kleine Kind läuft ständig aus seinem Haus auf die Straße, was ja gefährlich ist. = Questo piccolo corre continuamente fuori dalla sua casa e va in strada, il che è pericoloso.

   NB: Tuttavia, per gli edifici che sono parte componente della strada si usa la preposizione "in":

      -Mein Haus steht in der Negronistraße. = La mia casa si trova in via Negroni.

-Auf dem Gang (dem Korridor) ja sogar auf der Treppe des Gerichtshauses stehen viele Leute und warten auf den Einlass in den Gerichtssaal. = Nel (sul) corridoio, perfino sulle scale del palazzo di giustizia c'é tanta gente che attende l'apertura della sala delle udienze.

-Die Mutter trägt ein Kind auf dem Arm, das andere Kind nimmt der Vater auf den Arm. = La mamma porta un bambino in braccio, l'altro lo prende in braccio il papà.

   NB: Si veda al punto 3 a) β) pag. 183: si può dire anche "im Arm halten"

-Mein Vater ist auf der Reise nach Deutschland. = Mio papà è in viaggio per la Germania.

-Nächste Woche sind wir auf der Messe = La settimana ventura saremo [siamo] in fiera.

-Der Kranke liegt auf Zimmer 12. = L'ammalato si trova nella stanza 12.

-Wo warst du denn bis jetzt? = Ma dove sei stato fin'ora?

-Ich war auf der Bank und auf der Post. = Sono stato in banca e alla posta.

NB: Si notino le espressioni: -"auf jeden Fall" = in ogni caso";
                              -"auf alle Fälle" = comunque (in ogni caso)";
                              -"auf keinen Fall" = in nessun caso"

c) Uso divergente dalla preposizione italiana "a":

   z.B.: -Herr Braun ist im Moment auf der Jagd. = Il signor Braun in questo momento è a caccia.

   -Auch wir stellen dieses Jahr auf der Mailänder Messe aus. = Questo anno esponiamo anche noi alla fiera di Milano.

   -Auf der Hochzeit von Gisela waren viele Gäste. = Al matrimonio di Gisella c'erano molti invitati.

   -Das schöne Bild findet sich auf Seite 55 des Buches. = La bella immagine si trova a pagina 55 del libro.

## 3. in

L'uso locale della proposizione "in" è stato già in parte trattato nelle note riguardanti l'uso locale delle preposizioni "zu" e "nach", nel capitolo delle preposizioni col dativo. A quelle note si aggiungono ora le seguenti osservazioni:

Uso corrispondente alle preposizioni italiane "in, dentro": si usa precisamente:

α) per moto verso un luogo chiuso o verso un luogo lontano:

z.B.: -Die Schüler gehen in die Klasse. = Gli alunni vanno in classe.
    -Die Mutter schloss ihren Sohn in die Arme. = La mamma abbracció il suo figliolo.
    -Unsere Tochter zog in die Ferne, nach Amerika. = La nostra figliola se n'é andata via lontano, in America.
    -Die Soldaten ziehen ins Feld (= in den Krieg). = I soldati vanno in guerra.
        NB: Tuttavia: Die Bauern fahren mit ihren Traktoren aufs Feld.
            = I contadini vanno con i loro trattori in campagna (sui campi).

β) per stato in un luogo chiuso, in luogo protetto, in un luogo lontano, nonché coi punti cardinali:

z.B.: -Peter arbeitet in seinem Büro. = Pietro sta lavorando nel suo ufficio.
    -Deutschland liegt im Herzen Europas. = La Germania si trova nel cuore dell'Europa.
    -"Er hat den Knaben wohl in dem Arm". **Goethe** "Erlkönig" = Egli (il papà) tiene il bambino ben protetto in braccio.
    -Peter und Gisela gehen Arm in Arm (Hand in Hand). = Pietro e Gisella vanno a braccetto (... vanno dandosi la mano).
        NB: Con l'espressione italiana "al sicuro" vi è tuttavia discordanza fra le due lingue perché in tedesco si dice "in sicurezza": Das Geld ist in Sicherheit. = Il denaro è al sicuro.
    -In der Ferne sieht man ein Schiff. = Si vede una nave in lontananza.
    -Im Norden unseres Landes ist es kälter als im Süden. = Nel (al) Nord del nostro paese fa piú freddo che al (nel) Sud.
        NB: Si veda tuttavia in seguito, al punto b) , la discordanza col sorgere e tramontare del sole!

γ) per indicare la posizione "entro" (qualcosa):

    -Der Dom steht in der Stadtmitte. = Il duomo sta nel centro della città.
    -Im Vordergrund des Bildes steht das Dorf, im Hintergrund sieht man die Berge. = Nella foto (sul quadro) il paese sta in primo piano, i monti appaiono in secondo piano.
    -Inge macht sich gern hübsch zurecht und schaut oft in den Spiegel. = Ad Inge piace [volentieri] farsi bella e guarda spesso nello specchio.

b) **Uso discordante dalla preposizione italiana "a":**

z.B.: -Die Sonne geht im Osten auf und im Westen unter. = Il sole sorge a oriente e tramonta ad occidente.
    -Bleiben wir in der Sonne, es ist wärmer; im Schatten ist es zu kühl. = Restiamo al sole, è piú caldo; all'ombra è troppo fresco.
    -Kinder sollten oft im Freien spielen können. = I bambini dovrebbero poter giocare spesso all'aria aperta.
    { -Warst du noch nie im Ausland? = Non sei mai stato all'estero?
    -Doch, ich bin oft ins Ausland gefahren auch geflogen. = Sì, sono spesso andato (con la macchina o treno) all'estero, anche in aereo.
    -In Rom gibt es viele alte Baudenkmäler mehr als in Köln oder in Trier = A Roma vi sono molti monumenti antichi, piú che non a Colonia o a Treviri.

## 4. über

a) Uso corrispondente alle preposizioni italiane "su; sopra" senza contatto:

z.B.: -Das Flugzeug fliegt gerade über den Wolken. = L'aereo sta volando sopra le nubi.
-Diese Stadt liegt 500 m über dem Meeresspiegel. = Questa città si trova a 500 m sopra il livello del mare.
-Über die Couch wollen wir ein Bild hängen. = Sopra il divano vogliamo appendere un quadro.
   NB: Il quadro pende alla parete, ma non tocca il divano.
-Wir wohnen im Erdgeschoss, über uns wohnen unsere Großeltern. = Noi abitiamo al pianterreno, sopra di noi abitano i nostri nonni.

b) **Uso solo in parte divergente dalle prep. italiane "su; sopra": con contatto leggero e parallelo a una superficie. NB: In tali casi non si può usare in tedesco la preposizione "auf"!**

z.B.: -Ein Boot gleitet über den See hin. = Una barca scivola via sulle acque del lago.
-Der Sturm braust über das Meer. = La tempesta rimbomba fragorosa (rumoreggia) sul mare.
-Ein starkes Gewitter zog über das Land. = Sulla regione passó un forte temporale.
-Die Mutter strich ihr Kind mit der Hand über die Wange = La mamma accarezzó il suo bimbo con la mano sulla guancia.
-Große Tränen liefen (flossen, rollten) über Inges Wangen. = Grosse lacrime scorrevano sulle guance di Inge.
-Bei der Nachricht der Geburt seines Sohnes lachte Bert über das ganze Gesicht. = Alla notizia della nascita di suo figlio Bert era raggiante di gioia [alla lettera in un pessimo italiano: "... rideva sopra tutto il viso"].

c) **Uso divergente dalle preposizioni italiane "attraverso; oltre; per"** per indicare attraversamento o superamento + herüber = qua

z.B.: -Ein Fußgänger geht gerade über die Straße, über den Platz, über die Brücke. = Un pedone sta attraversando la strada, la piazza, il ponte.
-Man darf nicht über die Wiese gehen, sonst zertritt man das Gras. = Non si deve camminare attraverso il prato, altrimenti si calpesta l'erba.
   NB: Tuttavia: -Wir gehen durch den Garten, den Park, den Wald.
      = Noi passiamo attraverso il giardino, il parco, il bosco.
-Der Verbrecher ist über die Grenze geflüchtet. = Il delinquente è fuggito oltre frontiera.
-Dieser Zug fährt über Bonn und Koblenz. = Questo treno passa per Bonn e Coblenza (...viaggia via Bonn- Coblenza).
-über einen Stein stolpern = inciampare in un sasso.
-übern Berg sein = aver superato il punto critico (il picco..) - Mit dieser schrecklichen Pandemie sind wir noch nicht über den Berg. = Con questa spaventosa pandemia non abbiamo ancora superato il picco.
-"Komm doch rüber (= herüber) zu mir!", sagt Inge zu Gisela "Ich bin hier so allein." = "Dai vieni qui da me!", dice Inge a Gisella," sono sola soletta."-"Nein,wart! Ich komm zu Dir hinüber." = "No,aspetta! Vengo da Te."

184

# Übertragener Sinn + Dat. der Praepositionen
## "an; auf; in; über; unter; vor"

( Senso traslato + Dat. delle prep. "an; auf; in; über; unter; vor")

Si tratta di esempi del restante 20% - 30% in senso traslato + Dat. riguardante la regola nr. 5 delle preposizioni reggenti il dativo o l'accusativo a pag. 178.

A) *Verben mit praepositionalem Objekt im übertragenen Sinn + Dat.*
*= Verbi con complemento preposizionale in senso traslato + Dat.*

L'elenco in ordine alfabetico che segue non è esauriente. Esso indica i verbi piú ricorrenti che, nonostante un senso traslato, richiedono queste preposizioni col dativo anziché con l'accusativo. Per l'uso completo della maggioranza di questi verbi nei vari significati e nelle varie costruzioni, si veda il capitolo "Verben mit verschiedenen Praepositionen".

1. **ändern, änderte, geändert** + an + Dat. = variare, modificare, esserci da fare:
    z.B.:-Es tut mir leid, aber an dieser Tatsache ist nichts mehr zu ändern. = Mi spiace, ma in merito a ció (a tale situazione, a tale stato di cose) non c'é piú nulla da fare.

2. **aussetzen, setzte aus, ausgesetzt** + an + Dat. = avere da ridire, biasimare, criticare:
    z.B.:-Ich kann Inge nicht leiden; sie hat immer etwas an mir auszusetzen. = Non posso sopportare Inge, ha sempre da ridire nei miei riguardi.

3. **bauen, baute, gebaut** + an + Dat. = lavorare intorno a:
    NB: Anche se le due lingue in questo caso concordano, va messo in rilievo che la prep. "an", qui in senso traslato, regge il dativo!
    z.B.:-Viele Jahrhunderte hat man am Kölner Dom gebaut. = Alla costruzione del duomo di Colonia si è lavorato per secoli.

4. **beharren, beharrte, beharrt**
    Benché le due lingue combacino nella scelta delle preposizioni, tuttavia qui sia "auf" che "in" reggono col senso traslato il dativo:
    a) + auf + Dat. = persistere, perseverare, tener duro, insistere su
        z.B.:-Gisela beharrte mit Recht auf ihrem Standpunkt und ihrem Entschluss. = Gisella insistette a ragione sul suo punto di vista e sulla sua decisione.
    b) + in + Dat. = persistere in;
        z.B.:-Unzählige christliche Märtyrer beharrten in ihrem Glauben mit dem Verlust des Lebens. = Innumerevoli martiri cristiani hanno perseverato nella fede a scapito della vita.

5. **beruhen, beruhte, beruht** + auf + Dat. = basarsi, fondarsi su:
    NB: Anche in questo caso le due lingue concordano nella scelta della proposizione, ma qui "auf" in senso traslato regge il dativo:
    z.B.:-Eure Meinung beruht auf falschen Voraussetzungen. = La vostra opinione si basa su premesse errate.

6. **bestehen, bestand, bestanden**
    a) + auf + Dat. = ostinarsi, insistere su, non mollare  b) tenerci (NB: A volte si trova anche "bestehen + auf + Akk.")
        z.B.:-Paul besteht schon seit immer auf seinem Recht. = Paolo insiste da sempre sul suo diritto.
            -Monika besteht auf kirchlicher Trauung. = Monica ci tiene al matrimonio religioso.

    b) + in + Dat. = stare, essere
        z.B.:-Der Unterschied dieser Ware im Vergleich zur anderen besteht in der Qualität. = La differenza fra questa merce e l'altra sta nella qualità.

    c) + über + Dat. = esserci
        z.B.:-Bestehen noch Zweifel über dem Problem? = Vi sono ancora dubbi su questo problema?
            -Nein, darüber bestehen keine Zweifel mehr. = No, su ció non vi sono piú dubbi.

    d) + vor + Dat. = reggere, tener testa
        z.B.:-Wie soll ich vor dieser Kritik bestehen? = Come posso reggere a questa critica? [Alla lettera: ... di fronte a questa critica?]

7. **bemerken, bemerkte, bemerkt** + Akk. + an + Dat. = accorgersi di, notare da:
    z.B.:-An ihrem Benehmen bemerkte ich, dass sie verliebt ist. = Dal suo comportamento notai (mi accorsi) che è innamorata.

8. **erkennen, erkannte, erkannt** + Akk. + an + Dat. = riconoscere da, distinguere, discernere:
    z.B.:-Peter erkannte Gisela an ihrer Stimme. = Pietro riconobbe Gisella dalla sua voce.
            -"An ihren Früchten sollt ihr sie erkennen", warnte Jesus die Apostel vor den falschen Propheten. (Mattheus 7,16) = "Li riconoscerete dai loro frutti", ammonì Gesú i discepoli nei confronti dei falsi profeti.

9. **erkranken, erkrankte, erkrankt** + an + Dat. = "ammalarsi di, cadere ammalato per":
    z.B.:-Mehrere Missionare, die jahrelang den Aussätzigen geholfen hatten, sind schließlich an dieser Seuche erkrankt und gestorben. = Diversi missionari che per anni avevano aiutato i lebbrosi, alla fine si ammalarono e morirono a causa di questa malattia.

**10. fehlen, fehlte, gefehlt**

usato in modo ==impersonale + an + Dat.== = mancare di, scarseggiare; esserci carenza di:

z.B.: -Hier fehlt es ja an allem. = Ma qui manca tutto (... di tutto).

-In Afrika fehlt es oft an Ärzten und Krankenhäusern. = In Africa c'é carenza di dottori e ospedali.

**11. fürchten, fürchtete, gefürchtet** ==sich (Akk.) + vor + Dat.== = **sich (Akk.) ängstigen** ==+ vor + Dat.== = aver paura di, temere:

z.B.: -Fürchtest du dich vor dem Hund? = Hai paura del cane?

-Das Kind ängstigt sich vor der Dunkelheit. = Il bambino teme il buio.

**12. hindern, hinderte, gehindert** ==+ an + Dat.== = impedire a, ostacolare nel; essere d'intralcio in, disturbare mentre:

z.B.: -Hindere mich bitte nicht am (beim) Fahren. = Non disturbarmi (ostacolarmi) mentre guido (mentre sono alla guida)!

**13. interessieren, interessierte, interessiert** ==+ Akk + an + Dat.== = interessare, suscitare l'interesse:

z.B.: -Würdest du deinen Freund Peter an diesem Geschäft interessieren? = Vorresti interessare il tuo amico Pietro a questo affare?

**interessiert sein** ==+ an + Dat.== = essere interessato a:

z.B.: -Bist du an diesem Geschäft interessiert? = Sei interessato a questo affare?

-Nein, daran bin ich nicht interessiert. = No, ció non m'interessa.

**-sich interessieren** ==+ für + Akk.== = interessarsi di

z.B.: -Wofür interessierst du dich? = Di che cosa t'interessi?

**14. sich irren, irrte sich, sich geirrt** ==+ in + Dat.== = sbagliarsi sul conto di qd. (nel giudicare qualcuno):

z.B.: -Falls Paul denkt, er könne mir so was zumuten, dann hat er sich gründlich in mir geirrt. = Se Paolo si aspetta (pensa di poter pretendere) da me una cosa del genere, si è sbagliato di grosso sul mio conto.

-Entschuldige! Ich hab' mich im Datum geirrt. = Scusa, ho sbagliato data.

**15. leiden, litt, gelitten**

a) ==+ an + Dat.== = essere affetto (afflitto) da, soffrire di:

z.B.: -Mein Großvater leidet an einer schweren Krankheit. = Mio nonno è afflitto da una grave malattia.

b) ==+ unter + Dat.== = soffrire, patire, penare:

z.B.: -Alte Leute leiden sehr unter der Kälte. = Le persone anziane soffrono molto il freddo.

187

**16. mitwirken, wirkte mit, mitgewirkt**

a) **+ an + Dat.** = contribuire - Le due lingue concordano, tuttavia qui la prep. "an" regge in senso traslato il dativo!

z.B.: -Der Augenzeuge hat mit seinen Aussagen an der Aufklärung des Verbrechens mitgewirkt. = Con le sue dichiarazioni il testimone oculare ha contribuito a far luce sul crimine.

b) **+ in + Dat.** = collaborare, prendere parte a:

z.B.: -Auch Gisela hat mit einer Nebenrolle in einem Film mitgewirkt. = Anche Gisella ha preso parte come personaggio secondario a un film.

**17. rächen, rächte, gerächt**

a) **sich (Akk.) + an + Dat.** = vendicarsi su qualcuno:

z.B.: -Die christliche Religion lehrt, sich nicht an dem Feind zu rächen, sondern ihm zu verzeihen. = La religione cristiana insegna a non vendicarsi del nemico, ma a perdonalo.

b) **+ Akk. + an + Dat.** = vendicare qc. su qd.:

z.B.: -Paul rächte den Tod des Vaters an seinem Mörder. = Paolo vendicó la morte del padre sul suo assassino.

**18. scheitern, scheiterte, gescheitert** **+ an + Dat.** = fallire, naufragare, fare cilecca (quando viene indicata la causa del fallimento):

z.B.: -Viele Pläne scheitern oft am fehlenden Geld. = Molti progetti falliscono spesso a causa del denaro mancante.

**19. schützen, schützte, geschützt** - **sich schützen vor + Dat.** = proteggersi, difendersi:

z.B.: -Schütze dich vor der Kälte, sonst erkrankst du. = Proteggiti dal freddo, altrimenti ti ammali.

**20. sehen, sah, gesehen**

a) **+ in + Dat.** (= in jemandem einen... sehen) = intravvedere in qd.:

z.B.: -Wie kannst du in meinem Freund Peter einen Gegner sehen? = Come puoi intravvedere nel mio amico Pietro un avversario?

b) **+ vor + Dat.** vedere in; vederci a:

z.B.: -den Tod vor Augen schauen = vedere la morte in viso
-vor lauter Bäumen den Wald nicht sehen = vedere gli alberi e non vedere la foresta

**21. sterben, starb, gestorben**

a) **+ an + Dat.** = morire di:

z.B.: -Mein Schwager ist an einem Herzschlag (Herzinfarkt) gestorben. = Mio cognato è morto d'infarto.

b) **+ vor + Dat.** = morire di:

z.B.: -Bei dem Seesturm wären wir fast vor großer Angst gestor-

ben. = Durante quella tempesta sul mare quasi morivamo di paura.
-vor Hunger, Durst, Sehnsucht, Langeweile,... usw. sterben = morire di fame, sete, nostalgia, noia ecc.

22. **teilnehmen**, **nahm teil**, **teilgenommen*** **+ an + Dat.** = partecipare a, prendere parte a - Le due lingue concordano nell'uso della pre-posizione, ma qui "an" col senso traslato regge il dativo:
z.B.: -Ich habe (mich) immer an den Ausflügen meiner Schule teil-genommen (beteiligt). = Ho sempre partecipato alle gite della mia scuola.
**sich beteiligen**, **beteiligte sich**, **sich beteiligt**: si tratta di un sinonimo di "teilnehmen" con lo stesso significato e la stessa costruzione.
z.B.:-Die Schüler haben sich aktiv an der Diskussion beteiligt. = Gli alunni hanno partecipato attivamente alla discussione.

23. **übereinstimmen**, **stimmte überein**, **übereingestimmt** **+ in + Dat.** = con-venire su, essere d'accordo su, concordare su:
z.B.: -In dieser Ansicht stimme ich mit Ihnen vollkommen überein. = Su questa visione (questo modo di pensare) concordo pie-namente con lei.

24. **sich vergehen**, **verging sich**, **sich vergangen** ⎤ **+ an + Dat.**
    **sich vergreifen**, **vergriff sich**, **sich vergriffen** ⎫
= far del male, mettere le mani addosso, violentare + acc.:
z.B.: -Dieser Junge soll sich an dem armen Mädchen vergangen (vergriffen) haben. = Sembra che questo ragazzo abbia violentato la povera ragazza.

25. **verzweifeln**, **verzweifelte**, **verzweifelt**
    a) **+ an + Dat.** = disperare di, perdere la speranza in:
z.B.:-Paul verzweifelt am Gelingen seiner Arbeit. = Paolo dispe-ra di farcela nel suo lavoro (Paolo sta perdendo la speranza nella riuscita del suo lavoro).
-Gar mancher verzweifelte an den Menschen. = Ben parec-chi persero la speranza nell'umanità.

    b) **+ über + Dat.** = disperare, disperarsi, scoraggiarsi:
z.B.: -Paul war über den begegneten Schwierigkeiten seines Vor-habens verzweifelt. = Paolo era scoraggiato (disperato) per le difficoltà incontrate nel raggiungimento del suo intento.

26. **zweifeln**, **zweifelte**, **gezweifelt** **+ an + Dat.** = dubitare:
z.B.: -Zweifelt ihr an Peters Zuverlässigkeit? = Dubitate dell'affi-dabilità di Pietro?
-Nein, wir zweifeln keineswegs an ihm. = No, non dubitiamo affatto di lui.

*B) Übertragener Sinn + Dat. der Praepositionen "an; auf; in; über" in*
*verschiedenen Ausdrücken = Senso traslato + dat. di queste prep.*
*in diverse espressioni*

## 1. an

z.B.: - am Herzen liegen  =  stare a cuore
-Diese Angelegenheit liegt mir sehr am Herzen.  =  Questa questione
mi sta tanto a cuore.
NB: Tuttavia: -Ich hab' etwas auf dem Herzen.  =  Ho un peso (una spina) nel cuore.
- an der Nase herumführen  =  prendere in giro;  menare per il naso
-Meinst du wirklich, ich lass mich an der Nase herumführen? Nein, so
weit sind wir noch nicht.  =  Pensi proprio ch'io mi lasci prendere in
giro? No, non siamo ancora a questo punto.
- an der Tagesordnung sein  =  essere all'ordine del giorno
-Ein solcher Betrieb ist bei uns an der Tagesordnung.  =  Un tale traffico da noi è normale (... è all'ordine del giorno).
- an der Zahl sein  =  essere di numero
-Wie viele wart ihr an der Zahl?  =  In quanti eravate?
-Wir waren zu fünft. = Eravamo in cinque.
- an jemandem hängen / an einer Sache hängen  =  essere affe-
zionato a; essere attaccato a;  tenerci a
-Das Kind hängt ganz an seiner Mutter.  =  Questo bambino è affe-
zionatissimo alla mamma.
-"Doch hängt mein ganzes Herz an dir,
Du graue Stadt am Meer;
Der Jugend Zauber für und für
Ruht lächelnd doch auf dir, auf dir,
Du graue Stadt am Meer." **Theodor Storm** "Die Stadt"
- an jemandem liegen / an einer Sache liegen  =  a) dipendere da qd.
/ dipendere da qc.;  b) essere responsabile di;  essere dovuto
-Das liegt nur an dir.  =  Ció dipende solo da te.
-Eine solch schwere Grippe liegt an der Kälte.  =  Una tale grave in-
fluenza è dovuta al freddo.
-Woran liegt denn das?  =  A che cosa è dovuto ció?
- an meiner, deiner, seiner Stelle  =  al mio, tuo, suo posto
-An deiner Stelle würde ich das ganz anders machen.  =  Al tuo posto
farei ció in modo del tutto diverso.
- arm / reich sein an + Dat.  =  essere povero / ricco di
-Russland ist reich an Bodenschätzen.  =  La Russia è ricca di risor-
se minerarie.
- Spaß haben (finden) an + Dat. (auch "mit + Dat.) = aver piacere di,
di divertirsi con
-Das Kind schien, an dem Spaziergang Spaß zu haben (zu finden). =
Sembrava che Il bambino avesse (trovasse) piacere di passeggiare
(di fare la passeggiata).

- Anstoß nehmen an + Dat. = scandalizzarsi di; sdegnarsi di
  - -Den meisten Anstoß nimmt Gisela am unhöflichen Benehmen von Paul (an Pauls unhöflichem Benehmen). = Gisella si scandalizza maggiormente per il comportamento scorretto (maleducato) di Paolo.
- aussetzten an jemandem / an einer Sache (auszusetzten haben an jemandem / an einer Sache) = biasimare, criticare, ridire (avere da dire, da criticare)
  - -Der Chef ist mit uns nie zufrieden; er hat an unserer Arbeit immer was auszusetzten, und wenn wir uns noch so bemühen. = Il capo non è mai soddisfatto di noi; ha sempre da ridire sul nostro lavoro anche quando ce la mettiamo tutta.
- den Ärger, Zorn, Hass an jemandem auslassen = sfogare la propria ira su qd.; dare libero corso alla propria ira contro qd.
  - -Wie kann man den eigenen Zorn an einem unschuldigen Kind dermaßen auslassen? = Ma com'é possibile sfogare la propria ira in tal modo contro un bambino innocente?
- jemandem / an einer Sache viel gelegen sein = tenerci a una cosa; importare; essere importante per qualcuno
  - -An dieser Sache liegt mir viel. = Questa cosa mi preme molto (A questa cosa tengo molto).
  - -Es ist mir wirklich viel daran gelegen. = Ho veramente grande interesse per questa cosa (A ció tengo molto).
- schuld sein an + Dat. = essere colpa (cagione) di qualcosa; avere la colpa di qualcosa
  - -An der ganzen Sache (an unserer finanziellen Katastrophe) bist nur du schuld. = Tu sei colpevole di tutta questa faccenda (del nostro disastro finanziario).

## 2. auf

z.B.: - auf dem Herzen haben = avere un peso sul cuore
  - -Ich hab' etwas auf dem Herzen. = Ho un peso (una spina) sul (nel) cuore.
- auf dem Sprunge sein = essere in procinto di; essere sul punto di
  - -Inge war schon auf dem Sprung, Paul zu verlassen, dann hat sie sich aber eines Besseren besonnen. = Inge era già sul punto di lasciare Paolo, ma poi ha deciso diversamente.
- auf der Hand liegen = essere chiaro; essere palese
  - -Die Vorteile bei diesem Geschäft liegen ja auf der Hand. = I vantaggi nell'intraprendere quest'affare sono palesi.
- auf der Hut sein (Synonym: "auf der Lauer liegen") = stare in guardia; stare all'erta; essere prudente; stare attento; guardarsi da qualcuno (vor jemandem auf der Hut sein)
  - -Sei auf der Hut vor Gruppen von Jugendlichen, die spät in der Nacht herumstrolchen. = Guardati dai gruppi di giovincelli che girovagano a notte tarda.

191

- auf der Stelle (= sofort; im selben Augenblick) = subito, immediatamente; allo stesso momento; sul colpo
-Der Autofahrer war bei dem Umfall auf der Stelle tot. = Nel-
l'incidente il conducente morì sul colpo.
- auf frischer Tat ertappen = cogliere sul fatto; cogliere in flagrante
-Die Jungen, die den Behinderten schlugen, wurden auf fri-scher Tat
ertappt und von der Schule entlassen. = I ragazzi che
maltrattarono il disabile colpendolo, vennero colti in flagrante ed
espulsi dalla scuola.
- auf großem Fuße leben = vivere alla grande sperperando
-Lebt man ständig auf großem Fuße, dann reichen einem auch die
größten Reichtümer nicht.
- sich auf den Beinen halten = stare in piedi; tenersi in piedi
-Der Kranke ist so schwach geworden, dass er sich nicht mehr auf
den Beinen halten kann. = L'ammalato si è indebolito al punto da
non reggersi più in piedi.

## 3. in

Si notino alcune fra le diverse espressioni in senso traslato-figurato - cioé non
riferite a tempo o luogo - formate da sostantivi + in + Dat.. Alcune di queste
espressioni vengono in italiano tradotte col gerundio. Per ragioni di spazio,
viene qui di seguito indicato solo qualche esempio pratico:

| | |
|---|---|
| -im Allgemeinen | = in genere |
| -im Argen liegen | = trovarsi in cattive condizioni |
| -im Auge behalten | = non perdere di vista; tenere d'occhio |
| -im Bau sein | = essere in costruzione |
| -im Begriff sein | = essere in procinto di (gerundio italiano)<br>-Wir waren im Begriff auszugehen. = Stavamo<br>uscendo. |
| -im Bilde sein | = essere informato |
| -im Dienst sein | = essere in servizio (... occupato) |
| -im (unter) Druck sein | = essere sotto pressione |
| -im Durchschnitt | = in media |
| -im Einzelnen | = in particolare |
| -im Ernst / im Scherz, im Spaß | = con serietà - sul serio / per scherzo |
| -im Galopp | = al galoppo; galoppando (gerundio ital.) |
| -im Gange sein | = essere avviato; essere già in corso |
| -im Geheimen (= insgeheim) | = in segreto |
| -im Glauben sein, dass | = credere che, credendo (gerundio ital.) |
| -im Großen und Ganzen | = nel complesso |
| -im Grunde (im Wesentlichen) | = in fondo in fondo; in sostanza; essenzial-<br>mente |
| -im Handumdrehen (= im Nu) | = in un batter d'occhio; in quattro e quattr'otto<br>-Meine Frau ist eine vortreffliche Köchin, sie hat es<br>im Handumdrehen. = Mia moglie è un'ottima cuo-<br>ca, prepara il tutto in un batter d'occhio. |
| -in keiner Weise | = in nessun modo |

| | |
|---|---|
| -in gewohnter Weise | = nel modo consueto |
| NB: tuttavia: | |
| auf diese Weise – jeder auf seine Weise | = in questo modo, ognuno a modo suo |
| -im Laufschritt | = di corsa;  sbrigandosi  (gerundio ital.) |
| -im Namen + Gen. | = in nome di |
| -im Ruhestand sein | = essere in pensione |
| -im Schlafanzug herumlaufen | = girare in pigiama |
| -im Sinn haben | = avere in mente;  avere l'intenzione di |
| -im Stillen | = in silenzio;  quatto quatto |
| -im Sterben liegen | = essere in punto di morte; (gerundio ital.) |
| | -Der alte Mann liegt im Sterben. = L'anziano signore sta morendo. |
| -im Trüben fischen | = pescare nel torbido;  fare affari loschi |
| -im Übrigen | = per il resto |
| -im Unklaren lassen | = lasciare nell'incertezza |
| -im Verdacht stehen | = essere sospetto;  essere sospettato |
| -im Vertrauen (im Vertr., dass) | = in confidenza (avendo fiducia) (ger. ital.) |
| -im Voraus | = in anticipo |
| -im Zaun halten | = tenere a freno;  frenare;  tenere a bada |
| -im Zweifel | = nel dubbio,  dubitando (gerundio ital.) |
| -in der Absicht | = nell' intento di,  con l'intenzione di |
| -in der Angst | = nella paura di;  temendo (gerundio ital.) |
| -in der Annahme, dass | = supponendo che (gerundio ital.) |
| -in der Aufregung | = nell'agitazione |
| -in der Begeisterung | = nell'euforia;  nell'entusiasmo |
| -in der Blüte der Jahre | = nel fiore degli anni |
| -in der Hand haben | = avere in mano;  dominare |
| -in der Hoffnung, dass | = nella speranza,  sperando che (ger. ital.) |
| | -In der Hoffnung, dass Ihrerseits keine weiteren Unannehmlichkeiten bereitet werden, verbleiben wir mit freundlichen Grüßen. = Sperando (nella speranza) che da parte Vs. non vengano procurate altre noie, inviamo distinti saluti (in Handelsbriefen = nella corrispondenza commerciale). |
| -in der Klemme sein (stecken) | = essere nei guai; essere in una situazione scabrosa |
| -(in) der Meinung sein, dass | = essere convinto (dell'avviso) che |
| -in der Ratlosigkeit | = nello sgomento;  nella confusione |
| -in der Tat | = infatti;  in realtà |
| -in der Verzweiflung | = nella disperazione |
| | -Manche wussten in der Verzweiflung nicht, was sie anfangen sollten. = Nella disperazione diversi non sapevano che fare (che pesci pigliare). |
| -in (der) Wirklichkeit | = in realtà |
| -in der Zuversicht, dass | = avendo fiducia che (gerundio ital.) |
| -in diesem Fall | = in tal caso;  in questo caso |
| -in diesem Sinne | = in questo senso |
| -in diesem Zusammenhang | = a questo proposito |

| | |
|---|---|
| -in dieser Beziehung | = a questo riguardo |
| -in dieser Hinsicht | = sotto questo aspetto |
| -in Gedanken versunken sein | = essere pensieroso; essere immerso in pensieri; essere sommerso dai pensieri |
| | -Warum bist du denn seit kurzem immer so ernst und in Gedanken versunken? = Come mai ultimamente sei così seria e pensierosa? |
| -in großer Eile (Hast) sein | = essere di (gran) fretta; in tutta fretta |
| -in großer Sorge sein | = essere preoccupato (... in pensiero) |
| -in großer Zahl | = in gran numero |
| -in gewaltiger Unruhe sein | = essere in (gran) subbuglio |
| -nicht im Geringsten | = per niente; affatto; minimamente |

# 4. über

z.B.: -über dem Spiel (dem Sprechen) die Zeit vergessen = non rispettare il tempo (andare oltre il tempo stabilito) a causa del gioco (della discussione)
-Ja, ist denn das möglich? Über dem Spiel haben wir vergessen, dass wir ja um 19 Uhr Verabredung haben und es ist schon halb sieben. = Ma è mai possibile? Giocando, abbiamo dimenticato che alle 19 abbiamo un appuntamento e sono già le sei e mezzo.
-über dem Vergnügen die Pflicht vergessen = dimenticare il proprio dovere divertendosi
-Du bist unverbesserlich! Wie kannst du denn ständig über dem Vergnügen deine Pflicht vergessen? Geh doch endlich einmal an deine Bücher heran! = Sei incorreggibile! Ma come puoi, divertendoti, continuamente dimenticare il tuo dovere? E mettiti una buona volta a studiare!
-über der Arbeit (der Predigt, dem Buch) einschlafen = addormentarsi durante il lavoro (la predica, la lettura di un libro)
-Mehrere Gläubige schliefen über der zu langen Predigt ein. = Diversi fedeli si addormentarono durante la predica troppo lunga.
-über einer Sache (einem Problem) brüten = passare un sacco di tempo su qualcosa senza concludere nulla [alla lettera, in un pessimo italiano: star lì a covare su qualcosa senza conclusione]

# 5. unter

Si notino alcune fra le diverse espressioni in senso traslato-figurato - cioé non riferite a tempo o luogo - formate da sostantivi + unter + Dat.:

| | |
|---|---|
| -unter aller Kritik sein | = essere molto scadente |
| -unter deiner Würde | = indegno di te |
| | -Ich halte es für unter Ihrer Würde, so was zu tun. = Lo ritengo indegno di Lei fare una cosa del genere. |
| -unter dem Einkaufspreis verkaufen | = vendere sottocosto (sottoprezzo) |
| | -Wir können doch nicht unter dem Einkaufspreis verkaufen! = Ma non possiamo vendere sottocosto! |

| | |
|---|---|
| -unter dem Mantel der Freundschaft betrügen | = ingannare mostrandosi amico  [Alla lettera: ingannare nascondendosi sotto il mantello dell'amicizia] |
| -unter dem Vorwand | = col pretesto (con la scusa) di<br>-Paul entfernte sich unter dem Vorwand, er müsse zur Arbeit, dabei ging er in die Kneipe.  =  Paolo si allontanó col pretesto di dover recarsi al lavoro, invece se ne andó in osteria. |
| -unter den Schülern, den Leuten | = fra gli alunni,  fra la gente |
| -unter der Bedingung, dass | = a condizione che |
| -unter der Regierung von | = sotto il governo di |
| -unter der Voraussetzung | = a condizione che;  premettendo che |
| -unter diesem Gesichtspunkt | = sotto quest' aspetto<br>-Deine Argumentation stimmt unter diesem Gesichtspunkt aufs Haar, doch unter einem anderen Gesichtspunkt betrachtet, ist gar manches einzuwenden.  = Sotto quest'aspetto il tuo ragionamento non fa una piega; considerando tuttavia il problema sotto un'altro aspetto, c'é parecchio da ridire. |
| -unter diesen Umständen | = in una tale situazione;  con tali condizioni |
| -unter diesen Verhältnissen | = in questa situazione,  in questo stato |
| -unter falschem Namen reisen | = viaggiare sotto falso nome<br>-Berühmte Persönlichkeiten reisen oft unter falschem Namen, um von Fotoreportern nicht gestört zu werden.  = Personalità note viaggiano spesso sotto falso nome per non essere molestate dai fotoreporter. |
| -unter großen Schmerzen sterben | = morire soffrendo grandi dolori |
| -unter großen Schwierigkeiten | = con grandi difficoltà |
| -unter großer Anteilnahme | = con grande partecipazione |
| -unter großer Beteiligung der Bevölkerung | = con grande partecipazione di popolo |
| -unter großer Lebensgefahr | = con grande rischio della vita<br>-Feuerwehrleute jeder Nation haben schon unzählige Leute unter großer Lebensgefahr gerettet. = I pompieri di ogni nazione hanno già salvato innumerevoli persone con grande rischio della propria vita. |
| -unter unmenschlicher Anstrengung | = con sforzo disumano |

# 6. vor

| | |
|---|---|
| -Angst haben vor + Dat. | = aver paura di<br>-Warum hast du denn Angst vor der Dunkelheit?  =  Ma perché hai paura del buio? |
| -vor allem - vor allen Dingen | = anzitutto;  soprattutto |

195

# Praepositionen mit Genitiv

( Preposizioni reggenti in tedesco il genitivo )

*Nota preliminare*

È sufficiente memorizzare la filastrocca delle preposizioni marcate in rosso. L'acquisizione dei significati va effettuata, come per tutte le altre preposizioni, con la lettura e l'esercizio linguistico, cioé non avulsa dal contesto!

| angesichts | = a) in faccia a; al cospetto di; b) in vista di; in considerazione di; con riguardo a |
| anlässlich | = in occasione di z.B.: anlässlich meines Geburtstags |
| anstatt, statt | = = in luogo di; invece di; al posto di |
| aufgrund / auf Grund | = a) a causa di, b) in base a |
| außerhalb | = al di fuori di; fuori di |
| innerhalb | = a) al di dentro di; all' interno di; b) entro (temp.) |
| oberhalb | = al di sopra di; sopra; a monte di |
| unterhalb | = al di sotto di; sotto |
| diesseits, diesseit | = (al) di qua; da questa parte; al di qua di |
| halber / halben | = a) per; a causa di; per ragione (motivo) di; b) a cagione di; per amore di; |
| infolge / zufolge | = in seguito a; a causa di; per |
| inmitten | = a) in mezzo a (locale); b) nel bel mezzo di (s. figurato-tras.); c) durante; a metà di (temp.); d) tra; fra; in mezzo a (sinonimo di "unter") |
| jenseits / jenseit | = a) al di là di; oltre; di là da; b) dall'altra parte; da quella parte; c) (traslato) al di fuori di; |
| kraft / vermöge | = in forza di; in virtù di |
| längs | = lungo |
| laut | = in conformità a; secondo; conformemente a; a norma di |
| mangels | = in mancanza di; per mancanza di; per insufficienza di; in assenza di |
| mittels | = per mezzo di; tramite; mediante; con |
| seitens | = da parte di NB: Si notino le forme derivate da "seitens" meinerseits = da parte mia - deinerseits = da parte tua seinerseits = da parte sua (di lui) - ihrerseits = da parte sua (di lei) - unsererseits = da parte nostra usw. |
| trotz | = malgrado; nonostante; a dispetto di |

| | |
|---|---|
| um...willen | = per amore di;  per |
| | z.B.: Um Gottes willen!  =  Per amor di Dio!  -  Um Himmels willen!  =  Per amor del cielo! |
| unbeschadet | = a) senza pregiudizio di;  senza tener conto di; fermo restando;   b) (sinonimo di "trotz") malgrado, nonostante |
| ungeachtet | = nonostante;  malgrado |
| unfern | |
| unweit | = non lontano da;  poco lontano da |
| während | = durante (preposizione) |
| | = mentre (congiunzione)   NB: Come congiunzione, während, si usa per introdurre proposizioni temporali la cui azione è contemporanea a quella della principale (si veda "Der Temporalsatz", regola 6, pag. 241) |
| wegen | = a causa di;  per;  a cagione di;  per motivo di; per quanto riguarda |
| zugunsten | = in favore di;  a beneficio di  NB: anche "zu Gunsten" |

## Erörterungen zu einigen dieser Praepositionen

( Osservazioni su alcune di queste preposizioni )

1. **anstatt**  = in luogo di;  invece di;  al posto di

Si usa:
a) come preposizione:

> z.B.:-Anstatt eines persönlichen Besuches schickte der Minister einen Vertreter.  =  In luogo di una visita personale il ministro invió un sostituto.

Questa preposizione può essere separata come "um...willen"; il complemento espresso al genitivo sta allora in mezzo:

> z.B.: -an meiner statt  (statt meiner)  =  al posto mio;  in mia vece
> -an deiner statt  (statt deiner)  =  al posto tuo;  in tua vece
> -an seiner statt  (statt seiner)  =  al posto suo (di lui);  in sua vece (di lui)
> -an ihrer statt (statt ihrer) = al posto suo (di lei); in sua vece (di lei)
> -an unserer statt  (statt unser)  =  al posto nostro;  in nostra vece

197

z -an eurer statt (statt eurer) = al vostro posto; in vostra vece
-an ihrer statt (statt ihrer) = al loro posto; in loro vece

NB: Come sinonimo di queste espressioni si può usare anche "an meiner Stelle; an deiner Stelle... usw.", mentre l'espressione e-quivalente "an Stelle von + Dat." è la piú lunga e va quindi usata solo per variare il discorso:

 z.B.:-An ihrer statt (an ihrer Stelle) würde ich die Arbeit nicht anneh-men. = Al posto suo (di lei) non accetterei quel lavoro.

b) come congiunzione introduce soprattutto proposizioni infinitive (si veda "Der Infinitivsatz", regola 7, pag. 236); può anche essere seguita dalla congiunzione "dass" per introdurre una oggettiva:

 z.B.:-Anstatt sich weiterzubilden, verbummelt Paul seine Zeit. (Paul verbummelt die Zeit, anstatt dass er sich weiterbildet.) = Invece di proseguire la sua specializzazione (i suoi studi) Paolo spreca il suo tempo.

2. **halber** = a cagione di; per causa di

a) Si usa perlopiù posposta:

 z.B.: -Krankheit**s** halber = a causa di (per) malattia  NB: "-s" al gen.
 -Gesundheit**s** halber = per ragioni di salute  dei sost. femmi-
 -Arbeit**s** halber = per lavoro  nili = eccezione!

b) Si notino le seguenti voci molto ricorrenti composte con la preposi-zione "halber":

-weshalb? = per quale motivo? perché?
 Si usa:
 α) sia come avverbio pronominale interrogativo per introdurre pro-posizioni interrogative dirette;
 β) sia come congiunzione per introdurre proposizioni interrogative indirette causali.

-deshalb = per questo motivo; perciò
 Si tratta di una congiunzione coordinativa di appoggio alla proposizione causale o finale; si usa quindi nelle proposizioni principali come congiunzione correlativa di "weil" ,"da", "wes-halb", "weswegen", "um":

 z.B.: -Weshalb spricht er denn heute nicht? Ist er etwa wegen mir (meiner) beleidigt? = Ma perché lui oggi non parla? È forse offeso per causa mia?
 -Ja, eben deshalb, weil du ihn beleidigt hast. = Sì, proprio per questo; infatti tu lo hai offeso (perché tu l'hai offeso).

-**Weshalb** hast du nicht die Wahrheit gesagt? = Perché non hai detto la verità? (avverbio pronominale interrogativo)

-Ich hab **deshalb** die Wahrheit nicht gesagt, **um** euch nicht zu schaden. = Non ho detto la verità per (il fatto di) non danneggiarvi.

-Weißt du vielleicht, **weshalb** Inge weint? = Sai per caso perché Inge piange? (congiunzione)

-**Weil** Paul sie verlassen hat, **deshalb**! = Perché Paolo l'ha lasciata, ecco perché!

-Kommst du morgen nicht mit? = Non vieni con noi domani?

-Weshalb nicht? Ich komme gern. = Perché no? Vengo volentieri.

3. | **infolge** | = in seguito a; a causa di; per

Si usa:

a) come preposizione:

    z.B.: -Infolge des Unfalls war die Straße gesperrt. = A causa dell'incidente la strada era bloccata.

    -Infolge des zweiten Weltkrieges verlor Deutschland die Ostgebiete und über zwölf Millionen Deutsche mussten ihre Heimat verlassen. = A causa della Seconda guerra mondiale la Germania perdette i territori orientali e dodici milioni di tedeschi dovettero lasciare le loro terre.

b) come congiunzione consecutiva coordinativa nella composizione col genitivo del pronome dimostrativo "dessen":

    -infolgedessen = perciò; per questa ragione; per cui:

    z.B.: -Gestern konnte ich nicht kommen, infolgedessen rief ich an. = Ieri non potei venire, per cui telefonai.

    -Die Straßen sind heute vereist, infolgedessen müssen wir langsam fahren. = Oggi le strade sono ghiacciate, perciò dobbiamo andare piano.

4. | **statt** | = invece di; al posto di; in luogo di

Si usa:

a) come preposizione: usata da sola davanti al sostantivo regge il genitivo, se è seguita da un'altra preposizione non ha alcun influsso:

    z.B.:-Statt eines LCD-Fernsehers mit Flachbildschirm kaufte sich Peter einen neuen aktuelleren Computer. = Invece di un televisore LCD con schermo piatto Pietro si compró un nuovo computer piú aggiornato.

-Statt am Sonntag fahren wir am Montag ab. = Invece di partire domenica partiamo lunedì.

b)  attenzione alle forme "*statt dessen*" e "*stattdessen*":

α)  "statt dessen" si usa scomposto, in funzione di congiunzione relativa, quando "dessen" mantiene il suo significato di pronome:

> z.B.:-Der Lehrer, Herr Meier, statt dessen eine Lehrerin gekommen ist, hat einen Unfall gehabt. = L'insegnante Meier, al posto del quale è venuta una signora, ha avuto un incidente.

β)  "stattdessen" si usa come voce composta, in funzione di avverbio, quando il pronome dimostrativo assume un significato avverbiale nel senso di "dafür = invece; al posto di ció; in compenso; in cambio"

> z.B.:-Herr Meier konnte nicht kommen, stattdessen schickte er eine Lehrerin. = Il signor Meier non poté venire, in compenso invió una insegnante.

c)  Con la prep. "statt" prevale oggigiorno ancora il genitivo. Si usa tuttavia il dativo quando il genitivo non è ben riconoscibile:

> z.B.:-Statt Worten will ich Taten sehen! (il genitivo suonerebbe: "Statt Worte... ") = In luogo di parole voglio vedere fatti!

Se tuttavia il genitivo è ben riconoscibile perché espresso da un aggettivo aggiunto al complemento, esso prevale:

> z.B.:-Statt vieler Worte will ich endlich einmal Taten sehen! = In luogo di tante parole voglio una buona volta vedere dei fatti!

d)  come congiunzione "statt" introduce proposizioni dipendenti infinitive: in questo caso dal punto di vista formale la voce "statt" resta identica; dalla trasposizione si capisce subito che si tratta di congiunzione. (Si veda il capitolo "Der Infinitivsatz", regola 7, pag. 236) In tali casi il predicato può a volte restare sottinteso:

> z.B.: -Statt den ganzen Tag zu trödeln und herumzulaufen, geh doch an die Bücher und lerne! = Invece di trastullarti tutto il giorno e di gironzolare, mettiti sui libri e studia!
> -Statt ihr, hat man ihm geholfen. = Invece di lei è stato aiutato lui. (= predicato sottinteso)

Anche in questo caso "statt" funge da congiunzione, in quanto introduce una proposizione infinitiva col predicato sottinteso. Occorre tuttavia presare attenzione al fatto che il dativo "ihr" dipende dal verbo "helfen" non da "statt"! La stessa frase piú esplicita, ma con la ripetizione cacofonica del verbo "helfen", suonerebbe:

> z.B.: -Statt ihr (zu helfen), hat man ihm geholfen. = Invece di (aiutare) lei è stato aiutato lui.

5. **trotz** = nonostante; malgrado

Si usa sempre solo come preposizione:

a) con essa prevale l'uso del genitivo specialmente nella Germania settentrionale e occidentale:

z.B.: -Wir fuhren trotz des schlechten Wetters ab. = Partimmo nonstante il tempo cattivo.
-Trotz allen Fleißes und aller Anstrengung schafft es dieser Junge nicht in der Schule. = Nonostante tutta la diligenza e l'impegno questo ragazzo a scuola non ce la fa.
-Trotz meines Verbotes = nonostante il mio divieto
-trotz dessen = nonostante ciò

b) Specialmente in Baviera, Austria e Svizzera con "trotz" si usa anche il dativo; è tuttavia da preferire il genitivo:

z.B.: -trotz meinem Verbot(e) = nonostante il mio divieto

c) Regge sempre il dativo in alcune espressioni e nel senso di "a gara":

z.B.: -trotz allem = nonostante tutto
-trotz alledem = nonostante tutto ció; malgrado tutto ciò
-Brauns wurden in den letzten Jahren von vielen schweren Schicksalen heimgesucht, trotz allem verlieren sie nicht den Mut und den guten Humor. = La famiglia Braun è stata provata negli ultimi anni da molte difficili esperienze e nonostante tutto non perde il coraggio e il buon umore.
-Der alte Bergsteiger klettert noch trotz den jungen Leuten. = Il vecchio scalatore si arrampica ancora da far sfigurare (a gara coi) i giovani.

d) Attenzione al composto "trotzdem = ciononostante; ció nonostante; tuttavia" usato sia come avverbio che come congiunzione:

α) Usato come avverbio sta per lo piú all'interno della proposizione:

z.B.: -Auch ich gebe zu, dass dieser Junge faul und ungebildet ist; ich bitte euch aber trotzdem mit ihm Erziehungsinitiativen zu seiner Besserung zu unternehmen. = Anch'io ammetto che questo ragazzo è pigro e maleducato, ma ciononostante vi prego di intraprendere con lui delle iniziative educative per il suo miglioramento.
-Dieses Geschäft ist zwar riskant, wir versuchen es aber trotzdem. = Questo affare è rischioso e tuttavia vogliamo tentarlo.

β) Usato come congiunzione coordinante sta in testa alla proposizione principale e richiede l'inversione:

> z.B.: -Gisela kam zu spät, trotzdem war Peter nicht ungehalten. = Gisella giunse troppo tardi, ciononostante Pietro non si irritó.
> -Ich habe gegen die Drogehändler protestiert, die gerade vor unserem Haus ihre Rauschgifte verkaufen, trotzdem geschieht nichts. = Ho protestato contro gli spacciatori di droga che vendono i loro veleni proprio davanti a casa nostra, ciononostante non succede nulla.

NB: Si sconsiglia agli stranieri di usare "trotzdem" come congiunzione concessiva subordinante per introdurre proposizioni secondarie, anche se qualche scrittore l'ha usata in questo senso! Si veda in proposito la regola nr. 7 delle proposizioni concessive, pag. 265-266.

6. **wegen** = a) a cagione di; a causa di; per causa di   b) per quanto riguarda

Si usa:

a) preferibilmente col genitivo:

> z.B.: -Das Flugzeug konnte zwar in London landen, musste aber wegen des Nebels viele Stunden auf den Weiterflug warten. = L'aereo poté sì atterrare a Londra, ma a causa della nebbia dovette attendere molte ore per la prosecuzione del volo.
> -Letzten Sonntag blieben wir wegen des schlechten Wetters zu Hause. = Domenica scorsa restammo a casa a causa del maltempo.

b) in Baviera ed Austria può reggere anche il dativo, specialmente coi pronomi personali:

> z.B.: -Bist du wegen mir beleidigt? = Sei offeso per causa mia?
> -Wegen ihm ist es mir egal. = Per quanto riguarda lui, non me ne importa (Lui mi lascia indifferente).

c) Si può usare sia prima che dopo il sostantivo:

> z.B.: -wegen des Alters ⎱ = a cagione della vecchiaia
> -des Alters wegen ⎰

d) Si notino le seguenti voci molto ricorrenti, composte con la preposizione "wegen":

-weswegen?  = per quale motivo? per quale ragione?

α) si usa come avverbio pronominale interrogativo per introdurre proposizioni interrogative dirette;

β) come congiunzione per introdurre proposizioni interrogative indirette causali.

-deswegen = per questo motivo; per questa ragione

Si usa come congiunzione coordinativa di appoggio alla proposizione causale o finale; quindi nelle proposizioni principali come congiunzione correlativa di "weil" ,"da", "weshalb", "weswegen", "um":

> z.B.: -Weswegen bist du so spät gekommen? = Perché hai fatto così tardi? (... sei venuta così tardi?)
> -Weil ich keinen Wagen hatte und warten musste, dass mich jemand heimfuhr, deswegen kam ich spät. = Perché non avevo la macchina e ho dovuto attendere che qualcuno mi portasse a casa: per questo motivo sono venuta tardi.

e) Interessanti e molto usate sono le fusioni tra pronome e preposizione, cioé fra il genitivo del pronome personale "meiner, deiner, seiner, ihrer... usw." e la prep. "wegen". Invece di dire "wegen meiner" "wegen deiner" ecc. sono da preferire le seguenti fusioni:

| | |
|---|---|
| -meinetwegen | = a) per conto mio; per quanto mi riguarda  b) per colpa mia; per causa mia |
| -deinetwegen | = a) per conto tuo; per quanto ti riguarda  b) per colpa tua; per causa tua |
| -seinetwegen | = a) per conto suo (di lui); per quanto lo riguarda  b) per colpa sua (di lui); per causa sua |
| -ihretwegen | = a) per conto suo (di lei); per quanto la riguarda  b) per colpa sua (di lei); per causa sua |
| -unseretwegen | = a) per conto nostro; per quanto ci riguarda  b) per colpa nostra; per causa nostra |
| -euretwegen | = a) per conto vostro; per quanto vi riguarda;  b) per colpa vostra; per causa vostra |
| -ihretwegen | = a) per conto loro; per quanto li riguarda;  b) per colpa loro; per causa loro |

> z.B.: -Sorgt euch doch meinetwegen nicht so sehr! = Ma non preoccupatevi così tanto per me!
> -Meinetwegen mach, was du willst! = Per me fa ció che vuoi! (Per conto mio fa ció che vuoi!)
> -Das ist alles deinetwegen passiert! = È successo tutto per colpa tua!
> -Wir sind euretwegen hierhergekommen, doch umsonst. = Siamo venuti qui per voi, tuttavia inutilmente.

# ADVERBIEN

( Avverbi )

*Nota preliminare:*

Vengono qui trattati solo alcuni avverbi molto ricorrenti che, o per il loro significato equivalente o per la loro somiglianza, creano agli stranieri, specialmente all'inizio dell'apprendimento del tedesco, notevoli problemi.

## viel – sehr

1.  **viel** = molto: indica quantità;  NB: Non confondere con "**viele**" = aggettivo!

    Si usa:

    a) **con sostantivi di cose non numerabili**, cioé che non si possono contare, (= materie liquide o granulose, per quantificare le quali occorrono degli strumenti di misurazione: bilance, recipienti, orologi ecc.) e *singularia tantum*, cioè sostantivi usati solo al singolare:

    > z.B.: -Paul trinkt viel Wein, ich aber trinke viel Milch. = Paolo beve molto vino, io invece bevo molto latte.
    > -Für diese Arbeit braucht es zu viel Zeit. = Per questo lavoro ci vuole troppo tempo.
    > -Agnelli hat viel Geld. = Agnelli ha tanti soldi (NB: "Geld" è in tedesco perlopiú un *singulare tantum*, vedi pag. 99).

    b) **per rafforzare il comparativo**:

    > z.B.: -viel besser    = molto meglio
    > -viel billiger    = molto più a buon prezzo
    > -viel schöner   = molto più bello

    c) **con verbi per indicare quantità**:

    > z.B.: -Richard ist fleißig und lernt viel, Paul ist faul und lernt wenig. = Riccardo è diligente e impara molto, Paolo è pigro e impara poco.
    > -Sprich doch nicht so viel! = Dai, non parlare così tanto!
    > -Gisela weiß viel über Tiere und Pflanzen. = Gisela sa molte cose su animali e piante.
    > -Willst du besser sprechen? Lies viel! = Vuoi parlare meglio? Leggi molto!

NB: Le stesse regole valgono perlopiù anche per l'avverbio "wenig"; l'unica eccezione si ha nel secondo punto, in quanto con "weniger" davanti ad un aggettivo si ottiene il comparativo di minoranza:

> z.B.: -Ich habe wenig Geld. = Ho pochi soldi.

-In diesen Tagen war es Gott sei Dank weniger warm als vor einer Woche. = In questi giorni ha fatto, ringraziando il cielo, meno caldo della settimana scorsa.

-Monika lernt zu wenig und bringt schlechte Zensuren. = Monica studia troppo poco e ottiene brutti voti.

2.  **sehr**  = molto: indica intensità

Si usa:

a) per formare il superlativo assoluto:

z.B.: -sehr groß    = molto grande, grandissimo
-sehr teuer    = molto caro, carissimo
-sehr brav    = molto bravo, bravissimo
-sehr lecker    = molto gustoso, gustosissimo

b) come forma idiomatica di superlativo assoluto in unione a "wohl": "sehr wohl" (si tratta di un sinonimo di "durchaus") = senz'altro; molto bene; benissimo; perfettamente:

z.B. -Paul hätte uns sehr wohl helfen können. = Paolo avrebbe potuto benissimo (senz'altro) aiutarci.

-Inge weiß sehr wohl, was sie zu tun und zu unterlassen hat! = Inge sa perfettamente ció che deve fare e lasciare (non fare)!

c) con verbi di affetto per indicare intensità:

z.B.: -Ich liebe dich sehr. = Ti amo tanto.
-Ich hab dich sehr lieb (gern). = Ti amo tanto.
-Danke sehr! (Ich danke sehr!) = Tante grazie!
-Bitte sehr ( = Bitte schön)! = Prego!
-Ich bitte Sie sehr! = La prego tanto!
-Wir haben uns gestern bei deiner Party sehr amüsiert. = Ieri alla tua festa ci siamo divertiti molto (moltissimo).
-"Ich freue mich sehr!" ("Freut mich sehr = Sono molto lieto! – Piacere! (quando viene presentata una persona)
-Gestern hat sich Papi über dein Verhalten sehr geärgert. = Ieri papà si è molto arrabbiato per il tuo comportamento.
-Worüber grämst du dich denn so sehr? = Ma cos'é che ti affligge (ti cruccia) così tanto?

## irgend

Si usa nel senso di:

a) "solo", "in qualche modo", "purché":

z.B.: -Wenn es irgend (irgendwie) möglich ist. = Se solo (mai) è possibile.

b) "qualche": in questo senso serve a generalizzare ed è usato in molti composti: irgendwer = qualcuno - irgendwas = una qualche cosa - irgendwann = una qualche volta - irgendwo = in un qualche posto - irgendwie = in qualche modo:

z.B.: -Irgendwann kommen wir dich bestimmt besuchen. = Una qualche volta verremo sicuramente a trovarti.

# hin / her

**1.** hin

Si usa:

*a) in senso locale*

Come avverbio di luogo assume il significato di "là; colà; verso quel luogo" (= moto verso altro luogo) e serve:

α) ad indicare allontanamento da chi parla, descrive od osserva:
>    z.B.:-Gehe hin zum Bäcker und kaufe ein paar Brote! = Và dal panettiere e compera alcuni panini.

β) ad indicare allontanamento della stessa persona che parla, agisce o descrive, dal luogo dove si trova verso un altro luogo:
>    z.B.:-Jetzt muss ich wieder nach Hause hin, weil es schon spät ist. = Adesso devo di nuovo tornare a casa perché è già tardi.
>    -"Griechenland ist sehr schön", sagt der Tourist aus Frankreich zum Griechen, "dáhin möchte ich auch einmal fahren." = "La Grecia è molto bella", dice il turista francese al greco, "anch'io vorrei andarvi una volta".

*b) in senso temporale*

α) Come avverbio di tempo assume il significato di "via; passato; trascorso" per indicare la fugacità del tempo:
>    z.B.:-Wo ist denn die Zeit hin? = Ma dove se n'é andato il tempo?
>    -Die schöne Jugendzeit ist so schnell dahín! = Il bel tempo della giovinezza è volato via.

β) Può indicare anche durata di tempo, nel senso di "lang, lange" = per tanto tempo:
>    z.B.:-Es ist noch eine Weile hin, bis die Bauarbeiten des Brennertunnels beginnen. = Ci vorrà ancora un bel po', prima che inizino i lavori del traforo del Brennero.
>    -Peter hat durch viele Jahre hin ein hohes Staatsamt bekleidet. = Pietro ha ricoperto per molti anni un'alta carica dello Stato.

*c) In senso causale*

L'avverbio "hin" preceduto dalla preposizione "auf" indica la causa o il motivo:
>    z.B.:-Den Wagen hab' ich auf Peters Rat hin (auf seine Empfehlung hin) gekauft. = Ho comprato la macchina dietro consiglio (suggerimento) di Pietro.

-Auf dein Schreiben hin, bin ich sofort hergekommen.  =
Dopo essere stato informato con la tua lettera, sono venuto
subito (Su informazione avuta tramite la tua... ).

### d) In senso traslato o figurato

Come avverbio di modo, usato in senso traslato, "hin" assume il
significato di "svanito, perduto, sparito, defunto":

z.B.:-Pauls Hab und Gut ist durch seine Spielsucht (da-)hin.  =
Con il suo vizio del gioco Paolo ha perduto tutti i suoi beni
[alla lettera: I beni di Paolo sono svaniti a causa del suo vizio
del gioco].
-Mein Vertrauen zu Paul ist hin.  =  La mia fiducia in Paolo è
svanita.
-Als bei der schönen Party Inge und Monika zu zanken be-
gannen, war die fröhliche Stimmung dahín.  =  Quando durante la bella festicciola Inge e Monica si misero a litigare,
l'atmosfera allegra andó perduta.
-Meine Großeltern sind schon alle dahín.  =  I miei nonni sono
già tutti defunti.

## 2.  her

Si usa

### a) in senso locale

Come avverbio di luogo "her" assume il significato di "qui; qua"
(moto da luogo) e serve:

α) ad indicare avvicinamento a chi parla, agisce, osserva o descrive:

z.B.:-Herein! Kommen Sie bitte herein!  =  Avanti! Prego, venga
avanti (entri)!
-Komm! Setz dich zu mir her!  =  Vieni! Siediti qui da me!
-Komm her zu mir!  =  Vieni qui da me!
-Gib her! Das mache ich schon!  =  Dà qua! Faccio io, non
preoccuparti!
-Bier her, Bier her oder ich falle um!  [Canto popolare bavarese; in dialetto: "Bier her, Bier her oder i foll um!"]  = Qua la
birra, datemi birra, altrimenti svengo!

β) ad indicare avvicinamento della persona che parla, agisce o
descrive verso il luogo nel quale si trova mentre parla, agisce,
osserva o descrive:

z.B.:-Wartet hier! In fünf Minuten komme ich wieder her (... bin ich wieder da). = Aspettate qua! Ritorno fra cinque minuti (= Fra cinque minuti sono di nuovo qua).

-Jetzt muss ich gehen; ich glaube nicht, dass ich heute wieder hierher komme. = Adesso debbo andare; non credo di ritornare oggi (... di venire qui di nuovo).

γ) ad indicare moto parallelo o comunque contemporaneo ad un altro moto:

z.B.:-Das Auto fuhr eine Strecke lang neben dem Zug her. = La macchina corse per un tratto accanto (parallelamente) al treno.

-Ich fahre vor; fahren Sie hinter mir her! = Io vado avanti; mi segua! (... mi venga dietro!)

b) *in senso temporale*

Come avverbio di tempo indica tempo trascorso:

z.B.:-Es ist schon lange her, dass wir uns nicht sehen. = È già da parecchio che non ci vediamo.

-Ja, es sind schon zwei Jahre her. = Si, sono già trascorsi due anni (Sì, è da due anni che non ci vediamo).

-Nein, das ist doch schon eine Ewigkeit her! Es sind mindestens vier Jahre her, dass wir uns nicht mehr sehen. = No, ma è ormai un'eternità! Sono per lo meno quattro anni che non ci vediamo.

-So war es doch schon von alters her! = Ma è stato sempre così fin dagli antichi tempi!

## 3. hin und her

I due avverbi coordinati da "und" assumono

a) *in senso locale*

il significato di "qua e là":

z.B.:-Wegen der Verspätung des Fluges lief Robert zuerst auf dem Flughafen hin und her, erst dann setzte er sich hin und las. = A causa del ritardo del volo Roberto andó in un primo tempo qua e là per l'aeroporto; solo dopo si sedette e lesse.

-Was läufst du denn ständig hin und her, statt a deinem Schreibtisch zu sitzen und endlich einmal die Hausaufgaben zu erledigen? = Ma cos'hai da correre sempre di qua e di là, invece di startene seduto alla tua scrivania e sbrigare una buona volta i tuoi compiti?

b) *in senso traslato o figurato*

assume il significato di "del piú e del meno" soprattutto con i verbi indicanti considerazione, riflessione, discussione come "denken = pensare, arzigogolare" - "überlegen = riflettere" - "nachdenken = meditare, rimuginare" - "reden, diskutieren = parlare"... usw.:

z.B.:-Ich habe lange hin und her überlegt, was ich da machen soll, konnte aber keine Lösung finden. = Ho per tanto tempo rimuginato che cosa fare in tale circostanza, ma non ho trovato alcuna soluzione.

-Sie redeten hin und her und kamen zu keinem Ende. = Continuavano a discutere del piú e del meno senza giungere ad una conclusione.

## 4. hin und zurück - hin und retour

L'avverbio "hin" coordinato da "und" all'avverbio "zurück" si usa unicamente in senso locale per indicare "andata e ritorno":

z.B.:-Wie, seid ihr schon von der Post zurück? = Come? Siete già tornati dalla posta?

-Ja, wir sind hin- und zurückgelaufen. = Sì, abbiamo corso sia all'andata che al ritorno.

-Einmal München hin und zurück, bitte! = Un biglietto per Monaco andata e ritorno, per favore! (Allo sportello ferroviario).

-Wie war eure Ferienfahrt? = Com'è andato il vostro viaggio delle vacanze?

-Sehr schlecht! Sei es auf der Hin- wie auf der Rückfahrt steckten wir im ständigen Stau. = Bruttissimo! Sia all'andata che al ritorno eravamo imbottigliati nel traffico (... in una continua colonna).

## 5. hin und wieder

L'avverbio "hin" coordinato da "und" all'avverbio "wieder" assume un significato temporale nel senso di "qualche volta; di tanto in tanto":

z.B.:-Hin und wieder besucht Walter seine Freunde in Frankfurt. = Di tanto in tanto Walter fa visita ai suoi amici a Francoforte.

-So etwas kommt hin und wieder schon mal vor. = Cose del genere capitano appunto di tanto in tanto.

-Lass dich doch hin und wieder einmal blicken! = E dai, fatti vedere qualche volta! (... di tanto intanto!)

# Zusammensetzungen mit "hin / her"

( Composti con "hin / her" )

Gli avverbi "hin / her" da soli sono raramente in uso; essi si adoperano perlopiú come prefissi o suffissi di verbi, avverbi e sostantivi:

a) *come prefissi di verbi composti separabili*

   vengono qui riportati solo alcuni fra i moltissimi esempi:

| z.B.: | -híngehen | = andare là (a piedi) |
|---|---|---|
| | -hínfahren | = andare là (con mezzo) |
| | -hínbringen | = portare là (oggetti leggeri) |
| | -híntragen | = portare là (oggetti pesanti) |
| | -hínsetzten | = sedersi (là) |
| | -hínstellen | = mettere là (in senso verticale) |
| | -hínlegen | = mettere là, giú (in senso orizzontale) |
| | --------------------- | |
| z.B.: | -hérgehen | = venire qua (a piedi) |
| | -hérfahren | = venire qua (con mezzo) |
| | -hérbringen | = portare qua (oggetti leggeri) |
| | -hértragen | = portare qua (oggetti pesanti) |
| | -hérsetzen | = sedersi qua (accanto alla persona che invita a sedere) |
| | -hérstellen | = a) mettere qua (vicino alla persona che invita a porre in senso verticale) - b) produrre |
| | -hérlegen | = mettere qua (vicino alla persona che invita a porre giú qualcosa in senso orizzontale) |

b) *come prefissi e suffissi di avverbi*

   vengono qui riportati solo alcuni fra i tanti esempi:

| z.B.: | -wohin? | = dove? (indica moto a luogo) |
|---|---|---|
| | -dáhin | = NB: con l'accento tonico sulla prima sillaba significa: "là, colà, in quel luogo, in quel posto": z.B.: -Wo die Alpenrosen blühn, dáhin, dáhin möcht' ich ziehn! (canto popolare alpino) = Là dove fioriscono i rododendri alpini, là (costì), là vorrei trasferirmi (abitare)! |
| | -dahìn | = NB: con l'accento tonico sulla seconda sillaba significa: "via, svanito, perduto, defunto": z.B.: Die schöne Jugendzeit ist leider dahìn. = I begli anni della giovinezza se ne sono purtroppo andati. |

210

| | | |
|---|---|---|
| | -dorth**i**n | = là (costì) NB: Si usa con moto a luogo z.B.: Nein, dorth**i**n gehe ich nicht! = Non vado là. (È errore grave dire: "D~~o~~rt gehe ich nicht." |
| | -hinein | = dentro ( = detto da chi è fuori, per moto verso un luogo chiuso) z.B.: Gehen wir in die Kirche hinein! = Entriamo in chiesa! |
| | -hinauf | = su; sopra (detto da chi è giú) |
| | -hinüber | = da quella parte |
| | -hinunter | = giú (detto da chi è sopra ed invita a scendere, ad andare giú o dice di scendere giú) |
| | -hinaus | = fuori (detto da chi è dentro e dice di uscire) z.B.: Geh hinaus. Ballspielen! = Va fuori a giocare col pallone! |
| | -hinwärts | = all'andata, andando (là) |
| | | ----------------------- |
| z.B.: | -woher? | = da dove? (moto da luogo) |
| | -daher | = qua (moto verso persona che parla, osserva o agisce; visto cioé da colui che parla... ) |
| | -herein | = avanti (detto da chi è dentro e invita ad entrare) |
| | -herauf | = su; sopra (detto da chi è su e invita a salire) |
| | -herüber | = da questa parte z.B.: Komm rüber (= herüber) zu Vieni qui da me! |
| | -herunter | = qui giú (detto da chi si trova giú) |
| | -heraus | = fuori (detto da chi si trova fuori) |
| | -hierher | = qui, qua (indica moto verso un luogo vicino a chi parla o descrive) z.B.: Setze dich bitte hierher (her) zu mir! = Siediti per favore qua, accanto a me! NB: Setze dich bitte hier .zu mir. |
| | -herwärts | = al ritorno, venendo (qua) |
| | -bisher | = fino a questo momento |

Beispiele:

Gespräche zwischen Gisela, die oben vom Fenster ihrer Wohnung hinausschaut und Peter, der unten auf der Straße steht und hinauf- schaut. = Colloquio fra Gisella, che si affaccia alla finestra del suo ap- partamento (e guarda fuori), e Peter, che sta sulla strada e guarda su.

-Guten Tag Gisela! Darf ich zu dir hinauf? = Buon giorno, Gisella! Posso salire da te? (... su da te?)
Guten Tag Peter! Ja komm nur herauf! = Buon giorno, Pietro! Sì, vieni pur su.

-Gisela, sei so gut! Wirf mir bitte die Autoschlüssel herunter, ich hab' sie auf dem Tisch vergessen! = Gisella, sii [così] gentile! Gettami giú le chiavi della macchina, le ho dimenticate sul tavolo.
-Ja, ich werfe sie dir gleich hinunter. = Sì, te le butto giú subito.

-Gisela, schau bitte beim Fentser heraus, ich muss dir was zeigen.
= Gisella, guarda fuori dalla finestra, devo mostrarti qualcosa!
-Von hier kann ich nicht gut sehen, was du mir zeigst Warte! Ich kom-
mezu dir hinunter. = Da qui non riesco a vedere bene ció che mi
mostri. Aspetta! Vengo giú da te.

-Bring bitte auch deine Schwester hierher (her)! = Porta qua anche tua
sorellla!  (NB: Bring bitte auch deine Schwester ~~hier~~ (her) (errore).

## c) *come prefissi di sostantivi*

> z.B.: -die Hínfahrt / die Hérfahrt = il viaggio di andata / il viaggio
> di ritorno
> -der Hínflug / der Hérflug = volo di andata / volo di ritorno
> -der Hínweg / der Hérweg = l'andata / la venuta, il ritorno

# Ableitungen aus Adverbien
### ( Derivati da avverbi )

## 1. *Aggettivi derivati da avverbi di tempo*

Si ottengono aggiungendo in linea di massima al tema dell'avverbio il
suffisso "-ig " con qualche aggiustamento:

| z.B.: | -heute | > heutig: | = di oggi, odierno<br>-Was steht in der heutigen Zeitung? = Che notizie ci sono nel giornale di oggi? |
|---|---|---|---|
| | gestern | > gestrig: | = di ieri<br>-Du musst auf die Urkunde das gestrige Datum anbringen! = Sul documento de-vi mettere la data di ieri. |
| | morgen | > morgig: | = di domani<br>-Denk doch nicht schon jetzt an die mor-gigen Probleme! = E non pensare già adesso ai problemi di domani! |
| | heuer | > (heuerig)<br>heurig: | = di quest'anno<br>NB: termine usato in Austria e Germania del Sud:<br>-Die heurige Ernte ist leider schlecht. = Il raccolto di quest'anno è purtroppo magro (scarso).<br>NB: I tedeschi della Germania del Nord - Bassa Sassonia, Nordrhein-Westfalen ecc. - non conoscono il termine "heuer", mentre esso è riportato dai buoni voca-bolari ed è da preferire a "dieses Jahr" perché esprime lo stesso concetto con un |

| | | |
|---|---|---|
| | | solo vocabolo. - Si tratta di un fenomeno linguistico presente in ogni paese: là dove si parla il miglior italiano, il miglior tedesco ecc. la maggioranza delle perso-ne padroneggia un minor numero di vocaboli, perché ritiene certe espressioni di altre regioni come dialettali e improprie, mentre spesso proprio tali espressioni superano glottologicamente quelle ritenute ufficiali. |
| -vor(her) | > vorig | = precedente; scorso   z.B.: -Vorige Woche hatten wir das schönste Wetter. = La settimana scorsa abbiamo avuto un tempo stupendo. |
| -bald | > baldig | = a) prossimo, imminente   b) sollecito, pronto  z.B.: -Wir warten auf eine baldige Antwort Ihrerseits. = Attendiamo una Vs. sollecita risposta. -Wenn nicht baldige Hilfe kommt, sind wir verloren. = Se non viene qualcuno prontamente a soccorrerci, siamo perduti. |

## 2. *Aggettivi derivati da avverbi di luogo*

Si ottengono con lo stesso sistema, aggiungendo cioé in linea di massima il suffisso "-ig " al tema dell'avverbio con qualche aggiustamento:

| z.B.: | -hier | > hiesig | = di qui,  locale -Die hiesige Gegend ist reich an Wäldern. = Questa zona è ricca di boschi. (La zona qui è ricca di boschi.) -Unsere hiesige Zeitung führt selten gediegene Leitartikel an. = Il nostro giornale locale porta raramente articoli di fondo sostanziosi. |
|---|---|---|---|
| | -dort | > dortig: | = di là,  di quel posto -Die dortigen Leute sind sehr zurückhaltend und komisch. = La gente di quel posto è molto restia e strana. |
| | -unten | > untig: | = di là giú; meridionale (facente parte del Sud di un paese, del meridione): NB: die Untigen  = i meridionali Termine usato in Austria! |

# DIE NEGATION

## ( Die Verneinung )
### ( La negazione )

*Premessa*

Nella storia della lingua tedesca l'uso di due negazioni in una proposizione era comune fin quasi al XIX secolo e persiste ancora in qualche dialetto. L'influsso della lingua latina, il cui studio formava la cultura classica di base in tutti i ginnasi e licei di allora, portó al cambiamento.

L'Hochdeutsch moderno ammette - fatte pochissime eccezioni [Vedi regola 1 d, pag. 215; così pure regola 2 B β e, pag. 218] - l'uso di una sola negazione nella proposizione. Nella stessa proposizione non si possono quindi piú usare due negazioni come spesso avviene in italiano:

> z.B.: -Non sei mai stato in America?  =
>        Warst du noch nie in Amerika?

## Gebrauch von "nein" und "nicht"
### ( Uso di "nein" e "nicht" )

**1.   nein  = no**

Si tratta di un avverbio negativo che:

a) introduce risposte negative. Esso viene sempre separato da una virgola, è cioè a sé stante, e non fa parte della proposizione negativa che segue; al limite infatti può addirittura sostituire la proposizione negativa quando si tratta di risposte negative ovvie:

> z.B.:-Warst du noch nie in Amerika?
>        -Nein, ich war noch nie dort.

oppure semplicemente:

> -Nein.

b) introduce proposizioni o enunciazioni negative, al fine di anticipare e rimarcare la disapprovazione espressa nella proposizione negativa che segue. Anche in tali casi l'avverbio "nein" introduttivo va separato da una virgola, è cioé a sé stante, e non fa parte della proposizione negativa che segue:

z.B.: -Nein, so geht das nicht mehr! = No, ció non è piú possibile! (... non è piú sostenibile!)
-Nein, nicht so sollst du das machen, sondern anders, so! = No, non devi fare così, ma diversamente: così!

c) conclude un discorso rimarcando la disapprovazione espressa in u-na proposizione negativa e sta, separato da virgola, alla fine della stessa:
z.B.: -Das war nicht schön von dir, nein! = Non è stato bello da parte tua, no!
-Das ist doch kein Fehler! Nein! (Nein, nein!) = Ma dai, non è un errore! No, non lo é! (No, no!)

d) con i verbi "sagen" e "antworten" il "nein" può essere sostantivato, scritto quindi con lettera maiuscola, e, a volte, essere preceduto dalla negazione "nicht", formando quindi un'eccezione idiomatica al principio dell'uso di un'unica negazione in una proposizione, cioé al principio espresso nella premessa:
z.B.: -Peter kann schwer Nein sagen. = Pietro non è capace di dire di no.
-Paul hat mit Nein geantwortet. = Paolo ha risposto con un no.
-Da kann ich doch nicht Nein sagen. (**Ausnahme = eccezione**) = Stando così le cose, non posso certo dire di no (= A ció non posso dire di no).

2. | nicht | = non; avverbio

A) *Regole generali sulla posizione dell'avverbio "nicht"*

a) "nicht", riferito ad un complemento preposizionale o al soggetto, sta normalmente prima di queste parti del discorso, ossia pre-cede:
z.B.: -Erika geht noch nicht in die Schule, sie ist erst 5 Jahre alt. = Erica non va ancora a scuola, ha solo 5 anni.
-Nicht ich lerne Russisch, sondern mein Freund Peter. = Non io imparo il russo, ma il mio amico Pietro.

b) "nicht" riferito chiaramente all'azione o al modo di essere, riferito cioè nettamente al predicato, va in fondo alla proposizione, se il predicato è formato da un tempo semplice, prima della parte in-definita del predicato, se esso è formato da un tempo composto.
z.B.: -Kommst auch du mit uns? = Vieni anche tu con noi?
-Nein, ich komme nicht. = No, non vengo.

-Heute lernen wir nicht, wir haben einen freien Tag. = Oggi non studiamo, abbiamo un giorno libero.
-Bitte nicht! Nein, lassen Sie das! = No, per favore! Lasci stare, per favore!
-Das geht doch nicht! = Ma è una cosa che non va! -Ma (ció) non è accettabile! - Ma non è ammissibile!

NB: Questo germanismo ha influenzato, tramite i longobardi, il dialetto lombardo:

z.B.: -Mi vegni no! = Ich komme nicht. = Non vengo.
-M'il su no! = Ich weiß es nicht. = Non lo so.

NB:
Le due regole generali sulla posizione del "nicht" sono sì comode per la loro brevità, tuttavia imprecise, sia perché non coprono tutta la casistica, sia perché non è sempre facile capire se il "nicht" si riferisce all'azione, cioé al verbo, o piuttosto a un'altra parte del discorso.

B) _Regole più particolareggiate riguardanti la posizione dell'avverbio "nicht"_

α) _La negazione "nicht":_

a) segue il verbo finito:

z.B.: -Ich rauche nicht. = Io non fumo.
-Paul spricht einfach nicht. = Paolo proprio non parla.

b) segue normalmente il complemento senza preposizione:

z.B.: -Ich kaufe das Buch nicht = Non compro il libro.
-Ich mach' das nicht. = Non lo faccio. (Non faccio ció)

Tuttavia:
-Das ist nicht der Rede wert. = Non vale la pena parlarne.
-Wir suchten Paul überall, doch von ihm war nicht die mindeste Spur (= keine Spur) zu finden. = Cercammo Paolo dappertutto, ma di lui non trovammo neanche l'ombra (nessun segno).

c) segue a volte, anche se raramente, gli avverbi di tempo: ció succede perlopiú quando viene negata l'azione, quindi con la negazione "nicht" riferita al predicato:

z.B.: -Wir arbeiten heute nicht, wir streiken. = Oggi non lavoriamo, scioperiamo.
-Sage mir dann nicht, dass du das nicht wusstest! = Non dirmi poi che non lo sapevi!

**d)** segue gli avverbi "gar", "durchaus", "ganz und gar", "absolut", "überhaupt", "noch", "erst recht":

z.B.: -Das ist ja gar (durchaus) nicht wahr! = Ma ció non è affatto vero!
-Heute Abend darfst du auf gar keinen Fall ausgehen, verstanden? = Questa sera non devi uscire, per nessuna ragione, capito?
-Paul hat ganz und gar (= vollständig) versagt. = Paolo ha fatto completamente cilecca (...ha fallito sotto ogni aspetto).
-Was Paul verlangte war ganz und gar nicht nach den Vorschriften. = Ció che Paolo pretendeva era del tutto fuori norma.
-So was ist absolut nicht sinnvoll! (Das ist absoluter Unsinn!) = Una cosa del genere non ha assolutamente senso! (Queste sono sciocchezze belle e buone!)
-So was hab' ich überhaupt nicht einmal geträumt. = Una cosa del genere non l'ho manco sognata!
-Ist es schon Zeit zu essen? = È già ora di pranzo (cena)?
-Nein, noch nicht. = No, non ancora.
-Kommst du morgen mit mir zur Disko? = Domani vieni con me in discoteca?
-Wenn du dich so benimmst, dann komme ich erst recht nicht! = Se tu ti comporti in questo modo, non ci vengo proprio! NB: pag. 519

**e)** segue le congiunzioni temporali "bevor", "eher" e "solange":

z.B.: -Bevor nicht die ganze Arbeit fertig ist, dürft ihr nicht ausgehen (Bevor ihr nicht die ganze Arbeit fertig habt, dürft ihr nicht ausgehen). = Non potete uscire finché non è finito tutto il lavoro (... finché non avete finito tutto il lavoro).
-Ihr dürft erst aufstehen, wenn ihr fertig gegessen habt, eher nicht! = Potete alzarvi solo dopo aver finito di mangiare, prima no!
-Solange nicht alle da sind, können wir nicht abfahren. = Finché non ci sono tutti, non possiamo partire.

*β) La negazione "nicht":*

**a)** precede le forme indefinite del predicato (= sta cioè davanti agli infiniti e participi che si trovano in fondo alla proposizione):

z.B.: -Peter hat die Suppe nicht gemocht. = Pietro non ha voluto la zuppa.
-Inge ist heute nicht gekommen. = Inge oggi non è venuta.
-Dieses Zimmer wird von uns nicht benutzt. = Non usiamo questa stanza. (Questa stanza da noi non viene usata.)
-Das ist ja nicht zu glauben! = Ma è incredibile!
-Lass dich doch nicht lumpen! = E dai, non fare l'avaro!
-Du sollst nicht stehlen! (7. Gebot) = Non rubare! (7° comandamento)

**b)** precede il predicato nelle proposizioni secondarie formate con la trasposizione:

z.B.:-Was machen wir, wenn Peter nicht kommt? = Che facciamo, se Pietro non viene?
- Wie reagierte Inge, als sie hörte, dass sie die Prüfung nicht bestanden hatte? = Come reagì Inge quando apprese di non aver superato l'esame? (...che non aveva superato l'esame?)

c) precede il complemento preposizionale, ossia il complemento determinato da una preposizione:

z.B.: -Heute fahre ich nicht nach Mailand. = Oggi non vado a Milano.
-Paul lernt leider nicht mit Fleiß und Interesse. = Paolo purtroppo non impara con diligenza e interesse.
-Du bist wohl nicht bei Trost! = Ma tu stai dando i numeri! (Mi sa che sei un po' tocco!)
-Gisela brachte es nicht übers Herz, ihrem Peter einen bösen Streich zu spielen. = Gisella non ebbe il coraggio (non se la sentì) di fare un brutto scherzo a Pietro.
-Paul kann nicht aus seiner Haut heraus. = Paolo non può smentire la sua natura (Paolo non è in grado di essere diverso da quello che é).

d) precede il nome del predicato e l'aggettivo predicativo:

z.B.: -Paul ist nicht fleißig. = Paolo non è diligente. (nome del predicato)
-Er arbeitet nicht fleißig. = Lui non lavora diligentemente. (aggettivo predicativo = complemento di modo)
-Dieses Zimmer ist leider nicht groß, dafür aber nicht laut. = Questa camera purtroppo non è grande, in compenso non è rumorosa.

e) precede nella stragrande maggioranza dei casi gli avverbi di tempo:

z.B.: -Ich konnte nicht eher kommen. = Non sono potuto venire prima.
-Diedes Buch wird nicht so bald wieder erscheinen, es muss zuerst noch überarbeitet werden. = Questo libro non verrà ripubblicato così presto, esso deve prima essere ancora rielaborato.
-Es wird nicht mehr lange dauern. = Non ci vorrà piú molto.
-Nicht lange danach (darauf) passierte wieder ein Unfall. = Non molto piú tardi accadde ancora un incidente.
-Morgen, morgen nur nicht heute, sagen alle faulen Leute! (Sprichwort = proverbio) = Non rimandare a domani ció che puoi fare oggi! [Alla lettera: "Domani, domani, purché non sia oggi, dicono tutte le persone fannullone!"]
-nicht lange danach = non tanto tempo dopo
-Walter raucht nicht mehr. = Walter non fuma piú.

Tuttavia: Nein, mehr nicht! = No, di piú no! - z.B.: Möchtest du noch mehr Fleisch? Nein, mehr nicht! = Vorresti piú carne? No, di piú no!

e) precede le congiunzioni correlative contrastanti: "nicht..., sondern"; "nicht nur..., sondern auch"; "nicht aus noch ein"; "nicht hin und nicht her"; "nicht ja und nicht nein":

z.B.: -Peter kommt nicht heute, sondern morgen. = Pietro non viene oggi, ma domani.
-Gisela ist nicht nur fleißig, sondern auch klug. = Gisella non è soltanto diligente, ma anche intelligente.
-Paul hat nicht nur nicht gearbeitet, er hat auch die anderen von der Arbeit abgehalten! (Ausnahme = eccezione al principio di due

218

**negazioni in una proposizione!**) = Lui non solo non ha lavorato, ma ha anche trattenuto gli altri dal lavoro.

-Bei der Situation wussten wir nicht aus noch ein. = In quella situazione non sapevamo che pesci pigliare (... non sapevamo che fare).

-Bei dem Ungewitter konnten wir nicht hin und nicht her; wir mussten bleiben, wo wir waren. = Con quel tempaccio non potevamo muoverci (andare in nessun posto) e dovemmo restare dov'eravamo.

f) **precede gli aggettivi composti con prefissi o suffissi negativi, assumendo in tali casi un significato positivo:**

z.B.:-nicht unmöglich (= non impossibile) = möglich (= possibile)
-nicht unwichtig (= non di poca importanza) = wichtig (= importante)
-nicht unzufrieden (= non scontento) = zufrieden (= contento)
-nicht schuldlos (= non senza colpa) = schuldig (= colpevole)
-Trotz unseres Verstoßes gegen die Straßenverkehrsordnung klang die Stimme des Polizisten nicht unfreundlich. = Nonostante la nostra infrazione alle regole stradali, la voce del poliziotto aveva un tono cortese (....non scortese).

g) **precede aggettivi, verbi e altre parti del discorso in domande di accertamento, per ottenere consenso:**

z.B.: -Nicht wahr? = Non è vero?
-Ist das Bild nicht schön? = Non è bello questo quadro?
-Ist es nicht herrlich hier? = Non è meraviglioso qui?
-Wollen wir nicht spazieren gehen? = Non vogliamo andare a passeggio?
-Ist das nicht Fräulein Inge? = Quella non è la signorina Inge?

h) **precede in diverse forme idiomatiche**, eccone alcune:

z.B.: -Nicht dass ich wüsste. = Non mi risulta.
Weißt Du, ob Gisela geheiratet hat? = Sai, se Gisella si è sposata? Nicht das ich wüsste. = Non mi risulta.
-nicht umhin können (= nicht anders können) = non poter fare altrimenti; non poter fare a meno
-Paul konnte nicht umhin, als die Wahrheit zuzugeben. = Paolo non poté fare a meno che ammettere la verità.
-Das haut nicht hin. = Ció non basta. – Non è sufficiente.
-Ich hab' 100,00 € bei mir, doch das haut für den Rock nicht hin. = Ho 100,00 € con me, ma per la gonna non bastano.
-nicht im Geringsten z.B.: Sie stören mich nicht im Geringsten. = Lei non mi disturba minimamente.
-Dass ich nicht lache! = Dai, non farmi ridere!
-Was ich nicht alles gehört habe! = Mamma mia, quante ne ho sentite!
-Was es nicht alles gibt! = Ma guarda un po' quante cose succedono! (... si sentono! - ... esistono!)
-Was du nicht alles kannst! (... erzählst!) = Ma guarda un po', quante cose sai fare! (Was du mir nicht alles erzählst! = Ma guarda un po', cosa mi racconti!)
-Das ist nicht der Rede wert. = Non vale la pena parlare di ció.

## Gebrauch von "kein" "keiner" "keinerlei" und "niemand"

( Uso di "kein", "keiner", "keinerlei" e "niemand" )

1. **kein, keine, kein** = non uno, non una, non ne, nessuno; non alcuno / non alcuna

Si tratta di un aggettivo negativo che segue al singolare la declinazione dell'articolo indeterminativo, al plurale invece quella dell'articolo determinativo. All'inizio dell'apprendimento della lingua è opportuno tener presente a quali espressioni negative italiane corrisponde la negazione "kein, keine, kein". Vengono quindi indicate qui delle regole di confronto dell'aggettivo "kein" con le corrispondenti forme negative della lingua italiana; si tratta di regole molto pratiche e utili specialmente per il lavoro di versione dall'italiano al tedesco. L'aggettivo negativo "kein, keine, kein" si usa:

a) Quando in italiano la negazione "non" viene riferita ad una parte del discorso accompagnata dall'articolo indeterminativo. Fra la negazione "non" e l'articolo indeterminativo possono in italiano venire a trovarsi delle forme verbali:

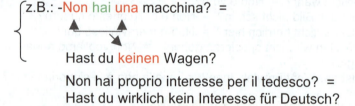

z.B.: -Non hai una macchina? =

Hast du keinen Wagen?

Non hai proprio interesse per il tedesco? =
Hast du wirklich kein Interesse für Deutsch?

b) Quando in italiano la negazione "non" si riferisce ad una parte del discorso senza articolo o accompagnata dall'articolo partitivo. Anche in questi casi fra la negazione "non" e l'articolo partitivo possono in italiano stare delle forme verbali:

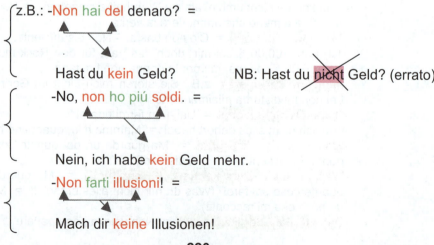

z.B.: -Non hai del denaro? =

Hast du kein Geld?     NB: Hast du nicht Geld? (errato)

-No, non ho piú soldi. =

Nein, ich habe kein Geld mehr.

-Non farti illusioni! =

Mach dir keine Illusionen!

c) Forme idiomatiche non rientranti nelle due regole precedenti:

z.B.: -Kein Wort mehr!" = Basta parole! - Non parlare piú!
-auf keinen Fall = per nessuna ragione = keineswegs, keinensfalls
-Du darfst um keinen Preis nachgeben! = Non devi cedere a nessun
costo! (...per nessuna ragione!)
-Nur keine Angst! = Niente paura! [Alla lettera, in un pessimo italiano:"Solo non aver paura!"] – "Nur keine Sorgen!" = Non preoccuparti!
- Das hat keinerlei Bedeutung. = Ció non ha alcuna importanza.

2. **keiner, keine, keines**          = non uno, non una, non ne, nessuno

È pronome indefinito; esso segue la declinazione del pronome ind. "einer, eine, eines". (Si veda il capitolo "Das Pronomen – unbestimmtes
Pronomen" regola 2, pag. 39) Anche per "keiner, keine, keines" valgono, nel confronto con la lingua italiana, le stesse regole dell'aggettivo
"kein, keine, kein". Così come con l'aggettivo negativo "kein, keine,
kein", il verbo viene in italiano a trovarsi, non sempre ma spesso, o fra
le due negazioni o fra la negazione e il pronome indefinito "uno, una":

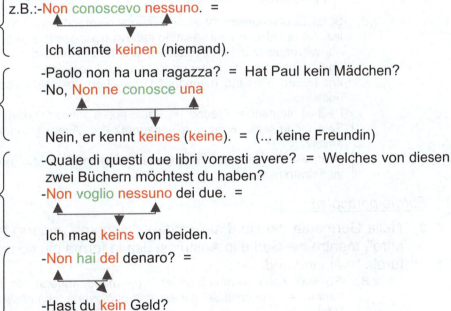

z.B.:-Non conoscevo nessuno. =

Ich kannte keinen (niemand).

-Paolo non ha una ragazza? = Hat Paul kein Mädchen?
-No, Non ne conosce una

Nein, er kennt keines (keine). = (... keine Freundin)

-Quale di questi due libri vorresti avere? = Welches von diesen
zwei Büchern möchtest du haben?
-Non voglio nessuno dei due. =

Ich mag keins von beiden.

-Non hai del denaro? =

-Hast du kein Geld?

-No, non ne ho piú. =

-Nein, ich habe keins (keines) mehr.

-Ció non lo sa nessuno. =

-Das weiß keiner (niemand).

## 3. keinerlei, keinesfalls, keineswegs

"keinerlei" (agg. indeclinato, invariato) = di nessuna specie; non...alcuno; nessuno
    z.B.: Das hat keinelei Bedeutung. = Ció non ha alcuna (nessuna) importanza.
"keinesfall" (avverbio) = in nessun caso; certamente no; assolutamente no
    z.B.: Das darf keinesfalls geschehen! = Ció non deve assolutamente accadere!
"keineswegs" (avverbio) = in nessun modo; in nessuna maniera; non affatto; per niente
    z.B.: Inge ist keineswegs zufrieden. = Inge non è affatto (per niente) soddisfatta.

## 4. niemand = nessuno

Si tratta di un pronome indefinito che viene riferito esclusivamente a persone. Oggigiorno si usa spesso indeclinato. Volendolo declinare, esso segue la declinazione dell'articolo indeterminativo maschile:

### Beugung

| | |
|---|---|
| Nominativ: | niemand |
| Genitiv: | niemandes |
| Dativ: | niemandem |
| Akkusativ: | niemanden |

z.B.: -Beim Deutschunterricht wusste heute niemand was. = Durante la lezione di tedesco oggi nessuno sapeva qualcosa (niente).
-Als wir heute zur Schule kamen, war noch niemand da. = Quando oggi arrivammo a scuola, non c'era ancora nessuno.
-Wir haben niemand (niemanden) gesehen. = Non abbiamo visto nessuno.
-Paul ist niemandes Freund. = Paolo non è amico di nessuno.
-Seid ihr unseren Freunden begegnet? = Avete incontrato i nostri amici?
-Nein, wir sind niemand (niemandem) begegnet. = No, non abbiamo incontrato nessuno.

*Forme particolari:*

a) Nella Germania del Nord si usa dire: "niemand anders = nessun altro", mentre nel Sud e in Austria si usa la forma piú consona e naturale "niemand anderer":

    z.B.: -So was kann niemand anderer (niemand anders) als Paul getan haben. = Una cosa del genere non può averla fatta nessun altro che Paolo.
-Ich kenne niemand anderen, der in diesem Bereich kompetenter ist als Peter. = Non conosco nessuno che in questo campo sia piú competente di Pietro.

b) das Niemandsland = la terra di nessuno, il territorio neutro

    z.B.: -Hinter Pass- und Zollkontrolle liegt auf großen Flughäfen ein Niemandsland, wo man unverzollte Waren kaufen kann. = Dopo il controllo doganale, si trova nei grandi aeroporti un territorio neutro dove si possono comprare merci esenti da dogana.

# Gebrauch von "nichts"; "nie"; "nimmer"; "nirgends"; "ohne" "weder.....noch"

( Uso di "nichts"; "nie"; "nimmer"; "nirgends"; "ohne", "weder...noch")

**1.** **nichts** = nulla, niente

Si usa:

a) come pronome indefinito, indeclinato:

    z.B.: -Das macht nichts. = Non fa nulla.

         ⎰-Was hast du denn heute? Du bist so still und nachdenklich. =
         ⎱ Ma che hai oggi? Sei così silenzioso e pensieroso.
          -Nichts, ich hab' nichts. = Nulla, non ho niente.

          -Ich will davon nichts mehr hören. = Non voglio piú saper nulla
           di questa faccenda.

          -Wir haben nichts dagegen. = Non abbiamo nulla in contrario.

          -Alles oder nichts! = Prendere o lasciare! (O tutto o niente!)

          -Aus nichts wird nichts. = Con niente non si fa niente.

b) il pronome "nichts" **può essere rafforzato dall'avverbio "gar" o da preposizioni** nel senso di "nulla di nulla" – "proprio niente" – "niente affatto" – "affatto" – "per nulla" – "un nonnulla" – "un bel niente" - ecc.:

    z.B.: -Monika wusste heute bei der Geschichteprüfung gar nichts. =
           All'interrogazione di storia, Monica oggi non ha saputo nulla di
           nulla (proprio niente).

          -Paul hat sich für nichts und wieder nichts so abgemüht. = Pao-
           lo si è impegnato così tanto proprio per nulla.

          -Inge ähnelt in nichts ihrer Mutter. = Inge non assomiglia affatto
           a sua mamma.

          -Ist das ein liebes Kind!! Es ist mit wenig und nichts zufrieden. =
           Ma che bambino carino e bravo! Si accontenta di un nonnulla.

          -So viel Lärm um nichts! = Così tanto baccano per un nonnulla!

          -Paul hat es zu nichts gebracht. = Paolo non è stato in grado di
           concludere un bel niente nella vita.

c) **l'aggettivo preceduto dal pronome indefinito "nichts" va sostantivato** scritto cioé con la lettera maiuscola, e segue sempre la declinazione neutra forte dell'aggettivo attributivo. L'eventuale preposizione che precede determina l'aggettivo. (Si veda il capitolo "Das Adjektiv – substantiviertes Adjektiv" regola 3, pag. 140).

    z.B.:-Heute hat die Tagesschau (hat der Nachrichtendienst) nichts
           Neues gemeldet. = Oggi il telegiornale non ha comunicato
           nulla di nuovo.

          -Uns erwartet nichts Gutes. = Non ci attende nulla di buono.

          -Es ist nichts Besonderes. = Non è nulla di particolare.

Tuttavia:

{ -Hast du was anderes vor? = Hai qualcos'altro in programma?
-Nein, ich hab'nichts anderes vor. = No, non ho null'altro in programma.

d) forme idiomatiche con "nichts":

    z.B.: -Das geht mich gar nichts an. = Ció non mi riguarda affatto.
        -Gisela hat Peter beleidigt, aber er macht sich nichts daraus.
        = Gisella ha offeso Pietro, ma lui non se la prende.
        -Daraus wird nichts. = Di ció non se ne fa nulla (Questa iniziativa non porterà a nulla).
        -Mit Paul hat man nichts als Ärger. = Con Paolo non si hanno che dei dispiaceri (... delle arrabbiature).
        -Peter kann so leicht nichts erschüttern. = Pietro non si lascia scomporre (agitare) così facilmente da qualcosa.

2. **nie** = mai

a) Si tratta di un avverbio di tempo negativo che, come tutti gli avverbi, richiede naturalmente l'inversione, se posto in testa alla proposizione principale:

    z.B.: -Nie werd' ich so was tun! = Non faró mai una cosa del genere! (Mai faró una cosa del genere!)
        -Eine solche Gelegenheit kommt nie wieder. = Una tale occasione non torna mai piú.
        -Nie wieder Krieg! = Mai piú la guerra!
        -So etwas war noch nie passiert. = Una cosa del genere non era mai successa.

b) La negazione "nie" può essere rafforzata dai seguenti avverbi: "nimmer"; "gar"; "einmal + wieder"; "jetzt + mehr" = mai piú; mai e poi mai ecc.:

    z.B.: -Das werde ich nie und nimmer tun. = Non lo faró mai piú.
        -Mir wäre so was gar nie eingefallen! = Una cosa del genere non l'avrei mai e poi mai immaginata!
        { -Hast du diese Arbeit schon einmal gemacht? = Hai già fatto una volta questo lavoro?
        -Ja, einmal und nie wieder! = Sì, una volta e mai piú! (Sì, una volta per tutte, e poi basta!)
        -Jetzt oder nie mehr! = Ora o mai piú!

3. **niemals** = giammai, assolutamente mai

Si tratta di un avverbio di tempo negativo piú forte e marcato di "nie":

z.B.:-So was würde ich niemals tun.  =  Non farei mai una cosa del genere!

4. **nimmer**   = a) non piú, non oltre   b) mai piú

Questo avverbio di tempo negativo riguarda azioni o avvenimenti passati che si desidera non si ripetano piú. È un ottimo sinonimo di "nicht mehr", da preferire a quest'ultima espressione per la sua brevità:
> z.B.: -Denk nimmer (nicht mehr) daran! = Non pensarci piú!
> -Das kann ich nimmer (nicht mehr) aushalten. = Non lo sopporto piú ( Non sopporto piú questa cosa, questa situazione).
> -Ich will ihn nimmer wiedersehen! = Non lo voglio piú vedere!

NB: Si è già visto sopra con l'uso della negazione "nie" che "nimmer" può essere usato come suo rafforzativo:
> z.B.: -Das werde ich nie und nimmer tun. = Non lo faró mai piú.
> -So was werd'ich nie und nimmer zulassen! = Non permetteró mai piú che avvenga una cosa del genere!

5. **nirgends ( nirgend )**   = da nessuna parte, in nessun luogo

Si usa:
a) anzitutto come avverbio di luogo coi significati su indicati:
> z.B.: -Ich habe Peter nirgends gefunden; wo steckt er denn? = Non ho trovato Pietro da nessuna parte; ma dove sarà? (... ma dove si è cacciato?)
> -Paul hält es nirgends lange aus. = In nessun posto (di lavoro) Paolo resiste a lungo.
> -Das Kind war nirgends zu finden. = Il bambino era introvabile. (NB: In tedesco si ha qui una forma passiva! Si veda "Das Passiv" regola B 1, pag. 378). [Alla lettera, in un pessimo italiano: "Il bambino non poté essere trovato in nessun posto" – "... non era in nessun luogo trovabile"].
> -Die Zigeuner sind überall und nirgends zu Hause. = Gli zingari dimorano dappertutto senza una dimora stabile [alla lettera, in un pessimo italiano: "... sono di casa dappertutto e in nessun luogo"].
> -Ich fühle mich nirgends so wohl wie hier. = Non mi sento in nessun altro luogo così a mio agio come qui.

b) come avverbio di modo assume il significato di "in nessun modo":
> z.B.:-Inge wollte nirgends auffallen.  =  Inge non voleva in nessun modo (= con nessuno e in nessun luogo) dare nell'occhio.
> -Unsere Nachbarn stehen sich schlecht, bei ihnen will es nirgends reichen. = I nostri vicini di casa si trovano in una brutta situazione finanziaria: a loro manca tutto.

225

c) Si notino i composti con "nirgend" molto in uso:

-nirgendwo = in nessun luogo (stato in luogo)
-nirgendwohin = in nessun luogo (moto a luogo)
-nirgendhin = da nessuna parte (moto a luogo)
-nirgendher = da nessuna parte (moto da luogo)

z.B.: -Heute war ich doch immer zu Hause. Ich bin nirgendhin (gegangen). = Ma sono sempre rimasto a casa oggi. Non sono andato da nessuna parte.
-Einen solchen Geldbetrag kannst du plötzlich nirgendher zaubern. = Non puoi ottenere magicamente e improvvisamente una tale somma di denaro.

6. **ohne** = senza

Si usa:
a) come preposizione + Akk.:

z.B.: -Paul geht immer ohne einen Kreuzer (Cent) herum. = Paolo va sempre in giro senza un soldo (centesimo) in tasca.
-Dieser Mann ist ohne Zweifel unschuldig. = Quest'uomo è senza dubbio innocente.
-ohne weiteres (ohne weiters) = senz'altro
-Ohne Fleiß kein Preis! (Sprichwort = proverbio) = Chi non semina non raccoglie! [Alla lettera: "Senza diligenza nessun premio!"]

b) come congiunzione per introdurre proposizioni infinitive negative, nelle quali non può essere usata una seconda negazione (Si veda il capitolo "Gliedsätze – Infinitivsatz" regola 6, pag.236):

z.B.: -Inge kam herein, ohne vorher zu klopfen. = Inge entró senza aver (prima) bussato.
-Paul kam zur Schule, ohne eine Aufgabe gemacht zu haben. = Paolo venne a scuola senza aver fatto alcun (nessun) compito.
-Wie konntest du denn während unserer Sitzung einfach so hereinkommen und dich hinsetzen, ohne jemand zu grüßen? = Ma come hai potuto così semplicemente entrare durante la nostra conferenza e sederti lì senza salutare nessuno?

7. **weder....noch** = né né; né....né manco

Sostituisce bene l'espressione impacciata "nicht....und nicht auch" e si può usare sia con la costruzione diretta che con l'inversione:

z.B.:-Ich hab' ihn weder danach gefragt noch darum gebeten. (Weder hab' ich ihn danach gefragt noch darum gebeten) = Ció non glielo né chiesto né manco lo pregai per ció.

# GLIEDSÄTZE

oder

# NEBENSÄTZE

( La proposizione secondaria o dipendente )

*Premessa*

La maggioranza delle proposizioni dipendenti o secondarie si forma in tedesco seguendo la regola della trasposizione. (Si veda il capitolo "Aufbau des Satzes – Aufbau des Glied- oder Nebensatzes" pag. 3). Ogni proposizione dipendente deve essere separata dalla sua principale con una virgola.

## Der Objektiv- und Subjektivsatz

( La proposizione oggettiva e soggettiva )

1. Konjunktion: **dass** [daß = vecchia grafia] = che

   A differenza delle altre congiunzioni "dass" mantiene un valore sintattico. Esso dipende per lo più da verbi di conoscenza (pensare, credere, sapere = denken, glauben, wissen... usw.), di dizione (dire, dichiarare, spiegare = sagen, erklären... usw.) e anche di sentimento (sentire = fühlen, spüren... usw.), cioé dai così detti *"verba dicendi et sentiendi* ", nonché anche da predicati impersonali (essere possibile, chiaro, giusto, credibile ecc. = möglich, klar, richtig, unglaublich sein...usw.) per introdurre sia proposizioni oggettive sia soggettive (regola 4):

   > z.B.: -Weißt du, dass Peter und Gisela vor einem Monat geheiratet haben?  = Lo sai che Pietro e Gisella si sono sposati un mese fa?
   > -Hast du gehört, dass morgen die Bahn streikt?  = Hai sentito che domani c'è sciopero dei treni?
   > -Die Polizei stellte fest, dass der Wagen eines 19-jährigen Münchners nicht zugelassen war. = La polizia constatò che la macchina di un diciannovenne di Monaco [monachese] non era ammessa al traffico.
   > -Peter fühlte, dass ihn ein Insekt gestochen hatte. = Peter sentì che lo aveva punto un insetto.
   > -Man hält es fast für unglaublich, dass es in einer zivilisierten Welt so viele Umweltverschmutzer gibt. = Lo si ritiene quasi incredibile che in un mondo civilizzato vi siano così tante persone che inquinano l'ambiente.

2. La congiunzione "dass" può anche essere omessa. Si ha allora sempre una proposizione oggettiva che tuttavia segue la costruzione diretta o inversa della proposizione principale; ció serve soprattutto per variare il discorso:

   > z.B.: -Ich glaube, dieses Kind ist aufrichtig. = Credo che questo bambino sia sincero (Invece di dire: "Ich glaube, dass dieses Kind aufrichtig ist).

227

-Ich hoffe, dir gelingt diese Arbeit. (costruzione inversa della principale nella proposizione oggettiva.) = Spero che questo lavoro ti riesca. (Invece di dire: "Ich hoffe, dass dir diese Arbeit gelingt".)

3. **La proposizione oggettiva può essere ben sostituita da un'infinitiva.** Ció avviene soprattutto quando, usando l'oggettiva, si hanno ripetizioni cacofoniche di qualche parte del discorso. In tali casi infatti l'infinitiva semplifica e abbrevia il discorso:

> z.B.: -(Ich bitte Sie, dass Sie diesem armen Mann helfen.)
> -Ich bitte Sie, diesem armen Mann zu helfen! = La prego di aiutare questo pover'uomo!

NB:

Il primo esempio messo fra parentesi non è grammaticalmente scorretto; esso presenta tuttavia la ripetizione cacofonica del pronome di cortesia "Sie", usato nella principale come complemento oggetto e nella secondaria come soggetto. Raramente una persona tedesca si esprimerebbe in tal modo!

4. **La congiunzione "dass" può introdurre anche proposizioni dipendenti soggettive**, fungenti cioè da soggetto; in tali casi la proposizione dipendente, introdotta dalla congiunzione "dass", precede per lo più la principale:

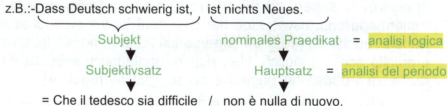

> z.B.:-Dass Deutsch schwierig ist, ist nichts Neues.
>
> Subjekt        nominales Praedikat = analisi logica
>
> Subjektivsatz      Hauptsatz = analisi del periodo
>
> = Che il tedesco sia difficile / non è nulla di nuovo.

> -Dass ich nicht mit euch fahren kann, ist schade. = Ch'io non possa andare con voi è un peccato.
> -Dass man die Umwelt schützen muss, ist mir ganz klar. = Che si debba salvaguardare l'ambiente, è per me chiarissimo.

NB:

Volendo, si può formare la frase anteponendo la principale alla proposizione soggettiva. In tali casi tuttavia si rende assolutamente necessario – al fine di salvaguardare la costruzione diretta della proposizione principale positiva – iniziare la stessa col soggetto eufonico anticipato, cioé col pronome "es" per tamponare il primo posto vacante nella costruzione. Diversamente infatti la principale positiva diverrebbe una interrogativa:

> z.B.: -Es ist schade, dass ich nicht mit euch fahren kann. = È un peccato ch'io non possa andare con voi.
> -Es war sehr nett, dass uns Peter heute besucht hat. = È stata una cosa carina che Pietro oggi sia venuto a trovarci.

# Der indirekte Fragesatz

( La proposizione interrogativa indiretta )

A) *Der reine indirekte Fragesatz* = *La proposizione interrogativa indiretta pura*

Sono proposizioni interrogative ***indirette pure*** quelle introdotte in tedesco dalla congiunzione

**ob** = se

Tuttavia, siccome la congiunzione "se" italiana può introdurre anche proposizioni condizionali o ipotetiche, è necessario saper distinguere in italiano le interrogative indirette dalle condizionali, in quanto in tedesco le condizionali vengono introdotte da altre congiunzioni, mai da "ob"; il problema del discernimento è quindi tutto italiano.
Si hanno in tutte le lingue indoeuropee, italiano compreso, delle interrogative indirette pure quando anche il "se" italiano dipende:

a) da verbi di conoscenza (capire, sapere, intendere ecc. = verstehen, wissen, meinen... usw.) o di dizione (dire, spiegare, dichiarare ecc. = sagen, erläutern, erklären... usw.):
  z.B.:-Ancora non so se posso partecipare al viaggio. = Ich weiß noch nicht, ob ich mitfahren kann. (dubitativa in italiano)
  -Sai dirmi se domani c'è sciopero dei treni? = Kannst du mir sagen, ob morgen die Bahn streikt?

b) quando la proposizione italiana introdotta dalla congiunzione "se" può, senza stonature, essere facilmente convertita in una interrogativa diretta:
  z.B.:-Sai se Pietro oggi viene? (Pietro viene oggi?) = Weißt du, ob Peter heute kommt?
  NB: Weißt du, ~~wenn~~ Peter kommt? (errore grave)

B) *Der unreine indirekte Fragesatz* = *La proposizione interrogativa indiretta impura*

Sono proposizioni interrogative ***indirette impure*** quelle introdotte da pronomi interrogativi o da avverbi pronominali interrogativi che detengono un ulteriore significato logico come appare dai seguenti esempi:

-wer, wessen, wem, wen, was : introducono proposizioni interrogative indirette che contemporaneamente possono essere considerate oggettive, a volte soggettive e sempre anche relative;

-welcher, -e, -es introducono prop. interrogative indirette, relative

-wofür, womit, wozu, woran, worin, ... usw. ( tutte le fusioni con "wo"): introducono proposizioni interrogative indirette, relative;

-wo, wohin, woher: introducono proposizioni interrogative indirette, locative;

-wann, bis wann, seit wann, wie lange, wie spät, ... usw.: introducono proposizioni interrogative indirette, temporali;

-wie: introduce proposizioni interrogative indirette, modali o comparative;

-warum, weswegen, weshalb, wieso: introducono proposizioni interrogative indirette che contemporaneamente possono essere considerate causali.

Beispiele:

-Ich wußte nicht, was ich falsch gemacht hatte (prop. interrogativa indiretta, oggettiva), als mich gestern die Polizei auf der Autobahn stoppte. = Non sapevo che cosa avessi sbagliato quando ieri la Polizia mi fermò sull'autostrada.

-Ich verstehe nicht, worin der Fehler in meiner Mathearbeit liegt. (interrogativa indiretta, relativa) = Non capisco in che cosa consista l'errore nel mio compito di matematica (..., dove sta l'errore...).

-Hast du schon gehört, wo wir uns treffen? (interrogativa indiretta, locativa) = Hai già sentito (appreso) dove ci incontriamo?

-Man hat uns noch nicht gesagt, womit wir nach Deutschland fahren (interrogativa indiretta, relativa), ob mit dem Zug oder mit dem Bus. (prop. interrogativa indiretta pura). = Non ci è stato ancora detto con che mezzo andremo in Germania, se col treno o col bus.

-Weißt du, wann Peter kommt? (interrogatva indiretta, temporale) = Sai quando viene Pietro?

-Kannst du mir erklären, wie diese Mathearbeit zu lösen ist? (interrogativa indiretta, modale o comparativa) = Sai spiegarmi come va risolto questo problema di matematica?

-Wissen Sie, warum Herr Berger jetzt immer mit dem Taxi fährt? (interrogativa indiretta, causale) = Sa lei perché il signor Berger ora viaggia sempre col taxi?

-Ich verstehe nicht, wie du das machst. (interrogativa indiretta, modale) = Non capisco come fai (= Non capisco come fai a farlo - ...a fare questa cosa).

-Was ich nicht weiß, macht mich nicht heiß! = Occhio non vede, cuore non duole! (interrogativa indiretta soggettiva)

230

# Der Kausalsatz

( La proposizione causale )

1. *Konjunktionen = Congiunzioni*

| | |
|---|---|
| -weil; da | = perché, poiché, siccome |
| -dadurch, dass | = per il fatto che |
| -umso mehr, da | |
| -umso mehr, als | = tanto più che |
| -zumal, da | |
| -wo doch | |
| -nun, da | = dal momento che |
| -warum; wieso | = perché, perché mai |
| -weshalb; weswegen | = perché, per cui |

2. **weil** = perché

==Si usa sia quando la causale precede sia quando segue la principale,== quindi indifferentemente rispetto alla posizione della dipendente:

z.B.:-Peter kommt heute nicht zur Schule, weil er krank ist. - Weil Peter krank ist, kommt er heute nicht zur Schule. = Pietro oggi non viene a scuola perché è ammalato.

-Herr Berger hat seinen Wagen abgemeldet, weil er wegen seiner schlechten Augen nicht mehr Auto fahren darf. = Il signor Berger non ha rinnovato il bollo della sua macchina perché non può più guidare a causa della sua cattiva vista.

NB: La costruzione ufficiale della proposizione causale con "weil" resta ancora la ==trasposizione==, anche se oggigiorno molti tedeschi non la rispettano piú. Nelle trasmissioni televisive si può notare la differenza fra il popolino e le persone colte che, parlando un ottimo tedesco, formano anche "die Weilsätze" (= le causali col "weil") rispettando la trasposizione.

3. **da** = siccome, poiché

==Si usa preferibilmente quando la proposizione causale precede la principale==; il suo uso anche in prop. causali posposte non è tuttavia errore:

z.B.:-Da Peter krank ist, kommt er heute nicht zur Schule. = Siccome Pietro è ammalato, oggi non viene a scuola.

-Da Herr Berger wegen seiner schlechten Augen nicht mehr Auto fahren darf, hat er seinen PKW abgemeldet. = Siccome il signor Berger non può piú guidare a causa della sua cattiva vista, egli non ha rinnovato il bollo della (sua) macchina.

231

**4.** <u>**warum (weshalb, weswegen)**</u>    = perché, per cui

Si usa:
a) come avverbio pronominale interrogativo **per introdurre domande dirette**, rivolte a chiedere la causa o lo scopo:

z.B.:-Warum kommt denn Peter heute nicht? (interrogativa diretta = prop. principale interr. ) = Ma perché Pietro oggi non viene?

b) come congiunzione **per introdurre proposizioni secondarie, interrogative indirette, causali.** In tali casi "warum" dipende perlopiù da verbi di conoscenza o dizione:

z.B.:-Weißt du, warum (weshalb, weswegen) Peter heute nicht kommt? (interrogativa indiretta causale) =  Sai perché Pietro oggi non viene?   NB: Weißt du, ~~weil~~ Peter...(= errore grave)
-Wissen Sie, warum Herr Berger jetzt immer mit dem Taxi fährt? = Lei sa perché il signor Berger ora viaggia sempre col taxi?

**5.** <u>**umso mehr, da; umso mehr, als; zumal, da**</u>   = tanto piú che

Sono in parte anche congiunzioni comparative; siccome tuttavia con "da" si indica anzitutto la causa, esse vengono considerate congiunzioni causali:

z.B.:-Du solltest mehr sparen, mein Sohn, umso mehr, da (zumal, da) wir uns in dieser Zeit finanziell so schwer tun! = Figlio mio, tu dovresti risparmiare di piú, tanto piú che (= perché; per il fatto che) in questo periodo ci troviamo finanziariamente in difficoltà!

**6.** <u>**denn**</u>   = perché

Si tratta di una congiunzione causale coordinativa; essa serve quindi ad introdurre proposizioni principali con significato causale. La congiunzione "denn" si usa perlopiù per cause evidenti:

z.B.:-Abends gehe ich meistens früh zu Bett, denn ich bin sehr müde. = La sera vado di solito presto a letto perché sono stanco / a. (= È naturale essere stanchi la sera).

-"Lass regnen, wenn es regnen will, dem Regen seinen Lauf, denn, wenn es nicht mehr regnen will, dann hört' s von selber auf!" **(Goethe)**

E lascia che piova, se vuol piovere! Lascia alla pioggia il suo corso! Perché, se non vuol piú piovere, il tempo smette da solo! (Lamentarsi è inutile.)

# Der Infinitivsatz

( La proposizione infinitiva )

1. è sufficiente che l'infinito impuro (= infinito con lo "zu") sia accompagnato anche da un solo complemento, per formare una proposizione secondaria dipendente, cioé un'infinitiva, che è sempre opportuno separare con una virgola. Con il nuovo regolamento ortografico, "Neue Rechtschreibung", la virgola prima delle infinitive è divenuta facoltativa, si può cioé mettere od omettere. Tuttavia, per una maggior chiarezza sia di scrittura che di lettura, come pure per una questione di principio e di coerenza (in quanto in tedesco tutte le secondarie vengono separate da una virgola), si consiglia di staccare la proposizione infinitiva dalla sua proposizione reggente con la virgola come si è fatto per secoli:

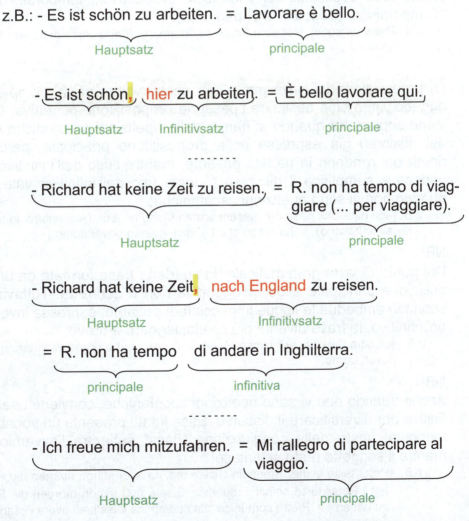

z.B.: - Es ist schön zu arbeiten. = Lavorare è bello.

        Hauptsatz            principale

- Es ist schön, hier zu arbeiten. = È bello lavorare qui.

    Hauptsatz   Infinitivsatz       principale

- Richard hat keine Zeit zu reisen. = R. non ha tempo di viaggiare (... per viaggiare).

        Hauptsatz            principale

- Richard hat keine Zeit, nach England zu reisen.

        Hauptsatz         Infinitivsatz

= R. non ha tempo di andare in Inghilterra.

      principale       infinitiva

- Ich freue mich mitzufahren. = Mi rallegro di partecipare al viaggio.

        Hauptsatz           principale

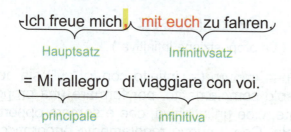

Ich freue mich, mit euch zu fahren.

Hauptsatz      Infinitivsatz

= Mi rallegro di viaggiare con voi.

principale      infinitiva

2. **Il soggetto della proposizine infinitiva è quello della proposizione principale o reggente e resta quindi sempre sottinteso.** L'unica proposizione implicita, con soggetto sottinteso e predicato all'infinito, è in tedesco l'infinitiva. Mentre in italiano, oltre all'infinitiva, possono essere formate varie altre proposizioni implicite, come ad esempio le temporali (con "prima di... + infinito" - "dopo + infinito + participio"), in tedesco esse vanno tutte esplicitate (si vedano le proposizioni temporali, capitolo "Temporalsatz", regole 4 e 5, pag. 240):

> z.B.:-Peter versucht, hier eine Arbeit zu finden. = Pietro cerca di trovare qui un lavoro.

3. **La proposizione infinitiva può avere anche valore di un "complemento oggetto", può cioé sostituire spesso la proposizione oggettiva.** Ció avviene soprattutto quando si hanno delle ripetizioni cacofoniche di parti del discorso già espresse nella proposizione principale, perché tali ripetizioni rendono la parlata pesante, mentre l'uso dell'infinitiva alleggerisce e semplifica il discorso (questo uso dell'infinitiva vale anche quando non vi sono ripetizioni cacofoniche):

> z.B.:[-Ich bitte Sie, dass Sie diesem armen Mann helfen. (Alla lettera, in un pessimo italiano) = La prego che Lei aiuti questo pover'uomo.]

NB:

Dal punto di vista grammaticale, la suddetta frase formata da una proposizione principale e da un'oggettiva non è scorretta. Tuttavia essa suona in ambedue le lingue impacciata e pesante; espressa invece con un'infinitiva, la frase diventa piú snella, leggera e breve:

> z.B.:-Ich bitte Sie, diesem armen Mann zu helfen. = La prego di aiutare questo pover' uomo.

NB:

Anche quando non vi sono ripetizioni cacofoniche, conviene usare l'infinitiva per diversificare il discorso. Essa infatti presenta un vocabolo in meno: al posto della congiunzione "dass" subentra l'avverbio "zu", mentre il soggetto resta sottinteso!

> z.B.:-(Peter teilte seiner Freundin Gisela mit, dass er schon morgen die Prüfung hat.) Peter teilte seiner Freunding Gisela mit, schon morgen die Prüfung zu haben. = Pietro comunicó alla sua amica Gisella di avere l'esame già domani.

4. <mark>La proposizione infinitiva può anche fungere da soggetto, può cioé avere il significato logico di una soggettiva.</mark> Se l'infinitiva, fungente da soggettiva, sta dopo la proposizione principale, essa viene richiamata in questa dal soggetto pleonastico "es" (vedi pag. 31, regola 6):

> z.B.: -<mark>Es</mark> ist nicht immer leicht, gut deutsch sprechen zu können. = Non è sempre facile saper parlare bene in tedesco.

*Analisi logica della proposizione principale*

-"<mark>Es</mark>" = soggetto pleonastico ("tappabuco!")
"ist nicht leicht" = predicato nominale
"immer" = complemento di tempo

*Analisi logica della proposizione infinitiva*

"sprechen zu können" = predicato verbale     } = soggetto (= prop.
"gut deutsch" = complemento di modo           soggettiva)

La proposizione infinitiva "gut deutsch sprechen zu können" è quindi nel suo insieme il vero e proprio soggetto della principale, soggetto anticipato pleonasticamente dal pronome "es".

NB:
La stessa frase può essere formulata senza soggetto pleonastico anticipato; in tal caso il discorso si abbrevia e l'infinitiva che funge da soggetto della principale precede:

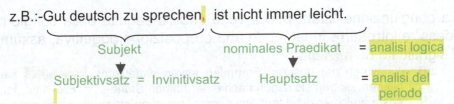

z.B.:-Gut deutsch zu sprechen, ist nicht immer leicht.

      Subjekt        nominales Praedikat  = <mark>analisi logica</mark>

Subjektivsatz = Invinitivsatz     Hauptsatz    = <mark>analisi del periodo</mark>

5. <mark>La proposizione finale italiana, introdotta da "per", "a", avente lo stesso soggetto della principale (o della proposizione reggente ) si esprime in tedesco con una proposizione infinitiva introdotta da "um... zu":</mark>

> z.B.:-Io imparo il tedesco per trovare poi piú facilmente un lavoro. = Ich lerne Deutsch, um später leichter eine Arbeit zu finden.
> -Anche in Italia, per ottenere il titolo di dottore, bisogna studiare molto e a lungo. = Um den Doktortitel zu erlangen, muss man auch in Italien lange und viel studieren.
> -A dire il vero, le cose stanno in modo completamente diverso. = Um die Wahrheit zu sagen, verhält sich die Sache ganz anders.
> -Per potercela fare, è necessaria la collaborazione di tutti. = Um es schaffen zu können, ist die Hilfe aller nötig.

6.  Le proposizioni infinitive possono essere introdotte anche dalla congiunzione "**ohne... zu**": si tratta di una congiunzione negativa, per cui non si può usare un'altra negazione nell'infinitiva introdotta da "ohne... zu":

> z.B.: -Paul kam heute zum Unterricht, ohne irgendeine Aufgabe gemacht zu haben. = Paul venne oggi a scuola, senza aver fatto nessun compito.
> -Monika eilte an mir vorbei, ohne ein Wort an mich zu richten. = Monica passó frettolosamente accanto a me, senza rivolgermi una (nessuna) parola.

NB: La doppia negazione nella stessa proposizione è divenuta in tedesco un'eccezione limitata a pochissimi casi (si veda in proposito il capitolo "Die Negation", premessa + uso del "nicht", regola 1 d, pag. 215 – nonché regola B 2 β e, pag. 218). È quindi un grave errore dire:

> -"Peter kam heute zum Unterricht, ohne ~~keine~~ Aufgabe gemacht zu haben".

7.  Sono proposizioni infinitive anche quelle introdotte dalle congiunzioni "**statt... zu**", "**anstatt... zu**" = "invece di..." e da "**als....zu**" Vedi pag. 260, regola 4b)

> z.B.: -Statt den ganzen Tag zu trödeln und herumzulaufen, geh doch an die Bücher dran und lerne! = Invece di trastullarti tutto il giorno (di sprecare tutto il tempo della giornata) e di gironzolare, mettiti sui libri e studia!
> -Meine Freundinnen gingen am Sonntag ohne mich weg, statt auf mich zu warten. = Invece di aspettarmi, le mie amiche domenica se ne andarono da sole (senza di me).
> -Nichts ist besser (sicherer), als mit eigenen Augen zu sehen. = Nulla è meglio (piú sicuro) che vedere coi propri occhi.

La congiunzione "statt" può a volte essere seguita dalla congiunzione "dass" e introdurre in tal modo una proposizione oggettiva, assumendo il significato di "anziché":

> z.B.:-Wir waren mit unseren Freunden etwas enttäuscht; statt dass sie noch blieben, gingen sie schon nach einer halben Stunde. = Eravamo delusi dei nostri amici; anziché fermarsi ancora, già dopo mezz'ora se ne andarono.

8.  Diverse proposizioni secondarie o dipendenti possono in tedesco essere sostituite da complementi preposizionali; si veda ad es. la proposizione concessiva pag. 267, regola 8, così pure la proposizione condizionale a pag. 255, regola 9. Anche la proposizione infinitiva può a volte essere sostituita da un complemento preposizionale:

> z.B.:-Soll ich dir beim Kofferbacken helfen? (= Soll ich dir helfen, den Koffer zu zu bakcen?) = Vuoi ch'io ti aiuti a fare la valigia? (= Devo aiutarti...?)
> -Das uneigenützige, tapfere Mädchen Christa Wolf entschloss sich zu einer Verzweiflungstat, um sich und ihre Mitschülerinnen zu retten. (Invece di dire: ".....entschloss sich, eine Verzweiflungstag zu unternehmen, um.sich und ihre Mitschülerinnen zu retten. = Christa Wolf, una ragazza altruista e coraggiosa, decise di intraprendere un atto disperato per salvare sé e le sue compagne. (Così si evita di usare due proposizioni infinitive susseguenti).

# Der Temporalsatz

( La proposizione temporale )

## 1. _Konjunktionen = Congiunzioni_

| | | |
|---|---|---|
| -als | | |
| -wenn | } | = quando |
| -wann | | |
| -während | } | = mentre |
| -indessen | | |
| -sobald | } | |
| -wie | | = appena che, appena, non appena |
| -sowie | | |
| -ehe | } | = prima di |
| -bevor | | |
| -nachdem | | = dopo, dopo che |
| -wie lange | | = quanto tempo |
| -sooft | | = ogni volta che |
| -nun | | = ora che |
| -seit | } | = da quando, dacchè, dal momento in cui |
| -seitdem | | |
| -solange | | = fintantochè, fino a (fino al momento in cui) |
| -bis | | = finchè |

## 2. **als** = quando

Si usa:

a) con riferimento a determinate azioni o situazioni avvenute una sola volta nel passato, come pure per azioni prolungate (= continuative) e non ripetute del passato:

z.B.: -Als ich ein Kind war, spielte ich mit Puppen. = Quando ero bambina, giocavo con le bambole. NB: Wenn ich ein Kind war (errore grave), spielte ich mit Puppen.

-Als wir diesen Sommer in England waren, regnete es ständig. = Quando quest'estate eravamo in Inghilterra, pioveva sempre.

-Als eines Tages Gudrun Schulte aus der Straßenbahn steigen wollte, sprach sie Georg an. = Quando un giorno Gudrun Schulte stava per scendere (= voleva scendere) dal tram, Giorgio le rivolse la parola. (= Riferimento ad un evento preciso che si sarà in seguito ripetuto, ma qui il riferimento riguarda il primo approccio, cioé quel determinato momento della prima volta.)

-Im wunderschönen Monat Mai,
Als alle Knospen sprangen,
Da ist in meinem Herzen
Die Liebe aufgegangen.

Im wunderschönen Monat Mai,
Als alle Vöglein sangen,
Da hab' ich ihr gestanden
Mein Sehnen und Verlangen.            (**Heine** "Buch der Lieder –
                                        Lyrisches Intermezzo")

= Nel meraviglioso mese di maggio, quando tutti i boccioli si dischiudono, anche nel mio cuore è sbocciato l'amore. Nel meraviglioso mese di maggio, quando tutti gli uccellini cantano, in quel periodo io le confessai il mio ardente desiderio e la mia brama.
(Heine, dopo Goethe il secondo piú grande lirico della letteratura tedesca, usa qui la congiunzione "als" con riferimento a quella determinata primavera durante la quale, assieme all'annuale ripetersi dei fenomeni primaverili, accadde per lui l'irrepetibile evento dello sboccio del suo amore per l'amata Amalie che, dopo aver in un primo tempo risposto positivamente all'amore del giovane poeta, ben presto lo deluderà abbandonandolo).

b) col presente storico, quando cioè vengono riferiti fatti storici al presente (é raramente in uso):

z.B.:-Als Julius Caesar den Rubicon überschreitet, ruft er aus: "Der Würfel ist geworfen!" = Quando Giulio Cesare passa il Rubicone esclama: "Il dado è tratto!"
-Als Christoph Kolumbus Amerika entdeckt, pflanzt er die spanische Fahne auf den Boden. = Quando Cristoforo Colombo scopre l'America, pianta la bandiera spagnola sul terreno.

2. | **wenn** |   = quando

Si usa:
a) con il presente e futuro (= quando nella proposizione temporale l'azione viene descritta al presente o riguarda il futuro):

z.B.: -Im Frühling, wenn alles blüht, komme ich dich besuchen. = Vengo a trovarti in primavera, quando tutto è in fiore.
-Wenn (sobald) ich zu Hause ankomme, rufe ich dich gleich an. = Quando (non appena) giungo a casa, ti telefono (chiamo) subito.
-Wenn der Richter in den Gerichtssaal eintritt, stehen alle auf und schweigen. = Quando il giudice entra in aula, tutti si alzano e fanno silenzio.

b) <mark>con azioni ripetute o iterate nel passato, nel senso di "ogni volta che"</mark>
<mark>= "jedesmal wenn":</mark>

> z.B.: -Wenn am Samstag der Vater nach Hause kam, freuten sich die
> Kinder. = Quando (ogni volta che) il papà tornava a casa il sa-
> bato, i bambini (si rallegravano) gioivano.
> -Wenn wir uns begegneten, grüßte mich Monika immer sehr
> freundlich = Quando c'incontravamo, Monica mi salutava sem-
> pre cordialmente.

3. **wann**     = quando

Si usa:

a) <mark>come avverbio pronominale interrogativo per introdurre domande</mark>
<mark>dirette</mark> (= proposizioni principali interrogative):

> z.B.: -Wann kommt Peter? = Quando viene Pietro?
> -Wann heiratest du denn? = Ma quando ti sposi?

b) <mark>come congiunzione subordinativa per introdurre proposizioni inter-</mark>
<mark>rogative indirette con significato temporale: in tali casi la congiun-</mark>
<mark>zione "wann" dipende per lo più da verbi di conoscenza o dizione:</mark>

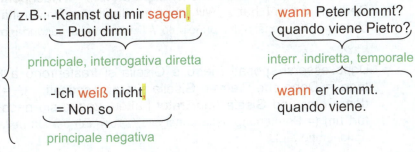

z.B.: -Kannst du mir sagen,       wann Peter kommt?
     = Puoi dirmi             quando viene Pietro?

       principale, interrogativa diretta        interr. indiretta, temporale

       -Ich weiß nicht,            wann er kommt.
       = Non so               quando viene.

       principale negativa

4. **nachdem**     = dopo che; dopo

Con la congiunzione "nachdem" si deve rispettare la qui sotto indicata
"<mark>*consecutio temporum*</mark>" = sequela (successione) dei tempi. Questa
congiunzione infatti <mark>si riferisce</mark> sempre, contrariamente al suo significato
semantico, non all'azione che segue (che viene dopo), bensì <mark>all'azione</mark>
<mark>che precede, per cui richiede necessariamente un tempo anteriore</mark> a
quello della principale.

## Konstruktion

| Hauptsatz | Temporalsatz |
| --- | --- |
| Praesens | Perfekt |
| Praeteritum; Perfekt | Plusquamperfekt |
| Futur I (Praesens) | Futur II |

NB: In italiano sia la congiunzione "nachdem" che la congiunzione "bevor" possono introdurre proposizioni temporali implicite, espresse cioè con l'infinito ed il soggetto sottinteso. In tedesco invece, le uniche proposizioni implicite espresse con l'infinito ed il soggetto sottinteso sono le infinitive. Quando quindi si deve tradurre dall'italiano in tedesco una proposizione temporale implicita con l'infinito, essa va esplicitata prima della traduzione:

> z.B.: -Dopo aver imparato bene il tedesco, voglio frequentare un'università tedesca (= Dopo che ho imparato... ). = Nachdem ich gut Deutsch gelernt habe, will ich eine deutsche Universität besuchen (= Praesens nella principale / Perfekt nella secondaria temporale).
>
> -Dopo essersi sposati Pietro e Gisella si trasferirono a Francoforte (= Dopo che Pietro e Gisella si erano sposati... ). = Nachdem Peter und Gisela geheiratet hatten, zogen sie nach Frankfurt um (= Praeteritum nella principale / Plusquamperfekt nella secondaria temporale).

5.  | **bevor** |   = prima che; prima di

La congiunzione "bevor" si riferisce, contrariamente al suo significato semantico, non all'azione che precede, bensì a quella che segue. Anche con "prima di", "prima che" si possono in italiano avere delle proposizioni implicite; per cui, all'inizio dell'apprendimento, è necessario seguire lo stesso criterio indicato nelle spiegazioni della congiunzione "nachdem", tuttavia senza la *consecutio temporum*:

240

z.B.: -Prima di frequentare un'università tedesca, voglio imparare bene il tedesco (= Prima che io frequenti…). = Bevor ich eine deutsche Universität besuche, will ich gut Deutsch lernen.

-Bevor ich zur Post gehe, muss ich noch einen Brief schreiben. = Prima di andare alla posta (= Prima ch'io vada alla posta), devo ancora scrivere una lettera.

**6.** **während** = mentre

Si usa:

a) per indicare contemporaneità d'azione (= Gleichzeitigkeit), per introdurre quindi proposizioni temporali la cui azione è contemporanea a quella della principale:

z.B.: -Während Herr und Frau Braun zu Hause sitzen und lesen, klingelt der Briefträger an der Tür und bringt ein Telegramm von Walter. = Mentre il signore e la signora Braun siedono a casa e leggono, il postino suona alla porta portando un telegramma di Walter.

-Während Frau Braun Kaffee kochte, deckte Herr Braun den Tisch. = Mentre la signora Braun faceva il caffè, il signor Braun apparecchiò la tavola.

b) per introdurre proposizioni la cui azione è contraria a quella della principale, cioé proposizioni dipendenti avversative = (Gegenüberstellung = contrapposizione):

z.B.:-Du kannst jetzt in Urlaub fahren, während ich hier bleiben und arbeiten muss. = Tu puoi ora andare in vacanza, mentre io devo restare qui e lavorare.

-Im Herbst war früher das Wetter in Deutschland meistens schön, während es im Sommer häufig regnete; heutzutage aber hat sich das Klima etwas geändert. = In autunno il tempo in Germania era nei decenni passati perlopiù bello, mentre d'estate pioveva con frequenza; oggigiorno tuttavia il clima è un po' cambiato.

**7.** **seit - seitdem** = da quando, dacchè, da quel momento, da allora

Si usano:

a) come congiunzioni per indicare un'azione iniziata nel passato che perdura fino al presente, stanno cioè ad indicare che l'azione della

principale è iniziata nello stesso momento dell'azione della secondaria temporale e che ambedue le azioni perdurano tuttora, cioè
fino al presente:

> z.B.:-Seitdem Paul Inge geheiratet hat, geht er nicht mehr in die
> Kneipe. = Da quando Paolo ha sposato Inge, (egli) non va più
> all'osteria.
> -Seit Monika geheiratet hat, ist sie ganz anders geworden.
> = Da quando Monica si è sposata è cambiata completamente.

Da ciò consegue che il predicato della principale viene a trovarsi
sempre al presente.

> z.B.:-Seitdem Gisela so jung starb, ist Peter sehr traurig.
> = Da quando Gisella morì così giovane, Pietro è tristissimo.

b) per l'uso di "seit" come preposizione si veda il capitolo "Homonyme"
nr. 20, pag. 490.

c) "seitdem" può essere usato, così come "seither", in qualità di avverbio al posto di "seit der (jener) Zeit" (= da allora, da quel tempo,
da quell'epoca), abbreviando in tal modo il discorso:

> z.B.:-Peter und Gisela sind voriges Jahr nach Frankfurt umgezogen;
> wir haben seitdem nichts mehr von ihnen gehört. = Pietro e Gi-
> sella si sono trasferiti l'anno scorso a Francoforte; da allora non
> li abbiamo piú sentiti.

8. **solange (solang)** = fintanto che (= per tutto il tempo che),
fintantoché (mentre)

a) La congiunzione "solange" introduce una secondaria temporale la
cui azione ha la stessa durata dell'azione della principale:

> z.B.: -Solang du Fieber hast, musst du im Bett bleiben. = Finchè hai
> febbre devi stare a letto.
> -Der Mensch hofft, solang er lebt. = L'uomo spera finché vive
> (= per tutto il tempo della sua vita).
> -Solange du da bist, fürchte ich mich nicht. = Finchè tu sei qui,
> non ho paura.
> -Solang du nicht alles aufgegessen hast, darfst du nicht spielen
> gehen. = Finchè non hai mangiato tutto non puoi andare a
> giocare.
> -Es irrt der Mensch, solang er strebt. (**Goethe** "Faust")
> = Fintanto che l'uomo è alla ricerca (mira, aspira, si sforza), egli
> (sbaglia) può fare degli errori.

b) Usato come avverbio va scritto secondo il nuovo regolamento ortografico – "Neue Rechtschreibung" – con grafia separata "so lang – so lange" e assume il significato di: a) "fino allora; fino a quel momento;  b) così tanto tempo; così a lungo".

> z.B.: -Bleibst du, bis ich zurückkomme?  = Resti finché torno?
> -Nein, tut mir Leid, ich kann wirklich nicht so lang hierbleiben.
> = No, mi spiace, non posso veramente restare così a lungo.

**9.**  **bis**    = finchè;  fino al momento che;  fino al momento in cui

a)  La congiunzione "bis" introduce una secondaria temporale la cui azione inizia quando cessa quella della principale; indica quindi il termine temporale dell'azione della principale e l'inizio di un'altra azione, quella della secondaria:

> z.B.:-Peter wartete vor dem Palastkino, bis Inge kam.  = Pietro attese davanti al cinema Palazzo finchè giunse Inge.
> -Du bleibst bei uns, bis der Regen aufhört.  = Tu resti qui da noi finchè smette di piovere.
> -Wir suchten so lange, bis wir den Schlüssel fanden.  = Noi cercammo così a lungo, finchè trovammo la chiave.
> -Der Krug geht so lange zum Brunnen, bis er bricht. (Sprichwort = proverbio)  = Tanto va la gatta al lardo che ci lascia lo zampino [Alla lettera: "L'anfora va così tante volte alla fontana finché si rompe"].

b)  La congiunzione "bis + nicht", in cui cioé "bis" è accompagnata dalla negazione "nicht", si usa anche nel senso di "non prima di  = bevor nicht" quando la principale è negativa e si ha un'anteriorità (azione anteriore) nella secondaria:

> z.B.:-Wir können nicht nach Hause gehen, bis nicht (bevor nicht) die Arbeit erledigt (fertig) ist.  = Non possiamo andare a casa prima che il lavoro sia finito (=… prima di finire il lavoro).
> -Diese Firma bekommt keinen Kredit mehr, bis sie nicht einen Teil der Schuld bezahlt hat.  = Questa ditta non riceverà più alcun credito finchè non avrà pagato una parte del debito.

NB: In tali casi "bis" può anche essere preceduto dalla congiunzione "als" = "als bis", assumendo in tal modo una scadenza piú spiccata = "fin quando, fino al momento in cui":

> z.B.:-Paul kam nicht eher zur Ruhe, als bis er eine Spritze bekommen hatte.  = Paolo non si quietó fino al momento in cui ricevette un'iniezione.

c) per l'uso di "bis" in qualità di preposizione + Akk. si veda il capitolo "Praepositionen + Akk", pag. 173-174.

# Der Relativsatz

( La proposizione relativa )

1. *Konjunktionen = Congiunzioni*

-der, die, das = che, il quale
> NB: Ad eccezione del genitivo plurale "derer", il pronome di-
> mostrativo viene usato in tutte le sue forme anche come pro-
> nome relativo. (Si veda la declin. di "der, die, das" pag. 33).

-welcher, welche, welches = il quale, la quale

-wer, wessen, wem, wen = chi, di chi, a chi, chi

-was, wessen, was = che cosa, di che cosa; la qual cosa, il che

-womit, wofür, worin, woran... usw. = tutte le fusioni pronominali in-
> terrogative con "wo"

-wo, wohin, woher = dove, da dove (introducono proposizioni relative-
> locative.) NB: Anche le locative possono in italiano essere proposizioni
> implicite: che in tedesco devono invece essere esplcictate. z.B.: Non so dove
> trascorrere le vacanze. = Ich weiß nicht, wo ich die Ferien verbringen kann.

2. La proposizione relativa sta subito dopo la parte del discorso alla quale
essa si riferisce e può quindi spezzare in due tronconi la proposizione
principale o reggente dalla quale dipende:
> z.B.: -Das Zimmer, das ich jetzt habe, gefällt mir nicht. = La stanza che
> adesso ho non mi piace.
> -Walters Sohn, der an der Universität Heidelberg studiert, promo-
> viert Ende dieses Monats. = Il figlio di Walter, che frequenta l'uni-
> versità di Heidelberg, si laurea alla fine di questo mese.

3. Fra la relativa e la parte del discorso alla quale la relativa si riferisce
possono stare delle forme verbali o dei complementi di specificazione:
> z.B.: -Richard hat im vergangenen Jahr eine schwere Grippe gehabt,
> von der er sich noch nicht erholt hat. = Riccardo ha avuto l'anno
> scorso una grave influenza dalla quale non si è ancora ripreso.
> -Das neue Haus meiner Eltern, das sie erst kauften, liegt mitten im
> Grünen. = La nuova casa dei miei genitori, che (loro) hanno
> appena comprato, si trova in mezzo al verde.
> -Der Sohn von Walter, der an der Universität Heidelberg studiert,
> promoviert Ende dieses Monats. = Il figlio di Walter, che studia
> all'università di Heidelberg, si laurea alla fine di questo mese.

4. Il pronome relativo concorda con la parte alla quale si riferisce nel numero e nel genere; il caso invece viene determinato dalla funzione
logica che esso detiene nella proposizione relativa:

z.B.: -Der Herr, der mich gegrüßt hat, ist mein Deutschlehrer. = Il signore che mi ha salutato è il mio insegnante di tedesco.

-Der Herr, dem ich schreibe, ist mein Deutschlehrer. = Il signore al quale sto scrivendo è il mio insegnante di tedesco.

-Der Herr, den ich gerade anrufe, ist mein Deutschlehrer. = Il signore al quale sto telefonando è il mio insegnante di tedesco.

5. Il pronome relativo può essere determinato da una preposizione che normalmente lo precede e che è parte integrante della congiunzione relativa. Attenzione: la cadenza va sul pronome, non sulla preposizione!

z.B.:-Herr Bergmeier wohnt in einer kleinen Stadt, von dér er Richard viele schöne Bilder gezeigt hat. = Il signor Bergmeier abita in una piccola città della quale ha mostrato a Riccardo tante belle foto.

-In der Umgebung von Neustadt kann Richard viele Wanderungen machen, auf dénen ihn Herr Bergmeier begleiten möchte. = Nei dintorni di Neustadt R. può fare molte passeggiate durante le quali (nelle quali) il signor Bergmeier vorrebbe accompagnarlo.

6. Il pronome relativo riferito a cosa, specialmente se questa è di genere neutro, può anche fondersi con la preposizione che lo determina: la fusione va sempre fatta con "wo + Praep.", mai con "da", in quanto queste relative sono perlopiù allo stesso tempo interrogative indirette:

z.B.:-Wir haben noch nicht erfahren, wofür (wozu) wir all diese Arbeit verrichten müssen. = (Non abbiamo ancora saputo) Non siamo ancora stati informati a quale scopo (perché) dobbiamo svolgere tutto questo lavoro.

-Das Auto, womit wir diesen Sommer nach Deutschland fuhren, hatte eine Panne. = La macchina con la quale quest'estate andammo in Germania ebbe un guasto.

-Warum mischt du dich denn ein? Du weißt ja gar nicht, wovon (worüber) wir sprechen! = Ma perché t'impicci? Non sai neanche di che parliamo!

7. La congiunzione relativa indicante possesso o specificazione sta al genitivo e segue la regola del genitivo sassone (= la persona o cosa posseduta segue il pronome relativo espresso al genitivo senza articolo. – Si veda "Der sächsische Genitiv" pag. 76):

z.B.:-Herr und Frau Braun, deren Tochter du bei der gestrigen Party kennen lerntest, wohnen in Frankfurt. = Il signore e la signora Braun, la cui figlia hai conosciuto ieri al party, abitano a Francoforte.

-Wie alt ist die Professorin, deren Geburtstag wir morgen feiern? = Quanti anni ha la professoressa della quale domani festeggiamo il compleanno?

-Weißt du, wessen Buch das ist? = Sai tu di chi è questo libro? (= relativa, interrogativa indiretta)
-Kennen Sie den Herrn, dessen Mantel noch in der Garderobe hängt? = Lei conosce il signore, il cui mantello è ancora appeso nel guardaroba?

NB:

Il pronome relativo non ha alcun influsso sull'eventuale aggettivo attributivo che lo segue; l'aggettivo attributivo si declina quindi forte:

z.B.:-Der Minister gab den Reportern, deren neugierige Fragen er nicht leiden konnte, nur eine kurze Antwort. = Il ministro dette ai reporter, dei quali non sopportava le curiose domande, solo una risposta breve.

8. La congiunzione relativa indicante possesso può essere ampliata da una preposizione che determina soltanto la cosa posseduta senza articolo; questa preposizione va collocata prima del pronome relativo e non ha alcun influsso sul pronome relativo stesso:

z.B.:-Wir sind nach Hamburg gefahren, von dessen Hafen wir beeindruckt waren. = Siamo andati ad Amburgo e siamo rimasti impressionati del suo porto [Alla lettera: del cui porto restammo impressionati].
-Wir haben letzthin Goethe studiert, von dessen Werken wir begeistert wurden. = Ultimamente abbiamo studiato Goethe, delle cui opere siamo rimasti [restammo] entusiasti.

9. Le proposizioni correlative vengono appoggiate nella principale (o secondaria = proposizione reggente che precede) da un pronome dimostrativo, per cui la correlazione si ottiene con le seguenti forme:

| | |
|---|---|
| -derjenige…, der | = colui che |
| -diejenige…, die | = colei che |
| -dasjenige…, das | = ciò che |
| -diejenigen…, die | = coloro che |
| -wer…, der | = chi…, questi |
| -wer…, den | = chi…, questi |
| -das…, was | = ciò che |
| -alles…, was | = tutto ciò che |
| -all das…, was | = tutto quanto che |
| -der…, welcher | = quello che |
| -das…,worüber, wovon, womit…usw. = ciò di cui, ció con cui... | |

| | |
|---|---|
| -alles…, wovon, worüber… usw. | = tutto ciò di cui, tutto ció su cui ecc. |
| -etwas…, was | = qualcosa che |
| -aus dem…, was | = da ció che |
| -bei dem…, was | = con ció che |
| -mit dem…, was | = con ció che |
| -nach dem…, was | = secondo ció che |
| -von dem…, was | = di ció che |
| -nichts von dem…,was | = niente di quello… che |
| -zu dem…, was | = a ció che |
| -durch das…, was | = attraverso ció che |
| -für das…, was | = per ció che |
| -gegen das…, was | = contro ció che |
| -an das / dem…, was | = a ció che |
| -auf das / dem…, was | = su ció che |
| -in das / dem…, was | = in ció che ecc. (= elenco abbastanza esauriente) |

z.B.:-Ich weiß etwas, was dich bestimmt freuen wird. = So qualcosa che certamente ti farà piacere.

-Wer ist derjenige, den du gestern so freundlich grüßtest? = Chi è quello che tu ieri hai salutato così cordialmente?

-Georg ist das, was man einen gutaussehenden Jungen nennt. = Giorgio è ció che si suol dire un ragazzo di bell'aspetto.

a) "**wer** " ben si presta a sostituire "der…, welcher" e "derjenige…, der":

z.B.: -Wer nicht arbeitet, soll auch nicht essen! = (invece di: "Derjenige, der nicht arbeitet, soll auch nicht essen! NB: Subjektivsatz) = Chi non lavora, non mangi! (…, non ha diritto di mangiare).

-Wer immer strebend sich bemüht, den können wir erlösen. (**Goethe**, Faust, II Teil, 5. Akt: Engelchor) = Possiamo salvare colui che si è sempre sforzato (nella ricerca della verità e del bene).

"**was**" ben si presta a sostituire "das…, was" e "dasjenige.., welches":

z.B.: -Was du gesagt hast, ist sehr interessant. = (invece di: "Das, was du gesagt hast, ist sehr interessant). = Ciò che hai detto, è molto interessante.

-Was ich nicht weiß, macht mich nicht heiß! (NB: Subjektivsatz) = Occhio non vede, cuore non duole!

NB:

Il pronome dimostrativo prima di "was" (così pure prima di "welcher" o "der") si può omettere solo se i due pronomi della correlazione vengono a trovarsi nello stesso caso diretto cioé in nominativo o accusativo. (Si tratta di una semplificazione = Vereinfachung.)

b) Se il pronome dimostrativo fungente da appoggio alla correlazione si trova in un caso indiretto (= genitivo o dativo), oppure se esso è determinato da una preposizione, non può essere omesso, deve essere espresso (= in questo caso la semplificazione non è possibile):
> z.B.:-Ich erinnere mich nicht mehr dessen, was du gesagt hast.
> -Ich erinnere mich nicht mehr an das, was du gesagt hast.
> = Non ricordo più ciò che (tu) hai detto.

c) Il pronome dimostrativo della proposizione che precede la correlativa e funge da appoggio alla correlazione non può essere fuso con l'eventuale preposizione che lo determina:
> z.B.: -Ich erinnere mich nicht mehr daran, was du gesagt hast (errore).
> -Ich erinnere mich nicht mehr an das, was du gesagt hast (corretto).

d) Il pronome dimostrativo "derer" (= genitivo plurale) si usa esclusivamente per formare la correlazione (ossia come pronome dimostrativo di appoggio della correlativa) e in casi rari davanti a "von":
> z.B.: -Der Lehrer lobte den Fleiß derer, die ihm in der Bibliothek geholfen hatten. = L'insegnante lodò la diligenza di coloro che lo avevano aiutato in biblioteca.
> -Die Meinung derer, die ich kaum kenne, interessiert mich nicht. = L'opinione di chi non conosco non m'interessa [Alla lettera: ... di coloro ch'io non conosco...].

Il pronome dimostrativo "derer" serve anche per indicare gli appartenenti ad una stirpe nobile (in tal senso è ormai raramente in uso):
> z.B.:-Das Geschlecht derer von Bismarck. = La stirpe dei Bismarck. [Alla lettera, italiano scorretto: "La stirpe di quelli dei Bismarck "].

## Partizipialkonstruktion des Relativsatzes
## = der Partizipialsatz

(= Einschrumpfung des Relativsatzes durch attributive Partizipien)

( Riduzione della prop. relativa con participi in posizione attributiva )

La proposizione relativa può essere abbreviata, può cioé subire una riduzione, attraverso l'impiego di participi usati come attributi. In tali casi il verbo principale della relativa, trasformato in participio, diventa aggettivo attributivo della parte del discorso alla quale la relativa si riferisce. Tutti i complementi della relativa vengono a trovarsi in posizione attributiva, stanno cioé anch'essi prima della parte del discorso alla quale la relativa si riferisce e così pure prima del participio usato come attributo. Si tratta quindi, in ultima analisi, di una restrizione della proposizione relativa, in quanto viene a cadere la congiunzione (che diventa superflua) e tutto il predicato si riduce ad un semplice participio, usato come attributo e declinato secondo la declinazione dell'aggettivo attributivo. La successione delle parti del discorso nel "Partizipialsatz" (= frase con costruzione attributiva della relativa) è la seguente:

a) articolo della parte del discorso alla quale la relativa si riferisce;
b) complementi della proposizione relativa;
c) participio, dedotto dal verbo principale della relativa, e usato come attributo della parte del discorso alla quale la relativa si riferisce,
d) sostantivo o pronome che funge da punto di relazione (= di riferimento) della relativa:

> z.B.:-Das Land, das 1492 von Kolumbus entdeckt wurde, wurde dann Amerika genannt.
>
> Frase grammaticalmente corretta, ma che a causa della ripetizione cacofonica dell'ausiliare "wurde", presenta un inconveniente che si può evitare usando la Partizipialkonstruktion come segue:
>
> -Das 1492 von Kolumbus entdeckte Land, wurde dann Amerika genannt. = La terra scoperta da Colombo nel 1492 venne in seguito chiamata America.

> -Die Polizei verfolgte ein Auto, [das] mit drei Personen besetzt [war]
>
> -Die Polizei verfolgte ein mit drei Personen besetztes Auto.
> = La polizia inseguì una macchina occupata da tre persone.

---

A) *Partizipialkonstruktion mit Partizip Praesens*

1. Il participio presente dei verbi transitivi, intransitivi e riflessivi indica nella "Partizipialkonstruktion" azioni attive che sono contemporanee al predicato della principale:

| | |
|---|---|
| z.B.:<br><br>trans. | -Der Unfall, der den Verkehr blockiert (blockierte), ärgert (ärgerte) viele Fahrer. = L'incidente che blocca (bloccava) il traffico irrita (irritava) molti automobilisti.<br>-Der den Verkehr blockierende Unfall ärgert (ärgerte) viele Fahrer. |
| intrans. | -Der Stau, der nur langsam vorankommt (vorankam) und immer wieder stockt (stockte), wird (wurde) zehn km lang.<br>-La coda che prosegue (-guiva) solo lentamente e si blocca (-ava) in continuazione raggiunge (-iunse) i dieci km.<br>-Der nur langsam vorankommende und immer wieder stockende Stau, wird (wurde) zehn km lang. |
| reflexiv | -Auch die Leute des Rettunsdienstes, die sich um die Verletzten kümmern (kümmerten), kommen (kamen) nur langsam voran. = Anche la squadra di soccorso che si occupa (occupó) dei feriti riesce (riusciva) a proseguire solo lentamente.<br>-Auch die sich um die Verletzten kümmernden Leute des Rettugsdienstes kommen (kamen) nur langsam voran. |

2. Il participio presente si usa pure per esprimere azioni iniziate nel passato che perdurano fino al presente, così come per azioni iterative che ebbero inizio nel passato e si ripetono ancora; si ha anche qui contemporaneità con l'azione della principale:

| | |
|---|---|
| z.B.:<br><br><br><br>trans. | -Der Autoverkehr, der die Atmosphäre stark belastet, hat mit der Erfindung des Autos durch die deutschen Techniker Daimler und Benz begonnen. = Il traffico delle macchine che inquina fortemente l'atmosfera è iniziato con l'invenzione dell'automobile da parte dei tecnici tedeschi Daimler e Benz.<br>-Der die Atmosphäre stark belanstende Autoverkehr hat mit der Erfindung des Autos durch die deutschen Techniker Daimler und Benz begonnen. |

3. Il participio presente può indicare, unito ad un complemento di tempo, anche un'azione attiva anteriore a quella del predicato della proposizione principale:

| | |
|---|---|
| z.B.:<br><br>intrans. | -Fast alle Patienten, die früher an Blinddarm starben, werden heutzutage unbeschwert gerettet. = Quasi tutti i pazienti che un tempo morivano di appendicite vengono oggigiorno salvati senza complicazioni.<br>-Fast alle früher an Blinddarm sterbenden Patienten werden heutzutage unbeschwert gerettet. |

B) Partizipialkonstruktion mit
   Partizip Perfekt

1. Il participio passato dei verbi transitivi indica per lo piú azioni passive concluse che possono essere sia anteriori sia contemporanee al predicato della proposizione principale:

| z.B.:<br><br>trans. | -Die Rettungsmannschaft freut (freute) sich über den Einsatz, der glücklich beendet worden ist (war). = La squadra di soccorso si rallegra (rallegró) per l'intervento felicemente portato a termine [anziché: ...che era stato portato a ...].<br>-Die Rettungsmannschaft freut (freute) sich über den glücklich beendeten Einsatz. |
|---|---|

2. Il participio passato dei verbi intransitivi, aventi l'ausiliare "sein" nei tempi composti, indica per lo piú azioni concluse attive, anteriori al predicato della proposizione principale:

| z.B.:<br>intrans. | -Die Polizei, die sofort eingetroffen ist (eingetroffen war), leistete die erste Hilfe. = La polizia giunta prontamente prestó i primi soccorsi [anziché: ...che era giunta pron...].<br>-Die sofort eingetroffene Polizei leistete die erste Hilfe. |
|---|---|

3. Il participio passato dei verbi riflessivi indica azioni attive che possono essere sia anteriori che contemporanee al predicato della proposizione principale:

| z.B.:<br><br><br>reflexiv | -Die Krankenwärter, die sich auf erste Hilfe spezialisierten (spezialisiert hatten), sind selbstlose, hilfsbereite Menschen. = Gli infermieri specializzati per il pronto soccorso sono persone altruiste e soccorrevoli [anziché: ...che si sono specializzati per il...].<br>Die auf erste Hilfe spezialisierten Krankenwärter sind selbstlose, hilfsbereite Menschen. |
|---|---|

NB: Il participio passato dei verbi intransitivi, aventi l'ausiliare "haben" nei tempi composti, non può essere usato attributivamente! In tali casi la Partizipialkonstruktion non è possibile!

z.B.:-Dem Passagier, der hier gesessen hat, wurde das Gepäck gestohlen.= Al passeggero che era seduto qui è stato rubato il bagaglio.

-Dem hier gesessenen Passagier wurde das Gepäck gestohlen. (= errore!)

# Der Konditional- oder Bedingungssatz

( La proposizione condizionale o ipotetica )

## 1. *Konjunktionen = Congiunzioni*

| | |
|---|---|
| -wenn, auch wenn...,so | = se, anche se...,tuttavia |
| -falls | = se, in caso che, qualora |
| -sofern | = a) in quanto (che), nella misura in cui<br>b) purché, ammesso che, a meno che |
| -im Falle, dass<br>-gesetzt den Fall, (dass) | = in caso che, nel caso che |
| -wofern | = purché, qualora |
| -angenommen, dass<br>-in der Annahme, dass | = supposto che |
| -vorausgesetzt, dass<br>-unter der Voraussetzung<br>-dass | = ammesso che, a condizione che |
| -unter der Bedingung, dass | = a condizione che |
| -wenn...nur<br>-wenn...irgend<br>-wenn...überhaupt | = seppure, semmai, purché |
| -es sei denn, dass<br>-außer wenn | = a meno che |

2. La proposizione condizionale con ipotesi probabile viene espressa anche in tedesco con l'indicativo:
> z.B.:-Wenn ich mich nicht täusche, ist die Versammlung für morgen Abend
> angesagt, stimmt es? = Se non sbaglio, la riunione è stata indetta
> per domani sera, dico bene (é così)?
> -Falls Peter kommt, gib ihm bitte dieses Paket! = Se viene Pietro,
> dagli per favore questo pacco!
> -Wenn man in einem Flughafen weiß, wo sich die Halle für Sonder-
> flüge befindet, spart man Umwege. = Se in un aeroporto si sa dove
> si trova il padiglione dei voli charter, si risparmia strada (...di andare
> in giro inutilmente).
> -Auch angenommen, dass das, was du sagst, stimmt, hast du trotz-

252

dem Unrecht, weil du mit Inge zu rücksichtslos und grob warst. (Invece di: "Auch wenn wir annehmen, dass...") = Supponendo anche (anche se supponiamo) che quanto tu affermi sia vero, tu hai ugualmente torto, perché hai trattato Inge in modo sgarbato e villano.

-Ich komme morgen, sofern du nichts dagegen hast. = Vengo domani, a meno che tu non abbia qualcosa in contrario.

-Wenn du nur immer irgendwas auszusetzen hast! = Se tu non hai qualcosa da ridire, non sei contento! (= Sei sempre solo contento, se hai qualcosa da ridire!)

-Im Übrigen geht dich das gar nichts (überhaupt nichts) an, wenn du auch meine Freundin bist! = Per il resto ció non ti riguarda affatto, anche se tu sei la mia amica.

-Wenn eine Reparatur dieses alten Motors überhaupt noch möglich ist, wollen wir im nächsten Monat nachsehen, vorher kommen wir einfach nicht dazu; es fehlt uns die Zeit. = Semmai sia possibile riparare questo vecchio motore, possiamo constatarlo il mese venturo; prima non ce la facciamo, non abbiamo tempo.

3. La frase formata da una proposizione condizionale con ==ipotesi poco probabile== viene in tedesco espressa col ==Konjunktiv II nella proposizione ipotetica==, col modo indicativo o congiuntivo (Konj. II) nella proposizione principale:

    z.B.:-Falls Peter käme, gib ihm bitte dieses Paket! = Se dovesse venire Pietro, dagli per favore questo pacco.

    -Wenn du wieder dein ganzes Geld verjubeln würdest – ich hoffe, dass dies nicht mehr passiert – bekommst (bekämest) du von mir nichts mehr. = Se tu dovessi nuovamente sperperare tutto il tuo denaro – io spero che ció non avvenga piú – non riceveresti piú nulla da me.

    -Wenn Peter doch bald käme! (= Konditionalsatz + Wunschsatz) = Potesse Pietro venire subito! (Venisse Pietro una buona volta! Se Pietro venisse subito!) NB: Si tratta di una proposizione condizionale-ottativa con ipotesi poco probabile. Le varie sfumature interpretative dipendono molto dal tono di voce.

4. La frase formata da una prop. condizionale con ==ipotesi improbabile== viene in tedesco espressa col ==Konjunktiv II sia nella proposizione dipendente ipotetica che nella principale==. In tedesco infatti non esiste il modo condizionale!

    z.B.:-Wenn ich ein König (eine Königin) wäre, würde ich vielen Armen helfen. = S'io fossi un re (una regina), aiuterei molti poveri.

    -Wenn es nach mir ginge, würde ich eine ganz andere Sozialpolitik einführen, aber ich bin leider nur ein einfacher Bürger und kein Minister. = Se potessi decidere io, introdurrei una ben differente

politica sociale, ma purtroppo sono soltanto un semplice cittadino e non un ministro.
-Weitere Kredite könnte diese Firma nur unter der Bedingung erhalten, dass sie wenigstens einen Teil der Schulden abtrüge. = Questa ditta potrebbe ottenere ulteriori crediti solo a condizione che ammortizzasse (estinguesse) almeno una parte dei debiti.
-Wenn ich mich nur noch daran erinnern könnte, aber diese Einzelheit des Ereignisses kommt mir einfach nicht mehr in den Sinn! = Potessi ancora ricordarmi del fatto, ma questo particolare dell'evento non mi viene proprio piú in mente! (Condizionale-ottativa)

5. Le congiunzioni "wenn" e "falls" possono anche essere omesse, si ha ancora una proposizione condizionale, introdotta tuttavia dalla costruzione inversa della proposizione interrogativa diretta (= verbo in testa), la principale che segue inizia per lo piú con gli avverbi "so" oppure "dann":

   z.B.:-Kommt Peter, so gib ihm bitte dieses Paket! = Se viene Pietro, dagli per favore questo pacco!
   -Regnet es am Wochenende, dann fahren wir nicht ins Gebirge. = Se durante il fine settimana dovesse piovere, allora non andremo in montagna.
   -Würdest du wieder dein ganzes Geld verjubeln, dann bekämest du von mir nichts mehr. = Se tu dovessi nuovamente sperperare tutto il tuo denaro, non riceveresti piú nulla da me.

   -"Werd' ich zum Augenblicke sagen: Verweile doch! du bist so schön! Dann magst du mich in Fesseln schlagen, Dann will ich gern zugrunde gehn!" (Goethes "Faust" – Fausts Bedingung an Mephisto)
   = "S'io diró (= saró talmente convinto da dire) al momento (di suprema felicità): Suvvia, fermati! Sei così meraviglioso! Allora puoi incatenarmi, allora sono ben lieto di perire!" È la condizione che Faust pone a Mephistofele e che il demonio s'illude di poter soddisfare. Si tratta del pensiero centrale di tutta l'opera: l'uomo che ha sete dell'infinito e può vedere appagata la sua sete di infinita felicità solo in Dio. Combacia con l'idea di S. Agostino: "Irrequieto è il nostro cuore, finché non riposa in te, o Signore!"

6. Per esprimere un' ipotesi poco probabile si usa spesso, invece del Konjunktiv II del verbo principale, la circonlocuzione con "sollte" (NB: il preterito di "sollen" viene in tali casi percepito come Konjunktiv II, anche se la sua forma è uguale al preterito indicativo):

   z.B.:-Sollte Peter kommen, so gib ihm bitte dieses Paket! = Se Pietro dovesse venire, dagli per favore questo pacco!

-Sollte das Geld für unseren Urlaub nicht reichen, dann müssten wir den Urlaub unterbrechen und früher nach Hause zurückkehren. = Se il denaro per le nostre vacanze non dovesse bastare, dovremmo interrromperle e tornare a casa prima.

-Solltest du Meinung wechseln, so lass es mir bitte sofort wissen! Dann bin ich gleich wieder da. = Se per caso tu dovessi cambiare opinione, fammelo sapere subito! Verró immediatamente.

7. Le proposizioni condizionali introdotte dalle congiunzioni "es sei denn, dass" o "außer wenn" stanno sempre solo dopo la proposizione principale dalla quale dipendono (attenzione alle virgole!):

    z.B.:-Das Drogenproblem wird sich in Zukunft gewiss noch weiterhin verschärfen, es sei denn, dass alle Länder im Kampf gegen Drogen zusammenarbeiten. = Il problema della droga diverrà in futuro senz'altro ancora piú grave, a meno che tutti gli Stati non collaborino contro di esso.

    -Dieses Schuljahr bleibst du gewiss sitzen, außer wenn du in den letzten Monaten mit deinem Lernen Wunder wirkst. = Quest'anno tu sarai senza dubbio bocciato, a meno che tu non compia miracoli col tuo studio negli ultimi mesi.

8. Le proposizioni condizionali "Wenn es möglich ist,... / Wenn es unmöglich ist,..." = "Se è possibile,... / Se non è possibile..." vengono normalmente sostituite dalle espressioni fisse "womöglich" / "wo nicht":

    z.B.:-Ich komme womöglich morgen, wo nicht übermorgen. = Vengo possibilmente domani, altrimenti (se non è possibile) dopodomani.

9. Usando le espressioni "Im Falle + Gen.", "beim Vergleich + Gen." così pure complementi preposizionali con "bei" è possibile evitare la pro- proposizione condizionale, abbreviando in tal modo il discorso:

    z.B.:-"Im Falle einer Verschlechterung rufen Sie mich sofort an!", erklärt der Arzt den Verwandten des Kranken (invece di: "Wenn eine Verschlechterung eintreten sollte,..- "Sollte eine Verschlechterung eintreten....). = "In caso di peggioramento (Se peggiora), telefonatemi subito!", dice il dottore ai parenti dell'ammalato.

    -Beim Vergleich beider Maschinen muss ich sagen, dass die (die eine) deutscher Herstellung die andere bei weitem übertrifft (invece di: "Wenn man beide Maschinen vergleicht,...). = Confrontando (se si confronta...) ambedue le macchine, debbo dire che quella di produzione tedesca supera di gran lunga l'altra.

    -Notbremse nur bei Gefahr ziehen! (invece di dire: ..nur wenn eine Gefahr besteht.) = Tirare il freno di emergenza solo in caso di pericolo. (...solo, se c'é pericolo).

    -Bei schlechtem Wetter fahren wir nicht ins Gebirge. = Se il tempo é brutto (col tempo brutto) non andiamo in montagna.

# Der Modal- oder Komparativsatz

( Proposizioni modali o comparative )

1. *Konjunktionen = Congiunzioni*

Le congiunzioni che introducono proposizioni modali o comparative si suddividono in:

a) ==modale oder die Art und Weise bestimmende Konjunktionen== = congiunzioni modali che indicano il modo o la maniera:

| | |
|---|---|
| -wie<br>-als | = come |
| -wie wenn<br>-als wenn<br>-als ob | = come se |
| -gleichwohl ob... oder | = indipendentemente dal fatto che.. o; sia che... o; nondimeno |

b) ==vergleichende Konjunktionen== = congiunzioni comparative che servono a paragonare:

| | |
|---|---|
| -als | = che, di (dopo un comparativo) |
| -je | = quanto (seguito da un comparativo) |
| | = come, come pure, come anche |
| -sowie | NB: **so, wie** = così come (avv.,+ cong.) |

c) ==einschränkende Konjunktionen== = congiunzioni limitative che indicano la causa della limitazione:

| | |
|---|---|
| -sofern - insofern | = in quanto che<br>NB: **so fern** = così distante (avverbio) |
| -soweit | = a) per quanto, per quello che, nella misura in cui  b) fin dove<br>NB: **so weit** = così lontano (avverbio) |
| -soviel | = a) per quanto, per quello che<br>b) quanto<br>NB: **so viel** = così tanto (avverbio) |
| -sowenig | = per poco, per poco che<br>NB: **so wenig** = così poco (avverbio) |

d) ==instrumentale Konjunktion== = congiunzione strumentale che ==definisce un rapporto sintattico modale di contemporaneità:==

| | |
|---|---|
| -indem | = ==corrisponde al gerundio italiano== [mentre] |

**1.** **wie** = come

In qualità di congiunzione subordinativa "wie" può avere diverse funzioni e assumere vari significati:

a) si usa anzitutto in qualità di avverbio pronominale interrogativo per introdurre domande interrogative dirette:

    z.B.:-Wie geht's dir? = Come stai?
        Wie ist so was möglich? = Com'é possibile una cosa del genere?
        Wie groß du geworden bist! = Come sei diventata grande! (Si confronti
        questa frase con l'esempio che segue sotto la regola c β - La stessa
        espressione ha due funzioni grammaticali diverse!)

b) in funzione di *congiunzione coordinativa* indica uguaglianza:

    z.B.:-Gisela ist wie ihre Mutter, sie ist ihrer Mutter wie aus dem Gesicht
        geschnitten. = Gisella è come sua madre, è proprio la copia perfetta
        di lei [alla lettera, in un pessimo italiano: "...é proprio come tagliata dal
        viso di sua mamma"].
        -Peter versteht sein Handwerk wie selten einer. = Pietro conosce il
        suo mestiere come pochi altri [alla lettera: ...come raramente qualcun
        altro].
        -Bei uns ist alles nach wie vor gleich geblieben. = Da noi tutto è
        rimasto come prima.

c) in funzione di *congiunzione subordinativa* può assumere vari significati e introdurre varie proposizioni secondarie:

   α) *proposizioni interrogative indirette*, nel senso di "come, in che modo":

      z.B.: -Weist du vielleicht, wie man dieses Problem lösen kann? = Sai tu
        forse come si possa risolvere questo problema?

   β) *proposizioni modali o comparative:"wie" è spesso seguito da un*
     *aggettivo che diventa parte integrante della congiunzione*, "come":

      z.B.: -Ich staune, wie groß du geworden bist! = Io stupisco nel vedere come
        sei diventata grande!
        -Du kannst dir gar nicht vorstellen, wie schön es im Gebirge war.
        = Non puoi affatto immagginare com'era bello in montagna.
        -Mach bitte so, wie ich dir sage! = Fa' per favore così come ti dico!
        -"Wie das Becken schwillt!
        Wie sich jede Schale........... .}(**Goethe** "Der Zauberlehrling")
        Voll mit Wasser füllt!"
        = Come sale l'acqua nella vasca! Come ogni recipiente si riempie!
        -Wie die Dinge liegen, müssen wir noch etwas Geduld haben. = Per
        come sono messe le cose adesso, dobbiamo avere ancora un po' di
        pazienza.
        -Wie gewonnen, so zerronnen! (Sprichwort = proverbio) = Così come
        velocemente procurati, altrettanto velocemente sciupati! (in riferimento
        ai soldi, al denaro)

γ) *proposizioni comparative*, nel senso di "als ob, gleichsam" = "come se, quasi come, per così dire come":

> z.B.: -Ihre Antworten kamen, wie aus der Pistole geschossen. = Le sue risposte venivano come sparate [da una pistola].
>
> { -Wie geht denn die Arbeit?
>   -Alles läuft wie am Schnürchen. = Tutto va liscio come l'olio.
>   (NB: Mentre in italiano il termine di paragone in questa espressione idiomatica è l'olio, in tedesco è "la cordicina, la cordicella", termine proveniente probabilmente dalla tessitura.)
>
> -Alles läuft wie geschmiert. (Al posto di dire: "...wie wenn es geschmiert wäre") = Tutto va liscio come l'olio. (Qui le due lingue si equivalgono. Infatti, tradotta alla lettera, l'espressione tedesca dice: "Tutto va come se fosse ingrassato (oliato)".
>
> -Heute ist alles wie verhext. = Oggi tutto sembra come se fosse stregato.

δ) *proposizioni temporali*, nel senso di "sobald" = "non appena, quando, come, appena":

> z.B.:-Wie ich nach Hause kam, fand ich ein schreckliches Durcheinander: Diebe waren da gewesen. = Quando giunsi a casa, trovai un caos spaventoso: erano venuti i ladri.
>
> -Wie es dunkel wurde, kehrten wir um. = Non appena si fece buio, tornammo.

ε) in sostituzione di *proposizioni correlative*, assume il significato di "nach dem, was" = "secondo quanto, a quanto":

> z.B.:-Wie ich gehört habe, erwartet Ihre Tochter Anne das vierte Kind. Ich gratuliere! = A quanto ho appreso, sua figlia Anne aspetta il quarto bambino. Congratulazioni!

ζ) in sostituzione di *proposizioni causali*, nel senso di "siccome, dal momento che, essendo", viene preceduto da aggettivi:

> z.B.:-Groß und kräftig wie er ist, schafft er es gewiss. = Grande e forte com'é, ce la farà senz'altro (essendo grande e grosso...).
>
> -Was!? Reich wie er ist, hat er für diesen humanen Zweck nur 1,00 € hergegeben? Schämt er sich denn nicht? = Cosa!? Così ricco com'é, ha dato per questo scopo umanitario solo un euro? Ma non si vergogna?

**2.  wie wenn; als wenn; als ob**   = come se

Si tratta di congiunzioni che introducono proposizioni comparative-ipotetiche esprimenti ipotesi improbabile, per cui esigono il Konj. II:

> z.B.: -Gisela spricht deutsch, als ob sie eine Deutsche wäre. = Gisella parla tedesco come se fosse una tedesca.
>
> -Inge verhält sich, wie wenn nichts geschehen wäre. = Inge si comporta come se non fosse accaduto nulla.

-Paul befiehlt, als ob er der Chef wäre. = Paolo comanda come se lui fosse il capo (il direttore).
-Meine Schwiegermutter behandelt mich, als ob ich noch ein Kind wäre. = Mia suocera mi tratta ancora da bambina (...come se fossi una bambina).

NB: Le cong. "als wenn, als ob" possono anche essere usate senza "wenn" e "ob": in tal caso la proposizione comparativa, introdotta solo da "als", richiede l'inversione della proposizione principale positiva:

z.B.: -Gisela spricht deutsch, als wäre sie eine Deutsche. = Gisella parla tedesco come se fosse una tedesca.
-Inge verhält sich, als wäre nichts geschehen. = Inge si comporta come se non fosse accaduto nulla.

---

**3.** **gleichwohl ob...oder** = indipendentemente dal fatto che... o; sia che... o; tuttavia; nondimeno

Si usa sia in unione ad "ob...oder" che isolatamente, ma si tratta di una congiunzione raramente in uso che può fungere anche da avverbio:

z.B.:-Wir fahren trotzdem ab, gleichwohl ob Paul kommt oder nicht. = Noi partiamo ugualmente, che Paolo venga o no. (= Konjunktion)
-"Lea war taub und wusste gleichwohl fast immer, wovon die Rede war." (**Thomas Mann** – 1286 "Buddenbrooks") (= Adverb) = Lea era sorda, nondimeno (tuttavia) lei sapeva quasi sempre di che cosa si stava parlando.

---

**4.** **als** = a) come, da, in qualità di, b) di

Si usa

a) *anzitutto come congiunzione comparativa coordinante e in tali casi serve:*

α) per mettere in relazione un termine con un altro (per introdurre apposizioni o il predicativo del soggetto). In italiano corrisponde a "come", "da", "in qualità di":

z.B.: -Paul handelt als Feind. = Paolo agisce da nemico.
-Georg als Detektiv. = Giorgio in qualità di detective.
-Der Schulleiter sprach mit mir mehr als Freund denn als Vorgesetzter. = Il preside parló con me piú da amico che non da superiore.

β) spesso "als" viene a trovarsi dopo "nichts, niemand, keiner, anders, umgekehrt, entgegengesetzt" per mettere in relazione due persone, due cose o due situazioni:

z.B.: -Das ist nichts als Unsinn! = Queste non sono altro che stupidate, baggianate (chiacchiere insensate)!

-Niemand als er hat so was tun können. = Nessun altro all'infuori di lui ha potuto fare una cosa del genere.
-Gisela ist anders als ich. = Gisella è diversa da me.
-Jetzt erscheint der Lichtstrahl umgekehrt als vorher. = Ora il raggio di luce appare invertito rispetto a prima.

γ) per introdurre il secondo termine di paragone dopo un comparativo:
z.B.: -Peter ist fleißiger als Paul. = Pietro è piú diligente di Paolo.

b) *come* *congiunzione subordinante* o *subordinativa si usa*:

α) per introdurre proposizioni dipendenti comparative: si veda sopra la regola nr. 2, pag. 258 riguardante le congiunzioni "als wenn; als ob". NB: A volte "als" introduce anche proposizioni infinitive:
z.B.: -Nichts ist besser, als mit den eigenen Augen zu sehen. = Nulla è meglio che vedere con i propri occhi. Si veda pag. 236

β) "als" nel senso di "di come, di quanto" funge anche da congiunzione comparativa subordinativa dopo un comparativo per introdurre il secondo termine di paragone che in questo caso è una proposizione comparativa col predicato espresso al modo indicativo; anche i tali casi "als" può essere preceduto nella principale da "nichts, anders, umgekehrt,... usw":
z.B.: -Er ist jünger, als ich mir dachte. = Lui è più giovane di quanto (io) pensassi.
-Er war jünger, als ich mir gedacht hatte. = Lui era più giovane di quanto (io) avessi pensato.
-Das ist ganz anders, als ich dachte. = La cosa (la faccenda, la questione) è completamente diversa da come io pensavo.
-Die Sache verhält sich gerade umgekehrt, als du behauptest. = La faccenda è proprio l'opposto di come tu affermi.

5. **je** = quanto piú

La voce "je" è sempre seguita da un comparativo e forma assieme a questo la congiunzione completa; essa sta spesso in correlazione con "desto" oppure con "umso"; anche queste due congiunzioni coordinative che introducono la proposizione principale sono immediatamente seguite da un comparativo:
z.B.: -Je mehr du liest, desto leichter tust du dich in einer Sprache. = Quanto più leggi, tanto meno difficoltà hai in una lingua.
-Je älter dieser Junge wird, desto klüger zeigt er sich. = Quanto piú questo ragazzino cresce, tanto piú intelligente si dimostra.
-Je mehr du protestiert, umso schlimmer ist es. = Quanto più tu protesti, tanto peggio è.

1. NB: A volte "je mehr" può essere ripetuto, può cioé introdurre anche la proposizione comparativa che segue, senza l'uso di "desto" o "umso". In tali rari casi il secondo "je mehr" funge da congiunzione coordinante, non introduce cioé una proposizione dipendente, bensì una principale con costruzione inversa = Umstellung:

> z.B.:-Je mehr er hat, je mehr will er haben. = Quanto piú ha, tanto piú vuol avere.

2. NB: Attenzione alle espressioni: "je nach + Dat. = a seconda di"; come pure "je nachdem = dipende da"; sostituiscono la frase: "Es hängt davon ab, ob... Dipende, se...":

> z.B.:-Je nach Umständen: = A seconda delle circostanze.

**6.** | sofern; insofern; soweit; soviel | = per quanto; in quanto che; per quello che

Con tutte le congiunzioni limitative si usa, a differenza dell'italiano, sempre l'indicativo (Attenzione: "so fern" - "so weit" - "so viel" sono avverbi!)

> z.B.: -Soweit ich weiß, besucht Inge noch die Universität. = Per quanto io sappia, Inge frequenta ancora l'università.
> -Die Kunst ist sittlich und wertvoll, sofern sie weckt und erhebt. = L'arte è intanto moralmente buona e preziosa, in quanto essa provoca (suscita interesse) ed eleva.

**7.** | indem | = [mentre] si rende col gerundio italiano

La congiunzione "indem" corrisponde in italiano quasi sempre ad un gerundio. Di per sé sarebbe una congiunzione temporale equivalente a "während = mentre", in quanto l'azione introdotta da "indem" è concomitante con l'azione della proposizione principale. Si sconsiglia tuttavia agli stranieri di usarla in questo senso, cioé come congiunzione temporale, in quanto il suo uso più appropriato e frequente è quello di introdurre proposizioni dipendenti modali, indicanti il mezzo, la causa, la circostanza concomitante. Tali proposizioni modali vengono in italiano espresse col gerundio a volte anche con "nel + infinito":

> z.B.: -Peter verschaffte sich Einlass, indem er laut an die Tür klopfte. = Pietro si fece avanti battendo forte alla porta.
> -Indem man lehrt, lernt man. = Insegnando s'impara.
> NB: Während man lehrt, lernt man. (errore)
> -Indem man anderen hilft, gewinnt man Freunde. = Aiutando gli altri, si fanno gli amici. (Gli amici si fanno nell'aiutare gli altri).
> -Deinen Eltern kannst du nur Freude machen, indem du fleißig lernst. = Solo studiando diligentemente puoi recare gioia ai tuoi genitori.

# Der Konzessivsatz

## ( La proposizione concessiva )

### 1. *Konjunktionen  =  Congiunzioni*

-obwohl
-obgleich
-wenngleich
-obschon

= sebbene, anche se, benché, quantunque, nonostante

-wennschon

= semmai, giacché, che importa

-ungeachtet der Tatsache, dass

= nonostante, indipendentemente dal fatto che

-wenn... auch (noch so)
-auch wenn
-selbst wenn

= anche se, sebbene

-zwar..., aber

= certamente..., ma; sì..., ma

-ob..., ob

= sia che... sia che

-ob... oder

= che..., che; sia che... sia che

### 2.

**obwohl / obgleich / wenngleich / obschon**

= anche se, sebbene, benché

a) Le proposizioni concessive rispondono indirettamente alle domande: "Nonostante quale motivazione? Nonostante quale constatazione? Nonostante quale condizione?" In tedesco si formano sempre con l'indicativo, mai col modo congiuntivo!

  z.B.:-Obwohl Paul schon oft ermahnt wurde, seine Schwester nicht zu necken, kann er es doch nicht lassen. = Sebbene Paolo sia già stato frequentemente ammonito di non molestare sua sorella, non è capace di smetterla.
-Ich gehe aus, obwohl es regnet. = Io esco, anche se piove.
-Obgleich überrascht, behielt Peter doch die Ruhe. = Sebbene sorpreso, Pietro mantenne ugualmente la calma.
-Obschon erwachsen, benimmt sich Inge manchmal kindisch. = Benché adulta (cresciuta), Inge si comporta talvolta come una bambina.
-Die alte Frau nickte zustimmend, wenngleich sie das Gespräch nicht recht verstanden hatte, weil sie schwerhörig war und sich deshalb schämte. = La vecchia signora annuì confermando,

anche se non aveva capito il discorso perché era debole di udito (sordastra) e per questo motivo si vergognava.

b) Queste congiunzioni possono anche essere scritte con grafia separata: "ob...gleich / ob...schon / wenn...auch / wenn...gleich" senza subire alcun cambiamento semantico; tale variazione serve a diversificare il discorso:

z.B.:-Ob Paul schon oft ermahnt wurde, seine Schwester nicht zu necken, kann er es doch nicht lassen. = Sebbene Paolo sia già stato frequentemente ammonito di non molestare sua sorella, lui continua a farlo (lui non smette – non è in grado di smetterla) [Germanismo riscontrabile nei dialetti veneti e in quello lombardo: "...lü la finis minga".]
-Wenn du morgen auch nicht kommen kannst, spielt (das) keine Rolle, wir schaffen es schon trotzdem. = Anche se tu domani non puoi venire, non fa nulla (ció non ha importanza), ce la facciamo ugualmente.

c) "wenn" e "ob" delle congiunzioni "wenn...auch (noch so);   auch wenn; ob...gleich; ob...schon" possono essere omessi; si ha allora nella proposizione concessiva la costruzione inversa della interrogativa diretta, la proposizione concessiva inizia cioé col verbo:

z.B.:-Wurde Paul gleich ermahnt, seine Schwester nicht zu necken, kann er es doch nicht lassen. = Sebbene Paolo sia già stato ammonito di non molestare sua sorella, non è capace di smettere (...di smetterla).
-Sind die Straßen auch (noch so) überfüllt, (so) nimmt die Zahl der Autos trotzdem ständig zu. = Benché le strade siano di già così intasate, [ció nonostrante] il numero delle macchine continua ad aumentare.

3.  **wennschon**    = semmai, giacché, che importa

Si tratta di una congiunzione concessiva piuttosto rara, usata perlopiú nelle espressioni idiomatiche che seguono:

z.B.:-Wennschon dennschon! = a) semmai, allora sia così  b) giacché è così, tanto vale   c) Accada quel che accada!
-Na, wennschon? = Beh, che importa?
-Meine weiße Wollmütze hat ein Loch. Könntest du sie mir stopfen? = La mia cuffia bianca ha un buco, potresti rammendarmela?
-Das lohnt sich doch nicht! Wennschon kauf dir doch eine neue! (= Wenn du schon eine willst.) = Ma non ne vale la pena! Semmai (= se proprio ne vuoi una) compratene una nuova.

263

-Na gut, wennschon dennschon. Du hast vollkommen Recht. = E va bene: giacché è così, tanto vale! Hai completamente ragione.

-Was!? Du willst zur Polizei und deinen besten Freund anzeigen? = Cosa!? Tu vuoi andare dalla polizia e denunciare il tuo miglior amico?

-Nachdem ich endeckt hab', dass er im Drogenhandel verwickelt ist, zählt er nicht mehr zu meinen Freunden. Mir erbarmen all die Leute die seinetwegen der Sucht verfallen. Tut mir Leid, wenn-schon dennschon! = Dopo aver scoperto che lui è coinvolto nel commercio della droga, non lo annovero piú fra i miei amici. A me fan pena le persone che per colpa sua diventano tossicodipen-denti. Mi spiace, accada quel che accada!

## 4. **ungeachtet der Tatsache, dass...** = indipendentemente dal fatto che, nonostante

La preposizione "ungeachtet", reggente il genitivo, veniva un tempo usata anche da sola in funzione di congiunzione [z.B.: Er tat es, unge-achtet, dass es verboten war. = Lui fece ció, nonostante fosse proibi-to], ma con questa funzione essa è oggi ormai in disuso. Abbinata invece al sostantivo "die Tatsache = il dato di fatto", "ungeachtet" mantiene la sua funzione di preposizione + Gen. e contribuisce a formare una congiunzione concessiva abbastanza ricorrente:

> z.B.:-Ungeachtet der Tatsache, dass die Straßen schon überfüllt sind, nimmt die Zahl der Autos ständig zu. = Nonostante la con-statazione che le strade sono già intasate, il numero delle mac-chine continua ad aumentare [alla lettera, in un pessimo italiano: "senza prestare attenzione al fatto che..."].

## 5. **wenn...auch / auch wenn / selbst wenn** = anche se, sebbene

Allo scopo di diversificare il discorso, con queste congiunzioni la propo-sizione principale che segue non vuole necessariamente sempre l'in-versione: essa può anche mantenere la costruzione diretta, può cioé iniziare col soggetto, non col verbo:

> z.B.:-Auch wenn ich dich schon so oft ermahnte, du hast trotzdem nicht gehorcht und dich verletzt. = Sebbene io ti abbia ammoni-to tante volte, [ció nonostante] tu non hai obbedito e ti sei fatto male (...ti sei ferito).
> -Selbst wenn das Wetter schlecht wäre, wir müssten trotzdem ab-

fahren (Non è naturalmente errato dire: "Selbst wenn das Wetter schlecht wäre, müssten wir trotzdem abfahren"). = Anche nel caso in cui il tempo non fosse buono, noi dovremmo partire.

-Wenn du morgen auch nicht kommen kannst, spielt (das) keine Rolle, wir schaffen es schon trotzdem. = Anche se tu domani non puoi venire, non fa nulla (ció non ha importanza), ce la facciamo ugualmente.

**6.** **zwar..., aber** = è vero che..., ma; è certamente così..., ma; certo (sì)..., ma; indubbiamente..., ma

Le congiunzioni "zwar..., aber" sono coordinanti: esse introducono perció proposizioni principali con significato concessivo:

> z.B.:-Zwar sind die Straßen schon überfüllt, aber die Zahl der Autos nimmt trotzdem zu. = Certo, le strade sono già intasate, ma (ció nonostante) il numero delle macchine aumenta.
> -Paul hat zwar zum Teil Recht, aber nicht in allem. = Paolo ha in parte indubbiamente ragione, ma non in tutto.

**7.** **trotzdem / dennoch / gleichwohl / allerdings**

Si tratta di voci aventi un significato concessivo con funzioni varie:

**trotzdem** = ciononostante, ció nonostante, tuttavia, lo stesso, eppure, nondimeno.

a) Si usa soprattutto in qualità di avverbio. L'avverbio "trotzdem" può trovarsi sia all'interno della proposizione principale che all'inizio della stessa. Usato all'inizio della principale richiede naturalmente l'inversione!

> z.B.:-Obwohl Paul schon oft ermahnt wurde, seine Schwester nicht zu necken, kann er es trotzdem nicht lassen. = Nonostante Paolo sia stato ammonito di non molestare sua sorella, lui non smette [alla lettera: ...lui tuttavia non smette].
> -Obwohl es regnet, gehe ich trotzdem (dennoch) aus. = Anche se piove, esco ugualmente.
> -Es regnet, trotzdem gehe ich aus. = Piove, ciononostante esco.

b) Si sconsiglia ai discenti di usare "trotzdem" come congiunzione subordinante per introdurre proposizioni concessive col significato "ciononostante, sebbene", anche se negli ultimi decenni tale uso è di tanto in tanto apparso presso qualche scrittore. Si tratta tuttavia di un uso che non si è ancora affermato nel linguaggio quotidiano:

> z.B.:-[Peter kam, ~~trotzdem~~ er erkältet war. = Pietro venne, nonostante fosse raffreddato].

Nell'esempio appena addotto, "trotzdem" è stato usato come congiunzione per introdurre una proposizione con la trasposizione, quindi una proposizione dipendente concessiva. (= Esso non si trova infatti in testa ad una proposizione principale con l'inversione, ma in testa ad una proposizone dipendente con la trasposizione.) Nel Sud della Germania e in Austria una tal frase stona ed è percepita come errata.

Per un maggior chiarimento si vedano i seguenti esempi:

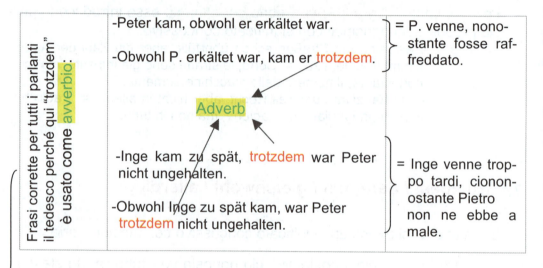

| Frasi corrette per tutti i parlanti il tedesco perché qui "trotzdem" è usato come avverbio: | -Peter kam, obwohl er erkältet war.<br><br>-Obwohl P. erkältet war, kam er trotzdem. | = P. venne, nonostante fosse raffreddato. |
| --- | --- | --- |
| | **Adverb** | |
| | -Inge kam zu spät, trotzdem war Peter nicht ungehalten.<br><br>-Obwohl Inge zu spät kam, war Peter trotzdem nicht ungehalten. | = Inge venne troppo tardi, ciononostante Pietro non ne ebbe a male. |

**dennoch** = tuttavia, (ció) nondimeno, ció nonostante, però, eppure, ugualmente, lo stesso

Si usa come congiunzione coordinante; introduce quindi soltanto proposizioni principali con significato concessivo:

> z.B.:-Peter ist müde, dennoch arbeitet er weiter. = Pietro è stanco, tuttavia continua a lavorare.
> -Minen zu entfernen, ist gefährlich, dennoch muss man es tun. = Sminare è pericoloso, tuttavia bisogna farlo.

**gleichwohl** = tuttavia; nondimeno

Pur trattandosi di una congiunzione, essa si adopera spesso all'interno della proposizione principale come se fosse un avverbio:

> z.B.:-"Lea war taub und wusste gleichwohl fast immer, wovon die Re-

266

de war." (**Thomas Mann** – 1286 "Buddenbrooks") = Lea era sorda, nondimeno (tuttavia) lei sapeva quasi sempre di che cosa si stava parlando.

**allerdings** = però, tuttavia, a dire il vero, veramente

Si usa esclusivamente come avverbio, preferibilmente all'interno di una proposizione:
> z.B.:-Ich habe allerdings wenig Zeit, aber ich halte mich trotzdem ein wenig auf. = A dire il vero, ho poco tempo. Mi fermo tuttavia u-gualmente un po' (NB: Confrontanto la punteggiatura di questa frase fra le due lingue, si può notare quanto è arbitraria in italiano, mentre in tedesco esistono regole fisse, molto chiare e rigide).

## 8. trotz + Gen. / bei all + Dat. = nonostante

Oltre alla preposizione "ungeachtet + Gen." trattata sopra al nr. 4, pag. 264, vi sono altri complementi preposizionali formati dalle preposizioni "trotz" e "bei" in grado di sostituire brillantemente le proposizioni concessive, abbreviando in tal modo il discorso:

**trotz + Gen. (oder Dat.)** = malgrado, nonostante

> z.B.:-Ich gehe trotz des Regens aus. = Esco, nonostante la pioggia.
> (Anziché: "Obwohl es regnet, gehe ich trotzdem aus.")
> -Trotz des Regens gehe ich aus. = Nonostante la pioggia esco.

**bei all + Dat.** = pur avendo...; nonostante tutto...

> z.B.:-Bei all den Vorsichtsmaßnahmen hat doch einiges nicht geklappt (anziché: "Obwohl so viele Vorsichtsmaßnahmen getroffen wurden, hat doch einiges nicht geklappt"). = Nonostante tutti gli accorgimenti (le disposizioni di prevenzione prese), diverse cose non hanno funzionato (non sono andate per il verso giusto).
> -Es ist unglaublich festzustellen, wie du bei all dem Lärm noch studieren kannst (anziché: "Es ist unglaublich festzustellen, wie du, wenngleich so viel Lärm ist, noch studieren kannst). = è incredibile constatare come tu possa ancora studiare nonostante tutto quel chiasso (...nonostante quel baccano).

# Der Konsekutivsatz

( La proposizione consecutiva )

## 1. *Konjunktionen = Congiunzioni:*

| | |
|---|---|
| -so..., dass - dermaßen...,dass<br>-sodass, somit | = così che; sicché; per cui  NB: "so-mit"<br>può fungere sia da congiunzione<br>subordinativa che coordinativa! |
| -dermaßen..., dass<br>-derart..., dass | = in modo tale, da (che);  al punto<br> tale, da (che) |
| -zu..., als dass | = troppo... per, perché |
| -ein solcher, -e, -es..., dass<br>-solch ein, -e, -ein..., dass<br>-ein derartiger, eine derartige<br>-ein derartiges..., dass | = un (una) tale, da;  un siffatto, da |
| -derartig + Adjektiv.....,dass | = talmente + aggettivo.....che |
| -darüber..., dass | = per il fatto, che |
| -ohne dass | = senza che |

## 2. Con tutte le congiunzioni sopra elencate, ad eccezione di "ohne dass", la proposizione consecutiva sta dopo la principale dalla quale dipende e viene espressa col modo indicativo:

z.B.:-Heute hagelte es bei uns so stark (dermaßen), dass die ganze Ernte kaputt ging. = Quest'oggi da noi è grandinato così forte (al punto tale) che andó distrutto tutto il raccolto.

-Ein Journalist hatte sich darüber geärgert, dass man seine Berichte in der Zeitung so stark gekürzt hatte. = Un giornalista si era arrabbiato per il fatto che i suoi articoli erano stati accorciati troppo sul giornale.

-Bei der schlimmen Nachricht erschrak der alte Mann dermaßen, dass er starb. = Alla triste notizia il vecchio si spaventó così tanto che morì.

-Martina hat im Deutschen derartig gute Fortschritte gemacht, dass sie ohne weiteres auch die Prüfung C2 bestehen kann. = Martina ha fatto tali progressi nel tedesco da poter sostenere anche l'esame C2.

-Die Sonne blendete mich zu sehr, als dass ich den Fußgänger hätte sehen können. = Il sole mi abbaglió talmente da non poter vedere il pedone. (secondaria consecutiva implicita).

-Die Gasexplosion verursachte einen solchen Luftdruck, dass alle Glasscheiben der umliegenden Häuser zerbrachen. = L'esplosione del gas provocó un tale spostamento d'aria che distrusse tutti i vetri delle case circostanti. (NB: Versione molto chiara e corretta perché esplicita che i vetri andarono veramente in franturmi). L'esplosione del gas provocó un tale spostamento d'aria da distruggere tutti i vetri delle case circostanti. (NB: Versione meno chiara, esprimente piú la potenzialità distruttiva che non la reale distruzione, tuttavia in uso.)

NB: Gli ultimi due esempi presentano in italiano prop. secondarie consecutive implicite, mentre in tedesco le uniche proposizioni implicite sono le infinitive! Traducendo quindi dall'italiano al tedesco, è necessario, all'inizio dell'apprendimento, esplicitare la frase implicita italiana prima di procedere alla versione.

**3.** **ohne dass** = senza che

a) Si tratta di una congiunzione negativa, per cui nella proposizione consecutiva da essa introdotta non può essere usata un'altra negazione:

> z.B.:-Du kannst doch nicht so weggehen und Monate lang wegbleiben, ohne dass es jemand erfährt. = Ma non puoi così, semplicemente, andartene e star via per mesi, senza che nessuno lo venga a sapere!
>
> -Das kannst du nicht tun, ohne dass es jemand merkt. = Non puoi fare ciò senza che nessuno se ne accorga.

b) La proposizione consecutiva, introdotta dalla congiunzione "ohne dass", può essere espressa anche con il Konjunktiv II e a volte precedere la proposizione principale dalla quale dipende:

> z.B.:-Das kannst du nicht tun, ohne dass es jemand merken würde. = Non puoi fare ció senza che qualcuno se ne accorga.
>
> -Ohne dass du es im Mindesten ahnst, kann so was schon passieren! = Una cosa del genere può ben accadere senza che tu minimamente te lo aspetti.

**4.** La proposizione consecutiva può essere sostituita dalle congiunzioni coordinative avverbiali: "infolgedessen; folglich; deswegen; deshalb; daher; darum; so; aus diesem Grund; somit; demnach; demzufolge"; con esse, al posto della proposizione concessiva, si ottiene una principale; trattandosi di cong. avverbiali, esse richiedono tutte l'inversione:

> z.B.:-Die Weltbevölkerung wächst schnell; infolgedessen (daher, darum, aus diesem Grund, somit) verhungern immer mehr Menschen (anziché: Die Weltbevölkerung wächst so schnell, dass immer mehr Menschen verhungern). = La popolazione del mondo aumenta velocemente; di conseguenza, sempre piú persone muoiono di fame.

**5.** **infolge + Gen.** = in seguito a

La preposizione "infolge" determina solo sostantivi indicanti avvenimenti, azioni o situazioni (non sost. di persone); tali compl. preposizionali possono benissimo sostituire la proposizione consecutiva:

> z.B.:-Infolge des schnellen Bevölkerungswachstums verhungern immer mehr Menschen (anziché: Die Weltbevölkerung wächst so schnell, dass immer mehr...). = In seguito all'aumento repentino della popolazione, sempre piú persone muoiono di fame.

# Der Finalsatz

( La proposizione finale )

## 1. *Finale Konjunktionen = Congiunzioni finali*

-damit
-auf dass $\Big\}$ = affinché,  per,  al fine di

## 2. damít = affinché

NB: "dámit" = con ció; se ha l'accento sulla prima sillaba, è un avverbio pronominale - vedi pag. 50)

a) In tedesco si ha perlopiú una proposizione finale, quando il soggetto della proposizione subordinata è diverso dal soggetto della proposizione principale (o reggente). La congiunzione piú usata è "damit":

> z.B.:-Ich bestrafe dich, damit du dich besserst. = Ti castigo affinché tu abbia a migliorare.
> -Die Mutter erzählt dem Kind eine Geschichte, damit es schneller einschläft. = La mamma racconta al bambino una storiella affinché si addormenti piú celermente.

Quando il soggetto della proposizione finale è uguale a quello della proposizione principale, non è errore grammaticale usare "damit"; tuttavia si preferisce l'infinitiva perché in tal modo il discorso diventa piú breve, agile e scorrevole:

> z.B.:-[Peter beeilt sich, damit er rechtzeitig ankommt.]

Al posto di tale affannosa costruzione è di gran lunga preferibile dire:

> -Peter beeilt sich, um rechtzeitig anzukommen. = Pietro si affretta per giungere in tempo.

b) Nel linguaggio elevato (non certo nel linguaggio impoverito e spesso rozzo di molti fra i giovani d'oggi) con la congiunzione "damit" si usa spesso il Konjunktiv I; nella parlata comune prevale l'indicativo:

> z.B.:-Die Eltern schicken ihr Kind zur Schule, damit es lerne. = I genitori mandano il loro bambino a scuola affinché impari.
> -Die Mutter erzählt dem Kind eine Geschichte, damit es schneller einschlafe. = La mamma racconta al bambino una storiella affinché si addormenti piú in fretta.

c) La voce "damit" non funge solo da congiunzione per introdurre proposizioni finali, ma anche da avverbio pronominale: "damit" sta infatti al posto di "mit dem / mit der / mit denen", quando il pronome è riferito a cose, non a persone (si vedano le fusioni fra pronome e preposizione, pag. 50). In italiano corrisponde ai seguenti significati: "con questo; con quello; con ció; per mezzo di ció; in questo modo; ci; ne; con esso, essa, essi (cose); per questa cosa":

> z.B.:-Peter hat ein neues Auto gekauft und will damit ins Ausland fahren. = Pietro ha comprato una nuova macchina e con essa vuole fare un viaggio all'estero.
> -Du hast heute zu viel Blumenkohl gekauft! Was soll ich damit (tun)? = Oggi hai comprato troppi cavolfiori! Che debbo farmene?
> -Damit hat es keine Eile. = Per questa faccenda non c'é fretta.
> -Damit will ich nur sagen, dass... = Con ció voglio solo dire che...
> -Zum Schluss wurde gestern die Nationalhymne gesungen und damit endete die Feier. = Alla fine venne cantato l'inno nazionale e con ció la festa terminó (si conclude).
> -Damit ist nicht zu spaßen! = Non c'é da scherzare con ció.

Si notino le espressioni idiomatiche:

> -Genug damit! = Basta così! (Basta con 'sta roba!) = Schluss damit!
> -Damit ist (es) jetzt aus. = Adesso è finita (Con ció tutto è finito).
> -Hör auf damit! = Smettila!
> -Her damit! = Da' qua!
> -Heraus damit! = Tira fuori! (= Heraus mit der Sprache! = Avanti, parla! - Sputa fuori! - Fuori il rospo!)
> -Weg damit! = Via con 'sta roba! (Wirf das weg! = Butta via quella roba!)
> -Es ist damit vorbei. = La faccenda è chiusa. - Cose di altri tempi. - Cose superate.
> -Was ist denn los damit? = Ma che n'é di quella faccenda (di quella roba)?

**3.** **auf dass** = affinché, al fine di

La congiunzione "auf dass" è antiquata; capita tuttavia di trovarla ancora in uso e con essa prevale il Konjunktiv I:

> z.B.:-Du sollst Vater und Mutter ehren, auf dass es dir wohl ergehe! (Lettera di S. Paolo agli Efesini, 6, 2-3) = Onora il padre e la madre affinché tu possa vivere in prosperità.
> -Diese Vorkehrungen wurden getroffen, auf dass sich so was nie mehr wiederhole. = Queste misure furono prese al fine di evitare il ripertersi di tali inconvenienti.

# HILFSVERBEN

( Verbi ausiliari )

## sein = essere

### Indikativ

### Konjunktiv

#### Praesens

ich bin = io sono
du bist
er, sie, es ist
wir sind
ihr seid
sie sind

ich sei = che io sia
du seist (seiest)
er, sie, es sei
wir seien
ihr seiet
sie seien

#### Praeteritum

ich war = io ero; io fui
du warst
er war
wir waren
ihr wart
sie waren

ich wäre = a) che io fossi  b) io sarei
du wärst (wärest)
er wäre
wir wären
ihr wärt (wäret)
sie wären

#### Perfekt

ich bin gewesen = io sono stato
du bist gewesen
er ist gewesen
wir sind gewesen
ihr seid gewesen
sie sind gewesen

ich sei gewesen = ch'io sia stato
du seist gewesen
er sei gewesen
wir seien gewesen
ihr seiet gewesen
sie seien gewesen

#### Plusquamperfekt

ich war gewesen = io ero stato
du warst gewesen
er war gewesen
wir waren gewesen
ihr wart gewesen
sie waren gewesen

ich wäre gewesen = a) che io fossi stato  b) io sarei stato
du wär(e)st gewesen
er wäre gewesen
wir wären gewesen
ihr wär(e)t gewesen
sie wären gewesen

## Indikativ | ## Konjunktiv

### Futur I

ich werde sein = io sarò
du wirst sein
er wird sein
wir werden sein
ihr werdet sein
sie werden sein

ich werde sein = io saró
du werdest sein
er werde sein
wir werden sein
ihr werdet sein
sie werden sein

### Futur II

ich werde gewesen sein = io sarò stato
du wirst gewesen sein
er wird gewesen sein
wir werden gewesen sein
ihr werdet gewesen sein
sie werden gewesen sein

ich werde gewesen sein
= io saró stato
du werdest gewesen sein
er werde gewesen sein
wir werden gewesen sein
ihr werdet gewesen sein
sie werden gewesen sein

### Imperativ

2. Person Singular:  sei!  = sii tu!
2. Person Plural :  seid !  = siate voi!
1. Person Plural:  seien wir!  = siamo noi!
   Höflichkeitsform:  seien Sie!  = sia lei!

### Infinitiv

Praesens:  sein  = essere
Perfekt:  gewesen sein  = essere stato

### Partizip

Praesens:  seiend  = essente
Perfekt:  gewesen  = stato

# haben = avere

## Praesens

ich habe = io ho
du hast
er, sie, es hat
wir haben
ihr habt
sie haben

ich habe = che io abbia
du habest
er, sie, es habe
wir haben
ihr habet
sie haben

## Praeteritum

ich hatte = io avevo; io ebbi
du hattest
er hatte
wir hatten
ihr hattet
sie hatten

ich hätte = a ) che io avessi
              b) io avrei
du hättest
er hätte
wir hätten
ihr hättet
sie hätten

## Perfekt

ich habe gehabt = io ho avuto
du hast gehabt
er hat gehabt
wir haben gehabt
ihr habt gehabt
sie haben gehabt

ich habe gehabt = ch'io abbia
                    avuto
du habest gehabt
er habe gehabt
wir haben gehabt
ihr habet gehabt
sie haben gehabt

## Plusquamperfekt

ich hatte gehabt = io avevo avuto; ebbi avuto
du hattest gehabt
er hatte gehabt
wir hatten gehabt
ihr hattet gehabt
sie hatten gehabt

ich hätte gehabt = a) ch'io
                    avessi avuto  b) io avrei avuto
du hättest gehabt
er hätte gehabt
wir hätten gehabt
ihr hättet gehabt
sie hätten gehabt

## Indikativ

## Konjunktiv

### Futur I

ich werde haben = io avrò
du wirst haben
er wird haben
wir werden haben
ihr werdet haben
sie werden haben

ich werde haben = io avró
du werdest haben
er werde haben
wir werden haben
ihr werdet haben
sie werden haben

### Futur II

ich werde gehabt haben = io avrò avuto
du wirst gehabt haben
er wird gehabt haben
wir werden gehabt haben
ihr werdet gehabt haben
sie werden gehabt haben

ich werde gehabt haben
= io avró avuto
du werdest gehabt haben
er werde gehabt haben
wir werden gehabt haben
ihr werdet gehabt haben
sie werden gehabt haben

### Imperativ

2. Person Singular:  habe! = abbia tu!
2. Person Plural :  habt ! = abbiate voi!
1. Person Plural:  haben wir! = abbiamo noi!
   Höflichkeitsform:  haben Sie! = abbia lei!

### Infinitiv

Praesens: haben = avere
Perfekt:  gehabt haben = aver avuto

### Partizip

Praesens: habend = avente
Perfekt:  gehabt = avuto

# werden = diventare

## Praesens

| Indikativ | Konjunktiv |
|---|---|
| ich werde = io divento | ich werde = ch'io diventi |
| du wirst | du werdest |
| er, sie, es wird | er, sie, es werde |
| wir werden | wir werden |
| ihr werdet | ihr werdet |
| sie werden | sie werden |

## Praeteritum

| Indikativ | Konjunktiv |
|---|---|
| ich wurde = io diventavo; io diventai | ich würde = a) ch'io diventassi b) io diventerei |
| du wurdest | du würdest |
| er wurde | er würde |
| wir wurden | wir würden |
| ihr wurdet | ihr würdet |
| sie wurden | sie würden |

## Perfekt

| Indikativ | Konjunktiv |
|---|---|
| ich bin geworden = io sono diventato | ich sei geworden = a) ch'io sia diventato |
| du bist geworden | du seist geworden |
| er ist geworden | er sei geworden |
| wir sind geworden | wir seien geworden |
| ihr seid geworden | ihr seiet geworden |
| sie sind geworden | sie seien geworden |

## Plusquamperfekt

| Indikativ | Konjunktiv |
|---|---|
| ich war geworden = io ero diventato | ich wäre geworden = a) che io fossi diventato b) io sarei diventato |
| du warst geworden | du wär(e)st geworden |
| er war geworden | er wäre geworden |
| wir waren geworden | wir wären geworden |
| ihr wart geworden | ihr wär(e)t geworden |
| sie waren geworden | sie wären geworden |

|                | Indikativ                                  |                | Konjunktiv                               |
|----------------|--------------------------------------------|----------------|-----------------------------------------|

## Futur 1

| Indikativ | | Konjunktiv | |
|---|---|---|---|
| ich werde werden = io diventerò | | ich werde werden = io diventeró | |
| du wirst werden | | du werdest werden | |
| er wird werden | | er werde werden | |
| wir werden werden | | wir werden werden | |
| ihr werdet werden | | ihr werdet werden | |
| sie werden werden | | sie werden werden | |

## Futur 2

| Indikativ | Konjunktiv |
|---|---|
| ich werde geworden sein = io sarò diventato | ich werde geworden sein |
| du wirst geworden sein | = io saró diventato |
| er wird geworden sein | du werdest geworden sein |
| wir werden geworden sein | er werde geworden sein |
| ihr werdet geworden sein | wir werden geworden sein |
| sie werden geworden sein | ihr werdet geworden sein |
| | sie werden geworden sein |

## Imperativ

2. Person Singular: werde! = diventa!
2. Person Plural: werdet! = diventate!
1. Person Plural: werden wir! = diventiamo!
   Höflichkeitsform: werden Sie! = divenga lei!

## Infinitiv

Praesens: werden = diventare
Perfekt: geworden sein = essere diventato

## Partizip

Praesens: werdend = (divenente)
Perfekt: geworden (worden) = diventato

# DAS PRAESENS

( Il presente )

***Premessa:***
Per quei verbi che in inglese derivano dal germanico, nel trattare il tempo presente si è voluto aggiungere, accanto al significato italiano, anche quello inglese. In tal modo il discente si rende conto della vicinanza dell'inglese al tedesco e del motivo per cui la lingua inglese viene glottologicamente annoverata fra le lingue germaniche. Solo i vocaboli della parlata quotidiana, quelli piú comuni, sono in inglese rimasti legati all'origine germanica; il linguaggio piú elevato invece è di origine romanzo-latina (francese dei normanni + influsso del latino attraverso gli studi classici) che ha integrato e spesso sostituito espressioni germaniche.

## Das regelmäßige Praesens

( Il presente regolare )

1. Verbi uscenti con tema normale (in consonante gutturale, labiale ecc.):

machen = a) fare, b) sbrigare c) preparare (inglese: "to make")

| ich | mach – e |
| du | mach – st |
| er | mach – t |
| wir | mach – en |
| ihr | mach – t |
| sie | mach – en |

sagen = dire (inglese: "to say")

| ich | sag – e |
| du | sag – st |
| er | sag – t |
| wir | sag – en |
| ihr | sag – t |
| sie | sag – en |

2. Verbi con tema uscente in consonante dentale "-t, -d": prendono al presente una "e" eufonica là dove vengono a combaciare due dentali:

ántworten = rispondere (inglese: "to answer" ha subito il raddolcimento della dentale *"tenuis"* "t" in dentale sonora, sibilante "s".)

| ich | ántwort – e |
| du | ántwort – e –st |
| er | ántwort – e –t |
| wir | ántwort – en |
| ihr | ántwort – e –t |
| sie | ántwort – en |

árbeiten = lavorare (l'inglese "to work" deriva dal germanico "wirkian", in tedesco "wirken")

| ich | árbeit – e |
| du | árbeit – e –st |
| er | árbeit – e –t |
| wir | árbeit – en |
| ihr | árbeit – e –t |
| sie | árbeit – en |

278

NB: L'accento tonico di questi due verbi cade sulla prima sillaba; spostarlo sulla seconda sillaba è un grave errore di pronuncia, un'orribile stonatura!

3. <mark>Verbi con tema in consonante nasale "-n", non preceduta da consonante rotante o liquida "-r", "-l":</mark> si comportano come i verbi al punto nr. 2; anch'essi richiedono la "-e" eufonica nelle stesse persone:

| rechnen = calcolare | | zeichnen = disegnare | |
|---|---|---|---|
| ich | rechn – e | ich | zeichn – e |
| du | rechn – e-st | du | zeichn – e-st |
| er | rechn – e-t | er | zeichn – e-t |
| wir | rechn – en | wir | zeichn – en |
| ihr | rechn – e-t | ihr | zeichn – e- t |
| sie | rechn – en | sie | zeichn – en |

NB: Tuttavia:

se il tema del verbo termina con la nasale "-n" preceduta da una consonante liquida "-r" , "-l" o anche solo da "h", la "e" eufonica si omette!

| lernen = imparare (inglese: "to learn") | | wohnen = abitare (inglese: "to live" = tedesco "leben") | |
|---|---|---|---|
| ich | lern – e | ich | wohn – e |
| du | lern – st | du | wohn – st |
| er | lern – t | er | wohn – t |
| wir | lern – en | wir | wohn – en |
| ihr | lern – t | ihr | wohn – t |
| sie | lern – en | sie | wohn – en |

4. <mark>Verbi sia deboli che forti (= regolari o irregolari) con tema uscente in consonante dentale sibilante "-s, -ß", -ss, -z, -tz":</mark> essi hanno le forme della 2ª e 3ª persona del singolare uguali, per cui la 2ª persona singolare prende solo la desinenza "-t" e non "-st"; La seconda persona plurale poi è uguale a queste per natura:

| heißen = a) chiamarsi b) significare, voler dire (NB: in tedesco non è riflessivo!) | | passen = a) andare bene, b) avere la misura giusta, c) essere adatto | |
|---|---|---|---|
| ich | heiße | ich | passe |
| du | heißt | du | passt |
| er | heißt | er | passt |
| wir | heißen | wir | passen |
| ihr | heißt | ihr | passt |
| sie | heißen | sie | passen |

| | | | | |
|---|---|---|---|---|
| reisen = viaggiare | | | hassen = odiare | |
| | | | | (inglese: "to hate") |
| ich | reise | | ich | hasse |
| du | reist | | du | hasst |
| er | reist | | er | hasst |
| wir | reisen | | wir | hassen |
| ihr | reist | | ihr | hasst |
| sie | reisen | | sie | hassen |

| | | | | |
|---|---|---|---|---|
| tanzen = ballare | | | sitzen = sedere, essere se- | |
| | | | | duto, stare a sedere |
| | | | | (inglese: "to sit") |
| ich | tanze | | ich | sitze |
| du | tanzt | | du | sitzt |
| er | tanzt | | er | sitzt |
| wir | tanzen | | wir | sitzen |
| ihr | tanzt | | ihr | sitzt |
| sie | tanzen | | sie | sitzen |

NB: Eccezione

I verbi uscenti in consonante sibilante "-sch" non hanno la seconda e terza persona del presente singolare uguali. Infatti, nonostante il tema esca con la consonante dentale sibilante "-sch", la seconda persona singolare si forma con l'aggiunta della desinenza "-st":

| | | | | |
|---|---|---|---|---|
| waschen = lavare (verbo forte) | | | fischen = pescare (verbo | |
| (inglese: "to wash") | | | debole) (inglese: "to | |
| | | | | fish") |
| ich | wasche | | ich | fische |
| du | wäschst | | du | fischst |
| er | wäscht | | er | fischt |
| wir | waschen | | wir | fischen |
| ihr | wascht | | ihr | fischt |
| sie | waschen | | sie | fischen |

Altri esempi:
-lauschen / du lauschst = a) ascoltare attentamente b) origliare
-wischen / du wischst = a) pulire con un panno b) spolverare ecc.

5. Verbi con tema uscente in consonante rotante o liquida "-r", "-l": le consonanti rotanti alla fine di un vocabolo, che sia esso un verbo, un sostantivo o un aggettivo, si rifiutano per lo più (fatte pochissime eccezioni) di stare fra due "-e", ragion per cui va elisa sempre la "e" meno importante che può essere a volte la "e" della desinenza, a volte l'ultima "e" del tema:

*a)* *verbi uscenti in consonante rotante o liquida "-r"*

verbessern = correggere

| ich | verbessere (eccezione) |
| --- | --- |
| du | verbesserst |
| er | verbessert |
| wir | verbessern |
| ihr | verbessert |
| sie | verbessern |

verweigern = rifiutare

| ich | verweigere (eccezione) |
| --- | --- |
| du | verweigerst |
| er | verweigert |
| wir | verweigern |
| ihr | verweigert |
| sie | verweigern |

NB: La prima persona singolare di questi verbi forma una rara eccezione alla regola del rifiuto della rotante "r" di stare fra due "e" al termine di un vocabolo.

*b)* *verbi uscenti in consonante rotante o liquida "l"*

bügeln = stirare

| ich | bügle |
| --- | --- |
| du | bügelst |
| er | bügelt |
| wir | bügeln |
| ihr | bügelt |
| sie | bügeln |

schwindeln = imbrogliare
(inglese: "to swindle")

| ich | schwindle |
| --- | --- |
| du | schwindelst |
| er | schwindelt |
| wir | schwindeln |
| ihr | schwindelt |
| sie | schwindeln |

sammeln = raccogliere, collezionare

| ich | sammle |
| --- | --- |
| du | sammelst |
| er | sammelt |
| wir | sammeln |
| ihr | sammelt |
| sie | sammeln |

lächeln = sorridere (NB: lachen = ridere = inglese: "to laugh" < germanico-gotico: "hlahjan")

| ich | lächle |
| --- | --- |
| du | lächelst |
| er | lächelt |
| wir | lächeln |
| ihr | lächelt |
| sie | lächeln |

murmeln = mormorare, borbottare

| ich | murmle |
| --- | --- |
| du | murmelst |
| er | murmelt |
| wir | murmeln |
| ihr | murmelt |
| sie | murmeln |

stammeln = balbettare
(inglese: "to stammer")

| ich | stammle |
| --- | --- |
| du | stammelst |
| er | stammelt |
| wir | stammeln |
| ihr | stammelt |
| sie | stammeln |

# Das unregelmäßige Praesens

## ( Il presente irregolare o forte )

Il presente irregolare o forte riguarda quei verbi forti che hanno nel tema una vocale radicale (= vocale della radice) modificabile. Per questi verbi la caratteristica del presente irregolare è data dall'Umlaut, ossia dalla metafonesi nella seconda e terza persona del singolare.

NB: A differenza dei verbi deboli, i verbi forti non prendono nella seconda e terza persona singolare alcuna "-e" eufonica quando vengono a combaciare due dentali; la esigono invece nella seconda persona plurale.

Per facilitare l'apprendimento, negli elenchi dei verbi forti e nei vocabolari accanto all'infinito viene indicata fra parentesi la terza persona singolare del presente irregolare. Alcune forme scorrette, usate con frequenza dagli stranieri, vengono qui evidenziate in viola e sbarrate.

1. Verbi con cambiamento (= metafonesi) della vocale tematica " a > ä "

fahren = viaggiare, andare
(con mezzo)

| ich | fahre |
| du | fährst |
| er | fährt |
| wir | fahren |
| ihr | fahrt |
| sie | fahren |

fallen = cadere
(inglese: "to fall")

| ich | falle |
| du | fällst |
| er | fällt |
| wir | fallen |
| ihr | fallt |
| sie | fallen |

halten = a) tenere  b) fermarsi
(NB: non è riflessivo in tedesco.
inglese: "to hold")

| ich | halte |
| du | hältst |
| er | hält |
| wir | halten |
| ihr | haltet |
| sie | halten |

braten = arrostire

| ich | brate |
| du | brätst |
| er | brät |
| wir | braten |
| ihr | bratet |
| sie | braten |

lassen = lasciare (inglese: "to let")

| ich | lasse |
| du | lässt |
| er | lässt |
| wir | lassen |
| ihr | lasst |
| sie | lassen |

raten = consigliare

| ich | rate | |
| du | rätst | (ratest) |
| er | rät | |
| wir | raten | |
| ihr | ratet | |
| sie | raten | |

| laden = caricare | | | blasen = soffiare | |
| --- | --- | --- | --- | --- |
| (inglese: "to load") | | | (inglese: "to blow") | |
| ich | lade | | ich | blase |
| du | lädst | (ladest) | du | bläst |
| er | lädt | | er | bläst |
| wir | laden | | wir | blasen |
| ihr | ladet | | ihr | blast |
| sie | laden | | sie | blasen |

2. Cambiamento (= metafonesi) della vocale tematica " au > äu "

| laufen = correre (l'inglese "to run" deriva | | | saufen = bere (riferito agli | |
| --- | --- | --- | --- | --- |
| dal germanico "rennian"; in tedesco | | | animali; ubria- | |
| "rennen, rannte, gerannt") | | | carsi) | |
| ich | laufe | | ich | saufe |
| du | läufst | | du | säufst |
| er | läuft | | er | säuft |
| wir | laufen | | wir | saufen |
| ihr | lauft | | ihr | sauft |
| sie | laufen | | sie | saufen |

3. Cambiamento (= metafonesi) della vocale tematica " o > ö "

stoßen = urtare

| ich | stoße |
| --- | --- |
| du | stößt |
| er | stößt |
| wir | stoßen |
| ihr | stoßt |
| sie | stoßen |

4. Cambiamento (= metafonesi) della vocale tematica " e > i "

Anche il mutamento della "e > i" è un Umlaut, ossia una metafonesi riscontrabile in molte lingue indoeuropee, italiano compreso. Si veda per esempio il raffronto fra latino, italiano e dialetti meridionali nel seguente vocabolo:

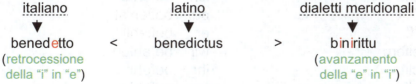

Questo cambiamento fonetico comporta spesso o un'abbreviazione della vocale tematica con il conseguente raddoppio della consonante che segue,
oppure a volte un prolungamento della vocale tematica:

**nehmen = prendere**

| ich | nehme | |
|-----|-------|---|
| du | nimmst | (= abbreviazione) |
| er | nimmt | |
| wir | nehmen | |
| ihr | nehmt | |
| sie | nehmen | |

**sehen = vedere**
(inglese: "to see")

| ich | sehe | |
|-----|------|---|
| du | siehst | (= prolungamento) |
| er | sieht | |
| wir | sehen | |
| ihr | seht | |
| sie | sehen | |

**treten = calpestare**
(inglese: "to tread")

| ich | trete | |
|-----|-------|---|
| du | trittst | ~~(tretest)~~ |
| er | tritt | |
| wir | treten | |
| ihr | tretet | |
| sie | treten | |

**essen = mangiare** (inglese: "to eat" < germanico "etan", in tedesco la "t" si è raddolcita in "ss")

| ich | esse |
|-----|------|
| du | isst |
| er | isst |
| wir | essen |
| ihr | esst |
| sie | essen |

**lesen = leggere**

| ich | lese |
|-----|------|
| du | liest |
| er | liest |
| wir | lesen |
| ihr | lest |
| sie | lesen |

**gelten = valere**

| ich | gelte |
|-----|-------|
| du | giltst |
| er | gilt |
| wir | gelten |
| ihr | geltet |
| sie | gelten |

**helfen = aiutare**
(inglese: "to help")

| ich | helfe |
|-----|-------|
| du | hilfst |
| er | hilft |
| wir | helfen |
| ihr | helft |
| sie | helfen |

**befehlen = comandare**

| ich | befehle |
|-----|---------|
| du | befiehlst |
| er | befiehlt |
| wir | befehlen |
| ihr | befehlt |
| sie | befehlen |

messen = misurare

ich messe
du misst
er misst
wir messen
ihr messt
sie messen


sprechen = parlare
(inglese: "to speak")

ich spreche
du sprichst
er spricht
wir sprechen
ihr sprecht
sie sprechen


vergessen = dimenticare
(inglese: "to forget")

ich vergesse
du vergisst
er vergisst
wir vergessen
ihr vergesst
sie vergessen


stehlen = rubare
(inglese: "to steal")

ich stehle
du stiehlst
er stiehlt
wir stehlen
ihr stehlt
sie stehlen


schelten = rimproverare
(inglese: "to scold")

ich schelte
du schiltst
er schilt
wir schelten
ihr scheltet
sie schelten


stechen = pungere
(inglese: "to stick")

ich steche
du stichst
er sticht
wir stechen
ihr stecht
sie stechen


sterben = morire (l'inglese " to die"
deriva dal verbo germanico
"deyja", sostantivo "däth" >
inglese "death", tedesco
"der Tod = la morte")

ich sterbe
du stirbst
er stirbt
wir sterben
ihr sterbt
sie sterben


treffen = a) colpire
b) incontrare

ich treffe
du triffst
er trifft
wir treffen
ihr trefft
sie treffen

# DAS PRAETERITUM

( Il preterito )

La lingua tedesca è la più facile fra le lingue indoeuropee per quanto riguarda l'uso dei tempi. In tedesco infatti non si fa alcuna distinzione fra azioni prolungate e azioni momentanee avvenute nel passato. Mentre nella lingua italiana si usa il passato remoto per azioni puntuali avvenute nel passato e l'imperfetto per le azioni prolungate, in tedesco si ha per tutte e due le circostanze un tempo unico, il Praeteritum:

> z.B.: -Mentre io andavo a scuola cadde un fulmine.
> = Während ich zur Schule ging, fiel ein Blitz.

Essendo il preterito in tedesco un tempo semplice, esso spesso sostituisce il Perfekt; ciò avviene soprattutto quando in una descrizione il passato prossimo (= Perfekt) è ricorrente. In tali casi si preferisce variare col Praeteritum per semplificare, rendendo così il discorso più fluido e meno pesante.

## Regelmäßiges oder schwaches Praeteritum

( Il preterito regolare )

Esso si ottiene aggiungendo in linea di massima una "-t" alle desinenze del presente. Fa eccezione la terza persona singolare che resta uguale alla prima:

1. Verbi con tema normale uscente in consonante gutturale, labiale ecc.:

| machen = fare | | sagen = dire |
|---|---|---|
| ich | mach – t – e | ich | sag – t – e |
| du | mach – te – st | du | sag – te – st |
| er | mach – t – e | er | sag – t – e |
| wir | mach – t – en | wir | sag – t – en |
| ihr | mach – te – t | ihr | sag – te – t |
| sie | mach – t – en | sie | sag – t – en |

286

2. <mark>Verbi con tema uscente in consonante dentale "-t", "-d":</mark> formano per ragioni eufoniche il Praeteritum con l'aggiunta di "-et":

árbeiten = lavorare                    ántworten = rispondere

| | | | | |
|---|---|---|---|---|
| ich | árbeit – et – e | | ich | ántwort – et – e |
| du | árbeit – et – est | | du | ántwort – et – est |
| er | árbeit – et – e | | er | ántwort – et – e |
| wir | árbeit – et – en | | wir | ántwort – et – en |
| ihr | árbeit – et – et | | ihr | ántwort – et – et |
| sie | árbeit – et – en | | sie | ántwort – et – en |

NB: L'accento tonico di questi due verbi cade sulla prima sillaba; spostarlo sulla seconda sillaba è un grave errore di pronuncia, un'orribile stonatura!

3. <mark>Verbi con tema uscente in consonante nasale "-n", non preceduta da rotante o liquida "-r", "-l" o da "h":</mark> si comportano come i verbi al punto due.

rechnen = calcolare                    zeichnen = disegnare

| | | | | |
|---|---|---|---|---|
| ich | rechn – et – e | | ich | zeichn – et – e |
| du | rechn – et – est | | du | zeichn – et – est |
| er | rechn – et – e | | er | zeichn – et – e |
| wir | rechn – et – en | | wir | zeichn – et – en |
| ihr | rechn – et – et | | ihr | zeichn – et – et |
| sie | rechn – et – en | | sie | zeichn – et – en |

NB: Tuttavia:
quando la nasale "-n" è preceduta da una consonante rotante o liquida "-r", "-l" oppure da "h", la "-e" eufonica fra la "n" e la dentale "t" diventa superflua:

lernen = imparare                    wohnen = abitare

| | | | | |
|---|---|---|---|---|
| ich | lern – t – e | | ich | wohn – t – e |
| du | lern – te – st | | du | wohn – te – st |
| er | lern – t – e | | er | wohn – t – e |
| wir | lern – t – en | | wir | wohn – t – en |
| ihr | lern – te – t | | ihr | wohn – te – t |
| sie | lern – t – en | | sie | wohn – t – en |

# Unregelmäßiges oder starkes Praeteritum

## ( Il preterito irregolare )

Seguono questo preterito i verbi cosiddetti forti o irregolari il cui paradigma ==è caratteriz-
zato dall'apofonia==, cioè dal cambiamento interno della vocale tematica. Si tratta del
secondo sistema di coniugazione dei verbi inventato dall'uomo e comune a quasi tutte le
lingue antiche del gruppo indoeuropeo. Il primo, ossia primordiale, sistema della formazione dei tempi, risalente a diverse migliaia di anni fa, consisteva nel cambiamento totale
della parola per formare un altro tempo. Si veda qualche resto di tale complicato sistema
riscontrabile ancora nella lingua latina, p.es.: "*fero, tuli, latum* = porto, portai, portato".
L'ultimo, il più recente metodo di formazione dei tempi, comune alle lingue moderne,
consiste nel mantenere intatto il tema cambiando solo il suffisso. L'apofonia fu comunque
una grande trovata, un grande passo evolutivo verso la semplificazione del linguaggio
umano. Essa nacque in modo spontaneo fra i parlanti ed è quindi molto orecchiabile,
ragion per cui, trattandosi di un numero limitato di verbi (180 circa), si evita oggigiorno di
suddividere i verbi forti in otto classi come facevano le vecchie grammatiche, mentre si
consiglia al discente di studiare i loro paradigmi a memoria in modo meccanico; per questo motivo delle otto classi ne vengono qui accennate solo cinque.

Si tengano presente le seguenti regole:

a) Anche per il preterito irregolare ==la terza persona singolare è sempre
uguale alla prima.==

b) ==Nella seconda persona singolare subentra raramente una "e" eufonica,==
anche quando vengono a combaciare due dentali come nel caso di "du
aßest". Il piú delle volte, con l'inserimento della "e" nella desinenza della
seconda persona singolare si ottiene la forma del Konjunktiv II Praeteritum. Nei pochi esempi qui di seguito riportati vengono qua e là aggiunte alla seconda persona singolare del modo indicativo le forme corrette del Konj. II, evidenziando invece come errore e sbarrando quelle
scorrette.
Al contrario, nella seconda persona plurale, venendo a mancare la dentale sibilante di passaggio, il contatto fra due dentali dure richiede necessariamente, per ragioni eufoniche (=  per ragioni di pronuncia), una
"e".

## 1. *Cambiamento della "a > u"*

fahren = viaggiare                                           laden = caricare

| | | | | |
|---|---|---|---|---|
| ich | fuhr | | ich | lud |
| du | fuhrst | (NB: ~~fuhrest~~ = errato; Konj. II corretto =) | du | ludst | (~~ludest~~) |
| er | fuhr | "führest") | er | lud |
| wir | fuhren | | wir | luden |
| ihr | fuhrt | | ihr | ludet |
| sie | fuhren | | sie | luden |

## 2. _Cambiamento della "a > ie"_

fallen = cadere        halten = a) tenere  b) fer-        raten = consigliare
                                mare / fermarsi

| | | | | | | | | | |
|---|---|---|---|---|---|---|---|---|---|
| ich | fiel | | ich | hielt | | ich | riet | |
| du | fielst | (NB: fielest | du | hieltst | (NB: hieltest = | du | rietst | (NB : rietest |
| er | fiel | = Konj. II) | er | hielt | Konjunktiv II) | er | riet | = Konj. II) |
| wir | fielen | | wir | hielten | | wir | rieten | |
| ihr | fielt | | ihr | hieltet | | ihr | rietet | |
| sie | fielen | | sie | hielten | | sie | rieten | |

## 3. _Cambiamento della "e > a"_

essen = mangiare        stehen = stare (in piedi)        treten = calpestare

| | | | | | | | | |
|---|---|---|---|---|---|---|---|---|
| ich | aß | | ich | stand | | ich | trat | |
| du | aßest | (aßst) | du | standst | (standest) | du | tratst | (tratest) |
| er | aß | | er | stand | | er | trat | |
| wir | aßen | | wir | standen | | wir | traten | |
| ihr | aßt | | ihr | standet | | ihr | tratet | |
| sie | aßen | | sie | standen | | sie | traten | |

## 4. _Cambiamento della "ei > i"_

leiden = soffrire        streiten = litigare        meiden = evitare

| | | | | | | | | |
|---|---|---|---|---|---|---|---|---|
| ich | litt | | ich | stritt | | ich | mied | |
| du | littst | (NB: "littest" = | du | strittst | (NB: "strittest" = | du | miedst | (NB: miedest |
| er | litt | Konjunktiv II) | er | stritt | Konjunktiv II) | er | mied | = Konj. II) |
| wir | litten | | wir | stritten | | wir | mieden | |
| ihr | littet | | ihr | strittet | | ihr | miedet | |
| sie | litten | | sie | stritten | | sie | mieden | |

## 5. _Cambiamento della "i > a"_

binden = legare        liegen = giacere        bitten = chiedere

| | | | | | | | |
|---|---|---|---|---|---|---|---|
| ich | band | | ich | lag | | ich | bat |
| du | bandst (bandest) | | du | lagst | (lagest) | du | batst (batest) |
| er | band | | er | lag | | er | bat |
| wir | banden | | wir | lagen | | wir | baten |
| ihr | bandet | | ihr | lagt | | ihr | batet |
| sie | banden | | sie | lagen | | sie | baten |

# DAS PERFEKT

( Il passato prossimo )

## Das regelmäßige Perfekt

( Il passato prossimo regolare )

Esso si forma come in italiano con gli ausiliari:

"haben / sein + Partizip Perfekt"

(avere / essere + participio passato)

**1.** Si usa "haben"

**a) con i verbi transitivi:**

z.B.: -Hast du die Hausaufgaben schon gemacht? = Hai già fatto i compiti?

-Peter hat Inge neulich bei einer Party kennen gelernt. = Pietro ha conosciuto Inge di recente ad una festa [alla lettera, in un italiano meno corretto: ...presso un party].

**b) con i verbi modali:**

z.B.: -Paul hat die Suppe nicht gemocht. = Paolo non ha voluto la zuppa.

-Das habe ich nie gewollt. = Non ho mai voluto ciò.

**c) con verbi intransitivi indicanti continuità di stato:**

z.B.: -Ich habe die ganze Nacht gut geschlafen. = Ho dormito bene tutta notte.

-Bei uns hat immer alles geklappt bei euch nie. = Da noi è sempre tutto andato bene, non da voi.

**d) con i verbi di moto usati transitivamente**, come "fahren; fliegen; schwimmen, laufen usw.":

z.B.:-Peter hat Inge und Gisela mit seinem Wagen nach Hause gefahren. = Pietro ha condotto Inge e Gisella a casa con la sua macchina.

-Nicht jeder Pilot hat einen Ultraschall-Jet geflogen. = Non tutti i piloti hanno guidato un jet supersonico [alla lettera: Non ogni pilota ha pilotato...].

-Gisela hat die 100 Meter in einer Rekordzeit geschwommen. = Gisela ha nuotato i 100 m in tempi record.

e) con i <mark>verbi riflessivi</mark>:

> z.B.: -Hast du dich noch nicht gewaschen? = Non ti sei ancora lavato / lavata?
> -Wir haben uns im Cafè Meran gut unterhalten. = Ci siamo intrattenuti piacevolmente al Caffè Merano.
> -Herr und Frau Braun haben sich über Walters Besuch sehr gefreut. = Il signore e la signora Braun si sono rallegrati molto per la visita di Walter.

f) con molti <mark>verbi impersonali</mark>: qui la divergenza con l'italiano non è costante:

> z.B.: -Letzte Woche hat es viel geregnet. = La settimana scorsa è (ha) piovuto molto.
> -Hat es schon geklingelt? = È già suonato?
> -Bei uns hat es schon im Februar geblüht. = Da noi la fio-ritura è avvenuta già a febbraio.
> -Hat es geklopft? = Hanno bussato?

g) <mark>con tutti i verbi intransitivi non inclusi al punto 2</mark> (= regola successiva); particolare attenzione richiedono "<mark>sitzen</mark>, <mark>liegen</mark>, <mark>stehen</mark>, <mark>hängen</mark>, <mark>stecken</mark>". NB: Da ció ne consegue che la stragrande maggioranza dei verbi intransitivi (fra essi specialmente quelli esprimenti inizio, durata o fine di un'azione, ma non solo) forma in tedesco i tempi composti non con l'ausiliare "sein" come in italiano, bensì con l'ausiliare "haben":

> z.B.: -Das Bild hat doch schon immer dort gehangen. = Il quadro è pur sempre stato appeso lì.
> -Wir haben zwei Stunden beim Zahnarzt gesessen. = Siamo rimasti seduti due ore dal dentista.
> -Hat der Film schon angefangen? = È già iniziato il film?
> -Wie lange hat denn die Versammlung gedauert? = Ma quanto tempo è durata la conferenza?
> -Die Kinder haben nicht mehr aufgehört zu weinen. = I bambini non smettevano di piangere.

2. | Si usa "**sein**" |   <mark>Esclusivamente con alcuni verbi intransitivi e precisamente con i seguenti:</mark>

a) <mark>con i verbi di moto usati intransitivamente + verbi di arrivo</mark> come "ankommen, landen...." ad eccezione di halten, hielt, hat gehalten:

> z.B.: -Gestern bin ich nach Mailand gefahren. = Ieri sono andato a Milano.

{ -Sind Sie schon mal geflogen? = Lei ha già volato?
-Ja, ich bin schon oft geflogen, geschäftlich, wissen Sie. = Si, ho volato spesso. Per affari, sa.

-Bei den Nachbaren ist heute ein kleiner Junge angekommen. = Presso i nostri vicini è nato oggi un bambino.

-Am 21.07.1969 sind die ersten Menschen auf dem Mond gelandet. = I primi uomini atterrarono sulla luna il 21-07-1969.

Tuttavia:

-Der Schnellzug hat heute wegen Bauarbeiten lange auf freier Strecke gehalten. = A causa di lavori in corso, il treno oggi si è fermato a lungo in aperta campagna.

b) con i verbi indicanti cambiamento sia di stato fisico sia di stato d'animo:

z.B.: -Meine Großmutter ist voriges Jahr gestorben. = Mia nonna è morta l'anno scorso.

-Bin ich erschrocken! = Mamma mia, che spavento!

-Die Rose ist verblüht. = La rosa è sfiorita.

-Der See ist vereist. = Il lago è ghiacciato.

-Frau Schmidt ist erkrankt. = La signora Schmidt si è ammalata.

-Heute ist schon zwei Mal der Strom ausgefallen. = Oggi è venuta a mancare già due volte la corrente.

c) con i verbi "sein, bleiben, werden, begegnen":

z.B.:-Bist du schon in Amerika gewesen? = Sei già stato / -a in America?

-Wo bist du denn die ganze Zeit geblieben? = Ma dove sei stato / -a tutto questo tempo?

-Peter ist Arzt geworden. = Pietro è diventato medico.

-Bist du Peter begegnet? = Hai incontrato Pietro?

NB: _Le stesse regole valgono per i seguenti tempi composti: Plusquamperfekt, Futur II, Infinitiv Perfekt!_

# Perfekt mit doppeltem Infinitiv

( Perfekt col doppio infinito )

1. I seguenti verbi:

-verbi modali,
-helfen, hören, sehen, lassen,
-brauchen

formano il Perfekt e gli altri tempi composti (Plusquamperfekt e Futur II)

==col doppio infinito, quando sono usati come modali nella proposizione==, se cioè non sono soli nella proposizione e modificano un altro verbo (= il verbo principale):

> z.B.: -Paul hat die Suppe nicht essen wollen. = Paolo non ha voluto mangiare la zuppa.
> -Ich habe dich gestern nicht anrufen können, weil ich einfach nicht dazukam. = Ieri non ho potuto telefonarti perché semplicemente non ce la feci.
> -Wir haben dich gar nicht kommen hören. = Non ti abbiamo proprio sentito venire (arrivare).
> -Du hättest heute gar nicht zur Universität kommen brauchen, denn es ist Streik. = Non avresti neanche dovuto venire all'università (non sarebbe stato affatto necessario che tu venissi all'università) perché oggi c'è sciopero.
> -An der Mailänder Scala bin ich vor dem Tor stehen geblieben und habe die Leute eintreten sehen. = Alla Scala di Milano mi sono fermato davanti all'ingresso e ho osservato la gente che entrava.
> -Du hast mich nicht sprechen lassen. = Non mi hai fatto parlare.

2. ==Gli stessi verbi tuttavia formano il Perfekt e gli altri tempi composti in modo regolare==, ossia col participio passato come tutti gli altri verbi, ==quando essi sono usati come verbi principali nella proposizione==, ossia quando si trovano da soli nella proposizione con il loro ausiliare e non modificano alcun altro verbo.

> z.B.: -Paul hat die Suppe einfach nicht gemocht. = Paolo non ha semplicemente voluto la zuppa.
> -Hast du gehört, was die Tagesschau heute meldete? = Hai appreso (sentito) ciò che ha annunciato oggi il telegiornale?
> -Meine Mutter hat's gewollt, den Andern ich nehmen sollt';...
> Was sonst in Ehren stünde, nun ist es worden Sünde." (**Theodor Storm**, Novelle "Immensee") = Mia mamma ha voluto ch'io sposassi l'altro;... Ció che normalmente apparirebbe un onore, ora è divenuto peccato.

## Suggerimenti per lo studio

NB:a) Tutte le regole riguardanti il Perfekt valgono anche per gli altri tempi composti, ossia per il Plusquamperfekt, il Futur II e l'Infinitiv Perfekt!

NB:b) Memorizzando alla perfezione le tre regole riguardanti l'uso del verbo "essere = sein" nella formazione del Perfekt e dei tempi composti, il controllo diventa piú facile e sbrigativo: sapendo infatti qual è la destra, automaticamente l'altra parte è la sinistra!

# DAS FUTUR

## (Die Zukunft)

( Il futuro )

Il futuro in tedesco si divide in:
"Futur I" = corrisponde al futuro semplice italiano,
"Futur II" = corrisponde al futuro anteriore italiano.

## F u t u r  I

### A) *Form = forma*

Il "Futur I" in tedesco non è un tempo semplice, ma composto. Esso si ottiene col:

Praesens von "werden" + Infinitiv Praesens des Hauptverbs

( presente dell'ausiliare "werden" + l'infinito presente del verbo principale )

z.B.: machen = fare

ich  werde machen
du   wirst machen
er   wird machen
wir  werden machen
ihr  werdet  machen
sie  werden machen

### B) *Gebrauch = uso*

1. Il "Futur I" si usa anzitutto per indicare un'azione futura in là nel tempo; per azioni future ravvicinate si preferisce invece usare, come nella maggioranza delle lingue indoeuropee, il presente. In tedesco ció si rende a maggior ragione necessario in quanto, non essendo il "Futur I" un tempo semplice, esso risulta pesante e cacofonico, soprattutto quando in un contesto dovessero ripetersi diversi predicati espressi col futuro:

z.B.:-Wenn ich gut Deutsch kann, werde ich eine Zeit lang eine deutsche Universität besuchen. = Quando sapró bene il tedesco, frequenteró per un po' di tempo un'università tedesca.

294

-Wann wirst du mich endlich einmal besuchen? = Quando verrai una buona volta a trovarmi?
-Ich besuche dich nächste Woche. (oder: Ich will dich nächste Woche besuchen. – oder: Ich werde dich nächste Woche besuchen.) = Vengo (voglio venire) a trovarti la settimana ventura.

2. Col "Futur I" si esprime anche intenzione (= Absicht ) o assicurazione (Versicherung) = futuro intenzionale, che si può formare anche col modale "wollen" (si noti la somiglianza dell'inglese con il tedesco):

z.B.:-Rufen Sie mich bitte vorher an! = Mi telefoni prima, per favore!
-Ja, ich will (werde) Sie vorher anrufen! = Sì, le telefoneró prima (Sì, prima voglio telefonarle.)
-Kommst du morgen zu uns? = Domani vieni da noi?
-Ich werde bestimmt kommen! Ich hatte es schon lange vor, bin nur nie dazugekommen. = Sì, verró senz'altro! L'avevo già da tempo in programma, ma non ce l'ho mai fatta.

3. Si usa il "Futur I" per indicare supposizione (= Annahme – Vermutung); in tal caso esso è perlopiú accompagnato da qualcuno dei seguenti avverbi:

| | |
|---|---|
| -"wohl" | = pur, a quanto pare, senz'altro, come si suppone |
| -"sicher, bestimmt, gewiss" | = sicuramente, certamente |
| -"wirklich" | = veramente |
| -"ohne Zweifel" | = senza dubbio, senz'altro |
| -"wahrscheinlich, vermutlich" | = probabilmente, con ogni probabilità |
| -"anscheinend" | = a quanto pare, come sembra. |

z.B.:-Wohnen Gisela und Peter jetzt in Frankfurt? = Gisella e Pietro abitano ora a Francoforte?
-Ich weiß es nicht genau, aber ich glaube, sie werden wohl (wahrscheinlich) noch dort wohnen. = Non lo so con certezza, ma penso che loro abitino (probabilmente) ancora lì.
-Müssen wir noch durch die Zollkontrolle? = Dobbiamo ancora passare attraverso il controllo doganale?
-Ja, wir werden sicher noch durch die Zollkontrolle müssen. = Sì, dobbiamo sicuramente ancora passare attraverso il controllo doganale.

4. Il Futur I accompagnato dagli avverbi "schon, sicher, bestimmt e gewiss" può anche esprimere incoraggiamento, conforto, speranza aspettativa positiva (Aufmunterung, Trost, Hoffnung, positive Erwartung):

> z.B.:-Ich bin sehr besorgt, es morgen bei der Prüfung nicht zu schaf-
> fen. = Sono molto preoccupata di non farcela domani al-
> l'esame.
> -Wieso denn? Du hast doch so viel studiert! Du wirst es schon
> (bestimmt, gewiss, sicher) schaffen! Nur nicht den Kopf hängen
> lassen! Kopf hoch! = Ma perché? Tu hai studiato così tanto!
> Ce la farai senz'altro (sicuramente). Non perderti d'animo! A-
> vanti, coraggio!

5. Con le forme avverbiali negative "doch nicht, wohl nicht" il Futur I
esprime dissuasione, ammonizione, monito (= Es dient zum Abraten oder zur Ermahnung. = Esso serve a dissuadere o ammonire):

> z.B.:-Du wirst doch nicht schon morgen abfahren wollen! = Mica
> vorrai partire già domani!
> -Ihr werdet wohl nicht im Ernst so was tun! = Mica farete sul
> serio una cosa del genere!

6. Per esprimere esortazione perentoria, avvertimento, comando
( = endgültige Ermahnung; Warnung; Befehl):

> z.B.:-Du wirst mit uns kommen, ob du magst oder nicht! = Che tu lo
> voglia o no, verrai con noi!
> -Wirst du endlich einmal still sein!? – Wirst du endlich einmal
> aufhören!? = La vuoi smettere una buona volta!? - Vuoi una
> buona volta smetterla (tacere), sì o no!?

# F u t u r  II

## A) Form = forma

Il "Futur II" è ovviamente un tempo composto anche in tedesco; esso
si forma con il:

Praesens von "werden" + Infinitiv Perfekt des Hauptverbs

( presente di "werden" + l'infinito passato del verbo principale)

> z.B.: -machen = fare

| | |
|---|---|
| ich | werde gemacht haben |
| du | wirst gemacht haben |
| er | wird gemacht haben |
| wir | werden gemacht haben |
| ihr | werdet gemacht haben |
| sie | werden gemacht haben |

z.B.:-fahren  =  a) viaggiare  b) andare ( con mezzo )

| | |
|---|---|
| ich | werde gefahren sein |
| du | wirst gefahren sein |
| er | wird gefahren sein |
| wir | werden gefahren sein |
| ihr | werdet gefahren sein |
| sie | werden gefahren sein |

NB: Per l'uso dell'ausiliare "haben / sein" valgono le regole del Perfekt!

## B) *Gebrauch  =  uso*

1. Il "Futur II" si usa anzitutto per esprimere previsione con riferimento ad un'azione conclusasi nel futuro prima di un'altra = anteriorità (= Vorzeitigkeit); esso si rende necessario per rispettare la "*consecutio temporum*" specialmente nelle proposizioni temporali introdotte dal-la congiunzione "nachdem", ma anche in altre proposizioni sia tem-porali che ipotetiche:

    z.B.:-Nachdem ich mein Universitätsstudium absolviert haben werde, heirate ich. = Dopo aver concluso i miei studi universitari, mi sposeró. (In italiano si ha qui una proposizione subordinata im-plicita con il verbo all'infinito; in tedesco invece le uniche propo-sizioni implicite sono le infinitive). - oder:

    -Wenn ich mein Universitätsstudium absolviert haben werde, werd'ich heiraten. (NB: Rispetto alla prima, questa seconda so-luzione risulta, anche se grammaticalmente corretta, pesante e cacofonica a causa della ripetizione dell'ausiliare "werden".)

    -Sollte auch der Chef ankommen, werde ich bis dahin gewiss schon alles erledigt haben. = Dovesse anche venire il direttore, fino a quel momento avró certamente di già sbrigato tutto.

2. Si usa pure per esprimere, così come col "Futur I", supposizione (= Annahme – Vermutung), con riferimento tuttavia a un'azione, un e-vento passato. Anche qui si ha l'appoggio degli stessi avverbi:

    z.B.:-Vor einer Stunde hat bei euch das Telefon geklingelt. Wer wird es wohl gewesen sein? ( "es" qui è soggetto in frasi di identifica-zione vedi pag. 30, regola 3) = Un'ora fa è squillato il telefono da voi. Chi sarà mai stato? (Chi avrà telefonato?)

    -Es wird wahrscheinlich Papi gewesen sein, der in Berlin ange-kommen ist. = Sarà stato papà che è giunto a Berlino. (sogget-to eufonico vedi pag. 34, regola 3)

    -"Sie werden sicher schon lange gewartet haben", sagt Inge zu Peter, der über eine halbe Stunde auf sie vor dem Palastkino wartete. = "Lei avrà sicuramente già aspettato a lungo", dice Inge a Pietro, che l'ha aspettata piú di mezz'ora davanti al Cine-ma Palazzo.

# DER IMPERATIV

( L'imperativo )

## Imperativ der Höflichkeit

( Imperativo di cortesia )

Esso si ottiene dalla terza persona plurale del presente indicativo invertendo la posizione fra pronome-soggetto e verbo, e scrivendo il pronome-soggetto con lettera maiuscola:

        z.B.: -sie kommen  =  loro vengono  (Praesens)
             -Kommen Sie!  =  Venga! – Vengano! (Imp. der Höflichkeit).


## Imperativ an Gruppen oder an Menschenmengen

( Comando impartito a gruppi o a moltitudini di persone )

Il comando impartito a gruppi si esprime in tedesco:
   a) con l'infinito, come avviene in molte lingue europee:
        z.B.:-Herr Breuer hört am Bahnhof von Köln die Durchsage: "Der
             Schnellzug nach Frankfurt über Bonn und Mainz fährt ab. Bitte
             einsteigen und die Türen schließen!"  =  Nella stazione di Co-
             lonia il signor Breuer sente l'annuncio: "Il direttissimo per Fran-
             coforte, via Bonn-Magonza, è in partenza. Per favore, salire e
             chiudere le porte!"
             -Aufpassen, bitte!  =  Prestare attenzione, per favore!
             -Hinsetzen, bitte!  =  Sedersi, per favore!

   b) a volte anche col participio passato, quando si tratta di comando
      perentorio impartito ad un gruppo piú ristretto:
        z.B.: -Aufgesessen!  =  In sella! (Sia che ci si rivolga ad un gruppo
             che cavalca animali per riprendere il galoppo, sia ad un gruppo
             che deve riprendere la corsa in bicicletta o in moto).
             -Aufgepasst!  =  Attenzione! (= In caso di pericolo).
             -Aufgeschaut!  =  Guardare in alto! (= Una guida turistica, per
             richiamare l'attenzione di un gruppo verso qualcosa che si tro-
             va in alto).

## Imperativ der ersten Person Plural

( Imperativo della prima persona plurale )

Esso si ottiene:
   a) dalla prima persona plurale del presente indicativo, invertendo la posizione fra soggetto e verbo:

   z.B.:-wir gehen = noi andiamo (Praesens)
   -Gehen wir! = Andiamo! (Imperativ)

   -wir fangen an = noi incominciamo (Praesens)
   -Fangen wir an! = Incominciamo! (Imperativ)

   b) con l'uso del verbo "lassen": vecchio germanismo riscontrabile anche in inglese:

   z.B.: -Lasst uns gehen! = Andiamo! (inglese: Let us go!)
   -Lasset uns beten! = Preghiamo! (Nelle funzioni liturgiche cattoliche: esortazione che il sacerdote rivolge ai fedeli con frequenza prima di ogni prece).

   c) con l'uso del modale "wollen" non si ha l'inversione:

   z.B.: -Wir wollen gehen! = Andiamo!
   -Wir wollen es dabei sein lassen! = Vogliamo fermarci qui. (Vogliamo lasciare le cose come stanno).


## Imperativ der dritten Person Singular

( Imperativo della terza persona singolare )

Non esiste un vero e proprio imperativo di terza persona singolare. Volendo tuttavia esprimere esortazione nei riguardi di una terza persona, si può ottenere un comando indiretto che viene formato col presente del modale "sollen + infinito" del verbo principale:

   z.B.: -Er soll spréchen ! (?) = Che parli pure!
   -"Lieben soll er mích!", sagt Gudrun zu ihrer Freundin in Bezug auf ihren Mann.. = "Che ami me!", dice Gudrun alla sua amica, riferendosi a suo marito.

NB: L'esortazione si ottiene solo usando una particolare cadenza, facendo cioé quasi una domanda e ponendo perlopiú l'accento sul verbo principale, non sull'ausiliare "sollen"; spostando infatti la cadenza sul modale "soll" non si ha piú un'esortazione, ma un obbligo perentorio:

   z.B.: -Er sóll sprechen! = Lui déve parlare! (= Lui non può non parlare, è obbligato)

299

# Imperativ der zweiten Person Singular

( Imperativo della seconda persona singolare )

A) *Regole deduttive di controllo nella formazione della seconda persona singolare dell'imperativo*

All'inizio dell'apprendimento della lingua è importante tener presente per il controllo che l'imperativo della seconda persona singolare si può desumere da altri tempi e precisamente in due modi:

1. **dall'infinito, omettendo la desinenza "-en", a volte anche solo la "-n":**

   z.B.:  -machen      = fare  (Infinitiv)
          -Mach!       = Fa'!  (Imperativ)

          -wissen      = sapere
          -Wisse!      = Sappi!

   Si sconsiglia tuttavia di usare tale sistema perché impreciso e non comprendente tutta la casistica.

2. **dalla seconda persona singolare del presente indicativo, omettendo la desinenza "-st".** Questo secondo metodo comprende anche i verbi forti, aventi cioé come vocale tematica una "e" che nel presente indicativo viene mutata in " i ". Essi mantengono tale metafonesi anche nell'imperativo della seconda persona singolare:

   z.B.:  -kommen       = venire   (Infinitiv)
          -du kommst    = tu vieni  (Praesens)
          -Komm!        = Vieni!    (Imperativ)

          -nehmen       = prendere
          -du nimmst    = tu prendi
          -Nimm!        = Prendi!       (Nehme! = errato)

          -sehen        = vedere
          -du siehst    = tu vedi
          -Sieh!        = Vedi!         (Sehe! = errato)

          -helfen       = aiutare
          -du hilfst    = tu aiuti
          -Hilf mir bitte! = Aiutami, ti prego! (Helfe! = errato)

          -eintreten    = entrare
          -du trittst ein = tu entri
          -Tritt nur ein! = Entra pure!   (Trete! = errato)

**300**

NB:a)
Attenzione ai verbi forti uscenti con tema in consonante dentale sibilante "s" o "ss"! Nel formare la seconda persona del presente indicativo, questi verbi prendono soltanto la desinenza "-t", non la desinenza "-st", per cui nella formazione della seconda persona singolare dell'imperativo si omette solo la "-t" e non anche la "s" o "ss" finale del tema:

| | | | |
|---|---|---|---|
| z.B.: | -lesen | = leggere NB: il tema è "les-" (Infinitiv) | |
| | -du liest | = tu leggi (Praesens) | |
| | -Lies! | = Leggi! (Imperativ) | (Lese! Lie! = errato) |
| | | | |
| | -messen | = misurare | |
| | -du misst | = tu misuri | |
| | -Miss! | = Misura! | (Messe! = errato) |
| | | | |
| | -fressen | = mangiare (detto di animali), divorare | |
| | -du frisst | = tu divori | |
| | -Friss! | = Mangia! (riferito ad animale o a persona che mangia come un animale) | |

NB:b)
I verbi forti tuttavia, che al presente mutano la vocale tematica con altre metafonesi come: "a > ä" / "au > äu" / "o > ö", non mantengono questi "Umlaute = metafonesi" nella seconda persona singolare dell'imperativo:

| | | | |
|---|---|---|---|
| z.B.: | -fahren | = andare NB: con mezzo (Infinitiv) | |
| | -du fährst | = tu vai (Praesens) | |
| | -Fahr! | = Va'! (Imperativ) | |
| | | | |
| | -laufen | = correre | |
| | -du läufst | = tu corri | |
| | -Lauf! | = Corri! | |

B) *Regole sull'aggiunta della desinenza "-e" alla seconda persona singolare dell'imperativo*

Fino a cinquant'anni fa la maggioranza dei verbi formava l'imperativo della seconda persona singolare con l'aggiunta della desinenza "-e". Richiedono tutt'oggi la desinenza "-e" solo i seguenti verbi:

1. i verbi uscenti in "-ieren":

| | | | |
|---|---|---|---|
| z.B.: | -diktieren | = dettare (Infinitiv) | |
| | -du diktierst | = tu detti (Praesens) | |
| | -Diktiere! | = Detta! (Imperativ) | |

|  |  |
|---|---|
| -studieren | = studiare |
| -du studierst | = tu studi |
| -Studiere! | = Studia! |

2. <mark>i verbi uscenti in consonante nasale "-n", "-m" non preceduta da consonante rotante (o liquida) "-r", "-l":</mark>

| z.B.: | -rechnen | = calcolare (Infinitiv) |
|---|---|---|
|  | -du rechnest | = tu calcoli (Praesens) |
|  | -Rechne! | = Calcola! (Imperativ) |
|  |  |  |
|  | -zeichnen | = disegnare |
|  | -du zeichnest | = tu disegni |
|  | -Zeichne! | = Disegna! |
|  |  |  |
|  | -atmen | = respirare |
|  | -du atmest | = tu respiri |
|  | -Atme! | = Respira! |

Tuttavia:

| z.B.: | -lernen | = imparare |
|---|---|---|
|  | -du lernst | = tu impari |
|  | -Lern! (ma anche: "Lerne!" ) | = Impara! |

3. <mark>i verbi con tema uscente in "-eln" "-ern"</mark>, quando cioé la consonante nasale "-n" non è solo preceduta da una rotante, ma anche da una "-e". Le rotanti si rifiutano infatti in linea di massima di venire a trovarsi alla fine dei vocaboli fra due "e", ragion per cui viene elisa la "e" meno importante. Qui viene eliminata la "e" del tema, mentre si aggiunge una "-e" in funzione di desinenza:

| z.B.: | -handeln | = agire, trattare (Infinitiv) |
|---|---|---|
|  | -du handelst | = tu agisci (Praesens) |
|  | -Handle! | = Agisci! (Imperativ) |
|  |  |  |
|  | -sammeln | = raccogliere, collezionare |
|  | -du sammelst | = tu raccogli |
|  | -Sammle! | = Raccogli! |

Tuttavia: per i verbi in "-ern", l'eliminazione della "e" del tema resta facoltativa:

| z.B.: | -sich kümmern | = occuparsi, curarsi di (Infinitiv) |
|---|---|---|
|  | -du kümmerst dich | = tu ti occupi (Praesens) |
|  | -Kümmre dich! (anche: "Kümmere dich!") | = Occupati! (Imperativ) |

| -meckern | = brontolare |
|---|---|
| -du meckerst | = tu brontoli |
| -Meckre nicht! (ma anche: "Meckere nicht!") | = Non brontolare! Non lamentarti! |

| -fördern | = favorire, promuovere |
|---|---|
| -du förderst | = tu favorischi, tu promuovi |
| -Fördre! (ma anche: "Fördere!") | = Promuovi! |

## 4. i verbi con tema in "-ig":

z.B.:
| -entschuldigen | = scusare (Infinitiv) |
|---|---|
| -du entschuldigst | = tu scusi (Praesens) |
| -Entschuldige! | = Scusa! (Imperativ) |

| -beschuldigen | = accusare |
|---|---|
| -du beschuldigst | = tu accusi |
| -Beschuldige nicht! | = Non accusare! |

| -beschädigen | = rovinare |
|---|---|
| -du beschädigst | = tu rovini |
| -Beschädige nicht das Möbelstück! | = Non rovinare il mobile! |

## 5. La maggioranza dei verbi uscenti in consonante dentale "-t" "-d" "tz": con alcuni di essi la desinenza "-e" resta tuttavia facoltativa:

z.B.:
| -antworten | = rispondere (Infinitiv) |
|---|---|
| -du antwortest | = tu rispodi (Praesens) |
| -Antworte! | = Rispondi! (Imperativ) |

| -arbeiten | = lavorare |
|---|---|
| -du arbeitest | = tu lavori |
| -Arbeite! | = Lavora! |

Tuttavia, la desinenza "-e" resta facoltativa con:

z.B.:
| -Warte! (anche:"Wart!") | = Aspetta! |
|---|---|
| -Setze dich! (anche: Setz dich! | = Siediti! |
| -Rede doch! (anche: Red doch!) | = Avanti parla! |
| -Achte bitte aufs Kind! (anche: Acht bitte aufs Kind!) | = Fa (presta) attenzione al bambino, per favore! |

C) *Nella formazione della seconda persona singolare dell'imperativo bisogna prestare attenzione alla divergenza di alcuni verbi usati sia nella versione forte che debole o per l'esistenza di un omonimo*

1. –erschrecken, erschrak, erschrocken (intrans.) = spaventarsi:
   -du erschrickst = tu ti spaventi      (Praesens)
   -**Erschrick** nicht! = Non spaventarti! (Imperativ)

   --------

   -erschrecken, erschreckte, erschreckt (trans.) = spaventare
   -Du erschreckst mich. = Tu mi spaventi. (Praesens)
   -**Erschrecke** das Kind nicht! = Non spaventare il bambino! (Imp.)


2. –löschen, losch, geloschen = erlöschen, erlosch, erloschen
   (intr.) = spegnersi
   -Das Feuer erlischt, pass auf! = Il fuoco si sta spegnendo, attento / -a! (NB: "erlischt" = Praesens, dritte Person)
   -**Lisch** aus mein Licht! (**Bürger** nella ballata "Lenore") = Spegniti, o luce (vita) mia! (Imperativ)

   --------

   -löschen, löschte, gelöscht (trans.) = spegnere
   -du löschst = tu spegni (Praesens)
   -**Lösch(e)** bitte das Feuer (Licht) aus! = Spegni il fuoco (la luce), per favore! (Imperativ)

   NB: "spegnere apparecchi, macchine" = abschalten, ausschalten
          -Schalt bitte den Computer aus!" = Spegni il computer!
          -Schalt doch den Motor ab! = Dai, spegni il motore!

      "spegnere luce, fuoco" = ausmachen; löschen
          -Mach bitte das Licht aus, sonst kann ich nicht schlafen!
          = Spegni per favore la luce, altrimenti non riesco a dormire

3. –genießen, genoss, genossen (trans.) = godere
   -du genießt = tu godi (Praesens)
   -**Genieß** doch das Leben in vollen Zügen ! = E goditi la vita pienamente! (Imperativ)

   --------

   -genesen, genas, genesen (intrans.) = guarire
   -Langsam, langsam genest du doch. Hab' Geduld! = Pian piano guarirai senz'altro. Abbi pazienza! (Praesens)
   -**Genese** zuerst, dann sprechen wir weiter! = Prima guarisci, poi discuteremo (potremo proseguire col discorso). (Imperativ)

# Imperativ der zweiten Person Plural

( Imperativo della seconda persona plurale )

| z.B.: | -ihr kommt | = voi venite (Praesens) |
|---|---|---|
| | -Kommt! | = Venite! (Imperativ) |
| | -ihr nehmt | = voi prendete |
| | -Nehmt! | = Prendete! |

# Gebrauch des Subjekts im Imperativ der zweiten Personen

( Uso del soggetto nell'imperativo delle seconde persone )

L'imperativo delle seconde persone si usa nel 98% dei casi col soggetto sottinteso, cioé non espresso.
Il soggetto va espresso anche nell'imperativo delle seconde persone solo nei casi seguenti:

a) come incoraggiamento (= als Aufmunterung): per rimarcare cioé il comando, al fine di incoraggiare:
   z.B.: -Mach du nur so weiter und schau nicht auf die anderen!
   = Tu continua a fare così (= continua per questa buona strada) e non guardare gli altri! (= non guardare la via piú facile, scelta dagli altri!)

b) come dissuasione (= um abzuraten): per rimarcare il comando ironizzando, al fine di scoraggiare, ma anche per comando perentorio:
   z.B.: -Mach du nur so weiter und du wirst sehen, wo du landest! = Continua pure così (per questa via errata) e vedrai dove andrai a finire!
   -Sei du endlich einmal still! = E taci una buona volta!

È naturale che la differenziazione fra incoraggiamento e dissuasione dipende dalla cadenza e dal tono di voce usati nel pronunciare queste frasi.

# DER INFINITIV

( L'infinito )

## Infinitiv Praesens

( Infinito presente )

## A) Form = Forma

A differenza della lingua italiana, che ha tre forme diverse di infinito con le desinenze in "-are, -ere, -ire", in tedesco tutti i verbi sia deboli che forti formano l'infinito presente con la desinenza "-en", mentre per i verbi uscenti in consonante rotante o liquida, con la desineza ridotta "-n":

> z.B.: -machen, wollen, sagen = fare, volere, dire
> -gelobt werden = essere lodato  (Infinitiv Praesens Passiv)
> -verbessern = correggere

## B) Gebrauch = Uso

1. L'infinito si usa anzitutto come forma verbale quando il verbo principale viene modificato da verbi modali o dipende da "werden":

   a) con i verbi modali:
   > z.B.: -Ich möchte dich sprechen. = Vorrei parlarti.

   b) con "werden" per formare il "Futur I"; per la formazione del "Futur II" si usa invece l'infinito dell'ausiliare:
   > z.B.: -Ich werde nicht mitfahren. = Non parteciperò al viaggio.
   > -Ich werde doch nicht meine Geldtasche verloren haben!
   > = Mica avró perso il mio portafoglio!

2. Come forma verbale nella formazione dei tempi composti col doppio infinito:
   > z.B.: -Peter hat gestern nicht zu deiner Party kommen können, weil ihm übel wurde. = Ieri Pietro non è potuto venire alla tua festa perché si è sentito male.

3. Come forma verbale per impartire un comando a gruppi o ad una moltitudine di persone:

z.B.:-Der Zug nach Frankfurt über Bonn und Mainz fährt ab, bitte einsteigen und die Türen schließen! = Il treno per Francoforte via Bonn – Magonza è in partenza; per favore salire e chiudere le porte!
-Aufpassen! Stufe! = Attenzione, gradino!

4. Come sostantivo: ==ogni infinito può essere sostantivato==, in questo caso esso viene scritto con la lettera maiuscola, è ==sempre di genere neutro e usato solo al singolare==. Si ricorre alla sostantivazione:

a) quando per esprimere certi termini non esiste un vero e proprio sostantivo corrispondente:
z.B.:-Das Essen steht schon auf dem Tisch, bitte kommen! = Il pranzo è già a tavola, per favore accomodarsi [alla lettera: "il mangiare è già a tavola...]!
-Das Rauchen schadet der Gesundheit. = Fumare (il fumo) danneggia la salute.

b) quando, dopo aver usato già varie volte il sostantivo appropriato, si vuole diversificare il discorso per evitare cacofonie:
z.B.:-Das Studieren (das Studium) an der Uni kostet viel Mühe und Geld. = Lo studio all'università costa tanta fatica e denaro [alla lettera: "lo studiare all'università...].

c) L'infinito sostantivato può fungere non solo da soggetto, ma anche da complemento sia puro sia preposizionale (= cioé determinato da preposizione) e presenta spesso le seguenti caratteristiche:

α) ==usato come soggetto può venire a trovarsi anche senza articolo==:
z.B.:-Hoffen und Harren macht manchen zum Narren. = (Sprichwort = proverbio) Sperare ed aspettare fa spesso impazzire [Sperare ed aspettare fa diventare pazza più d'una persona. = Chi di speranza vive, disperato muore].

β) ==usato come complemento preposizionale sostituisce spesso il gerundio italiano==:
z.B.:-Beim Sprechen verhaspelt sich dieses Kind ständig. = Questo bambino parlando s'impappina sempre.
-Wie hat sich dieser Junge so verletzen können? = Come si è potuto far così male questo ragazzo?
-Es ist beim Laufen passiert. = È successo correndo.
-Wir sind gerade am Ausarbeiten (an der Ausarbeitung) der Pläne. = Stiamo elaborando i progetti.
-Mit Harren und Hoffen hat es mancher getroffen. (Sprichwort) = Aspettando e sperando, più d'uno l'ha indovinata.

# Infinitiv Perfekt

( Infinito passato )

## A) *Form = Forma*

Esso si forma come in italiano con il:

<mark>Partizip Perfekt des Hauptverbs + Infinitiv des Hilfsverbs</mark>

( participio passato del verbo principale + l'infinito dell'ausiliare. )

z.B.: -gemacht haben  =  aver fatto
-gefahren sein  =  essere andato (con mezzo)
-gelobt worden sein  =  essere stato lodato (Infinitiv Perfekt Passiv)

NB:
Per l'uso corretto dell'ausiliare, quando cioé usare "haben" quando "sein", valgono le regole del Perfekt (= passato prossimo) che vanno estese a tutti i tempi composti, infinito passato compreso.

## B) *Gebrauch = Uso*

L'Infinitiv Perfekt viene ovviamente sempre riferito ad un'azione o situazione passata. Come forma verbale si usa soprattutto nei casi seguenti:

1. <mark>col verbo principale modificato da verbi modali:</mark>
   z.B.:-Peter kann auf keinen Fall so etwas begangen haben! = Pietro non può assolutamente aver commesso una cosa del genere!

2. <mark>per la formazione del "Futur II"</mark>, indicante un'azione futura antecedente ad un'altra (anteriorità = Vorzeitigkeit):
   z.B.:-Nachdem ich mein Universitätsstudium absolviert haben werde, heirate ich (oppure: ..., werde ich heiraten"). = Al termine dei miei studi universitari mi sposeró (Dopo aver terminato..., mi sposeró).

3. <mark>nella forma passiva, soprattutto in proposizioni dipendenti infinitive, "Infinitiv mit zu"</mark>; anche qui si tratta di azione antecedente (anteriorità = Vorzeitigkeit):
   z.B.:-Der Mörder wurde entlassen, ohne irgendwie bestraft worden zu sein. = L'assassino venne rilasciato senza essere stato minimamente punito [..., senza essere minimamente punito].

# Reiner und unreiner Infinitiv

( L'infinito puro e impuro )

1. *Der reine Infinitiv oder Infinitiv ohne "zu" = l'infinito puro, ossia l'infinito senza "zu"*

   a) I seguenti verbi esigono l'infinito puro del verbo che sta alle loro dipendenze, cioé del verbo principale da loro modificato:
   - **verbi modali**,
   - **(helfen)**, **hören**, **sehen**, **lassen**,
   - **verbi di moto + bleiben**,
   - **lehren**, **lernen**, **heißen** (nel senso di "comandare"), **fühlen**.

   > z.B.:-Richard Robertson will noch schnell etwas für Herrn Müller kaufen, denn er hat Geburtstag. = Richard Robertson vuole ancora comprare velocemente qualcosa per il signor Müller perché ha il compleanno.
   > -Lass mich bitte arbeiten! = Lasciami lavorare, per favore!
   > -Gehen wir heute schwimmen? = Andiamo a nuotare oggi?
   > -Wenn Paul nicht fleißiger wird, bleibt er dieses Jahr sitzen. = Se Paolo non sarà piú diligente, quest'anno verrà bocciato.
   > -Ich lehre dich deutsch sprechen. = T'insegno a parlare tedesco. (NB: "deutsch" qui è complemento di modo: "Wie lehre ich dich sprechen?", va quindi scritto minuscolo!)
   > -Ich muss unbedingt deutsch sprechen lernen. = Devo assolutamente imparare a parlare tedesco.
   > -Heiße ihn bitte kommen! = Digli di venire!
   > -Ich helfe dir den Koffer packen. (= Ich helfe dir, den Koffer zu packen.) = Ti aiuto a fare la valigia. NB: Il verbo "helfen" può reggere sia l'infinito puro (senza zu) che impuro (con lo zu).

   b) Gli stessi verbi tuttavia esigono la congiunzione "zu" davanti al proprio infinito, quando a loro volta dipendono da un verbo o da una forma verbale che richiede l'infinito impuro, ossia l'infinito con "zu":

   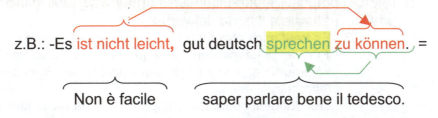

   z.B.: -Es ist nicht leicht, gut deutsch sprechen zu können. =

   Non è facile        saper parlare bene il tedesco.

   NB.:
   -"zu können" dipende dalla forma verbale "ist nicht leicht" che regge l'infinito con "zu", per cui l'infinito del verbo modale "können" in questo caso richiede davanti a sé la congiunzione "zu";

-"sprechen" dipende dal verbo modale "können" che regge l'infinito puro.

>z.B.:-Es tut mir Leid, dir diese traurige Nachricht mitteilen zu müssen.
>= Mi spiace di doverti comunicare questa triste notizia.
>-Wir hoffen, euch nächste Woche endlich einmal besuchen zu können. = Speriamo di potervi finalmente fare una visita la settimana ventura.
>-Es war nicht schön von dir, das schreiende Kind so lange liegen zu lassen. = Non è stato bello da parte tua lasciare gridare il bambino nella culla per così tanto tempo.

2. *Der unreine Infinitiv oder Infinitiv mit "zu"* = *l'infinito impuro, ossia l'infinito con "zu"*

a) Tutti gli altri verbi (e forme verbali) non compresi nel punto 1. esigono l'infinito impuro, ossia l'infinito con "zu":

>z.B.:-Es ist schön zu tanzen. (= Tanzen ist schön.) = Ballare è bello.
>-Wir fangen an zu arbeiten. = Noi cominciamo a lavorare.
>-Richard hat keine Zeit zu reisen. = Riccardo non ha tempo di viaggiare (... di fare viaggi.).

b) In proposizioni con piú di un infinito, la congiunzione "zu" va ripetuta davanti ad ogni infinito:

>z.B.:-In Deutschland versuchten wir viel zu hören, zu sehen und zu lernen. = In Germania abbiamo cercato di ascoltare, di vedere e di imparare molto.
>-Am Meer war es schön zu schwimmen, zu tauchen, zu surfen und Volleyball zu spielen. = Al mare è stato bello nuotare, immergersi, fare surf e giocare a pallavolo.

c) I verbi composti separabili inseriscono lo "zu" dell'infinito fra il loro prefisso naturale e il tema del verbo:

>z.B.:-Es freut mich abzufahren. = Sono lieto di partire.
>-Für die eingesperrten Gefangenen war es unmöglich davonzukommen. = Per i prigionieri rinchiusi era impossibile fuggire (liberarsi).
>-Der Junge ist durchzuschlagen! = È da bastonare quel ragazzo! (NB: Passivo formato dal verbo essere + infinito impuro. = Forma passiva implicita, che sostituisce il passivo coi modali ed è quindi piú breve: in questo caso la forma implicita passiva sta infatti al posto di: "Dieser Junge muss durchgeschlagen werden". Si veda in proposito il capitolo "Das Passiv", regola 2, pag. 378).

d) È <mark>sufficiente che l'infinito impuro</mark> (= infinito con "zu") <mark>sia accompagnato anche da un solo complemento per formare una proposizione</mark> secondaria dipendente, cioé <mark>un'infinitiva</mark>, che è sempre opportuno separare con una virgola. Con il nuovo regolamento ortografico ("Neue Rechtschreibung") la virgola prima delle infinitive è divenuta facoltativa, si può cioé mettere od omettere. Tuttavia, per una maggior chiarezza sia di scrittura che di lettura, come pure per una questione di principio e di coerenza (in quanto in tedesco tutte le secondarie vengono separate da una virgola), si consiglia di staccare la proposizione infinitiva dalla sua proposizione reggente con la virgola come si è fatto per secoli:

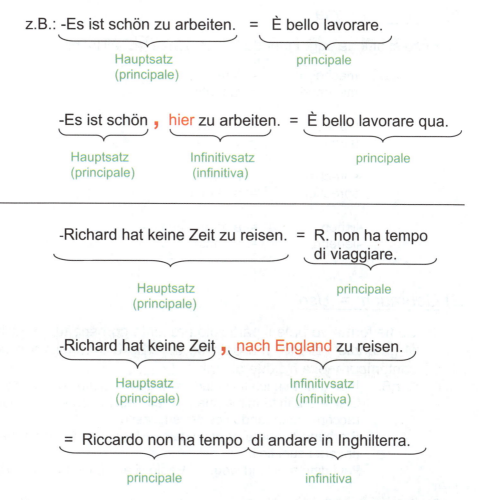

z.B.: -Es ist schön zu arbeiten.  =  È bello lavorare.

              Hauptsatz            principale
              (principale)

-Es ist schön **,** hier zu arbeiten.  =  È bello lavorare qua.

    Hauptsatz         Infinitivsatz         principale
    (principale)      (infinitiva)

---

-Richard hat keine Zeit zu reisen.  =  R. non ha tempo di viaggiare.

              Hauptsatz            principale
              (principale)

-Richard hat keine Zeit **,** nach England zu reisen.

    Hauptsatz         Infinitivsatz
    (principale)      (infinitiva)

=  Riccardo non ha tempo di andare in Inghilterra.

     principale           infinitiva

# DAS PARTIZIP

( Il participio )

## Das Partizip Praesens

( Il participio presente )

## A) *Form = Forma*

Esso si ottiene aggiungendo la desinenza "-d" all'infinito:

z.B.:  -machen      = fare
       -machend     = facente

       -leben       = vivere
       -lebend      = vivente

       -sprechen    = parlare
       -sprechend   = parlante

       -lieben      = amare
       -liebend     = amante

## B) *Gebrauch = Uso*

1. Come forma verbale il participio presente corrisponde qualche volta al gerundio italiano, ma solo se il verbo è intransitivo e se si ha contemporaneità fra due azioni:
   z.B.:  -Inge grüßte mich lächelnd. = Inge mi salutó sorridendo.
          -Gisela erzählte mir weinend, was geschehen war. = Gisella mi raccontó piangendo cos'era successo.
          -Sterbend segnete er noch seine Kinder. = Morente, benedisse ancora i suoi figli.
          -Paul ging murrend weg. = Paolo si allontanó brontolando.

2. Come aggettivo predicativo, quindi indeclinato, e collocato in fondo alla proposizione; in questo, caso sul piano dell'analisi logica, funge o da nome del predicato o da complemento di modo:
   z.B.:  -Die Mutter traf ihre Kinder alle schlafend. = La mamma trovó i suoi bambini tutti addormentati (che dormivano).

312

-Viele dieser Blumen sind wohlriechend. = Molti di questi fiori sono profumati (... emanano un buon profumo). [Alla lettera, in un pessimo italiano: "...sono buon odoranti".]

3. Come avverbio o aggettivo predicativo indeclinato, per lo piú davanti ad un altro aggettivo:
z.B.:-entsprechen = corrispondere
-entsprechend = a) (Adjektiv) corrispondente
die entsprechende Größe = la taglia corrispondente
b) (Adverb) in modo conforme, conformemente, adeguatamente

-Mit einem Ausländer, der die Landessprache noch nicht gut beherrscht, muss man entsprechend langsam reden. = Con uno straniero che non conosce ancora bene la lingua del posto (la lingua nazionale), si deve parlare in modo adeguatamente lento.

-bezaubern = incantare, affascinare, ammaliare
-bezaubernd = a) (Adjektiv) affascinante, incantevole
ein bezauberndes Geschöpf = una creatura incantevole
b) (Adverb) meravigliosamente, da far incantare

-Dieses Mädchen ist bezaubernd schön. = Questa ragazza è affascinante [Alla lettera: incantevolmente bella].

4. Come aggettivo attributivo declinato e quindi collocato prima del sostantivo di cui è attributo:
z.B.:-Richard sucht ein einfaches Zimmer mit fließendem Wasser. = Riccardo cerca una stanza semplice con acqua corrente.
-Peter hat mit einem glänzenden Erfolg promoviert. = Pietro ha concluso i suoi studi con grande successo [Alla lettera: "...con uno splendido successo"].
-Wecke mir bitte nicht das schlafende Kind auf! = Non svegliarmi, ti prego, il bambino che dorme! [Alla lettera, in un pessimo italiano: "... il bambino dormiente!"]

5. Come aggettivo attributivo nella Partizipialkonstruktion: il participio sta in tali casi davanti alla parte del discorso fungente da punto di riferimento della relativa; viene tuttavia preceduto da tutti i complementi della stessa, secondo la costruzione della – Partizipialkon-

313

struktion, cioé della prop. relativa ridotta, il cui predicato viene trasformato in participio e usato come attributo (si veda il capitolo : "Relativsatz – Partizipialkonstruktion" pag. 248):

  z.B.:-Viele liebe Grüße von Eurem Euch herzlich liebenden Sohn.
        (= Viele liebe Grüße von Eurem Sohn, der Euch herzlich liebt.)
        = Molti cari saluti dal vostro affezionatissimo figlio
        [Letteralmente: Molti cari saluti dal vostro figlio che vi ama
        affettuosamente].
        -Der Mensch soll alle auf der Erde und in den Gewässern lebenden Wesen nicht nur achten, sondern auch schützen.
        = L'uomo deve non solo rispettare, ma anche proteggere tutti gli
        animali sulla terra e nelle acque.

6. Come sostantivo = participio presente sostantivato; esso segue la declinazione dell'aggettivo attributivo:

  z.B.: -reisen   = viaggiare    (Infinitiv)
        -reisend = viaggiante   (Partizip Praesens)
        -der Reisende, ein Reisender, die Reisenden, Reisende   = il
        viaggiatore, un viaggiatore ecc. (substantiviertes Partizip)
        -Reisende müssen auf ihr Gepäck aufpassen!  =  Chi viaggia
        deve badare ai propri bagagli (I viaggiatori devono...).


## Das Partizip Futur

( Il participio futuro )

Esso si ottiene in tedesco col participio presente, usato come aggettivo attributivo, preceduto dalla preposizione "zu" che non ha alcun influsso su di esso. Corrisponde ad un

participio futuro passivo

e si può formare solo con verbi transitivi:

  z.B.:-die zu liefernde Ware (= die Ware, die geliefert werden muss)
        = la merce da spedire (... che deve essere spedita)
        -Die zu liefernde Ware wurde noch nicht verfertigt.  =  La merce
        da spedire non è ancora stata allestita.
        -Die Umweltverschmutzung bleibt ein großes zu lösendes Problem. = L'inquinamento dell'ambiente resta un grosso problema da risolvere (... che deve essere risolto).
        -Der zu erzielende Gewinn in diesem Geschäft erscheint fast
        unerreichbar und irreell, weshalb es sich wohl nicht lohnt, darin
        einzusteigen.  =  L'utile da realizzare in questo affare è quasi
        irraggiungibile e irreale, per cui non vale la pena parteciparvi.

# Das Partizip Perfekt

( Il participio passato )

## A) *Form = Forma*

esso si ottiene aggiungendo al tema del verbo un prefisso e un suffisso:

**1.** Praefix = prefisso

a) La maggioranza dei verbi sia deboli che forti formano il participio passato col prefisso "ge-":

z.B.: -machen = fare
gemacht = fatto

-gehen = andare
gegangen = andato

b) I verbi composti inseparabili e quelli uscenti in "-ieren" non prendono alcun prefisso nel formare il participio passato:

z.B.: -studieren = studiare
studiert = studiato

-gratulieren = congratulare
gratuliert = congratulato

-erreichen = raggiungere
erreicht = raggiunto

-empfehlen = raccomandare
empfohlen = raccomandato

-bekommen = ricevere
bekommen = ricevuto

c) I verbi composti separabili inseriscono il prefisso "ge-" del participio fra il loro prefisso naturale e il tema del verbo:

z.B.: -zurückkommen = ritornare
zurückgekommen = ritornato

| | |
|---|---|
| -mitfahren | = andare insieme |
| -mitgefahren | = andato insieme |
| | |
| -ausfragen | = interrogare |
| ausgefragt | = interrogato |

---

**2.** Suffix = suffisso

a) La maggioranza dei verbi deboli, tutti i verbi modali e diversi verbi forti formano il participio passato col suffisso "-t":

| | | | |
|---|---|---|---|
| z.B.: | -sagen | = | dire |
| | gesagt | = | detto |
| | | | |
| | -wollen | = | volere |
| | gewollt | = | voluto |
| | | | |
| | -denken | = | pensare |
| | gedacht | = | pensato |
| | | | |
| | -bringen | = | portare |
| | gebracht | = | portato |

b) I verbi deboli con tema in dentale "-t, -d" e quelli uscenti in consonante nasale "-n" non preceduta da rotante "-r" formano il participio passato col suffisso "-et":

| | | | |
|---|---|---|---|
| z.B.: | -arbeiten | = | lavorare |
| | gearbeitet | = | lavorato |
| | | | |
| | -rechnen | = | calcolare |
| | gerechnet | = | calcolato |

Tuttavia:

| | | | |
|---|---|---|---|
| NB: | -lernen | = | imparare |
| | gelernt | = | imparato |

c) La maggioranza dei verbi forti forma il participio passato col suffisso "-en":

| | | | |
|---|---|---|---|
| z.B.: | -essen | = | mangiare |
| | gegessen | = | mangiato |

```
-fliegen          = volare
 geflogen         = volato

-anbieten         = offrire
 angeboten        = offerto
```

## B) *Gebrauch = Uso*

Il participio passato si usa:

1. come forma verbale nella formazione dei tempi composti e del passivo (si vedano le regole del Perfekt che valgono anche per il Plusquamperfekt, il Futur II, l'Infinitiv Perfekt a pag. 290, nonché le regole del passivo a pag. 378):

   z.B.: -ich habe gelobt = io ho lodato (Perfekt)
   -ich hatte gelobt = io avevo lodato (Plusquamperfekt)
   -ich werde gelobt haben = io avró lodato (Futur II – aktiv)
   -gelobt haben = aver lodato (Infinitiv Perfekt)
   -ich werde gelobt = io vengo (sono) lodato (Praesens –passiv)

2. sia come aggettivo predicativo, quindi indeclinato, sia come aggettivo attributivo, quindi declinato; in qualità di aggettivo attributivo il participio passato precede sempre il sostantivo di cui è attributo:

   z.B.: -stehlen = rubare    (Infinitiv)
   gestohlen = rubato  (Partizip Perfekt)
   -Die Polizei bittet die Bevölkerung um Nachrichten über den gestohlenen Wagen. = La polizia chiede alla popolazione notizie sulla macchina rubata (= attributives Adjektiv).

   -zertören = distruggere  (Infinitiv)
   zerstört = distrutto      (Partizip Perfekt)
   -Die deutschen Städte lagen nach dem zweiten Weltkrieg völlig zerstört da; ein schreckliches Ansehen! = Dopo la Seconda guerra mondiale le città tedesche erano [si trovavano] completamente distrutte; uno spettacolo orribile! (= praedikatives Adjektiv)

   -Die zerstörten Städte Deutschlands wurden nach dem zweiten Weltkrieg bald wieder aufgebaut. = Dopo la Seconda guerra mondiale le città distrutte della Germania vennero ben presto ricostruite (= attributives Adjektiv).

3. come aggettivo sostantivato declinato secondo la declinazione dell'aggettivo attributivo (si veda il capitolo "Das substantivierte Adjektiv", pagina 139):

z.B.: -lehren = insegnare   (Infinitiv)
  gelehrt = erudito   (Partizip Perfekt)
  der Gelehrte, ein Gelehrter, die Gelehrten, Gelehrte = il dotto
  (substantiviertes Partizip)
  -Auch Italien hat im zwanzigsten Jahrhundert weltberühmte Gelehrte gehabt.  =  Anche l'Italia ha avuto nel ventesimo secolo
  dotti di fama mondiale.

  -anstellen = impiegare   (Infinitiv)
  angestellt = impiegato   (Partizip Perfekt)
  der Angestellte, ein Angestellter, eine Angestellte, die Angestellten, Angestellte = l'impiegato  (substantiviertes Partizip)
  -Gudrun Schulte ist eine der vielen Angestellten, die in einem
  großen Verlagshaus arbeiten.  =  Gudrun Schulte è una delle
  molte impiegate che lavorano in una grande casa editrice.

4. può talvolta avere valore di gerundio dopo i verbi di moto; rispetto all'italiano si tratta di una forma idiomatica:
  z.B.: -Er kam gelaufen.  =  Venne correndo.
    -Er kam gesprungen.  =  Venne saltando.
    -Er kam geflogen.  =  Venne come un bolide [volando].

## Das absolute Partizip

( Il participio assoluto )

Il participio vien detto "assoluto" quando, pur essendo usato come forma verbale (quindi non come aggettivo o sostantivo), non è accompagnato da alcun ausiliare. In tali casi esso ha da solo un senso compiuto e sosti-tuisce una proposizione intera  (= "satzwertiges Partizip" = participio che detiene il valore di una proposizione); il participio assoluto appare quindi come una proposizione secondaria o principale abbreviata.

1. Il participio assoluto italiano accompagnato da un complemento og-getto si rende in tedesco o con una proposizione secondaria o con un complemento preposizionale:
  z.B.: -Fatto il mio compito, andai a passeggio. =
    a) Nachdem ich meine Hausaufgabe gemacht hatte, ging ich
      spazieren (= Dopo aver fatto il compito, andai...).
    b) Nach Erledigung meiner Hausaufgaben ging ich spazieren
      (= Dopo il disbrigo dei miei compiti, andai a passeggio).

2. Si ha un participio assoluto anche in tedesco solo se il verbo è pas-sivo o intransitivo e se esso si riferisce al soggetto della proposizione

318

principale; col participio assoluto si semplifica il discorso evitando l'uso di una proposizione secondaria relativa:

z.B.: -Durch die feindliche Kugel getroffen, fiel der Soldat zu Boden hin. = Colpito dalla palla nemica, il soldato stramazzò al suolo (Invece di dire: "Der Soldat, der durch die feindliche Kugel getroffen wurde, fiel zu Boden hin").

-Vom herrlichen Frühlingswetter begünstigt, unternahmen die Gymnasialschüler der 12. Klasse ihren Schulausflug. = Favoriti dal meraviglioso tempo primaverile gli alunni di quinta liceo intrapresero la loro gita scolastica.

3. Participi assoluti molto usati si hanno in tedesco in alcune espressioni idiomatiche come:

z.B.: -vorausgesetzt, dass... = premesso che; supposto che... (Invece di dire: "Setzen wir voraus, dass... = Supponiamo che... ")

-angenommen, dass... = supposto che...; accettando il fatto che; ammettendo che

-zugegeben, dass... = ammesso che; ammettendo che

-gesetzt den Fall, dass... = dato il caso che... (NB: konditionale Konjunktion)

-Angenommen, dass du Recht hast, solltest du Inge trotzdem nicht beleidigen! = Ammettendo che tu abbia ragione, non devi ugualmente offendere Inge!

4. Come imperativo in forma di comando perentorio rivolto a un gruppo di persone (si veda § "Imperativ an Gruppen", regola b, pag. 298):

z.B.: -Aufgesessen! = In sella! (sia che si cavalchi animali sia che si vada in bicicletta o in moto)

-Aufgepasst! = Attenti! (Passt bitte auf! = Fate attenzione!)

-Aufgepasst, Stufe! = Attenzione al gradino!

-Aufgeschaut! = Guardare in alto! (Guardate in alto!)

5. Valore di participio assoluto ha anche il participio passato usato in forma idiomatica dopo il verbo "heißen"; in italiano in tali casi sta l'infinito:

z.B.: -Das heißt aber gelaufen! = Mamma mia che corsa! [Questo si chiama correre!]  (È tuttavia piú ricorrente la forma con l'infinito anche in tedesco: "Das heißt man laufen!")

-Das heißt aber gearbeitet! = Questo sì che è lavorare! [Questo si chiama lavorare!]

-Das heißt aber wirklich geschunden! Nein, da tu ich nicht mehr mit! = Eh ma questo è proprio uno sfacchinare! No, non ci sto piú (No, non collaboro, non partecipo piú)!

319

# Wiedergabe des italienischen Gerundiums

( Traduzione del gerundio italiano )

Il gerundio della lingua italiana è una forma non finita del verbo, interme-
dia tra il participio presente e l'infinito, tempi questi, che esso spesso sostituisce. Grazie alla sua ridondanza vocalica, il gerundio risulta molto musicale e appartiene alle forme verbali piú belle della lingua italiana. In tedesco il gerundio purtroppo non esiste. Dovendolo rendere dalla lingua italiana, in tedesco si ricorre ai metodi qui di seguito elencati:

1. *Con i verbi intransitivi*

   a) si può usare in tedesco il participio presente (si tratta infatti della
      forma piú vicina e simile al gerundio italiano), tuttavia l'uso del
      participio presente tedesco al posto del gerundio italiano resta
      limitato ai casi di contemporaneità d'azione e anche in tali casi esso
      non può essere applicato sempre:
      z.B.: -Inge grüßte mich lächelnd. = Inge mi salutó sorridendo.
      -Sterbend segnete er noch seine Kinder. = Morendo (morente), egli
      benedisse ancora una volta i suoi figli.
      -Gisela erzählte mir weinend, was geschehen war. = Gisella mi
      raccontó piangendo quanto (cosa) era successo.

   b) In sostituzione del gerundio si può usare un complemento preposi-
      zionale formato da un infinito sostantivato e determinato perlopiú
      da una delle seguenti preposizioni: "bei, durch, mit, unter":

| z.B.: | | |
|---|---|---|
| | -beim Eintreten | = entrando (nell'entrare) |
| | -beim Essen | = mangiando |
| | -beim Hinfahren | = andando là (all'andata; durante l'andata) |
| | -beim Lesen | = leggendo |
| | -beim Schlafen | = dormendo (durante il sonno) |
| | -beim Schreiben | = scrivendo |
| | -beim Springen | = saltando |
| | -beim Steigen | = salendo |
| | -beim Sterben | = morendo |
| | -beim Zurückfahren | = tornando (durante il ritorno) |
| | -durch Lehren | = insegnando (attraverso l'insegn.) |
| | -durch Lesen | = leggendo (attraverso la lettura) |
| | -durch Sprechen | = parlando |
| | -mit Loben | = lodando (attraverso la lode) |
| | -mit Rauchen | = fumando (col fumo) |
| | -mit Schimpfen | = sgridando, imprecando |
| | -unter Weinen | = piangendo (in lacrime) |

z.B.:-Beim Sterben segnete er noch seine Kinder. = Morendo (mentre mori-
moriva), egli benedisse ancora una volta i suoi figli.

320

-Beim Eintreten sollte man immer die Schuhe abstreifen. = Entrando, bisognerebbe sempre pulire le scarpe sullo zerbino.

-Ist der Unfall beim Hinfahren oder beim Zurückfahren (bei der Hin- oder Rückfahrt) passiert? = L'incidente è avvenuto nell'andata o al ritorno? (.....andando o tornando?)

-Durch Lehren lernt man. = Insegnando s'impara.

-Mit Loben erreicht man meistens mehr als mit Schimpfen. = Lodando si ottiene di solito piú che sgridando.

## 2. *Con verbi transitivi*

a) il gerundio italiano si può esprimere in tedesco ==con una proposizione coordinata==:

z.B.: -Er schrieb und dankte mir. = Egli mi scrisse ringraziandomi.

-Ich grüßte ihn und drückte ihm die Hand. = Lo salutai stringendogli la mano.

b) ==con proposizioni subordinate== (causali, temporali, condizionali, modali con "**indem**" pag. 261), ==secondo il senso logico del gerundio italiano==:

z.B.: -Da Peter krank war, konnte er nicht kommen. = Essendo malato, Pietro non poté venire (Siccome P. era ammalato non...).

-Als mich Erika erkannte, beunruhigte sie sich. = Riconoscendomi, Erika si agitó (Quando Erica mi riconobbe si agitó).

-Wenn ich Peter sähe, könnte ich es ihm sagen. = Vedendolo, potrei dirglielo (Vedendo Pietro potrei dirglielo. = Se dovessi vedere Pietro, glielo potrei dire).

-Indem man lehrt, lernt man. = Insegnando s'impara = Per il fatto che s'insegna, s'impara. (Anche: Durch lehren, lernt man.)

## 3. ==Con un complemento preposizionale formato da sostantivo== (NB: Al punto 1b pag. 320 si trattava di infinito sostantivato!); tale compl. è spesso seguito da una specificazione o da un altro complemento preposizionale:

| z.B.: | |
|---|---|
| -auf der Hinfahrt | = andando là  (all'andata) |
| -auf der Rückreise | = tornando  (durante il viaggio di ritorno) |
| -auf dem Heimweg | = tornando a casa |
| -auf dem Rückzug | = ritirandosi (durante la ritirata) |
| -bei (mit) diesen Worten | = così dicendo |
| -bei (beim) Empfang des Briefes | = ricevendo la lettera (al ricevimento della lettera) |
| -in Anbetracht dessen | = considerando ció |
| -in der Hoffnung | = sperando  (nella speranza) |
| -in Beantwortung Ihres Briefes | = rispondendo alla Vs. lette-era  (in risposta alla Vs...) |
| -mit Bezug ( unter Bezugnah-me) auf Ihr Schreiben vom | = riferendoci alla Vs. lettera del (con riferimento alla Vs. lettera del...) |
| -mit der Bitte um Ihre gefällige Antwort | = pregandoVi per una Vs.cor-tese risposta |

| | |
|---|---|
| -nach Empfang des Briefes | = avendo ricevuto la lettera (in seguito alla Vs. lettera...) |
| -unter Angabe des Preises | = indicando il prezzo (con l'indicazione del prezzo) |
| -unter Tränen | = piangendo (in lacrime) |

z.B.: -In der Hoffnung, dass alles klappt, sende ich Dir meine herzlichsten Grüße. = Sperando che tutto funzioni, t'invio i miei piú cordiali saluti.
-Sie erzählte mir unter Tränen, was geschehen war. = Ella mi raccontó piangendo (in lacrime) ció che era accaduto.

4. Il gerundio italiano può spesso essere ridato in tedesco coll'avverbi pronomi-nominali "wobei" – "dabei" = "ció facendo" – "ció dicendo" ecc.

z.B.: -Wobei bist du gerade? = Che cosa stai facendo in questo momento?
(questo esempio rientra anche nel cosiddetto gerundio fraseologico i-taliano; si veda la regola n. 7)
-Inge erzählte mir ihr trauriges Schicksal und brach dabei in Tränen aus. = Inge mi raccontó la sua triste sorte scoppiando in lacrime.
-Trotz des Verbots haben die Kinder gebadet, und dabei ist ein Junge er-ertrunken. = Nonostante il divieto i bambini hanno fatto il bagno e ció ció facendo un ragazzo è annegato.

5. Il gerundio italiano preceduto da un verbo di moto si traduce in tedesco col participio passato:

| z.B.: | |
|---|---|
| -er kam gelaufen | = venne correndo |
| -er kam gesprungen | = venne saltando |
| -er kam geflogen | = venne volando |

-Paul kam mit seinem Motorrad dahergeflogen, dass wir alle zitterten. = Paolo giunse come un bolide con la sua moto, al punto che tremammo tutti.

6. Il gerundio italiano preceduto da verbi riflessivi si rende in tedesco con la particella pronominale riflessiva + un aggettivo + l'infinito:

| z.B.: | |
|---|---|
| -sich satt (voll) essen | = rimpinzarsi mangiando |
| -sich voll trinken | = ubriacarsi bevendo |
| -sich müde laufen | = stancarsi correndo |
| -sich müde lesen | = stancarsi leggendo |
| -sich (zu Tode) tot arbeiten | = ammazzarsi lavorando |
| -sich tot lachen | = spanciarsi ridendo - span-ciarsi dal ridere - ridere a squarciagola |

-Musst du dich denn wirklich so abplagen und für andere (zu Tode) tot arbeiten? = Ma devi proprio tormentarti (arrabattarti) così tanto e ammazzarti lavorando per gli altri?
-Hast du dich endlich einmal müde gelaufen, ja oder nein? = Correndo ti sei o non ti sei finalmente stancato?

6. Il **gerundio fraseologico italiano** unito ai verbi "stare, andare, venire" si traduce in tedesco col verbo finito semplice accompagnato da complementi di tempo indicanti momentaneità o iterazione come: "gerade; in diesem Moment; eben; soeben; immer; immer wieder; ja .. schon":

> z.B.: -Peter telefoniert gerade. = Pietro sta telefonando.
> -Wir essen eben.. = Stiamo mangiando. = In diesem (dem) Moment essen wir.
> -Inge sagte mir immer wieder, sie wolle Schule wechseln. = Inge andava dicendomi di voler cambiar scuola. (..che voleva cambiare sc.)
> -Da kommt ja Richard schon! = Ecco che Riccardo sta arrivando!
> -Wir machten soeben eine Pause, als der Unfall. passierte. = Stavamo facendo una pausa, quando accadde quell'incidente.
> -Wann machst du denn die Hausaufgaben? = Ma quando fai i compiti? Ich bin gerade dabei. = Li sto facendo. [Alla lettera, in un pessimo italiano: "Sono proprio presso di essi".] = Ich mach sie ja schon. = Ma li sto (proprio) facendo.

7. Esso può essere talvolta espresso anche usando dei verbi composti con i seguenti prefissi: ab-, durch-, ein-, er-, ver-:

> z.B.:-Ich habe meine Schulden abgearbeitet. = Ho pagato i miei debiti lavorando.
> -Das hat Paul von mir erzwungen. = Questo Paolo l'ha ottenuto da me facendo pressioni.
> -Inge hat ihre Zeit verschlafen. = Inge ha passato il suo tempo dormendo.
> -Paul hat sein Geld verspielt (verjubelt). = Paolo ha perso il suo denaro giocando (spassandosela).
> -einwiegen = addormentare cullando
> -einsingen = addormentare cantando, ninnare
> -sich eintanzen = iniziarsi al ballo
> -eintrommeln = insegnare ripetendo, insegnare a forza di ripetere [alla lettera, in un pessimo italiano: inculcare tambureggiando]
> -Gute Lehrer trommeln ihren Schülern wichtige Regeln ein. = Insegnanti bravi inculcano ai loro alunni regole importanti ripetendole in continuazione.
> -sich einfahren = impratichirsi guidando, esercitarsi nella guida

8. Si notino le seguenti forme prettamente idiomatiche da riprodurre (o poter riprodurre) in italiano col gerundio:

| z.B.: | |
|---|---|
| -unterwegs | = strada facendo |
| -beispielsweise | = facendo un esempio, a mo' d'esempio |
| -beziehungsweise | = riferendoci invece (rispettivamente) |
| -ausnahmsweise | = facendo un'eccezione, in via eccezionale |
| -davon abgesehen | = prescindendo da ció; prescindendo dal fatto che |

> -Unterwegs fragt Inge ihre Freundin Gisela: "Wie gefällt dir Peter?" = Strada facendo, Inge chiede a Gisela: "Pietro ti piace?"
> -Würden wir dieses Angebot auch nur ausnahmsweise annehmen, hätten wir bereits großen Verlust. = Dovessimo, pur facendo un'eccezione, accetare quest'offerta, avremmo di già una grande perdita.

# STARKE VERBEN

( Verbi forti o irregolari )

Si chiamano "forti" quei verbi che presentano nel paradigma l'apofonia di cui si parla nell'introduzione al preterito irregolare (= "starkes oder unregelmäßiges Praeteritum"). L'elenco in ordine alfabetico qui riportato comprende la maggioranza dei verbi forti tutt'ora in uso: nella prima colonna dell'infinito viene indicato fra parentesi (quando c'é) il presente irregolare, mentre nella seconda colonna del Praeteritum si trovano fra parentesi le forme del Konjunktiv II; le forme del Konjunktiv II piú in uso sono marcate col doppio colore "rosso + giallo", le forme abbastanza usate col colore "giallo", le forme raramente in uso solo in nero.

Trattandosi di un numero limitato di verbi, la loro vecchia suddivisione in classi non facilita la memorizzazione, ma la complica; si consiglia quindi allo studente di studiare semplicemente a memoria i paradigmi qui riportati, l'apofonia infatti li rende molto orecchiabili per cui, una volta assimilati bene, non si dimenticano così facilmente.

Fatte poche eccezioni, essi sono tutti importanti, sia perché da questi verbi forti di base derivano centinaia di verbi composti, sia per la necessità di saper distinguere i verbi forti da quelli deboli. All'inizio dell'apprendimento della lingua, l'acquisizione di questi verbi richiede buona volontà e tattica. Al fine di facilitarne la memorizzazione vengono indicati nella quarta colonna, comprendente i significati in italiano, quasi sempre dei sostantivi della stessa famiglia del verbo: il sostantivo infatti è di solito piú concreto e può squisitamente servire da appoggio all'acquisizione del verbo che è sempre astratto. Per esempio: con "der Fluss = il fiume", si riesce piú facilmente a memorizzare il verbo "fließen = scorrere"; con "der Bogen = l'arco e der Regenbogen = l'arcobaleno", l'apprendimento di "biegen = piegare" diventa piú facile. Lo studio dei rispettivi sostantivi non deve tuttavia essere ritenuto indispensabile: ogni discente può servirsene a piacimento, secondo l'effettivo apporto positivo degli stessi per la memorizzazione di questi verbi.

| | Infinitiv | Praeteritum | Partizip Perfekt | |
|---|---|---|---|---|
| 1. | backen | buk (anche: backte) | gebacken | = cuocere nel forno (NB: der Backofen = il forno) |
| 2. | befehlen (befiehlst) | befahl (befähle) | befohlen | = comandare, ordinare (NB: der Befehl = il comando) Gott befohlen! = Dio ti assista! (...ti accompagni.) |
| 3. | sich befleißen | befliss sich | sich beflissen | = a) applicarsi, dedicarsi b) studiarsi, ingegnarsi = sich befleißigen, befleißigte sich, sich befleißigt |
| 4. | beginnen | begann (begänne) | begonnen | = iniziare, incominciare (NB: der Beginn = l'inizio) |

| 5. | beißen | biss | gebissen | = mordere (NB: der Biss = il morso) |
|---|---|---|---|---|
| 6. | bergen (birgst) | barg | geborgen | = mettere al riparo, nascondere, salvare |
| 7. | bersten (birst) | barst | geborsten | = a) spaccarsi b) scoppiare, esplodere |
| 8. | betrügen | betrog | betrogen | = ingannare (NB: der Betrug = l'inganno, l'impostura) |
| 9. | bewegen | bewog (bewöge) | bewogen | = indurre, persuadere |

NB: Da non confondere col verbo debole "bewegen, bewegte, bewegt" = muovere, far muovere, mettere in moto (die Bewegung = il movimento, il moto)

| 10. | biegen | bog (böge) | gebogen | = piegare, curvare (NB: der Bogen = l'arco; der Regenbogen = l'arcobaleno) |
|---|---|---|---|---|
| 11. | bieten | bot (böte)) | geboten | = offrire (NB: das Angebot = l'offerta) |

NB: Da non confondere col verbo forte: "bitten, bat, gebeten" = chiedere (per ottenere)

| 12. | binden | band (bände) | gebunden | = legare (NB: das Band = a) il nastro, la fascia b) il legame) |
|---|---|---|---|---|
| 13. | bitten | bat (bäte) | gebeten | = chiedere (NB: die Bitte = la preghiera, la supplica) |
| 14. | blasen (bläst) | blies (bliese) | geblasen | = soffiare (NB: das Blasinstrument = lo strumento a fiato) |
| 15. | bleiben | blieb (bliebe) | geblieben | = a) restare, rimanere b) trattenersi (NB: die Bleibe = la dimora, l'alloggio, il rifugio) |
| 16. | braten (brätst) | briet | gebraten | = arrostire (NB: der Braten = l'arrosto) |
| 17. | brechen (brichst) | brach (bräche) | gebrochen | = rompere (NB: der Bruch = a) la rottura, frattura b) l'ernia) |
| 18. | brennen | brannte | gebrannt | = bruciare (NB: der Brand = l'incendio) |
| 19. | bringen | brachte (brächte) | gebracht | = a) portare (doni, lettere, oggetti leggeri) b) accompagnare (persone) |
| 20. | denken | dachte (dächte) | gedacht | = pensare (NB: der Gedanke = il pensiero) |

NB: Da non confondere col verbo debole: "danken, dankte, gedankt" + Dat. = ringraziare (NB: der Dank = il ringraziamento)

| 21. | dreschen (drischst) | drosch | gedroschen | = a) trebbiare b) bastonare, picchiare (NB: die Dreschmaschine = la trebbiatrice) |
|---|---|---|---|---|
| 21. | dringen | drang (dränge) | gedrungen | = a) penetrare b) insistere (NB: der Drang = l'impulso, la spinta, l'anelito, la brama) |

NB: Non confondere con: dränge, drängte, gedränt = a) spingere b) incitare, spronare c) premere, pigiare

| 23. | dürfen | durfte (dürfte) | gedurft | = potere (nel senso di "permesso o proibizione") |
|---|---|---|---|---|

| 24. | empfangen (empfängst) | empfing (empfänge) | empfangen | = a) ricevere  b) accogliere (NB: der Empfang = a) il ricevimento  b) l'accoglienza) |
| 25. | empfehlen (empfiehlst) | empfahl (empfähle) | empfohlen | = a) raccomandare   b) consigliare (NB: die Empfehlung = la raccomandazione) |
| 26. | empfinden | empfand (empfände) | empfunden | = a) sentire, percepire, provare (NB: die Empfindung = la sensazione, il sentimento) |
| 27. | erlöschen (intr.) (er erlischt) | erlosch | erloschen | = a) spegnersi (fuoco)  b) sopirsi, raffreddarsi (amore) c) stingersi, sbiadire (colori) |

NB: Il corrispondente verbo di base "löschen, löschte, gelöscht" (trans.) = "spegnere" si usa ormai solo nella forma debole.

| 28. | erschrecken (erschrickst) (intrans.) | erschrak (erschräke) | erschrocken | = spaventarsi, rimanere atterrito (NB: der Schrecken = lo spavento) |

NB: Da non confondere con "erschrecken, erschreckte, erschreckt" (trans.), verbo debole = spaventare, atterrire, terrorizzare

| 29. | essen (isst) | aß (äße) | gegessen | = mangiare (riferito solo a persone) (NB: das Essen = il mangiare, il vitto, il pasto) |
| 30. | fahren (fährst) | fuhr (führe) | gefahren | = a) andare (mezzo)  b) viaggiare  c) guidare  (NB: die Fahrt = il viaggio) |
| 31. | fallen (fällst) | fiel (fiele) | gefallen | = cadere (NB: der Fall = a) la caduta  b) il caso [gramm.]) |
| 32. | fangen (fängst) | fing (finge) | gefangen | = acchiappare, acciuffare, pigliare  (NB: der Fang = a) la cattura, la presa  b) l'affare) |
| 33. | fechten (fichst) | focht | gefochten | = a) tirare di scherma  b) combattere, lottare |
| 34. | finden | fand (fände) | gefunden | = trovare, rinvenire  (NB: der Fund = il ritrovamento – das Fundbüro = ufficio degli oggetti smarriti) |
| 35. | flechten (flichst) | flocht | geflochten | = intrecciare (trecce), intessere  (die Flechtarbeit = il lavoro d'intreccio;  das Geflecht = l'intreccio [di vimini]) |
| 36. | fliegen | flog (flöge) | geflogen | = a) volare, andare in aereo  b) pilotare  c) precipitare, cadere, fare un volo  (NB: der Flug = il volo) |
| 37. | fliehen | floh (flöhe) | geflohen | = fuggire, scappare   NB: die Flucht = la fuga |
| 38. | fließen | floss (flösse) | geflossen | = scorrere, fluire  (NB: der Fluss = il fiume) |
| 39. | fressen (frisst) | fraß (fräße) | gefressen | = mangiare (degli animali), divorare |

| | | | |
|---|---|---|---|
| 40. | frieren | fror (fröre) | gefroren | = a) aver freddo,  soffrire il freddo  b) gelare  (NB: der Frost  =  il gelo) |
| 41. | gären | gor | gegoren | = fermentare, lievitare (NB: die Gärung = la fermentazione) |
| 42. | gebären (gebierst) (trans.) | gebar | geboren | = partorire   NB: geboren werden (sein) (passiv – intrans.) = nascere  (die Geburt = la nascita;  der Geburtstag = il compleanno) |
| 43. | geben (gibst) | gab (gäbe) | gegeben | = dare, consegnare  (NB: die Gabe  =  il dono, il regalo) es gibt  = a) c'é  b) esiste |
| 44. | gedeihen | gedieh | gediehen | = a) attecchire  b) prosperare, crescere bene |
| 45. | gehen | ging (ginge) | gegangen | = andare (a piedi), camminare (NB: der Gang = a) l'andatura b) il corridoio) – wie geht es? + Dat.  = come va? |
| 46. | gelingen | gelang (gelänge) | gelungen | = riuscire (NB: das Gelingen = la riuscita [infinito sost.]) |

NB: Non confondere con: gelangen, gelangte, gelangt  = a) giungere, pervenire b) raggiungere

| | | | |
|---|---|---|---|
| 47. | gelten (giltst) | galt (gälte) | gegolten | = valere, essere valido (NB: die Gültigkeit = la validità) |
| 48. | genesen (du, er genest) | genas (genäse) | genesen | = guarire  (NB: die Genesung = la guarigione) |
| 49. | genießen (du genießt, er genießt) | genoss (genösse) | genossen | = a) gustare (mangiando) b) godere, godersi  (der Genuss = c) il godimento, gioia) |
| 50. | geschehen (es geschieht) | geschah (geschähe) | geschehen | = accadere, avvenire, succedere (NB: das Geschehnis = l'avvenimento, il fatto) |
| 51. | gewinnen | gewann (gewänne) | gewonnen | = a) vincere  b) guadagnare, conseguire (NB: der Gewinn = a) la vincita  b) il guadagno,  l'utile,  il profitto) |
| 52. | gießen | goss (gösse) | gegossen | = a) versare, rovesciare (liquidi) b) annaffiare c) fondere (NB: der Guss = a) lo scroscio di pioggia, acquazzone b) la fusione) |
| 53. | gleichen | glich (gliche) | geglichen | = rassomigliare, assomigliare essere simile  (die Gleichheit = l'uguaglianza) |
| 54. | gleiten | glitt (glitte) | geglitten | = scivolare, slittare  (NB: die Gleitbahn = lo scivolo; der Gleitflug = il volo librato) |
| 55. | glimmen | glomm (auch: glimmte) | geglommen | = a) ardere  b) scintillare,  brillare (di stelle, occhi)  (NB: das Glimmlicht = il bagliore) |

| | | | | |
|---|---|---|---|---|
| 56. | graben (gräbst) | grub (grübe) | gegraben | = scavare (NB: der Graben =il fossato, il fosso – das Grab = la fossa, la tomba) |
| 57. | greifen | griff (griffe) | gegriffen | = a) afferrare, pigliare, prendere b) mettere la mano (NB: der Griff = a) la maniglia b) il manico c) la presa) |
| 58. | haben | hatte (hätte) | gehabt | = a) avere b) possedere (NB: die Habe = i beni, gli averi, le sostanze - Hab und Gut verlieren = perdere tutto) |
| 59. | halten (hältst) | hielt (hielte) | gehalten | = a) tenere (in mano) b) fermarsi (NB: der Halt = il sostegno, l'appoggio; die Haltestelle = la fermata) |
| 60. | hängen (hängst) + wo + Dat. | hing (hinge) | gehangen | = pendere, essere appeso (NB: der Hang = il pendio) |

NB: non confondere con: hängen, hängte, gehängt = appendere + wohin + Akk.

| | | | | |
|---|---|---|---|---|
| 61. | hauen | hieb (hiebe) (anche: haute) | gehauen | = a) piantare, conficcare (chiodi) b) battere, picchiare (NB: Haue bekommen = buscarle, ricevere botte; der Hieb = il colpo, la percossa) |
| 62. | heben | hob (höbe) | gehoben | = sollevare, alzare (NB: der Hebel = la leva) |
| 63. | heißen | hieß (hieße) | geheißen | = a) chiamarsi b) significare, voler dire |
| 64. | helfen | half (hülfe) | geholfen | = aiutare, soccorrere (NB: die Hilfe = l'aiuto) |
| 65 | kennen | kannte | gekannt | = a) conoscere b) sapere (NB: die Kenntnis = la cognizione, la conoscenza |

NB: Da non confondere con "können, konnte, gekonnt" = a) potere (capacità), essere in grado b) sapere (per aver appreso)

| | | | | |
|---|---|---|---|---|
| 66. | klimmen | klomm (klömme) | geklommen | = arrampicarsi, inerpicarsi (NB: die Klimme = pianta rampicante, pianta delle vitacee) |
| 67. | klingen | klang (klänge) | geklungen | = a) risonare, sonare, mandare un suono b) avere un suono (NB: der Klang = il suono, il timbro, il tono) |

NB: Da non confondere con "klingeln, klingelte, geklingelt" = suonare, squillare (di campanello, di telefono)

| | | | | |
|---|---|---|---|---|
| 68. | kneifen | kniff | gekniffen | = a) pizzicare b) stringere, serrare (labbra) c) svignarsela |
| 69. | kommen | kam (käme) | gekommen | = a) venire b) avvicinarsi (NB: das Kommen = la venuta) |
| 70. | können | konnte (könnte) | gekonnt | = a) potere, essere in grado b) sapere (per acquisizione, studio o esercizio) |

| | | | |
|---|---|---|---|
| 71. | kriechen | kroch (kröche) | gekrochen | = a) strisciare  b) andare carpo-ni (NB: ins Bett kriechen = an-dare a letto - der Kriecher = la persona servile, il leccapiedi) |
| 72. | laden (lädst) | lud (lüde) | geladen | = a) caricare,  fare un carico  b) caricare (armi) (NB: die La-dung = a) il carico [mezzi di trasporto] b) la carica [armi]) |
| 73. | lassen (lässt) | ließ (ließe) | gelassen | = a) lasciare   b) permettere  c) smettere (z.B.: di fumare) |
| 74. | laufen (läufst) | lief (liefe) | gelaufen | = a) correre  b) girare (di film, macchine, motori...) (NB: der Lauf = la corsa - der Läufer = il corridore) |
| 75. | leiden | litt (litte) | gelitten | = soffrire, patire, penare (sia fi-sicamente che moralmente) (NB: das Leid = la pena, il dolore, la sofferenza [morale]) Es tut mir Leid. = Mi spiace. |
| 76. | leihen | lieh (liehe) | geliehen | = prestare, dare in prestito (NB: der Leihwagen = la macchi-na a noleggio) |
| 77. | lesen (liest) | las (läse) | gelesen | = leggere   (NB: die Lektüre = la lettura) |
| 78. | liegen | lag (läge) | gelegen | = a) giacere,  essere coricato  b) esserci, stare, trovarsi (di oggetti che poggiano orizzon-talmente; di paesi e città; di ville, fattorie, campi) (NB: die Lage = la posizione; das Lager = a) il magazzino b) l'accampamento) |
| 79. | lügen | log (löge) | gelogen | = mentire, dire bugie   (NB: die Lüge = la bugia) |
| 80. | mahlen | mahlte | gemahlen | = a) macinare  b) triturare, trita-re,  polverizzare |

NB: Non confondere con malen, malte, gemalt = a) dipingere, pitturare b) tinteggiare

| | | | |
|---|---|---|---|
| 81. | meiden | mied (miede) | gemieden | = a) evitare, scansare, schiva-re b) astenersi (NB: die Mei-dung ; die Vermeidung = lo schivare – zur Meidung von... = a scanso di...) |
| 82. | melken (milkst) | molk | gemolken | = a) mungere (latte)    b) spilla-re quattrini |
| 83. | messen (misst) | maß (mäße) | gemessen | = a) misurare  b) paragonare (NB: das Maß = la misura; die Messe = la fiera) |
| 84. | misslingen | misslang (miss-länge) | misslungen | = fallire, non riuscire  (NB: das Misslingen = la mancata riu-scita, il fallimento) |

| | | | | |
|---|---|---|---|---|
| 85. | mögen | mochte (möchte) | gemocht | = a) desiderare b) volere di gusto (o istintivo) c) piacere d) amare |
| 86. | müssen | musste (müsste) | gemusst | = a) dovere (per necessità assoluta) b) avere da + verbo c) bisognare, bisogna che |
| 87. | nehmen (nimmst) | nahm (nähme) | genommen | = prendere, pigliare, afferrare – (NB: die Annahme = a) l'accettazione b) la supposizione) |
| 88. | nennen | nannte | genannt | = a) nominare, appellare b) chiamare, dare un nome c) chiamare, dire (NB: der Name (der Namen) = il nome) |
| 89. | pfeifen | pfiff (pfiffe) | gepfiffen | = fischiare, fischiettare (NB: der Pfiff = il fischio) |
| 90. | preisen | pries (priese) | gepriesen | = lodare, elogiare, esaltare (NB: der Lobpreis = la lode - der Preis = a) il premio b) il prezzo) |
| 91. | quellen (quillst) | quoll | gequollen | = scaturire, sgorgare (NB: die Quelle = la sorgente, la fonte) |
| 92. | raten (rätst) | riet (riete) | geraten | = a) consigliare, suggerire b) indovinare (NB: der Rat = il consiglio ; das Rätsel = l'indovinello) |
| 93. | reiben | rieb (riebe) | gerieben | = a) sfregare, strofinare, stropicciare (gli occhi) b) massaggiare (NB: die Reibung = lo sfregamento, l'attrito ; die Einreibung = il massaggio) |
| 94. | reißen | riss (risse) | gerissen | = strappare, stracciare, lacerare (NB: der Riss = lo strappo) |
| 95. | reiten | ritt (ritte) | geritten | = cavalcare, andare a cavallo (NB: der Reiter = il fantino; der Ritt = la cavalcata) |

NB: Da non confondere con "raten, riet, geraten" = consigliare

| | | | | |
|---|---|---|---|---|
| 96. | rennen | rannte | gerannt | = a) correre b) affrettarsi (NB: das Rennen = la corsa) |
| 97. | riechen | roch (röche) | gerochen | = a) odorare, sentire odore di b) esserci odore di z.B.: hier riecht es nach + Dat. = qui si sente odore di... |
| 98. | ringen | rang | gerungen | = a) lottare, combattere b) dibattersi, avere difficoltà (NB: der Ring = a) l'anello b) il ring dei lottatori e pugili) |
| 99. | rinnen | rann | geronnen | = a) scorrere b) colare, stillare (sangue) c) gocciolare (NB: die Dachrinne = la grondaia) |
| 100. | rufen | rief (riefe) | gerufen | = a) chiamare b) esclamare, gridare (NB: der Ruf = a) la chiamata b) il grido) |

| 101. | salzen | salzte | gesalzen (gesalzt) | = salare (NB: das Salz = il sale) – versalzen = salare troppo |
| 102. | saufen (säufst) | soff (söffe) | gesoffen | = a) bere (di animali) b) ubriacarsi (NB: der Säufer = il beone, l'ubriacone) |
| 103. | saugen | sog (anche: saugte) | gesogen (gesaugt) | = a) succhiare, poppare b) aspirare (NB: der Säugling = il lattante; der Staubsauger = l'aspirapolvere) |
| 104. | schaffen | schuf (schüfe) | geschaffen | = a) creare b) fondare, costituire z.B.: Am Anfang schuf Gott Himmel und Erde. = All'inizio Dio creó cielo e terra. |

NB: Da non confondere con "schaffen, schaffte, geschafft" = a) fare, combinare b) farcela, portare a termine

| 105. | scheiden | schied (schiede) | geschieden | = a) separare, dividere b) separarsi, dividersi c) divorziare (NB: die Scheidung = a) la separazione, la divisione b) il divorzio) |
| 106. | scheinen | schien (schiene) | geschienen | = a) splendere, risplendere b) sembrare, parere (NB: der Schein = a) la luce, il lume, lo splendore b) l'apparenza, la parvenza c) il documento) |
| 107. | schelten (schiltst) | schalt (schälte) | gescholten | = a) rimproverare, sgridare b) insultare, ingiuriare |

NB: Da non confondere con "schalten, schaltete, geschaltet" a) inserire (corrente elettrica con l'interruttore) b) manovrare, innestare, ingranare (marce) c) falsch schalten = capire male – nicht schalten = non capire - frei walten und schalten lassen = lasciare mano libera a qualcuno

| 108. | scheren | schor (schöre) | geschoren | = a) tagliare i capelli, radere b) tosare (pecore) (NB: die Schere = le forbici [un paio]) |
| 109. | schieben | schob (schöbe) | geschoben | = a) spingere b) mettere dentro, introdurre c) muovere, spostare (nel gioco) d) addossare, attribuire (colpe) (die Schiebetür = porta scorrevole, -e Schublade = cassetto) |
| 110. | schießen | schoss (schösse) | geschossen | = a) sparare (arma da fuoco) b) lanciare, scagliare, tirare (frecce, giavellotti) c) crescere rapidamente (di bambini, piante ecc.) (NB: der Schuss = lo sparo) |
| 111. | schinden | schund (anche: schindete) | geschunden | = a) affaticarsi lavorando b) strapazzare c) arrabattarsi d) scuoiare, scorticare (animali) (NB: der Schinder = |

|     |     |     |     | chi si affatica lavorando; die Schinderei = la faticaccia) |
|-----|-----|-----|-----|-----|

NB: Da non confondere con "schänden, schändete, geschändet"
= a) oltraggiare, disonorare   b) profanare, dissacrare

| 112. | schlafen (schläfst) | schlief (schliefe) | geschlafen | = a) dormire   b) pernottare c) oziare,  essere ozioso (NB: der Schlaf = il sonno) |
|------|---------------------|---------------------|------------|-----------------------------------------------------------------------------------|
| 113. | schlagen (schlägst) | schlug (schlüge) | geschlagen | = a) battere, picchiare  b) percuotere c) bastonare d) piantare, conficcare (chiodi, pali) e) sbattere,  battere (porte) – (der Schlag = a) il colpo b) la botta  c) il battito [cuore]) |
| 114. | schleichen | schlich (schliche) | geschlichen | = a) strisciare  b) andare strisicioni,  andare quatto quatto c) passare senza far rumore |
| 115. | schleifen | schliff | geschliffen | = a) affilare  b) levigare, molare, smerigliare   (NB: der Schliff = a) l'affilatura, il filo b) la molatura, c) levigatura) |
| 116. | schließen | schloss (schlösse) | geschlossen | = chiudere, serrare   (NB: das Schloss = a) la serratura  b) il castello - der Schluss = la fine, il termine) |
| 117. | schlingen | schlang (schlänge) | geschlungen | = a) stringere, avvincere, avvinghiare  b) inghiottire, ingoiare (NB: die Schlange = il serpente) |
| 118. | schmeißen | schmiss | geschmissen | = gettare,  buttare, scagliare, scaraventare |
| 119. | schmelzen (du schmilzt) | schmolz (anche: schmelzte) | geschmolzen (geschmelzt) | = a) sciogliere,  sciogliersi (di neve, burro ecc.)  b) fondere, fondersi (metalli)  (NB: der Schmalz =  lo strutto, il burro fuso) |
| 120. | schnauben | schnob (anche: schnaubte) | geschnoben (geschnaubt) | = a) sbuffare  b) ansimare  c) fremere (di rabbia) |
| 121. | schneiden | schnitt (schnitte) | geschnitten | = a) tagliare b) recidere c) potare   (NB: der Schneider = il sarto - der Schnitt = il taglio; die Schnitte = la fetta) |
| 122. | schreiben | schrieb (schriebe) | geschrieben | = a) scrivere  b) comporre (libri) (NB: das Schreiben =  lo scritto, la lettera – die Schrift = la scrittura) |
| 123. | schreien | schrie | geschrieen | = gridare, urlare, strillare (NB: der Schrei = il grido, l'urlo – das Geschrei = le grida) |
| 124. | schreiten | schritt | geschritten | = incedere, camminare, marciare (der Schritt = il passo -auf Schritt und Tritt = ad ogni passo,  ogni momento) |

| 125. | schweigen | schwieg (schwiege) | geschwiegen | = tacere, fare silenzio, stare zitto, stare muto, non dire nulla (NB: das Schweigen = il silenzio, il tacere) |
|---|---|---|---|---|
| 126. | schwellen (schwillst) | schwoll (schwölle) | geschwollen | = a) gonfiare, gonfiarsi b) ingrossarsi, crescere (di fiumi) |
| 127. | schwimmen | schwamm (schwämme) | geschwommen | = a) nuotare b) galleggiare – (-r Schwimmer = nuotatore) |
| 128. | schwinden | schwand (schwände) | geschwunden | = a) diminuire, calare, scemare, descrescere b) sparire, svanire, dileguarsi, scomparire (NB: der Schwund = la diminuzione, il calo) |
| 129. | schwingen | schwang (schwänge) | geschwungen | = a) agitare, sventolare (fazzoletti, bandiere, cappelli) b) oscillare, far oscillare (NB: der Schwung = a) la spinta b) lo slancio, l'entusiasmo) |
| 130. | schwören | schwor – schwur (schwöre) | geschworen | = a) giurare b) promettere solennemente c) affermare con certezza, assicurare (NB: der Schwur = il giuramento) |
| 131. | sehen (siehst) | sah (sähe) | gesehen | = a) vedere, scorgere b) guardare, osservare (der Seher = il veggente, l'indovino, die Sicht = la visibilità, la vista) |
| 132. | sein | war (wäre) | gewesen | = a) essere b) esistere c) trovarsi NB: das Sein = a) l'essere b) l'esistenza) |
| 133. | senden | sandte (anche: sendete) | gesandt (gesendet) | = a) inviare, spedire, mandare b) trasmettere (via radio-TV) (NB: der Absender = il mittente – der Sender = la stazione trasmittente radio-TV) |
| 134. | sieden | sott | gesotten | = a) bollire b) lassare z.B.: vor Wut sieden (platzen) = schiumare (scoppiare) dalla rabbia |
| 135. | singen | sang (sänge) | gesungen | = a) cantare, decantare, poetare (der Gesang = il canto) |
| 136. | sinken (intr.) | sank | gesunken | = a) sprofondarsi, lasciarsi cadere (in poltrona) b) affondare, inabissare, andare a f. |

NB: Da non confondere con "senken, senkte, gesenkt" (trans.) = a) abbassare, chinare (gli occhi) b) calare (il sipario) c) affondare, inabissare, mandare a picco d) calare, diminuire (i prezzi)

| 137. | sinnen | sann | gesonnen | = a) meditare b) riflettere, pensare a lungo (NB: der Sinn = il senso, il significato) |
|---|---|---|---|---|
| 138. | sitzen (du sitzt, er sitzt) | saß (säße) | gesessen | = a) sedere, essere seduto, stare seduto (stato in luogo) |

| | | | | b) starsene, essere, trovar-si (NB: der Sitz = a) il posto a sedere b) la sede) |
|---|---|---|---|---|
| | NB: Da non confondere con "setzen, setzte, gesetzt" (moto a luogo) = a) mettere a sedere b) sich setzen = sedersi | | | |
| 139. | sollen | sollte | gesollt | = dovere (morale) (NB: Si veda capitolo "Modalverben"!) |
| 140. | spalten | spaltete | gespalten | = a) spaccare, fendere b) scindere (NB: die Spalte = la fessura b) il crepaccio) |
| 141. | speien | spie | gespien (gespieen) | = a) sputare, espettorare b) vomitare (erbrechen, kotzen) (NB: -r Speichel = la saliva) |
| 142. | spinnen | spann | gesponnen | = a) filare b) tramare, ordire c) essere matto, dare i numeri (NB: die Spinne = il ragno ; der Spinner = a) il matto b) il filatore) |
| 143. | sprechen (sprichst) | sprach (spräche) | gesprochen | = parlare, discorrere, conversare (NB: die Sprache = la lingua [parlata]) |
| 144. | sprießen | spross (sprösse) | gesprossen | = germogliare, spuntare (di virgulti), germinare (NB: der Sproß = a) il germoglio b) il rampollo) |
| 145. | springen (intr.) | sprang (spränge) | gesprungen | = a) saltare, balzare, fare un salto b) spezzarsi (di vetro, vasellame), rompersi (NB: der Sprung = a) il salto b) la crepa, la fessura, la fenditura [di piatti, tazze... ]) |
| | NB: Da non confondere con "sprengen, sprengte, gesprengt" (trans.) = a) far saltare in aria, far scoppiare b) forzare, scassinare | | | |
| 146. | stechen (stichst) | stach (stäche) | gestochen | = a) pungere b) infilare, conficcare (di ago) c) incidere (su rame, metalli) (NB: der Stich = a) la puntura b) la fitta (nel corpo) c) il punto [di cucitura o ricamo]) |
| | NB: Da non confondere con "stecken, steckte, gesteckt" = a) infilare, introdurre (con moto a luogo) b) essere dentro, trovarsi dentro, essere infilato (con stato in luogo) | | | |
| 147. | stehen | stand (stünde) (anche: stände) | gestanden | = a) stare ritto, stare in piedi b) stare, essere, trovarsi c) rimanere (in piedi) |
| 148. | stehlen (stiehlst) | stahl (stähle) | gestohlen | = a) rubare b) sottrarre, trafugare (NB: der Diebstahl = a) il furto b) la truffa) |
| 149. | steigen | stieg (stiege) | gestiegen | = a) salire b) ascendere, andare su c) alzarsi (di nebbia, |

| | | | | |
|---|---|---|---|---|
| | | | | fumo) (NB: der Steig = il sentiero, il viottolo) |
| 150. | sterben (stirbst) | starb (stürbe) | gestorben | = morire (riferito a persone; per gli animali si usa: "verenden" = crepare, morire") |
| 151. | stieben | stob (stöbe) | gestoben | = a) sprizzare (scintille) b) spargersi c) andare in polvere |
| 152. | stinken + nach + Dat. | stank | gestunken | = puzzare, mandare cattivo odore (-r Gestank = la puzza) |
| 153. | stoßen (stößt) | stieß (stieße) | gestoßen | = a) urtare, cozzare, battere contro b) colpire (der Stoß = l'urto, il colpo, la botta) |
| 154 | streichen | strich | gestrichen | = a) passare la mano su, accarezzare b) spalmare (burro), c) pitturare (NB: der Strich = la linea, la riga b) la striscia, c) il tratto |

NB: Da non confondere con "streiken, streikte, gestreikt" = a) scioperare b) non funzionare z.B.: Der Motor streikt. = Il motore non funziona

| | | | | |
|---|---|---|---|---|
| 155. | streiten | stritt (stritte) | gestritten | = a) litigare, altercare, bisticciare b) combattere (NB: der Streit = la lite, il litigio) |
| 156. | tragen (trägst) | trug (trüge) | getragen | = a) portare (oggetti pesanti) b) portare in braccio c) portare indosso (= indossare) (NB: -r Träger = il facchino) |
| 157. | treffen (triffst) | traf (träfe) | getroffen | = a) colpire b) ferire colpendo c) cogliere nel segno, indovinare, centrare (l'argomento) d) incontrare, incontrarsi (NB: das Treffen = l'incontro) |
| 158. | treiben | trieb (triebe) | getrieben | = a) menare, condurre (animali) b) spingere (un cerchio) c) indurre, spingere, fare andare d) combinare, fare (NB: der Trieb = l'istinto, l'impulso) |
| 159. | treten (trittst) | trat (träte) | getreten | = a) calpestare, schiacciare, pestare b) calcare coi piedi c) camminare, andare, mettere i piedi, mettere piede (NB: der Tritt = a) il passo b) il calcio = der Fußtritt) |
| 160. | triefen | troff | getroffen | = grondare, gocciolare NB: I due participi uguali di "treffen" e "triefen" possono essere distinti solo dal contesto. |
| 161. | trinken | trank | getrunken | = bere (riferito solo a persone) (NB: der Trank – das Getränk = la bevanda ; der Trunk = a) la sorsata b) la bevuta) |

NB: Da non confondere con "tränken, tränkte, getränkt" = a) abbevera-
rare gli animali, le bestie  b) impregnare, imbevere (piante)

| 162. | trügen | trog (tröge) | getrogen | = ingannare (NB: der Trug = a) l'inganno  b) l'illusione - der Betrug = l'inganno) |
| 163. | tun | tat (täte) | getan | = fare (in genere; mentre "ma-chen" = fare anche cose specifiche) (NB: die Tat = a) l'azione, l'atto  b) l'impresa, opera  z.B.: eine gute Tat = un'opera buona) |
| 164. | verderben (verdirbst) | verdarb (verdür-be) | verdorben | = a) rovinare, guastare b) alterarsi, guastarsi c) mandare in rovina d) corrompere, rovinare moralmente, depravare - (das Verderben = la rovina) |
| 165. | verdrießen | verdross (ver-drösse) | verdrossen | = a) dispiacere, recare dispiacere  b) seccare, dare fastidio (NB: der Verdruss = il dispiacere) |
| 166. | vergessen (vergisst) | vergaß (vergäße) | vergessen | = dimenticare, dimenticarsi di, scordare (die Vergesslich-keit = la smemoratezza) |

NB: Da non confondere con "vergießen, vergoss, vergossen"
= a) versare, spargere (lacrime, sangue)  z.B.:-Jesus Christus
vergoss sein Blut für uns. = Gesú Cristo versó il suo sangue per
noi. b) rovesciare, spandere, spargere (liquidi)

| 167. | verlieren | verlor (verlöre) | verloren | = a) perdere, smarrire  b) rimetterci c) soccombere, perdere (gioco), aver la peggio (NB: der Verlust = la perdita) |
| 168. | verzeihen | verzieh (verzie-he) | verziehen | = perdonare, rimettere, condonare (NB: die Verzeihung = il perdono) |
| 169. | wägen | wog | gewogen | = ponderare, soppesare  z.B.: Erst wägen, dann wagen! = Pensarci prima per non pentirsi poi! (NB: die Waage = la bilancia) |
| 170. | wachsen (wächst) | wuchs (wüchse) | gewachsen | = a) crescere, prosperare  b) spuntare, nascere (germogli) c) salire, aumentare (di prezzi) (NB: das Wachstum = a) la crescita b) lo sviluppo) |
| 171. | waschen (wäschst) | wusch (wüsche) | gewaschen | = a) lavare  b) fare il bucato (NB: die Wäsche = a) il lavaggio, la lavatura  b) il bucato c) la biancheria) |
| 172. | weben | wob (anche: webte) | gewoben (gewebt) | = tessere, fare la tela (NB: der Weber = il tessitore, die We-berei = la tessitura) |

| 173. | weichen | wich (wiche) | gewichen | = a) cedere, arretrare, ritirar-si, far posto  b) scansare, e-vitare  NB: "die Weiche" = lo scambio (ferr.) delle rotaie |
|------|---------|--------------|----------|----------|
| 174. | weisen | wies (wiese) | gewiesen | = a) indicare, mostrare  b) inse-gnare  NB: hinweisen = far presente, raccomandare (NB: -e Hinweisung = l'indicazione) |
| 175. | wenden | wandte (anche: wendete) | gewandt (gewendet) | = a) rivoltare, voltare, girare b) voltarsi  c) volgere  c) ri-volgere, rivolgersi  (NB: die Wendung = a) la svolta  b) la virata  c) il cambiamento) |
| 176. | werben (wirbst) | warb (würbe) | geworben | a) reclutare, arruolare  b) fare la pubblicità, reclamizzare (NB: die Werbung = la pub-blicità, la reclame) |
| 177. | werden (wirst) | wurde (würde) | geworden | = a) diventare, divenire  b) ac-cadere, succedere |
| 178. | werfen (wirfst) | warf (würfe) | geworfen | = a) gettare, buttare  b) tirare, lanciare, scagliare  (NB: der Wurf = il lancio, il tiro, il get-to; der Würfel = il dado) |
| 179. | wiegen | wog (wöge) | gewogen | = pesare  (NB: die Waage = la bilancia) |

NB: Da non confondere con "wiegen, wiegte, gewiegt" = a) cullare b) dondolare   z.B.: ein Kind in den Schlaf einwiegen = addormentare un bambino cullandolo – NB: die Wiege, -, -n = la culla

| 180. | winden | wand | gewunden | = a) torcere, attorcigliare  b) in-trecciare (ghirlande) c) striz-zare (panni bagnati) (NB: die Windung = il filetto della vite |
|------|--------|------|----------|----------|
| 181. | wissen (ich weiß du weißt er weiß) | wusste (wüsste) | gewusst | = sapere, essere a conoscen-za di, rendersi conto, essere al corrente  (NB: das Wissen il sapere, l'erudizione) |
| 182. | wollen | wollte | gewollt | = volere (volontà decisa)  (NB: der Wille = la volontà) |
| 183. | ziehen | zog (zöge) | gezogen | = a) tirare  b) trainare, rimor-chiare, trascinare  c) cavare, estrarre, trarre  d) migrare, andare, trasferirsi (der Zug = a) il tiraggio  b) il corteo, la processione  c) il treno  d) il tratto, il lineamento [viso]) |
| 184 | zwingen | zwang (zwänge) | gezwungen | = a) costringere, forzare   b) obbligare con la forza  (NB: der Zwang = la costrizione, la coercizione) |

NB: Da non confondere con: zwängen, zwängte, gezwängt = a) compri-mere, pressare, premere  b) far entrare per (con) forza pressando

# ZUSAMMENGESETZTE VERBEN

( Verbi composti )

## Trennbare zusammengesetzte Verben

( Verbi composti separabli )

1. Sono separabili i verbi composti che hanno l'accento tonico sul prefisso:

   z.B.: -áb-fahren        = partire
         -án-kommen      = arrivare

2. Essi si separano nei tempi semplici (Praesens, Praeteritum, Imperativ) delle proposizioni principali; non si separano mai nelle proposizioni dipendenti o secondarie:

   z.B.: -ich steige ein    = io salgo (su mezzo chiuso)  (Praesens)
         -ich stieg ein     = io salii, io salivo   (Praeteritum)
         -Steig ein!        = Sali!  (Imperativ)

3. Il prefisso si stacca e va in fondo alla proposizione principale. Esso serve a concludere il pensiero e indica l'ambito d'influsso del predicato:

   z.B.: -Wir fahren morgen um 8 Uhr mit dem Schnellzug von Como ab.
         = Noi partiamo domani da Como alle 8 col direttissimo.

4. I verbi composti separabili formano il participio passato inserendo il prefisso "ge-" del participio fra il loro prefisso naturale e il tema del verbo:

   z.B.: -zurückkommen      = ritornare
         zurückgekommen    = ritornato

5. Gli stessi verbi formano l'infinito impuro con "zu" inserendo la congiunzione "zu" dell'infinito tra il loro prefisso naturale e il tema del verbo:

   z.B.: -mitnehmen        = portare con sé
         mitzunehmen      = di, per, a portare con sé

NB: Eccezioni alle suddette regole:
Nonostante il primo prefisso separabile e l'accento tonico su di esso, vi è qualche verbo che fa eccezione:

    z.B.: -ánbelangen, ánbelangte, ánbelangt = riguardare, concernere
        -Das Problem hat nicht mich, sondern dich anbelangt. = Il problema non riguardava me, bensì te.
        -vórbereiten, bereitete vor, vórbereitet (NB: senza pref. "ge-") = preparare

# Untrennbare zusammengesetzte Verben

( Verbi composti inseparabili )

Essi si riconoscono:

a) Dall'accento tonico che cade sempre sul tema del verbo: è questa una regola molto sicura perché copre l'intera casistica, tuttavia difficile per gli stranieri, se non conoscono ancora gli accenti tonici:

    z.B.:  -bekómmen     = ricevere
           -erreíchen      = raggiungere
           -wiederhólen   = ripetere  NB: eccezione, perché il prefisso "wieder" é normalmente separabile!

b) Dai prefissi inseparabili:

be-, emp-, ent-, er-, ge-, ver-, zer-, miss-, voll-, hinter-, wider-

(quest'ultimo da non confondere con l'avverbio "wieder" = di nuovo, nuovamente)

regola meno sicura perché non copre tutta la casistica, in quanto esistono anche dei prefissi a volte inseparabili, a volte separabili. Ciò nonostante, questa regola è utilissima per gli stranieri! Ecco alcuni esempi:

    z.B.:   -behálten        = tenere per sé, conservare
           -empféhlen      = raccomandare
           -entgéhen        = sfuggire
           -erhálten         = ricevere, ottenere
           -gehö´ren         = appartenere
           -verbríngen     = passare, trascorrere (trans.)
           -vergéssen      = dimenticare
           -zerbréchen     = rompere
           -zerreíßen       = strappare
           -misslíngen      = non riuscire, fallire
           -vollénden       = a) concludere  b) compiere
           -vollbríngen    = a) realizzare  b) compiere
           -hinterbríngen   = riferire (di nascosto)
           -widerspréchen = a) contraddire  b) contrastare

  Eccezione alla suddetta regola:
        -wíderspiegeln, spiegelte wider, wídergespiegelt = riflettere
  z.B.: Das Wasser des Karersees spiegelt den Wald und den Berg wider.
    = L'acqua del Lago di Carezza rispecchia il bosco e la montagna.

# Bald trennbare bald untrennbare zusammengesetzte Verben

( Verbi composti ora separabili ora inseparabili )

I verbi composti con una delle seguenti quattro preposizioni usate come prefissi

durch-,  um-,  über-,  unter-

possono essere a volte separabili a volte inseparabili.

## *Criteri di discernimento*

1. Il discernimento piú sicuro è quello dell'accento:
   a) sono separabili, se hanno l'accento tonico sul prefisso, ossia sul-la preposizione;
   b) sono inseparabili, se hanno l'accento tonico sul tema del verbo. Un buon dizionario segna di solito la posizione dell'accento.

2. Secondo discernimento approssimativo, ossia meno preciso:
   a) in genere sono separabili i composti in cui prevale nettamente il significato proprio e fondamentale della preposizione:

> durch = attraverso
> um = intorno
> über = sopra
> unter = sotto

   b) sono invece normalmente inseparabili quelli che nella composi-zione assumono un significato nuovo, spesso traslato. Questi ultimi sono la stragrande maggioranza e si tratta di verbi transitivi.

Elenchi limitati solo ai verbi ora separabili ora inseparabili piú comuni. È ovvio che tali elenchi non vanno studiati a memoria; è sufficiente spuntare e, naturalmente, tenere presente quei verbi coi quali ci s'imbatte parlando, studiando, scrivendo.

## Composti con "durch-"

## *1. Con uso variabile*

| separabili | inseparabili |
|---|---|
| dúrchbohren = forare da parte a parte, perforare   z.B.: -Bohre bitte das Loch | durchbóhren = a) traforare, trapassare – b) trafiggere, trapassare   z.B.: jeman- |

auf der rechten Endseite des Brettes durch! = Fa', per favore, il buco sul lato estremo destro della tavola trapassandola.

**dúrchbrechen** (intrans. + sein) = a) aprirsi un varco, sfondare – b) spuntare, svelarsi z.B.:-Dem Kind brechen die ersten Zähne durch. = Al bambino spuntano i primi dentini.

**dúrchdringen** = (intrans. + sein) a) spingersi, penetrare attraverso – b) riuscire a spuntarla, imporsi z.B.:-Die Nachricht drang bis zu uns durch. = La notizia pervenne fino a noi.

**dúrchgehen** (intrans. + sein) = a) passare, attraversare z.B.: durch ein Zimmer gehen = attraversare una stanza b) scappare, tagliare la corda – c) chiudere un occhio, lasciar passare z.B.: etwas durchgehen lassen = lasciar passare qualcosa

**dúrchreisen** (intrans. + sein) = essere di passaggio (in viaggio) z.B.:-Als Peter gestern durchreiste, hat er einen Abstecher zu mir gemacht. = Passando di qua, ieri Pietro mi fece una visita.

**dúrchschneiden** = tagliare in mezzo, tagliare z.B.:-Schneidest du den Kuchen durch? = Tagli tu la torta?

**dúrchkreuzen** = segnare con una crocetta z.B.:-Kreuze auf der Liste alle Artikel durch, die wir bestellen müssen! = Segna sulla lista con una crocetta tutti gli articoli che dobbiamo ordinare!

den mit Blicken durchbohren = trafiggere qd. con lo sguardo  -Jesus' Herz wurde von einer Lanze durchbohrt. = Il cuore di Gesú venne trafitto da una lancia.

**durchbréchen** = a) aprire a forza – b) scassinare – c) rompere z.B.: -Die Menge durchbrach die Absperrkette, den Polizeikordon. = La folla ruppe il cordone della polizia.

**durchdríngen** = penetrare, compenetrare (in senso traslato) z.B.: von Dankbarkeit durchdrungen sein = essere traboccante di gratitudine [alla lettera: "essere compenetrato di gratitudine"]

**durchgéhen** (trans. + haben) = a) attraversare (una piazza, un prato ecc.) – b) ripassare, rivedere (una lezione) z.B.:-Wir müssen die Berechnung noch einmal durchgehen, weil ein Fehler ist. = Dobbiamo rivedere il calcolo perché c'é un errore.

**durchreísen** (trans.) = percorrere viaggiando, attraversare viaggiando z.B.: -Peter hat schon ganz Europa durchreist.

**durchschneíden** = a) attraversare (paesi) passare per – b) fendere, solcare z.B.:-Das Schiff durchschneidet die Wellen. = La nave solca le onde.

**durchkréuzen** = a) attraversare z.B.: Schiffe durchkreuzen das Meer. = Alcune navi stanno attraversando il mare. – b) contrastare, intralciare (progetti)

## 2. *Verbi composti con "durch-" prevalentemente separabili*

-dúrchbrennen, brannte durch, durchgebrannt = a) bruciarsi, fulminarsi (di lampadine)  b) forare bruciando (stoffa con una sigaretta ecc.)
-dúrchfallen, fiel durch, durchgefallen = a) essere bocciato  a) non passare
-dúrchlesen, las durch, durchgelesen = rileggere, scorrere leggendo
-dúrchsetzen, setzte durch, durchgesetzt = a) riuscire a far qualcosa  b) far accettare, far valere, imporre  b) far approvare
-dúrchstreichen, strich durch, durchgestrichen = cancellare, depennare

## 3. Verbi *composti con "durch-" prevalentemente inseparabili*

-durchfórschen, durchfórschte, durchfórscht = a) esplorare  b) perlustrare  c) studiare, esaminare, scrutare  d) indagare, investigare

-durchméssen, durchmáß, durchméssen = a) misurare (con l'occhio)  b) misurare a grandi passi, percorrere un tratto misurando a grandi passi

-durchquéren, durchquérte, durchquért = a) attraversare  b) valicare (montagne)

-durchsúchen, durchsúchte, durchsúcht = perquisire, rovistare, frugare

# Composti con "um-"

## 1. *Con uso variabile*

| separabili | inseparabili |
|---|---|
| úmgeben = a) mettere addosso (mettere sulle spalle) – b) dare le carte  z.B.: Wer hat zuerst umgegeben. = Chi ha dato le carte prima? (Synonym von: "Wer hat zuerst ausgeteilt?" ) | umgében = a) circondare, cingere  z.B.: den Garten mit einem Zaun umgeben = cingere il giardino con un recinto – b) attorniare, circondare  z.B.: jemanden mit liebevoller Fürsorge umgeben = circondare qd. di amorevoli cure |
| úmgehen (intrans. + sein) = a) girare, circolare  z.B.: ein Gerücht geht um, dass... = corre voce che... – b) ( + mit + Dat.) praticare, frequentare z.B.: Sage mir, mit wem du umgehst, und ich sage dir, wer du bist! = Dimmi con chi vai e ti dirò chi sei. – c) trat-tare, maneggiare, usare  z.B.: mit etwas behutsam umgehen = maneggiare qc. con precauzione | umgéhen ( trans.) = a) girare intorno a, aggirare, scansare  z.B.: den Feind umgehen = aggirare il nemico – b) eludere, aggirare  z.B.: die Antwort umgehen = eludere la risposta – c) non rispettare eludendo  z.B.: das Gesetz (die Vorschriften) umgehen = non rispettare (eludere) la legge. |
| sich úmkleiden = cambiarsi d'abito, cambiarsi (NB: sinonimo di "umziehen") z.B.:-Kleide dich doch um, du bist ja ganz nass! = Avanti, cambiati, sei completamente zuppo! | umkleíden = rivestire, ricoprire (con vesti, panni, drappi, fiori ecc.)  z.B.:-Das Rednerpult war mit einem Fahnentuch umkleidet. = Il leggìo dell'oratore era ricoperto da una bandiera. |
| úmpflanzen = trapiantare (fiori, piante, arbusti)  NB: sinonimo di "umsetzten, setzte um, umgesetzt" )  z.B.:-Morgen pflanze ich die kleinen Geranien um. = Domani trapianto i piccoli gerani. | umpflánzen = circondare di piante o alberi  z.B.:-Mein Freund hat seine neue schöne Villa mit Zypressen umpflanzt. = Il mio amico ha circondato la sua nuova, bella villa con cipressi. |
| úmschreiben = a) trascrivere, ricopiare  z.B.: Im Mittelalter haben die Mönche viele Manuskripte umgeschrieben. = | umschreíben = a) circoscrivere (anche geometricamente), esprimere con altre parole  z.B.: eine peinliche, unan- |

Nel medioevo i monaci hanno trascritto molti manoscritti. – b) riscrivere, rifare, rielaborare   z.B.:-Wir müssen diesen Text umschreiben. = Dobbiamo rifare questo testo. – c) intestare, trasferire a nome di   z.B.: etwas auf jemandes Namen umchreiben   = intestare (volturare) qc. a nome di qd.

genehme Sache geschickt umschreiben = esprimere con abili parole una cosa spiacevole. – b) delimitare, definire   z.B.: jemandes Rechte, Pflichten genau umschreiben = definire esattamente diritti e doveri di qd.

úmziehen   = a) cambiare alloggio, casa, trasferirsi   z.B.:-Nachdem Peter und Gisela geheiratet hatten, zogen sie nach Frankfurt um.   = Dopo essersi sposati, Gisella e Pietro si trasferirono a Francoforte. – b) "sich umziehen"   = cambiarsi d'abito   z.B.: Die Mutter musste das nasse Kind völlig umziehen.  =  La mamma dovette quasi completamente cambiar d'abito il bambino.

umzíehen (intr. oder refl.)  = a) essere circondato   z.B.:-Diese Kleinstadt ist von einem Wall umzogen.  =  Questa cittadina è circondata da un vallo. – b) rannuvolarsi   z.B.:-Der Himmel hat sich schwarz umzogen.  =  Il cielo si è rannuvolato buio. – c) (trans.) circondare, avvolgere   z.B.:-Wolken umziehen in diesem Moment den Gipfel des Berges.  =  Delle nubi avvolgono in questo momento la cima della montagna.

## 2. Verbi composti con "um-" prevalentemente separabili

-úmblättern, blätterte um, umgeblättert = voltare pagina, girare pagina
-úmbringen, brachte um, umgebracht = a) assassinare, uccidere, ammazzare   b) sich umbringen (riflessivo) = a) ammazzarsi, suicidarsi  b) strapazzarsi
-úmfallen, fiel um, umgefallen = a) cadere a terra  b) rovesciarsi, ribaltarsi  c) svenire, cadere a terra svenuto
-úmkehren, kehrte um, umgekehrt   = a) (trans.) rovesciare, voltare, rivoltare, capovolgere   z.B.:-Du hast die Socken umgekehrt angezogen, kehre sie doch bitte um! = Hai indossato le calze alla rovescia, rivoltale perdinci!  b) ( intr.) tornare indietro, ritornare   z.B.:-Wir haben Straße verfehlt; was machen wir? Kehren wir um? = Abbiamo sbagliato strada; che facciamo? Torniamo indietro?   NB: umgekehrt = al contrario
-úmkommen, kam um, ungekommen = a) morire, perire  b) guastarsi, andare a male (di alimenti - NB: Synonym von "kaputt gehen")
-sich úmsehen, sah sich um, sich umgesehen = a) guardarsi attorno  b) cercare, vedere di trovare, andare in cerca di   z.B.: sich nach Arbeit umsehen = cercare lavoro  b) guardare attorno, girare la testa
-úmschlagen, schlug um, umgeschlagen (trans. / intrans.) = a) rovesciare, rivoltare (maniche)  b) voltare (pagine)  c) abbattere (alberi)  d) mettere sulle spalle (scialle)  e) trasbordare (merci)  z.B.:-Am Bestimmungshafen werden die Waren der Frachtschiffe umgeschlagen, d.h. sie werden auf andere Transportmittel umgeladen.  =  Nel porto di destinazione le merci dei mercantili vengono trasbordate su altri mezzi di trasporto.   f) cambiare (in opposizione)   z.B.:-Das Wetter schlägt um. = Il tempo sta cambiando.
-úmwenden, wandte um, umgewandt = a) voltare, girare  b) rivoltare  c) (riflessivo) z.B.:-Inge wandte sich um und sah Peter, der mit Gisela spazieren ging. = Inge si giró e vide Pietro che passeggiava con Gisella.

## 3. *Verbi composti con "um-" prevalentemente inseparabili*

-umármen, umármte, umármt = abbracciare, stringere al petto

-umfángen, umfíng, umfángen = a) circondare, avvolgere z.B.:-Der liebe warme Blick der Mutter umfing ihre auf Irrwege geratenen Söhne. = Lo sguardo amoroso della mamma avvolse con calore i suoi traviati figli. b) abbracciare z.B.:-Beim Wiedersehen umfing die Mutter freudig ihren Sohn und auch er hielt sie umfangen. = Nel rivedersi, la mamma abbracció lieta suo figlio e anche lui la tenne abbracciata.

-umfássen, umfässte, umfässt = a) circondare, avvolgere b) comprendere, contenere z.B.:-Diese Bibliothek umfasst mehr als 100.000 Bücher der verschiedensten Fachbereiche. = Questa biblioteca comprende piú di centomila libri delle piú svariate discipline. c) recingere, recintare z.B.:-Unsere Nachbaren umfassten ihr Gehöft mit einer grünen Hecke. = I nostri vicini recintarono la loro fattoria con una siepe (verde).

-umschlíngen, umschláng, umschlúngen = a) abbracciare z.B.:-Das Kind umschlang den Hals der Mutter. = Il bambino abbracciava il collo della mamma. c) avvincere, avvinghiare stringendo (NB: die Schlange = il serpente) z.B.:-Große Lianen umschlangen die Bäume des kleinen Waldes und erstickten sie. = Grandi liane avvincevano (arrampicandosi) gli alberi del piccolo bosco soffocandoli.

-umhü´llen, umhü´llte, umhü´llt = a) avvolgere, velare, coprire velando z.B.:-Tücher umhüllten die vielen Leichname der wegen des schrecklinen Erdbebens umgekommenen Menschen. = Dei drappi coprivano i molti cadaveri delle persone morte a causa del terribile terremoto. b) avviluppare, incartare z.B.:-Gebratene Speisen sollte man in Ölpapier umhüllen, wenn man sie wegtragen muss. = Arrosti andrebbero incartati con carta oleata, se si devono portar via.

-umsórgen, umsórgte, umsórgt = curare, aver cura di z.B.:-Die Mehrzahl der Mütter umsorgen ihre KInder mit großer Hingabe. = La maggioranza delle mamme cura con grande dedizione i figli.

-umwérben, umwárb, umwórben = corteggiare z.B.:-Gisela wurde von vielen Männern umworben, aber ihre Wahl fiel auf Peter. = Gisella fu corteggiata da molti uomini, ma lei scelse Pietro (la sua scelta cadde su Pietro).

# Composti con "über-"

## 1. *Con uso variabile*

| separabili | inseparabili |
|---|---|
| ´überfahren (intrans.+ sein) = a) attraversare, traghettare, trasportare dall'altra parte z.B.: Bei Rüdesheim am Rhein nahmen wir die Fähre und fuhren nach Bingen über. = Presso Rüdesheim sul Reno prendemmo il traghetto e attraversammo il fiume per raggiungere Bingen. | überfáhren (trans.) = a) oltrepassare z.B.: Der Lockführer hat das Haltezeichen überfahren. = Il macchinista ha oltrepassato il segnale di stop. – b) investire con mezzo, travolgere z.B.: Dieses Kind ist von einem Auto überfahren worden. = Questo bambino è stato investito da una macchina. |
| ´überführen = condurre, portare all'altra parte, trasportare dall'altra parte z.B.: | überf´ühren + Gen. = a) convincere, provare la colpevolezza di qualcuno z.B.: |

Wer führt uns über ans andere Ufer? = Chi ci trasporta all'altra sponda? (Canto religioso riferito a S. Cristoforo)

**´übergehen** (intrans. + sein) = a) passare dall'altra parte o ad altro z.B.: Gehen wir auf anderes über! = Passiamo ad altro! - zum Feind übergehen = passare al nemico – b) convertirsi, mutarsi, trasformarsi, passare a z.B.: Das Schreien ging in leises Weinen über. = Le grida si tramutarono in un sommesso pianto. – c) passare, procedere a z.B.: zum Angriff übergehen = passare all'attacco – d) traboccare, tracimare z.B.:-Pass auf! Die Milch (läuft) geht über! = Attenta! Il latte trabocca! (cuocendo).

**´überlaufen** (intrans. + sein) = (sinonimo di "übergehen" ) a) passare dall'altra parte – b) traboccare z.B.:-Pass auf! Die Milch läuft (geht) über! = Attenta! Il latte trabocca! - Schließe doch den Hahn! Siehst du nicht? Das Wasser läuft vom Eimer über. = Chiudi il rubinetto! Non vedi? L'acqua trabocca dal secchio.

**´übersetzen** = traghettare, trasportare all'altra sponda z.B.:-In Bingen angekommen, setzte uns die Fähre ans andere Ufer bei Rüdesheim über, wo wir übernachteten. = Giunti a Bingen, il traghetto ci portó all'altra sponda presso Rüdesheim dove pernottammo.

**´übersiedeln** (intrans.+ sein) = trasferirsi, traslocare z.B.:-Peter und Gisela siedelten nach Frankfurt über (... sind nach Frankfurt übergesiedelt). = Pietro e Gisella si trasferirono a Francoforte.

**´überstehen** = sporgere, aggettare z.B.:-In den Alpengebieten stehen die Gibeldächer der Häuser über und schützen

Dem Richter gelang es den Angeklagten seines Verbrechens zu überführen. = Il giudice riuscì a provare la colpevolezza dell'imputato. (... riuscì a condurre l'imputato a riconoscere il suo misfatto)

**übergéhen** = omettere, passare sotto silenzio, passare sopra, tralasciare, saltare, sorvolare z.B.:-Der Politiker hat einen Einwand des Journalisten übergangen. = Il politico ha omesso di rispondere a un'obiezione del giornalista.
NB: sich übergangen fühlen = sentirsi trascurato, sentirsi non apprezzato z.B.:-Paul fühlt sich in seiner Firma stets übergangen. = In ditta Paolo si sente costantemente non apprezzato.

**überláufen** = a) affollare, gremire z.B.: Unser Stadtpark ist sonntags immer überlaufen. = Il nostro giardino pubblico la domenica è sempre affollato. – b) cogliere, assalire, prendere z.B.:-Als wir die schlimme Nachricht hörten, überlief uns Trauer und Schauder. = Quando apprendemmo la triste notizia, fummo colti da tristezza e brivido. – c) (unpersönlich) essere colto o preso z.B.:-Es überlief mich kalt. = Fui colto dai brividi.

**übersétzen** = tradurre z.B.:-Die Bibel wurde wohl in fast alle Sprachen der Welt übersetzt. = La Bibbia è stata tradotta in quasi tutte le lingue del mondo. - Man kann und soll nicht alles wörtlich ( Wort für Wort) übersetzen. = Non si può e non si deve tradurre tutto alla lettera.

**übersíedeln** (trans.) = trasferire, trapiantare (coloni) z.B.:-Julius Caesar übersiedelte mehrere tausend Griechen nach Como. = Giulio Cesare trasferì diverse migliaia di Greci a Como.

**überstéhen** = a) superare, passare z.B.: eine Krankheit überstehen = superare una malattia – b) sopportare, tollerare z.B.:-Die furchtbare Kälte dieses Win-

Balkone und Blumen vor Regen. = Nelle zone alpine i tetti dei timpani delle case sporgono e proteggono balconi e fiori dalla pioggia.

´übertreten (inrans. + sein) = a) passare dall'altra parte, ad un altro partito, al nemico – b) convertirsi, passare ad altra religione  z.B.:-Heine trat aus opportunistischen Gründen zum Christentum über. = Heine si convertì al Cristianesimo per motivi opportunistici.

´übersteigen (intrans. + sein) = a) salire sopra, montare al di sopra di – b) passare da un mezzo all'altro (Synonym von "umsteigen")  z.B.:-Peter stieg vom Bus in ein Taxi über. = Pietro passó dall'autobus ad un taxi.

´überstürzen (intrans. + sein) = a) cadere all'indietro – b) rovesciare  z.B.:-Weil der Maurergeselle den Fuß auf ein Brett setzte, das nachgab, stürzte er über. = Siccome il manovale (muratore) aveva messo il piede su una tavola che poi cedette, egli cadde all'indietro.

ters haben wir gut überstanden. = Abbiamo superato bene il terribile freddo di quest' inverno.

übertréten = infrangere, trasgredire, violare, contravvenire a (disposizioni, regolamenti, leggi ecc.)    z.B.:-Paul hat das Gesetz übertreten und sich schuldig gemacht. = Paolo ha trasgredito la legge e si è reso colpevole.

übersteígen = a) valicare, passare, (passi, frontiere) – b) salire piú in alto di – c) essere superiore a, andare oltre, superare    z.B.:-Im Moment übersteigt die Anfrage das Angebot. = Attualmente la richiesta supera l'offerta.

überstü´rzen = a) affrettare, precipitare    z.B.:-Man darf keine Entscheidung überstürzen. = Non si deve prendere alcuna decisione in modo affrettato. – b) sich überstürzen = essere precipitoso, incalzare    z.B.:-Die Ereignisse überstürzten sich = Gli eventi precipitarono.

## 2. _Verbi composti con "über-" prevalentemente inseparabili_

-überárbeiten, überárbeitete, überárbeitet = a) rifare, rielaborare, rimaneggiare
       b) (riflessivo) sich überarbeiten = affaticarsi lavorando, lavorare troppo
-überánstrengen, überánstrengte, überánstrengt (sich) = strapazzarsi, affaticarsi troppo, sovraccaricarsi di lavoro
-überblícken, überblíckte, überblíckt = a) abbracciare (dominare) con lo sguardo, avere una visione d'insieme  b) valutare (una situazione)
-überbríngen, überbráchte, überbrácht = a) consegnare, portare, rimettere (lettere, pacchi ecc.)  b) trasmettere, portare (saluti, auguri, messaggi)
-überdénken, überdáchte, überdácht = riflettere, ripensare a, considerare attentamente
-übereílen, übereílte, übereílt = precipitare, affrettare troppo velocemente  z.B.:-Wir dürfen diese Entscheidung nicht übereilen! = Non possiamo prendere tale decisione affrettatamente.  - NB: sich übereilen  z.B.:-Warum übereilst du dich so? = Perché ti precipiti in quel modo?
-sich überfréssen, überfráß sich, sich überfréssen = mangiare in modo eccessivo, mangiare eccessivamente, mangiare troppo, fare indigestione
-überfállen, überfiel, überfállen = a) attaccare di sorpresa, assalire, aggredire  b) cogliere di sorpresa, sorprendere  c) colpire di sorpresa

-übergében, übergáb, übergében = a) consegnare a mano   b) affidare   c) ri-
        mettere.  NB: sich übergeben = arrendersi (al nemico)
-überhäúfen, überhäúfte, überhäúft = a) ingombrare ammucchiando, riempire
        ingombrando   b) sovraccaricare, oberare (di lavoro, di compiti, di oneri)
        z.B.:-Letzthin waren wir wirklich mit Arbeit überhäuft. = Ultimamente
        eravamo veramente sovraccarichi di lavoro.
-sich überhében, überhób sich, sich überhóben = a) insuperbirsi, diventare
        superbo
-überhólen, überhólte, überhólt = a) sorpassare, superare sorpassando   b) re-
        visionare, rivedere (macchine, apparecchiature)
        z.B.:-Wie kann man denn in einer Kurve gegen alle Verkehrsregeln über-
        holen? Es gibt leider Fahrer, die das tun. = Ma come si può sorpassare in
        una curva contro tutte le norme del traffico? Purtroppo c'é gente che lo fa.
-überh´ören, überh´örte, überh´ört = a) non udire, non sentire, non fare atten-
        zione a, non badare a   b) far finta di non sentire
-überlássen, überlíeß, überlássen = a) cedere, affidare, lasciare affidando
        b) vendere, cedere vendendo a buon mercato  c) rimettere, affidare
-überlégen, überlégte, überlégt = riflettere su, pensare a, considerare, ponde-
        rare, esaminare   z.B.:-==Wir haben lange hin und her überlegt==, was man in
        so einem Fall unternehmen soll. = Abbiamo riflettuto a lungo sul piú e sul
        meno, su cosa intraprendere in un tale caso.
-überlíefern, überlíeferte, überlíefert = a) trasmettere, tramandare   NB: die Ü-
        berlieferung = la tradizione  b) consegnare alla giustizia
-überlében, überlébte, überlébt (+ Akk.) = a) sopravvivere a   b) vivere piú a
        lungo di
-überlísten, überlístete, überlístet = a) superare in astuzia,  b) ingannare, rag-
        girare
-übernáchten, übernáchtete, übernáchtet = pernottare, trascorrere la notte
        z.B.:-Die Deutschlandfahrt anlässlich des Studienaufenthaltes gefiel uns so
        sehr, auch weil wir in wunderschönen Hotels übernachteten. = Il viaggio
        in Germania, in occasione del soggiorno studio, ci piacque così tanto
        anche perché pernottammo in hotel a cinque stelle.
-übernéhmen, übernáhm, übernommen = a) assumere, prendere su di sé
        (il peso, la responsabilità, il potere)   b) incaricarsi di (una faccenda)
        c) addossarsi, assumersi, accollarsi (costi, responsabilità)   d) adottare
        z.B.: eine Methode übernehmen = adottare un metodo
-überquéren, überquérte, überquért = a) attraversare (strade, fiumi ecc.)
        b) andare da un capo all'altro
-überráschen, überráschte, überráscht = a) sorprendere, cogliere sul fatto
        b) stupire, sorprendere facendo stupire   z.B.:-Was du sagst, überrascht
        mich. = Ció che dici mi sorprende.   c) fare una sorpresa a qd. con qc.
        = jemanden mit einem Geschenk überraschen = sorprendere qd. con un
        regalo
-überréden, überrédete, überrédet = persuadere, convincere   NB: sich über-
        reden lassen = lasciarsi convincere   z.B.:-Sie lässt sich einfach nicht
        überreden. = Lei semplicemente non si lascia convincere.
-überschä´tzen, überschä´tzte, überschä´tzt = sopravvalutare   z.B.: die eige-
        nen Fähigkeiten überschätzen = sopravvalutare le proprie capacità - NB:
        sich überschätzen = sopravvalutarsi
-überschlágen, überschlúg, überschlágen = capovolgersi, ribaltarsi, rovesciarsi

-überschreíten, überschrítt, überschrítten = a) attraversare (frontiere, binari, Synonym von überqueren) b) varcare, oltrepassare (soglie, limiti, frontiere) c) trasgredire, infrangere (leggi) d) superare (anni, età) z.B.: - Meine Großmutter hat bereits die 90 überschritten. = Mia nonna ha già superato i novant'anni.

-überschwémmen, überschwémmte, überschwémmt = a) allagare, inondare, sommergere b) invadere (in senso translato) z.B.:-China hat Europa mit seinen Waren überflutet (oder überschwemmt). = La Cina ha invaso l'Europa con le sue merci.

-übertrágen, übertrúg, übertrágen = a) trasmettere, comunicare (notizie via radio o TV) b) trasmettere (malattie) c) riportare, trascrivere z.B.: Korrekturen übertragen = riportare correzioni d) tradurre z.B.: ein Buch ins Deutsche übertragen (übersetzen) = tradurre un libro in tedesco e) trasferire, girare, riportare (somme di denaro)

-übertréffen, übertráf, übertróffen = superare, essere superiore a, oltrepassare, vincere NB: alle Erwartungen übertreffen = superare ogni aspettativa

-übertreíben, übertríeb, übertríeben (+ Akk. / + mit + Dat.) = esagerare con, eccedere in (con) z.B.:-Paul sollte seine Ansprücke (mit seinen Ansprüchen) nicht übertreiben. = Paolo non dovrebbe esagerare con le sue pretese (esigenze). - Paul übertreibt ständig. = Paolo esagera sempre.

-überwáchen, überwáchte, überwácht = a) sorvegliare, vigilare z.B.: eine Arbeit überwachen = sorvegliare un lavoro b) controllare z.B.: einen Betrieb überwachen = controllare un'azienda

-überwínden, überwánd, überwúnden = a) superare, vincere, aver ragione di qc., dominare, vincere z.B.: seinen Zorn überwinden = dominare la propria ira NB: sich überwinden = dominarsi, controllarsi z.B.: -Paul kann sich nicht überwinden, das Rauchen zu unterlassen. = Paolo (non sa dominarsi) non è in grado di smettere di fumare.

-überzeúgen, überzeúgte, überzeúgt = a) convincere, persuadere z.B.: jemanden von der Richtigkeit einer Sache überzeugen = convincere qd. della giustezza di una cosa NB: sich überzeugen = convincersi, assicurarsi z.B.:-Sie können sich selbst davon überzeugen. = Di ció può convincersi lei stesso.

## Composti con unter

## 1. *Con uso variabile*

| separabili | inseparabili |
| --- | --- |
| úntergraben = interrare, sotterrare z.B.: Paul grub den Dünger nicht unter und der Boden blieb auch wegen der Trockenheit unfruchtbar. = Paolo non interró il concime e il terreno restó sterile anche a causa della siccità. | untergráben = a) minare, scalzare, distruggere z.B.: jemandes Ansehen untergraben = minare la riputazione di qd. – b) scavare sotto, scalzare, rovinare z.B.:-Das Rauchen hat Pauls Gesundheit völlig untergraben. = Il fumo ha quasi completamente rovinato la salute di Paolo. |

| | |
|---|---|
| ** únterhalten** = tenere sotto z.B.:-Halte bitte eine Schüssel unter, sonst tropft das Wasser auf den Teppich. = Tieni per favore sotto una scodella, altrimenti l'acqua gocciola (si versa) sul tappeto. | **unterhálten** = a) mantenere, sostentare z.B.:-Peter hat eine große Familie zu unterhalten. = Pietro ha da mantenere una grande (grossa) famiglia. – b) intrattenere, divertire<br><br>**sich unterhálten** = a) divertirsi – b) conversare, intrattenersi z.B.:-Bei der gestrigen Party haben wir uns alle gut unterhalten. = Nel party di ieri ci siamo tutti intrattenuti piacevolmente (bene). |
| **únterschlagen** = accavallare, incrociare (gambe) z.B.:-Damen mit kurzen Röcken schlagen beim Sitzen meistens die Beine unter. = Le signore con gonne corte, sedendo, accavallano perlopiú le gambe. | **unterschlágen** = a) sottrarre, appropriarsi indebitamente z.B.: Geld unterschlagen = sottrarre denaro – b) nascondere, celare, tacere – c) sopprimere, omettere (un testo, un testamento) |
| **únterstehen** = a) stare sotto, stare al coperto – b) trovare alloggio, sistemarsi solo per poco z.B.:-In dem Fall musste ich versuchen, irgendwo bei Freunden unterzustehen. = In quel caso dovetti tentare di alloggiare in qualche posto presso amici. | **unterstéhen** = sottostare a, dipendere da z.B.:-Peter untersteht nur dem Abteilungsleiter. = Pietro sottostà solo al caporeparto.<br><br>**sich unterstéhen** = osare, avere il coraggio, azzardarsi di z.B.:-Untersteh dich! = Non provarci! - Untersteh dich, das zu tun! = Guai a te se lo fai! -Wie kannst du dich unterstehen, mir so was vorzuwerfen? = Come puoi osare di rinfacciarmi una cosa del genere? |
| **únterstellen** = mettere (porre) sotto, mettere al coperto z.B.:-Bei dem heftigen Regen stellten wir uns in einen Hauseingang unter. = Con quella pioggia battente ci mettemmo al coperto presso l'ingresso di una casa. | **unterstéllen** = a) sottoporre, subordinare b) affidare z.B.:-Peter wurde die Produktionsabteilung unterstellt. = A Pietro venne affidato il reparto della produzione. |

## 2. *Verbi composti con "unter-" prevalentemente separabili*

-**únterbringen, brachte unter, untergebracht** = a) alloggiare, sistemare, ricoverare b) mettere al riparo (fieno, raccolto) c) collocare, trovare un impiego per qd.

-**úntergehen, ging unter, untergegangen** = a) tramontare, declinare b) affondare, colare a picco, andare a fondo, inabissarsi c) perire, morire, perdersi z.B.:-"In meinem Reich geht die Sonne nie unter", erklärte Kaiser Karl V. = "Nel mio regno il sole non tramonta mai", dichiaró l'imperatore Carlo V.

-**únterkommen, kam unter, untergekommen** (intrans.) = a) essere alloggiato, trovare alloggio b) trovare un impiego, essere impiegato c) capitare z.B.:-So was ist mir noch nie untergekommen. = Una cosa del genere non mi è mai capitata.

-**únterlegen, legte unter, untergelegt** = mettere sotto a z.B.: einer Henne Eier zum Brüten unterlegen = mettere sotto a una gallina uova da covare

## 3. *Verbi* composti con "unter-" prevalentemente inseparabili

-unterbleíben, unterblíeb, unterblíeben = a) non aver luogo, non succedere, non accadere   z.B.:-Das wird in Zukunft unterbleiben. = Ció in futuro non succederà piú.  b) essere sospeso, non essere fatto

-unterbréchen, unterbrách, unterbróchen = interrompere   z.B.:-Walter unterbricht seine Reise in Frankfurt. = Walter interrompe il suo viaggio a Francoforte.

-unterdrü´cken, unterdrü´ckte, unterdrü´ckt = a) reprimere, soffocare  b) opprimere

-unterjóchen, unterjóchte, unterjócht = soggiogare, sottomentere, assoggettare

-unterlássen, unterlíeß, unterlássen = a) tralasciare, trascurare   z.B.:-Paul wurde gebeten, das Rauchen zu unterlassen. = A Paolo è stato chiesto di smettere di fumare.  b) omettere   z.B.:-Warum haben Sie es unterlassen, die schlimme Tat zu melden? = Perché lei ha omesso di denunciare questo grave fatto?

-unterlíegen, unterlág, unterlégen = a) soccombere, essere sconfitto  b) sottostare, soggiacere, essere sottomesso

-unternéhmen, unternáhm, unternómmen = a) intraprendere   z.B.: eine Reise un-ternehmen = intraprendere un viaggio  b) avviare   z.B.:-Gegen dieses Übel muss man doch was unternehmen! = Contro questo malanno bisogna pur intraprendere (avviare) qualcosa!  c) tentare

-unterríchten, unterríchtete, unterríchtet = a) insegnare  b) istruire  c) mettere al corrente, informare   z.B.:-Die Polizei wurde über das Ereignis unterrichtet. = La polizia venne informata dell'accaduto.

⎧ -Ist die Ware schon verfertigt worden? = La merce è già stata allestita?
⎨ -Soweit ich unterrichtet bin, ist schon alles verpackt. = Per quanto io ne sappia è
⎩ tutta imballata.

-unterságen, unterságte, unterságt = vietare, proibire, interdire   z.B.: jemandem das Rauchen untersagen = proibire il fumo a qd.

-unterschä´tzen, unterschä´tzte, unterschä´tzt = sottovalutare, stimare troppo poco

-unterscheíden, unterschíed, unterschíeden =   a) distinguere, discernere   z.B.: Dieses Kind kann die Buchstaben noch nicht unterscheiden. = Questo bambino non sa ancora distinguere le lettere dell'alfabeto  b) differenziare, fare una distinzione

-unterschreíben, unterschríeb, unterschríeben = a) firmare, sottoscrivere   b) approvare

-unterstreíchen, unterstrích, unterstríchen = a) sottolineare, rilevare  b) porre l'ac-cento su,  marcare

-unterstü´tzen, unterstü´tzte, unterstü´tzt = a) sostenere, appoggiare, dare appoggio  b) (se con denaro) sussidiare, sovvenzionare   z.B.:-Peter wurde während seines Studiums von seinen Eltern unterstützt. = Durante i suoi studi Pietro venne finan-ziariamente aiutato (appoggiato) dai suoi genitori.

-untersúchen, untersúchte, untersúcht = a) esaminare, analizzare   b) verificare, controllare, ispezionare  c) (medico) visitare   z.B.: einen Kranken untersuchen = visitare un ammalato  NB: die ärztliche Untersuchung = la visita medica

-unterweísen, unterwíes, unterwíesen = a) istruire, insegnare  b) ammaestrare   z.B.:-Die Polizisten wurden genau unterwiesen, wie sie gegen die kriminelle Bande vorgehen mussten.  =  I poliziotti vennero minuziosamente istruiti su come procedere contro i criminali.

-unterwérfen, unterwárf, unterwórfen =   a) sottomettere, assoggettare (popoli)  b) sottoporre   z.B.:-Paul wurde einem Verhör unterworfen. = Paolo fu sottoposto a un interrogatorio  NB: sich unterwerfen = sottomettersi

-unterzíehen, unterzóg, unterzógen = sottoporre   z.B.: jemanden einer Pfrüfung un-terziehen = sottoporre qd. ad un esame   NB: sich unterziehen = sottoporsi   z.B.: sich einer Operation unterziehen = sottoporsi a un'operazione

```
SITZEN – LIEGEN – STEHEN
HÄNGEN
SETZEN – LEGEN – STELLEN
STECKEN

( Verbi di posizione )
```

Come in tutte le lingue indoeuropee così anche in tedesco, vi sono centinaia di verbi di *STATO IN LUOGO* e centinaia di verbi di *MOTO A LUOGO* ben distinti tra loro, che non necessitano perciò di alcuna spiegazione. Fra questi tuttavia ve ne sono nove che, per la loro grande somiglianza, è facile scambiare, per cui essi creano non pochi problemi agli stranieri. Tali verbi si dividono in tre gruppi:

1. **Verbi intransitivi forti** (caratterizzati cioé dall'apofonia nel paradigma): indicano stato in luogo, rispondono alla domanda "wo?" e reggono il dativo:

| | |
|---|---|
| -sitzen – saß – gesessen | = sedere, essere (stare) seduto |
| -liegen – lag – gelegen | = giacere, essere (stare) a giacere |
| -stehen – stand – gestanden | = stare, essere (trovarsi, stare) in piedi |
| -hängen – hing – gehangen | = pendere, essere (stare) appeso |

Beispiele:
-Der Schüler sitzt auf dem Stuhl. = L'alunno siede sulla sedia. (= L'alunno è seduto sulla sedia).

-Das Kind liegt im Bett. = Il bambino giace nel letto. (= Il bambino si trova nel letto. - ... è nel letto).

-Das Buch steht im Schrank. = Il libro sta nell'armadio. (= Il libro si trova [in posizione verticale] nell'armadio).

-Das Bild hängt an der Wand. = Il quadro pende alla parete. (= Il quadro è appeso alla parete).

NB:
É necessario rendersi conto dei molteplici significati di tali verbi in italiano, bisogna cioé conoscere e sapere sia il significato semplice che quello composto di ognuno di essi nella lingua italiana per non incorrere in errori quando si procede alla versione dall'italiano al tedesco.

Per evitare confusione ed equivoci, si consiglia inoltre di memorizzare tali verbi con i rispettivi esempi nella sequenza su indicata. A questo primo gruppo di verbi corrisponde infatti ( o meglio, si oppone) un secondo gruppo molto simile e corrispondente.

2. Verbi transitivi deboli (= aventi la stessa vocale tematica in tutto il paradigma): indicano moto a luogo, rispondono alla domanda "wohin?"e reggono l'accusativo:

| | |
|---|---|
| -setzen – setzte – gesetzt (sich) | = mettere a sedere, sedersi |
| -legen – legte – gelegt | = porre, mettere (orizzontalmente) |
| -stellen – stellte – gestellt | = porre, mettere (verticalmente) |
| -hängen – hängte – gehängt | = appendere |

Beispiele:
-Der Schüler setzt sich auf den Stuhl. = L'alunno si siede sulla sedia.
-Die Mutter legt das Kind ins Bett. = La mamma mette il bambino a letto.
-Ich stelle das Buch in den Schrank. = Io metto (pongo verticalmente) il libro nell'armadio.
-Ich hänge das Bild an die Wand. = Io appendo il quadro alla parete.

3. Verbo a volte transitivo a volte intransitivo:
-stecken – steckte – gesteckt

a) Usato transitivamente indica moto a luogo, risponde alla domanda "wohin?", regge l'accusativo e significa: "infilare, introdurre, mettere dentro":
z.B.: -Ich stecke den Schlüssel ins Schloss. = Io metto la chiave nella toppa (nella serratura).
-Stecke bitte den Brief in den Umschlag! = Metti (infila) per favore la lettera nella busta!

b) Usato intransitivamente indica stato in luogo, risponde alla domanda "wo?", regge il dativo e significa: "stare dentro, essere dentro, trovarsi dentro, essere infilato":
z.B.: -Der Schlüssel steckt im Schloss. = La chiave si trova (é) nella serratura (nella toppa).
-Der Brief steckt schon im Umschlag. = La lettera è già nella busta (...si trova già nella busta).

# Erörterungen zum lokalen, praepositionalen Gebrauch einiger dieser Positionsverben

( Osservazioni sull'uso locale e preposizionale di alcuni di questi verbi di posizione)

All'inizio dell'apprendimento, alcuni di questi verbi di posizione creano non solo problemi nella scelta del caso, ma anche nella scelta della stessa voce verbale e della corretta preposizione. Rispetto all'italiano infatti, i complementi di luogo retti da tali verbi richiedono in tedesco spesso preposizioni differenti a seconda delle caratteristiche dell'oggetto da riporre (di come cioé è fatto l'oggetto), come pure delle caratteristiche del posto (mensola, scaffale, armadio ecc.) che lo riceve. Vengono qui riportate perlopiú le preposizioni a volte divergenti fra le due lingue.

## 1. setzen / sitzen

a) "+ auf": si usano con posizione di persone (o animali) su una superficie senza riferimenti alla tridimensionalità ossia al volume:

> z.B.:-Der Schüler setzt sich auf den Stuhl. = L'alunno si siede sulla sedia.
> -Jetzt sitzt der Schüler auf dem Stuhl. = Ora l'alunno è seduto (siede) sulla sedia

>> La sedia infatti non ha braccioli, per cui se ne considera solo la superficie piana d'appoggio che non fa volume, quindi si usa "auf", non "in"!

> -Ich setze mich auf die Couch. = Io mi siedo sul divano.
> -Jetzt sitze ich auf der Couch. = Ora siedo sul divano.

>> Il divano ha i braccioli, ma sono distanti, per cui prevale la dimensione della superficie piana d'appoggio, quindi si usa "auf", non "in"!

> -Setzen wir uns auf die Terrasse (auf den Balkon)! = Sediamoci in terrazza (sul balcone)! (Setzen wir uns ✗ die Terrasse! = errato)
> -Jetzt sitzen wir auf der Terrasse (auf dem Balkon). = Ora noi siamo seduti in terrazza (sul balcone).

>> Anche se la terrazza e il balcone sono recintati, prevale il riferimento alla superficie piana, per cui si usa la prep. "auf", non "in"!

> -Die Kinder setzen sich auf den Boden. = I bambini si siedono sul pavimento.
> -Jetzt sitzen die Kinder auf dem Boden. = Ora i bambini sono seduti (siedono) sul pavimento.

>> Qualunque pavimento (interno) o terreno (esterno) viene inteso come una superficie senza alcun riferimento all'ambiente circostante.

b) "+ in": si usano con posizione di persone (o animali) su una superficie avente riferimento alla tridimensionalità circostante ossia al volume come pure su una superficie, ma "in mezzo a" piante ecc.:

    z.B.:-Ich sezte mich in den Sessel. = Io mi siedo sulla poltrona.
       -Jetzt sitze ich im Sessel. = Ora siedo sulla poltrona.

> La poltrona ha i braccioli che formano la terza dimensione, per cui si usa la prep. "in". –( "Jetzt sitze ich auf dem Sessel" = errato)
>
> Tuttavia: -Ich setzte mich auf die Couch. = Mi siedo sul divano.
> Il divano ha infatti i braccioli distani e quindi prevale l'ampiezza dello spazio per sedere, non la terza dimensione!

    -Die Großmutter sitzt im Garten (im Park) und strickt. = La nonna è seduta nel giardino (nel parco) e lavora a maglia.

> La persona viene qui sì a trovarsi su un piano (uno spiazzo), ma circondato da piante, fiori, arbusti ecc., per cui si usa la prep. "in", non "auf"!

c) "setzen + zu / sitzen + bei": si usano con riferimento a persona nel senso di "sedersi accanto a / sedere accanto a":

    z.B.:-Setz dich zu mir her! = Siediti qui da me!
       -Nachdem alle Speisen aufgetragen waren, setzte sich auch Gisela zu den Gästen. = Dopo aver portato tutti i cibi a tavola, anche Gisella si sedette con gli ospiti (accanto agli ospiti).
       -Wo ist denn das Kind? = Ma dov'è la bambina?
       -Mach dir keine Sorgen, es sitzt bei mir. = Non preoccuparti, è seduta qui da me.
       -zur Rechten / zur Linken sitzen = sedere alla destra / sinistra di
       -Christus sitzt zur Rechten des Vaters. = Cristo siede alla destra del Padre.

## 2. stellen / stehen

a) "+ auf": si usano per posizione verticale con tutti gli oggetti aventi un determinato piano d'appoggio, una base di appoggio, dei piedi di appoggio:

    z.B.:-Gisela stellt eine Tischlampe auf den Schreibtisch. = Gisella mette una lampada da tavolo sulla scrivania.
       -Jetzt steht die Tischlampe auf dem Schreibtisch. = Ora la lampada da tavolo è (sta) sulla scrivania.

       -Stelle bitte die Teller auf den Tisch! = Metti per favore i piatti sul tavolo! (NB: Lege bitte die Teller auf den Tisch! = errato)
       -Die Teller stehen ja schon auf dem Tisch! = Ma i piatti sono già sul tavolo!

> Tutti i piatti hanno o una base o un determinato piano d'appoggio e richiedono quindi questi verbi; solo nel caso che le stoviglie vengano capovolte, perché messe a scolare, si usano i verbi "legen / liegen".

-Max stellt die Schuhe auf den Boden neben das Bett. = Max mette le scarpe sul pavimento accanto al letto.
-Die Schuhe stehen jetzt auf dem Boden neben dem Bett. = Ora le scarpe stanno sul pavimento accanto al letto.

> Tutte le scarpe hanno una suola, quindi un piano di appoggio preciso, per cui richiedono i verbi "stellen / stehen". Si usa per le scarpe il verbo "liegen", se si trovano in disordine (capovolte o no) qua e là sul pavimento o altrove.

-Alle Schuhe liegen herum, siehst du's nicht? Mach doch endlich einmal Ordnung! = Non vedi che tutte le scarpe sono in giro? E fa' un po' d'ordine, una buona volta!

-mit beiden Füßen (Beinen) fest auf der Erde (auf dem Boden) stehen = stare saldamente coi piedi per terra; essere molto realista

b) "+ in": si usano con tutti gli oggetti aventi un piano d'appoggio e posti verticalmente in vani chiusi (camere, armadi, contenitori) o su ripiani aventi un riferimento tridimensionale come gli scaffali ecc.:

z.B.:-Ich stelle das Buch in den Bücherschrank. = Io metto il libro nella libreria (nell'armadio dei libri).
-Das Buch steht jetzt im Bücherschrank. = Il libro sta ora nella libreria.

-In den Kaufhäusern werden jeden Tag die ausverkauften Artikel durch frische und neue ersetzt, die die Angestellten in die Regale stellen. = Nei supermercati gli articoli venduti vengono ogni giorno sostituiti con dei nuovi e freschi che gli addetti mettono negli scaffali.
-In den Regalen der Kaufhäuser stehen unzählige Artikel. = Negli scaffali dei supermercati si trovano innumerevoli articoli.

> NB: La preposizione "in" va usata per gli scaffali con due o piú ripiani; se invece si tratta di una semplice mensola, avente un solo ripiano, si usa la preposizione "auf":

-Auf dem Regal neben meinem Schreibtisch stehen mehrere Wörterbücher, die ich zur Hand (bei der Hand) haben will. = Sulla mensola accanto alla mia scrivania vi sono diversi vocabolari che voglio avere a portata di mano.

c) "stellen + zu": si usa con riferimento a persona nel senso di "mettersi accanto a; mettersi vicino a":

z.B.:-Stell dich zu uns her, sonst kommst du nicht aufs Bild! = Mettiti accanto a noi, altrimenti non vieni ripresa sulla foto!

NB: Il verbo "stehen" regge raramente la prep. "bei" perché viene sostituito dal composto "beistehen + Dat." = assistere".

z.B.:-einem Kranken beistehen = assistere un ammalato

## 3. legen / liegen

a) "+ auf": si usano per posizione orizzontale su una superficie esterna, cioé per posizione orizzontale con tutti gli oggetti che per loro natura non hanno come punto di appoggio una base e giacciono (posate, matite, fogli, giornali, tappeti in posa... ) oppure oggetti che, oltre a stare in piedi, possono anche giacere (libri, borse, sacchi ripieni... ):

z.B.:-Ich lege den Hut auf die Hutablage. = Metto il cappello sulla mensola dei cappelli (cappelliera).
-Jetzt liegt der Hut auf der Hutablage. = Ora il cappello sta sulla mensola dei cappelli. (NB: Der Hut steht auf der Hutablage. = errato)

Vi sono dei cappelli che danno l'impressione di avere una base di appoggio; in realtà essi non hanno alcuna base, per cui con essi vanno usati i verbi "legen / liegen". - NB: Si tenga inoltre presente che coi cappelli si adoperano il verbo "aufsetzen" per "mettere in testa" ed il verbo "gut stehen" (come per tutto il vestiario) per "star bene".

-Jetzt setze ich mir den neuen Hut auf; sage mir, wie er mir steht! = Ora mi metto il cappello nuovo; dimmi come mi sta!
-Er steht dir sehr gut so wie auch das Kleid. = Ti sta benissimo, così come anche il vestito.

-Der neue Teppich steht noch aufgerollt in der Ecke; wir wollen ihn jetzt auf den Boden des Wohnzimmers legen. = Il tappeto nuovo sta ancora arrotolato nell'angolo (quindi in senso verticale); ora lo vogliamo stendere sul pavimento del salotto.

b) "+ in": si usano con gli oggetti su indicati per posizione orizzontale in un vano chiuso, semichiuso o per persone coricate a letto sotto le coperte:

z.B.:-Leg bitte die Handtücher in den Wäscheschrank. = Metti per favore gli asciugamani nell'armadio della biancheria!
-Inge legt sich ins Bett, weil sie sich nicht gut fühlt! = Inge si mette a letto perché non si sente bene.
-Inge liegt mit Fieber im Bett. = Inge è a letto con la febbre.
Tuttavia: -Du bist müde; leg dich nur aufs Bett und ruh dich ein wenig aus! = Tu sei stanco, sdraiati (solo) sul letto e riposati un po'!

c) "sich legen + zu" = mettersi a (nel); mettersi sdraiato accanto a:

z.B.:-Inge legt sich zu Bett, weil sie sich nicht gut fühlt. = Inge si mette a letto perché non si sente bene.
-Nach langem Zögern legte sich auch der letzte Tiger des Zirkus zu den anderen hin. = Dopo tanto esitare, anche l'ultima tigre del circo si accovacció accanto alle altre.

# MODALVERBEN

( Verbi modali ossia servili )

Si chiamano "modali" quei verbi che, oltre ai verbi ausiliari, servono a modificare il significato di un altro verbo e corrispondono ad alcuni verbi servili italiani.

Essi sono:   1. müssen      2. können      3. mögen
             sollen          dürfen          wollen

## A) BEDEUTUNG = Significato:

Le diverse accezioni che un verbo modale può assumere sono spesso sfumature del significato base non facili da distinguere nettamente e talvolta l'uso dell'uno o dell'altro varia a seconda delle diverse interpretazioni individuali, cioè di quello che ha in animo colui che parla. Sono qui di seguito riportati i significati fondamentali corrispondenti alla lingua italiana:

| 1. MÜSSEN | a) dovere | per necessità assoluta, sia fisica sia logica:<br>z.B.:-Alle Menschen müssen sterben. = Tutti gli uomini devovo morire.<br>-Jetzt muss ich wirklich einmal arbeiten. = Adesso devo proprio una buona volta lavorare. |
| | b) bisogna che | sia nella forma personale positiva che con la negazione "nicht", al posto dell'espressione sinonima "nicht brauchen + zu + Inf." = non essere necessario:<br>z.B.:-Ich muss gehen = Debbo andare (Bisogna ch'io vada).<br>-Wenn er keine Lust hat, muss er nicht kommen (Wenn er keine Lust hat, braucht er nicht zu kommen). = Se non ha voglia non deve venire (... non è necessario che venga). |
| | c) dovere | per esprimere certezza verosimile o supposizione quasi certa: |

357

| | | |
|---|---|---|
| | | z.B.:-Dort muss was passiert sein; man hört Hilferufe. = Là dev'essere successo qualcosa: si sentono grida di aiuto.<br>-Das muss ein Irrtum gewesen sein, anders kann man es nicht erklären. = Deve essere stato un errore, diversamente non si spiega. |
| 2. SOLLEN | a) dovere | per convenienza, per obbligo morale, per volontà o comando altrui:<br>z.B.:-Was soll ich tun? = Che debbo fare?<br>-Du sollst nicht stehlen! = Non rubare!<br>-Wohin soll ich den Computer stellen? = Dove devo mettere il computer (Dove comandi di... )? |
| | b) dovere | per supposizione (a quanto dicono, a quanto sembra):<br>z.B.:-Er soll sehr reich sein. = Dev'essere molto ricco (Sembra che sia molto ricco). |
| | c) dovere | in una esortazione (corrisponde alla terza persona dell'imperativo):<br>z.B.:-Er soll sprechen!(?) = Parli! (Che parli!)<br>-Lieben soll er mich! = Me deve amare! (Che ami me!) |
| | d) dovere | usato al preterito corrisponde spesso ad un preterito congiuntivo nell'espressione di una ipotesi:<br>z.B.:-Sollte Peter kommen, gib ihm dieses Buch! = Se Pietro dovesse venire, dagli questo libro. |
| | e) dovere | per chiedere consiglio e consigliare:<br>z.B.:-Was meinst du? Soll ich mitgehen oder nicht? = Che ne pensi: devo o non devo andare?<br>-Nein, du solltest nicht mitgehen; diese Jungen erscheinen mir unverlässlich (unzuverlässig). = No, non dovresti andare; questi ragazzi mi sembrano inaffidabili. |
| | f) dovere | in riferimento allo scopo:<br>z.B.:-Wozu soll das denn gut sein? = A che serve ció? (Ma a che buon fine serve ció?)<br>-Wozu denn das? = A che scopo? |

| | | | |
|---|---|---|---|
| | | g) significare, voler dire | z.B.:-Was soll denn das? = Ma che vuol dire?<br>-Was soll das heißen? = Che significa ció?<br>-Soll das etwa heißen, dass...? = Ció vuol forse dire che...? |
| | 3. KÖNNEN<br><br>(NB: Sinonimo molto in uso di "können" é: "im Stande sein", non è un modale!) | a) potere | possibilità in generale:<br>z.B.:-Es kann nicht wahr sein. = Non può essere vero.<br>-Kannst du heute Abend zu uns zum Essen kommen? = Questa sera puoi venire a cena da noi? (= È per te possibile venire a cena da noi questa sera?) |
| | | b) potere | capacità nel senso di "essere in grado", nel senso di "avere la capacità di fare qualcosa":<br>z.B.:-Ich kann diese Arbeit nicht machen. = Non posso (non sono in grado di) fare questo lavoro. |
| | | c) sapere | capacità intellettuale, abilità acquisita con studio o esercizio:<br>z.B.:-Können Sie Deutsch? = Lei sa il tedesco?<br>-Rita kann gut tanzen. = Rita sa ballare bene. |
| | 4 DÜRFEN | a) potere | in quanto è lecito = permesso (Erlaubnis)<br>z.B.:-Darf ich eintreten? = Posso entrare? |
| | | b) potere | non essere lecito, non dovere = proibizione (= Verbot):<br>z.B.:-Das darfst du nicht tun! = Non puoi fare ciò!<br>-Hier dürfen Sie nicht parken! = Lei qui non può parcheggiare! |
| | | c) potere | al preterito del congiuntivo indica probabilità:<br>z.B.:-Es dürfte wohl so sein. = Potrebbe essere così (È probabile che sia così). |
| | | d) potere | per esprimere massima cortesia come pure esortazione cortese:<br>z.B.:-Dürfte ich noch um etwas Zucker bitten? = Posso avere ancora un po' di zucchero?<br>-Darf ich Sie bitten, das Fenster zu schließen? = Posso chiederle di chiudere la finestra? |

| | | e) dovere | in frasi negative esprimenti un desiderio o comando in forma di preghiera:<br>z.B.:-Du darfst nicht traurig sein! = Non devi essere triste! (Non devi rattristarti!)<br>-Du darfst dir das nicht so zu Herzen nehmen! = Non prendertela così a cuore!<br>-Du darfst nicht erschrecken! = Non devi spaventarti!<br>-Ich darf gar nicht daran denken! = Non devo neanche (manco) pensarci! |
|---|---|---|---|
| | 5. MÖGEN | a) desiderare | aver voglia: specialmente nella forma "ich möchte gerne" corrispondente al condizionale italiano in tedesco = Konjunktiv II:<br>z.B.:-Was möchten Sie? = Lei desidera? (Che [cosa] desidera Lei?)<br>-Möchtest du etwas trinken? = Vorresti bere qualcosa?<br>-Ich möchte nicht stören. = Non vorrei disturbare. |
| | | b) piacere | piacere di gusto seguito da un complemento oggetto in senso assoluto:<br>z.B.:-Ich mag diese Suppe nicht / gern. = Questa zuppa non mi piace / mi piace. |
| | | c) piacere | esprime volontà istintiva = aver voglia / non aver voglia, mi va / non mi va: in tali casi è di solito seguito da un infinito:<br>z.B.:-Heute mag ich nicht tanzen. = Non mi va di ballare oggi. |
| | | d) voler bene | amare, ma anche nel senso di trovare simpatico, piacere, essere gradevole:<br>z.B.:-Wir mochten Peter alle gern. = Noi tutti amavamo Pietro.<br>-Mich mag niemand. = Nessuno mi vuole (Nessuno mi vuol bene – Nessuno mi trova simpatica).<br>-Volksmusik mag ich besonders gern. = In modo particolare a me piace la musica popolare. |
| | | e) potere | per esprimere dubbio o possibilità: (sinonimo di "können"):<br>z.B.:-Es mag sein (Es kann sein). = Sarà (Può darsi). |

|   |   |   |   |
|---|---|---|---|
|   |   |   | -Das mag wahr sein. = Forse sarà vero (Può darsi che sia vero). |
|   |   | f) potere | col <mark>Konjunktiv I</mark> :<br>α) in espressioni desiderative = <mark>Wunschsätze</mark> = <mark>ottativo</mark>:<br>z.B.:-Möge Peter bald genesen! = Possa Pietro guarire in fretta!<br>    -Möge das nie geschehen! = Possa non avverarsi mai una cosa del genere!<br>β) nel <mark>discorso indiretto</mark> in proposizioni oggettive con o (meglio) senza "dass", in sostituzione di proposizioni infinitive:<br>z.B.:-Peter bat mich, ich möge ihm helfen. = Pietro mi chiese di aiutarlo. |
|   |   | a) volere | per deliberata volontà, <mark>volontà decisa</mark>, a differenza di "mögen" che esprime volontà istintiva, preferenza, desiderio:<br>z.B.:-Das habe ich nie gewollt. = Non ho mai voluto ció (Questo non l'ho mai voluto). |
| 6. <mark>WOLLEN</mark> |   | b) volere | per esprimere <mark>esortazione</mark> cortese o anche esortazione piú decisa:<br>z.B.:-Wollen Sie bitte Platz nehmen!(?) = Vogliate per favore prendere posto!(?)<br>    -Wollen Sie bitte so freundlich sein und mir den Weg zeigen? = Vuol essere così gentile e mostrarmi la via?<br>    -Wollt ihr wohl endlich eure Suppe essen?(!) = Volete una buona volta mangiare la vostra minestra? |
|   |   | c) volere | per esprimere <mark>dubbio su affermazioni altrui</mark>:<br>z.B.:-Er will immer alles besser wissen, dabei weiß er wohl wenig und nichts. = Lui vuole sempre saperla piú lunga (meglio), mentre sa ben poco o nulla.<br>    -Niemand wollte es gewesen sein. = Nessuno voleva essere incolpato. |
|   |   | d) volere | per esprimere <mark>rifiuto di servizio</mark>, si tratta di forme fisse:<br>z.B.:-Meine Beine wollen nicht mehr. = Le mie gambe non mi reggono piú (... non vogliono piú reggermi). |

| | | |
|---|---|---|
| | | -Der Motor will nicht mehr. = Questo motore non ce la fa piú (Il motore non vuole piú andare, girare). |
| | e) imperativo | può servire a formare la **prima persona plurale dell'imperativo**: <br> z.B.:-Wir wollen gehen! = Andiamo! <br> -Wir wollen es noch einmal versuchen! = Proviamo un'altra volta! |
| | f) futuro | serve come nella maggioranza delle lingue indoeuropee a formare il futuro al posto dell'ausiliare "werden" = **futuro intenzionale**: <br> z.B.:-Wann willst du abreisen? = Quando partirai? (Quando hai intenzione di partire?) <br> -Im Frühling, wenn alles blüht, will ich dich besuchen. = Voglio venire a trovarti in primavera quando tutto è in fiore. |

## Weitere Verben mit Modalgebrauch

( Ulteriori verbi in funzione di modali )

Si tratta di verbi che con i veri e propri modali, i sei sopra elencati, condividono soltanto qualche loro regola:

| 1. LASSEN | a) lasciare | nel senso di "**affidare, rimettere**" **+ Dat**. <br> z.B.:-Lass ihm das! = Lasciaglielo! |
|---|---|---|
| | b) fare | nel senso di "fare in modo" o "provocare, suscitare, ordinare, indurre"; corrisponde in italiano al verbo "**fare + infinito**" **+ Akk.**: <br> z.B.:-Lass mich wissen, ob... = Fammi sapere se... <br> -Lass sehen, was das ist! = Fammi vedere cos'é! <br> -Der Polizist ließ den Fahrer die Geldstrafe bezahlen. = Il poliziotto fece pagare all'autista la multa. |
| | c) **permettere** | come sinonimo di "zulassen, erlauben, ermöglichen" = rendere possibile **+ Akk.** NB: = **non riflessivo**: <br> z.B.:-Lass ihn doch walten und schalten! = E lascialo fare! (Lascia che lui abbia tutto il governo in mano!) |

| | | |
|---|---|---|
| **SICH LASSEN** | a) lasciarsi | -Sie lässt mich ihre Geheimnisse nicht wissen. = Lei non mi permette di sapere i suoi segreti.<br><br>**+ Akk**. (**riflessivo**): NB: Quando nella proposizione non c'é altro complemento oggetto all'infuori del pronome personale:<br>z.B.:-Lass es dich nicht verdrießen! = Non lasciarti amareggiare la vita!<br>-Lass dich nicht verführen, bestechen, betrügen... usw. = Non lasciarti sedurre, corrompere, imbrogliare ecc. |
| | b) permettere | **+ Dat. (riflessivo)**: NB: Quando nella proposizione c'é un complemento oggetto non formato (dato) dal pronome personale o quando segue una proposizione oggettiva:<br>z.B.:-Das lasse ich mir nicht gefallen. = Non permetto che si dica (si faccia) ció sul mio conto.<br>-Das hätte ich mir nie träumen lassen. = Una tal cosa non l'avrei mai immaginata.<br>-Lass dir's ja nicht einfallen, so was zu tun! = Che non ti venga in mente di fare una cosa del genere! (prop. infinitiva, oggettiva = compl. oggetto) |
| | c) si può / non si può | usato alla terza persona + sich:<br>z.B.:-Das lässt sich nicht beweisen = Ciò non può essere dimostrato (Ciò non si lasca dimostrare).<br>-Das lässt sich machen. = Si può fare. |
| | d) imperativo | usato come riflessivo + infinito serve a formare la prima persona plurale dell'imperativo = germanismo riscontrabile anche in inglese:<br>z.B.:-Lasst uns gehen! = Andiamo! (Let us go!) |
| 2. HEISSEN | comandare | modifica il verbo principale solo con tale significato (quando invece significa "chiamarsi" non ha alcuna funzione modale!)<br>z.B.:-Heiße ihn kommen! = Digli di venire! |
| 3. LEHREN | insegnare | z.B.:-Er lehrt mich schreiben und lesen. = Lui m'insegna a scrivere e a leggere. |
| 4. LERNEN | imparare | z.B.:-Endlich lerne ich jetzt mit dir wirklich Deutsch sprechen. = Finalmente ora con te imparo veramente a parlare tedesco. |

| 5. SEHEN | vedere | z.B.:-Hast du Peter nicht kommen sehen? = Hai visto arrivare Pietro? - Non hai visto, se Pietro è arrivato? |
|---|---|---|
| 6. HÖREN | udire | z.B.:-Wir haben dich sprechen hören. = Ti abbiamo sentito parlare. |
| 7. HELFEN | aiutare | z.B.:-Peter hat mir das Gepäck tragen helfen. = Pietro mi ha aiutato a portare i bagagli. |
| 8. WISSEN | sapere, essere a conoscenza, essere al corrente | z.B.:-Ich weiß, dass du vieles kannst. = So che sai tante cose. -Weißt du schon das Neueste? = La sai l'ultima? (Sei al corrente dell'ultima novità?) -Was ich nicht weiß, macht mich nicht heiß! (Sprichwort = proverbio) = Occhio non vede, cuore non duole! |

## B) F O R M = Forma

## Praesens

I verbi modali mostrano delle irregolarità nelle tre persone singolari del presente indicativo; si tratta di vecchie forme preteritali rimaste in uso, nonostante tali verbi abbiano col tempo assunto la forma debole nella coniugazione. Ciò avvenne per il frequente uso dei modali, in quanto riferiti a capacità e volontà umane.
Particolare attenzione richiede la terza persona singolare che non prende la desinenza dentale "-t", ecco perché anche nella lingua inglese manca a questi verbi la desinenza dentale "-s" nella terza persona del singolare.

Indikativ

müssen = dovere (necessità assoluta)

ich muss
du musst
er muss      (musst = errato)
wir müssen
ihr müsst
sie müssen

sollen = dovere (morale)

ich soll
du sollst
er soll
wir sollen
ihr sollt
sie sollen

Konjunktiv

ich müsse
du müssest
er müsse
wir müssen
ihr müsset
wie müssen

ich solle
du sollest
er solle
wir sollen
ihr sollet
sie sollen

| Indikativ | Konjunktiv |
|---|---|

**können = potere (capacità)**

| | |
|---|---|
| ich kann | ich könne |
| du kannst | du könnest |
| er kann (kannt = errato   NB: Kant fu un grande filo-sofo.)  | er könne |
| wir können | wir können |
| ihr könnt | ihr könnet |
| sie können | sie können |

**dürfen = potere (permesso)**

| | |
|---|---|
| ich darf | ich dürfe |
| du darfst | du dürfest |
| er darf | er dürfe |
| wir dürfen | wir dürfen |
| ihr dürft | ihr dürfet |
| sie dürfen | sie dürfen |

**mögen = volere (desiderio)**

| | |
|---|---|
| ich mag | ich möge |
| du magst | du mögest |
| er mag | er möge |
| wir mögen | wir mögen |
| ihr mögt | ihr möget |
| sie mögen | sie mögen |

**wollen = volere (volontà decisa)**

| | |
|---|---|
| ich will | ich wolle |
| du willst | du wollest |
| er will | er wolle |
| wir wollen | wir wollen |
| ihr wollt | ihr wollet |
| sie wollen | sie wollen |

NB: L'unico verbo che assieme ai modali condivide nel presente le forme irregolari del-le tre persone singolari è il verbo "wissen, wusste, gewusst":

**wissen = sapere (rendersi conto, essere al corrente)**

| | |
|---|---|
| ich weiß | ich wisse |
| du weißt | du wissest |
| er weiß (weißt = errato) 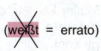 | er wisse |
| wir wissen | wir wissen |
| ihr wisst | ihr wisset |
| sie wissen | sie wissen |

# Praeteritum

I verbi modali non sono di per sé verbi forti, ma verbi regolari ossia deboli, anche se tutte le grammatiche li elencano fra quelli irregolari o forti. Alcuni di loro come:

wollen, wollte, gewollt

sollen, sollte, gesollt

hanno un paradigma del tutto regolare, ossia debole; altri presentano solo una mezza apofonia, ossia perdono soltanto l'Umlaut nel paradigma, non hanno cioé un totale cambiamento fonetico della vocale, così:

müssen, musste, gemusst

können, konnte, gekonnt

dürfen, durfte, gedurft.

L'unico verbo che presenta, oltre a questa mezza apofonia, un paradigma con qualche irregolarità, è il verbo

mögen, mochte, gemocht

il cui preterito congiuntivo appartiene all'uso quotidiano e corrisponde al condizionale italiano:

Indikativ

ich mochte = io desideravo / io desi-
                              derai
du mochtest
er  mochte
wir mochten
ihr mochtet
sie mochten

Konjunktiv

ich möchte = io vorrei / io deside-
                              rerei (che io volessi)
du möchtest
er  möchte
wir möchten
ihr möchtet
sie möchten

---

C) GEBRAUCH = Uso

---

1. Con un modale nella proposizione il verbo principale va in fondo all'infinito e precisamente all' "infinito puro" ossia "infinito senza zu":

    a) nella proposizione principale la parte infinita del predicato viene a trovarsi all'ultimo posto:

    z.B.: -Richard will noch etwas für Herrn Müller kaufen, denn er hat Geburtstag. = Riccardo vuole comprare ancora qualcosa per il signor Müller perché compie gli anni.

    -Ach, es ist ja schon gleich sechs, da muß ich aber gehen, sonst sind die Geschäfte zu. = O perbacco, ma sono già quasi le sei! Allora devo andare, altrimenti i negozi chiudono [sono chiusi].

b) nella proposizione secondaria il verbo modale va in fondo, mentre il verbo principale, che sta all'infinito, detiene il penultimo posto:

> z.B.:-Richard hat nicht mehr viel Zeit, weil er noch etwas für Herrn Müller kaufen will und die Geschäfte schon um 18.30 Uhr schließen. = Riccardo non ha piú molto tempo perché vuole ancora comprare qualcosa per il signor Müller e i negozi chiudono già alle 18.30.

2. Verbi principali sottintesi con un modale nella proposizione:

a) Con un verbo modale nella proposizione il verbo principale di moto può restare sottinteso. Tuttavia: col futuro, per indicare supposizione, è oppotuno esprimerlo:

> z.B.:-Jetzt müssen wir zum Bahnhof, sonst versäumen wir den Zug. = Ora dobbiamo andare alla stazione, altrimenti perdiamo il treno.
> Tuttavia: Jetzt werden wir wohl zum Bahnhof fahren müssen, sonst versäumen wir den Zug!

b) Con un verbo modale può restare sottinteso qualunque verbo principale nella risposta, se esso è già stato espresso nella domanda:

> z.B.:-Kann Erika gut kochen? = Erika sa cucinare bene?
> -Ja, sie kann. = Sì, sa cucinare.

3. I verbi modali, come pure i verbi "helfen, hören, sehen, lassen + brauchen", formano il Perfekt, Plusquamperfekt, Futur II, Infinitiv Perfekt col doppio infinito anziché col participio passato, se essi sono usati come modali nella proposizione, cioé quando modificano un altro verbo e non sono soli nella proposizione (si veda il capitolo del "Perfekt", Perfekt mit doppeltem Infinitiv, regola 1, pag. 292-293):

> z.B.:-Ich habe dich gestern anrufen wollen, hatte aber leider keine Zeit. = Volevo telefonarti ieri, ma purtroppo non ho avuto tempo.
> -Ich habe dich gestern Abend nicht nach Hause kommen hören; wie spät bist du denn heimgekommen? = Ieri sera non ti ho sentito arrivare a casa; ma a che ora sei rientrata?
> -Warum hast du ihn nicht sprechen lassen? Seine Beweisführungen waren so interessant. = Perché non l'hai lasciato parlare? Le sue argomentazioni erano così interessanti.
> -Du hättest heute gar nicht zur Schule kommen brauchen, denn es ist Streik. = Oggi non avresti neanche dovuto venire a scuola perché c'è sciopero.

4. I verbi modali, come pure i verbi "helfen, hören, sehen, lassen + brauchen", esigono nelle proposizioni dipendenti una trasposizione particolare: la parte finita del predicato non va all'ultimo posto, ma precede la parte indefinita (le forme verbali di modo infinito) dello stesso (si veda il capitolo "Aufbau des Satzes" – la trasposizione coi modali = "Transposition mit Modalverben", regola 2, pag. 3):

> z.B.:-Wir fuhren mit dem Fahrrad, weil wir das Land haben kennen lernen wollen. = Noi andammo in bicicletta perché volevamo conoscere il paese.
> -Der Reisende war froh, dass er sich eine Platzkarte hatte besorgen lassen. = Il passeggero era lieto di essersi fatto rilasciare un biglietto con posto riservato.

5. I verbi modali "müssen, sollen, können, dürfen", come pure "lassen", possono essere sostituiti dalle forme passive implicite:

$$\text{haben + zu + Infinitiv}$$
$$\text{ist + zu + Infinitiv,}$$

si tratta di vecchi germanismi presenti anche nella lingua inglese (This is to do!), molto in uso nella parlata quotidiana perché servono a diversificare il discorso (si veda "Das Passiv" regola 2 und 3, pag. 378-379):

> z.B.:-Diese Arbeit ist zu machen! (= Diese Arbeit muss gemacht werden!) = Questo lavoro va fatto! (Questo lavoro dev'essere fatto!)
> -Jeder hat seine Pflicht zu tun! (= Jeder soll oder muss seine Pflicht tun.) = Ognuno deve fare il proprio dovere!

Tali forme si prestano a volte a significati diversi, decifrabili sia attraverso il contesto sia attraverso la cadenza, il timbro, il tono di voce:

> z.B.:-Der Teig ist nicht zu backen.

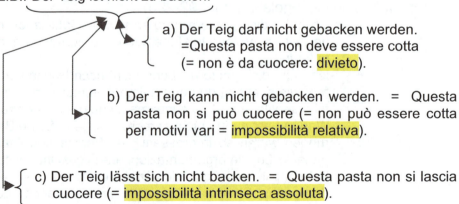

a) Der Teig darf nicht gebacken werden.
=Questa pasta non deve essere cotta
(= non è da cuocere: divieto).

b) Der Teig kann nicht gebacken werden. = Questa pasta non si può cuocere (= non può essere cotta per motivi vari = impossibilità relativa).

c) Der Teig lässt sich nicht backen. = Questa pasta non si lascia cuocere (= impossibilità intrinseca assoluta).

# REFLEXIVVERBEN

( Verbi riflessivi )

---

## A) Form = forma

### Praesens

| | | | |
|---|---|---|---|
| ich | freue | mich | = io mi rallegro |
| du | freust | dich | = tu ti rallegri |
| er | freut | sich | = egli si rallegra |
| wir | freuen | uns | = noi ci rallegriamo |
| ihr | freut | euch | = voi vi rallegrate |
| sie | freuen | sich | = essi si rallegrano |

### Perfekt

| | | | | |
|---|---|---|---|---|
| ich | habe | mich | gefreut | = io mi sono rallegrato |
| du | hast | dich | gefreut | = tu ti sei rallegrato |
| er | hat | sich | gefreut | = lui si è rallegrato |
| wir | haben | uns | gefreut | = noi ci siamo rallegrati |
| ihr | habt | euch | gefreut | = voi vi siete rallegrati |
| sie | haben | sich | gefreut | = essi si sono rallegrati |

NB: I verbi riflessivi formano in tedesco i tempi composti (Perfekt, Plus-quamperfekt, Futur II) con l'ausiliare "haben", non con l'ausiliare "sein = essere" come in italiano (si veda il capitolo "Perfekt", regola 5, pag. 291)

---

## B) Gebrauch = uso

### Stellung des Reflexivpronomens

(Posizione del pronome riflessivo)

1. *Nelle proposizioni principali positive negative con costruzione diretta*

Il pronome riflessivo sta subito dopo il verbo finito:

z.B.: -Die Freunde treffen sich vor dem Kino. = Gli amici si trovano davanti al cinema.

-Die Freunde haben sich vor dem Kino getroffen. = Gli amici si sono trovati davanti al cinema.

## 2. *Nelle proposizioni principali con l'inversione e nelle interrogative dirette*

Il pronome riflessivo sta subito dopo i pronomi personali e il pron. impersonale "man", prima del soggetto invece, se questo è un sostantivo:

z.B.: -Vor dem Kino treffen wir uns. = Ci troviamo davanti al cinema.

-Wo treffen sich die Freunde? = Dove s'incontrano gli amici?

-Vor dem Kino treffen sie sich . = S'incontrano davanti al cinema.

-Ist die Klassenarbeit schwierig? = È difficile il compito in classe?

-Stell du sie dir leicht vor!. = Immaginalo facile!

-Die Zähne putzt man sich mit einer Zahnbürste. = Ci si pulisce i denti con uno spazzolino.

## 3. *Nelle proposizioni secondarie o subordinate*

Vale la stessa regola: Il pronome riflessivo sta subito dopo i pronomi personali e il pron. impersonale "man", prima del soggetto invece, se questo è formato da un sostantivo o da altri pronomi come "dieser" ecc.

z.B.: -Ich habe gehört, dass wir uns vor dem Kino treffen. = Ho sentito che ci troviamo davanti al cinema.

-Ich habe gehört, dass sich die Freunde (diese) vor dem Kino treffen. = Ho sentito che gli amici (questi) s'incontrano davanti al cinema.

-Diese Stadt ist wirklich so, wie ich sie mir vorgestellt hatte. = Questa città è proprio così come me la immaginavo.

-Wenn man sich vor dem Start nicht anschnallt, kann man sich leicht verletzen. = Se prima di partire non ci si allaccia, ci si può far male.

## Direkte und indirekte Rückbeziehung

(riflessione diretta e indiretta:)

Tale distinzione si ha solamente con i pronomi personali:

Dativ:      **"mir"**   **"dir"**

Akkusativ:    **"mich"** **"dich"**

Tutti gli altri pronomi personali hanno infatti le forme riflessive del dativo e dell'accusativo uguali!

## 1. *Direkte Rückbeziehung  =  Riflessione diretta*

a) si ha con verbi riflessivi intransitivi, verbi cioé che, nonostante reggano sempre il pronome personale riflessivo all'accusativo, sono solo apparentemente transitivi; in realtà infatti l'azione resta sul soggetto: con loro cioé l'azione non può che riflettersi unicamente e direttamente (attraverso l'accusativo = caso diretto) sul soggetto. Elenco incompleto di alcuni fra questi verbi che non è necessario imparare a memoria (per cui non vengono inseriti in un rettangolo rosso):

z.B.:   -sich beeilen        = a) affrettarsi b) sbrigarsi

-sich befinden       = a) trovarsi, essere  b) sentirsi, stare

-sich entschließen   = decidersi, deliberare

| | |
|---|---|
| -sich freuen | = a) rallegrarsi , aver piacere  b) esse-re contento, godere |
| -sich schämen | = vergognarsi, aver vergogna |
| -sich sorgen | = preoccuparsi, essere in pensiero |
| -sich unterhalten | = a) divertirsi  b) intrattenersi |
| -sich weigern | = rifiutarsi, ricusare |

Beispiele:
-Beeile dich, sonst versäumst du den Zug! = Sbrigati, altri-menti perdi il treno!
-Ich kann mich noch nicht entschließen, ob ich ihn heiraten soll oder nicht. = Non ho ancora deciso se sposarlo o no.
-Schämst du dich gar nicht, so zu lügen? = Ma non ti vergogni di mentire in quel modo?

b) Si ha la riflessione diretta, espressa cioé con l'accusativo, anche con verbi transitivi quando l'unico complemento oggetto della proposizio-ne è formato dal pronome riflessivo attraverso il quale l'azione viene riflessa direttamente (appunto, con un caso diretto) sul soggetto:
z.B.: -Jetzt wasche ich mich. = Ora mi lavo [=...lavo me].
-Zieh dich an, denn es ist kalt. = Vestiti perché fa freddo.

## 2. Indirekte Rückbeziehung  = Riflessione indiretta

Si ha la riflessione indiretta esclusivamente con verbi transitivi, quan-do l'azione viene riflessa sul soggetto indirettamente, con un caso indiretto, cioè attraverso il pronome riflessivo espresso al dativo; in tali casi nella proposizione viene a trovarsi un complemento oggetto non formato dal pronome riflessivo:
z.B.: -Ora mi lavo le mani. [= lavo le mani a me.] =
-Jetzt wasche ich mir          die Hände.
                        ▼                    ▼
              (complemento     (complemento
               di termine)       oggetto)

-Mettiti oggi il bel vestito nuovo! =
Zieh dir heute das schöne neue Kleid an!

---

## C) Reflexionsunterschiede zwischen Deutsch und Italienisch

### 1. Deutsche, aber nicht italienische Reflexivverben  =  Verbi riflessivi in tedesco, non in italiano

a) Verbi riflessivi in tedesco e mai in italiano:

Non essendo mai questi verbi riflessivi in italiano, conviene studiare la seguente lista abbastanza completa con i rispettivi esempi a memoria, in filastrocca:

-**sich bedanken + bei + für** = ringraziare qualcuno per
-**sich bessern** = migliorare
-**sich erbarmen + Gen.** = aver compassione
-**sich ereignen** = accadere, succedere, avvenire
-**sich fürchten + vor + Dat.** = aver paura di
-**sich lohnen** = valere la pena

Beispiele:
-Für die freundliche Bewirtung bedankte sich Walter bei seinen Freunden herzlich. = Walter ringrazió cordialmente i suoi amici per la gentile ospitalità.
-Wenn du durchkommen willst, musst du dich bessern! = Se vuoi essere promosso, devi migliorare!
-Erbarme dich unser! = Abbi pietà di noi! ⎱ È molto in uso
-Erbarme dich seiner, ihrer! = Abbi pietà di lui, di lei! ⎰ nei riti religiosi.
-Heute morgen hat sich in Neustadt ein schwerer Verkehrsunfall ereignet. = Questa mattina è accaduto a Neustadt un grave incidente stradale.
-Fürchtest du dich vor dem Hund? = Hai paura del cane?
-Lohnt sich denn das? = Ma ció ne vale la pena?

b) Verbi riflessivi in tedesco e raramente in italiano:
In italiano essi possono a volte essere tradotti anche con verbi riflessivi. Dal momento che tali verbi hanno questa doppia possibilità e il loro uso è meno frequente, l'esatta memorizzazione di questa seconda lista, per di piú incompleta, non è necessaria. Quando, incontrandoli, creano problemi, è sufficiente marcarli con crocette:

-sich besinnen + Gen. = a) riflettere, cambiar parere  b) ricordarsi
-sich empfehlen = a) presentare ossequi  b) raccomandarsi
-sich entschließen + zu + Dat. = a) decidere  b) decidersi
-sich sehnen nach + Dat. = a) avere nostalgia di  b) struggersi
-sich weigern = a) rifiutare  b) rifiutarsi
-sich beeilen = a) aver fretta  b) affrettarsi

Beispiele:
-Gisela hat sich eines Besseren besonnen und statt Paul Peter geheiratet. = Gisella ha cambiato parere e invece di Paolo ha sposato Pietro.
-Ich empfehle mich Ihnen bestens. = Le presento i miei migliori ossequi (...mi raccomando a lei).
-Wir haben uns zu einer Reise nach Deutschland entschlossen; entschließe auch du dich! = Noi abbiamo deciso di fare un viaggio in Germania (Ci siamo decisi per un viaggio in Germania); deciditi an-

che tu!
- Das Kind sehnt sich nach seiner Mutter. = Il bambino ha nostalgia della (sua) mamma (...si strugge per stare vicino alla mamma).
- Der Angeklagte weigerte sich zu sprechen. = L'accusato rifiutó di parlare (si rifiutó di parlare).

2. *Italienische, nicht aber deutsche Reflexivverben* = *Verbi riflessivi in italiano, ma non in tedesco*

a) Verbi pressoché sempre riflessivi in italiano e mai in tedesco:
Elenco abbastanza completo: va studiato a memoria, mantenendo l'ordine indicato assieme ai rispettivi esempi:

-**abbröckeln** = a) scrostarsi, staccarsi, scalcinarsi, scortecciarsi, sbriciolarsi (Solo nel suo significato fondamentale è sempre riflessivo in italiano; non è riflessivo nel senso di "essere in ribasso" o usato transitivamente nel senso di "staccare a pezzetti").
-**aufstehen** = alzarsi
-**aufwachen**, **erwachen** = svegliarsi
-**bereuen** + **Akk.** = pentirsi
-**einschlafen** = addormentarsi (É riflessivo in italiano nel suo significato fondamentale, non tuttavia nel senso di "morire").
-**erkranken** = ammalarsi
-**erschrecken**, **erschrak**, **eschrocken** = spaventarsi
-**heißen** = chiamarsi (É riflessivo in italiano solo nel suo significato fondamentale, non nel senso di "significare" o "comandare").
-**staunen** = stupirsi, meravigliarsi (essere stupefatto)
-**nahen** = avvicinarsi, approssimarsi, avanzarsi
-**übelnehmen** + **Dat.** + **Akk.** (jemadem etwas übelnehmen)
                = a) prendersela, aversene a male  b) offendersi

Beispiele:
- Die alte Mauer bröckelt ab. = Il vecchio muro si sta scrostando.
- Am Morgen stehe ich meistens um 6.30 Uhr auf. = Al mattino mi alzo perlopiú alle 6.30. (NB: Am Morgen stehe ich ~~mich~~. auf. = errore)
- Ich bin am Morgen schon immer um 6 Uhr aufgestanden. = Al mattino mi sono sempre alzato alle 6.
- Letzte Nacht hab'ich schlecht geschlafen, ich wachte ständig auf. = La notte scorsa ho dormito male, mi svegliavo in continuazione.
- Ich bereue meine Schuld. = Mi pento della mia colpa.
- Du wirst diesen Schritt nicht bereuen. = Non ti pentirai di aver preso tale decisione (... di aver fatto questo passo).
- Bist du gestern sofort eingeschlafen? = Ti sei addormentato/-a subito ieri?

373

-Herr Müller, unser Lehrer, ist erkrankt. = Il signor Müller, il nostro insegnante, si è ammalato.
-Bin ich erschrocken! = Mamma mia, che spavento! (Come mi sono spaventato / -a!)
-Wie heißt du? = Come ti chiami?
-Weihnachten naht schon. = Si sta già avvicinando il Natale.
-Ich staune über deine Fähigkeiten. = Mi stupisco delle tue capacità.
-Inge hat ihm (Paul) seine groben Worte sehr übelgenommen. = Inge se l'è presa con lui (Paolo) per le sue rudi parole.

b) **Forme verbali composte con "werden", corrispondenti spesso a verbi riflessivi in italiano:**

α) werden + Adjektiv (= werden + aggettivo):

| | |
|---|---|
| -einig werden | = accordarsi, mettersi d'accordo |
| -eisig werden | = raggelarsi |
| -gewahr werden | = accorgersi di |
| -krank werden | = ammalarsi |
| -los werden + Akk. | = liberarsi di, sbarazzarsi di |
| -reich werden an + Dat | = arricchirsi con |
| -weich werden | = ammorbidirsi |
| usw. | ecc. |

z.B.: "-Die ich rief, die Geister, werd' ich nun nicht los." (**Goethe** "Der Zauberlehrling" = Non sono in grado di sbarazzarmi degli spiriti che ho invocato. (Applicato metaforicamente ai giorni nostri, p.es.: la droga!)

β) Komparativ + werden (= comparativo + werden)

| | |
|---|---|
| -ärmer werden | = impoverirsi, diventare piú povero |
| -kälter werden | = raffreddarsi (di temperatura) |
| -kürzer werden | = accorciarsi, diventare piú corto |
| -länger werden | = allungarsi, diventare piú lungo |
| -teurer werden | = rincararsi, diventare piú caro |
| usw. | ecc. |

z.B.: -Wasche ja Wollsachen nicht mit heißem Wasser, denn sie gehen ein, d.h. sie verengen sich (sie werden kürzer und enger)! = Non lavare indumenti di lana con acqua molto calda perché si restringono (si accorciano)!

c) **Verbi a volte riflessivi in italiano, ma raramente riflessivi in tedesco:**
Si tratta di un elenco incompleto. Siccome tali verbi possono essere spesso tradotti con significati non riflessivi in italiano, essi creano meno problemi; è quindi

sufficiente una loro marcatura con crocette e non è necessario lo studio mnemonico della lista:

-bedauern + Akk. = a) rammaricarsi di  b) compatire, avere compassione di  c) dispiacere, rincrescere

-begegnen + Dat. = a) imbattersi  b) incontrare

-bemerken = a) accorgersi  b) osservare, notare, avvertire, percepire

    -Hast du bei Gisela nichts bemerkt? Mir kommt vor, sie ist verliebt. = Non ti sei accorta di nulla per quanto riguarda Gisella? A me sembra che (si) sia innamorata.

-bersten, barst, geborsten = a) spaccarsi, fendersi, creparsi  b) scoppiare, esplodere

    -Bei der schlimmen Nachricht wollte ihr das Herz beinahe bersten. = Alla triste notizia, il cuore le si voleva quasi spezzare [scoppiare].

-bestehen + auf + Akk. = a) ostinarsi a  b) insistere su

-gratulieren = a) congratularsi con, felicitarsi con  b) fare gli auguri, fare le congratulazioni

-halten, hielt, gehalten = a) fermarsi  b) tenere in mano  c) reggere  d) fermare, trattenere  e) avere, mantenere, sostenere, gestire  f) ritenere, credere, stimare, reputare

    -Statt beim Stop zu halten, ist ein Wagen einfach weitergefahren und schon passierte ein Unfall. = Invece di fermarsi allo stop, una macchina proseguì semplicemente la corsa ed ecco che avvenne un incidente.

-klagen + über + Akk. = a) lamentarsi, lagnarsi  b) lamentare, deplorare, piangere

    -Worüber klagt er denn? Ich verstehe wirklich nicht, worüber er ständig klagt. = Ma di che cosa si lamenta (lagna)? Non capisco proprio di che cosa egli continui a lamentarsi.

-rebellieren + gegen + Akk. = a) ribellarsi  b) reagire

-schwellen, schwoll, geschwollen = a) gonfiarsi, ingrossarsi, tumefarsi  b) ampliarsi, amplificarsi (di suoni)  c) gonfiare, salire, crescere (di acque)

    -Deine Wunde gefällt mir nicht, sie ist geschwollen. = La tua ferita non mi piace, si è tumefatta (gonfiata).

    -"Das Wasser rauscht', das Wasser schwoll, ein Fischer saß daran, sah nach der Angel ruhevoll, kühl bis ans Herz hinan." (Goethe "Der Fischer") = "L'acqua rumoreggiava e saliva (il fiume Ilm s'ingrossava); un pescatore sedeva sulle sue sponde osservando con calma e profondamente tranquillo il suo amo".

-spotten + über + Akk. = a) beffarsi, prendersi gioco di, burlarsi  b) schernire, deridere

    -Sie spottet über mich. = Ella si beffa di me.

-vergessen, vergaß, vergessen = a) dimenticarsi  b) dimenticare

-Wiederhole ja dem Jungen, was er zu tun hat, sonst vergisst er es! = Ripeti, mi raccomando, al ragazzo ció che ha da fare, altrimenti si dimentica!

-weggehen, ging weg, weggegangen = a) andarsene, allontanarsi   b) andar via

-Paul ist ohne zu grüßen weggegangen. = Paolo se n'é andato senza salutare.

---

## C) Doppelanwendung  = uso doppio

Verbo tedesco con uso riflessivo e non riflessivo equivalente:

**streiten, stritt, gestritten = litigare, altercare**

| forma corretta | forma corretta |
|---|---|
| a) streiten mit jemandem | b) sich streiten mit jemandem |
| -Musst du immerzu mit Paul streiten? = Devi proprio continuare a litigare con Paolo? | -Musst du dich immerzu mit Paul streiten? |
| -Die Kinder streiten den ganzen Tag. = I bambini litigano tutto il giorno. | -Die Kinder streiten sich den ganzen Tag. |

Diverse grammatiche scolastiche di lingua tedesca stampate in Italia presentano questo verbo solo nella sua forma riflessiva, come se la forma non riflessiva fosse errata. È bene ricordare che fra le due opzioni nel Sud della parlata tedesca prevale la prima, cioé l'uso non riflessivo del verbo "streiten". Secondo il principio glottologico, che fra due espressioni equivalenti si debba scegliere la piú breve, è indubbiamente da preferire la forma non riflessiva del verbo "streiten".

Fa eccezione il proverbio:

-Wenn zwei sich streiten, freut sich der dritte. (Sprichwort) = Quando due litigano, il terzo gode.

Le forme statiche proverbiali tramandate da secoli formano infatti degli idiomi che vanno naturalmente rispettati nella loro forma tradizionale.

# <u>DAS PASSIV</u>

( Il passivo )

## <u>FORM</u>
( Forma )

### Forme passive in italiano:

1. "essere + participio passato del verbo principale":
   es.: -Il pane è cotto nel forno.

2. "venire + participio passato del verbo principale":
   es.: -Il pane vien (viene) cotto nel forno.

3. "andare, restare, rimanere, finire" + participio passato del verbo principale":
   es.: -Il pane va cotto nel forno.

*forme di passivo esplicite*

4. il "si" passivante = forma impersonale che può
   essere tramutata in un passivo esplicito:
   es.: -Si cuoce il pane nel forno. = Il pane
   viene cotto nel forno.

5. gli aggettivi formati col suffisso "-ibile" e "-abile"
   possono sostituire un passivo modificato dal verbo
   servile (modale) "potere":
   es.: -Questo CD è riscrivibile. = Questo CD
   può essere riscritto.

6. con l'infinito determinato dalla preposizione "da",
   riferito ad un'azione futura:
   es.: -Ció è / non è da farsi. = Ció dev'essere / non deve essere fatto.

7. la terza persona plurale = forma impersonale
   che può essere interpretata come un passivo:
   es.: -Cuociono il pane nel forno.
   -Qui vendono CD. = Qui vengono venduti dei CD.

*forme di passivo implicite*

## Forme passive in tedesco

### A) _Das klar ausgedrückte Passiv_ = _Passivo esplicito_

"werden + Partizip Perfekt des Hauptverbs"
(= col verbo "werden" nel tempo richiesto + il participio passato
del verbo principale)

Si tratta della forma piú usata che comprende all'incirca il 75% della casistica; è quindi indispensabile conoscere molto bene la coniugazione dell'ausiliare "werden" in tutti i suoi tempi!

Beispiele:

| | |
|---|---|
| -Das Brot wird gebacken.<br>    = Il pane è cotto (viene cotto) nel<br>    forno | (= Praesens) |
| -Das Brot wurde gebacken.<br>    = Il pane fu cotto (venne cotto /<br>    veniva cotto) nel forno | (= Praeteritum) |
| -Das Brot ist gebacken worden.<br>    = Il pane è stato cotto nel forno. | (= Perfekt) |
| -Das Brot war gebacken worden.<br>    = Il pane era stato cotto nel forno. | (= Plusquamperfekt) |
| -Das Brot wird gebacken werden.<br>    = il pane sarà cotto (verrà cotto)<br>    nel forno | (= Futur I) |
| -Das Brot wird gebacken worden sein.<br>    = Il pane sarà stato cotto nel for-<br>    no. | (= Futur II) |

Per la coniugazione passiva completa in tutti i tempi e modi, si veda alla fine di questo capitolo l'esempio del verbo "loben = lodare".

### B) _Das inbegriffene, unausgedrückte Passiv_ = _Passivo implicito_

Si forma:

1. con                 "sein + Infinitiv mit "zu""

Si tratta di un vecchio germanismo riscontrabile anche in inglese, p.es. "This is to do". Questa forma serve soprattutto per variare il discorso in sostituzione dei verbi modali "müssen", "dürfen", "lassen" accompagnati da un infinito passivo:

z.B.:-Diese Arbeit ist zu machen! (= Diese Arbeit muss gemacht werden!) = Questo lavoro va fatto! (= Questo lavoro deve essere fatto!)

-Dieses Holz ist nicht zu spalten! (= Dieses Holz darf nicht gespaltet (gespalten) werden! - Dieses Holz lässt sich nicht spalten!) = Questo legno non si deve spaccare! (Può significare anche: "Questo legno non si lascia spaccare").

2. con            "haben + Infinitiv mit zu"

Anche questa forma serve soprattutto per sostituire il verbo modale "müssen" in una proposizione che può essere interpretata come passiva. Si tratta, anche in questo caso, di un germanismo riscontrabile pure in inglese, p.es. "You have to work.":

z.B.: -Du hast das sofort zu erledigen! (= Das musst du sofort erledigen! - Das muss von dir sofort erledigt werden! ) = Devi sbrigare subito questa faccenda (cosa)!

3. con il participio futuro passivo:

"zu + Partizip Praesens als attributives Adjektiv"

(= zu + participio presente usato come aggettivo attributivo)

Si veda in proposito "Das Partizip Futur" nel capitolo "Partizip Praesens", pag. 314. Anche questo passivo implicito, molto in uso nel linguaggio commerciale, serve a variare ed abbreviare (semplificare) il discorso, perché non solo sta in sostituzione del verbo modale "müssen", ma permette anche di eliminare la ripetizione cacofonica del passivo, evitando inoltre di dover usare una secondaria (la proposizione dipendente relativa):

z.B.:-Die zu liefernde Ware wurde noch nicht verfertigt. (Die Ware, die geliefert werden muss, wurde noch nicht verfertigt. = NB: Frase con due vocaboli in piú!) = La merce da spedire non è ancora stata allestita.

4. con il "passivo situazionale":

"sein + Partizip Perfekt" = Zustandspassiv

il "passivo situazionale" indica una situazione statica come risultato di un procedimento anteriore concluso; serve, allo scopo di variare e semplificare il discorso, in sostituzione del "passivo esplicito":

| Zustandspassiv | klar ausgedrücktes Passiv |
|---|---|
| die Ware ist verfertigt | die Ware wird verfertigt |
| die Ware war verfertigt | die Ware wurde verfertigt |
| die Ware ist verfertigt gewesen | die Ware ist verfertigt worden |
| die Ware war verfertigt gewesen | die Ware war verfertigt worden |
| die Ware wird verfertigt sein | die Ware wird verfertigt werden |

> z.B.: -Was ist denn mit der von uns bestellten Ware, wann liefern Sie
> sie uns? = Ma che ne è della merce da noi ordinata, quando
> ce la inviate?
> -Sie ist schon verfertigt, morgen geht sie an Sie ab. (Invece di
> dire: "Sie ist schon verfertigt worden",..= NB: un vocabolo in
> piú). = È già pronta (= è già stata allestita), Ve la spediamo do-
> mani.

5. con il participio assoluto:

"absolutes Partizip"

Si veda in proposito il capitolo "Das Partizip Perfekt – Das absolute
Partizip" regola 2, pag. 318-319. Si ha infatti un participio assoluto
in tedesco solo se il verbo è passivo o intransitivo e se esso si riferisce al soggetto della proposizione principale. Anche il "participio
assoluto" permette di evitare la forma passiva esplicita semplifi-
cando il discorso:

> z.B.:-Durch die feindliche Kugel getroffen, fiel der Soldat zu Boden
> hin. (Invece di dire: "Der Soldat, der durch die feindliche Kugel
> getroffen wurde, fiel zu Boden hin" = NB: Frase con ben tre vo-
> caboli in piú!) = Colpito dalla pallottola nemica, il soldato
> stramazzó al suolo.

6. con il "si" passivante:

unpersönliches Pronomen "man"

Per il passivo implicito formato da "man" si veda il paragrafo "Das
unpersönliche Passiv" regola 3, pag. 387.

7. con i seguenti verbi uniti al participio del verbo principale:

"bekommen, kriegen, erhalten, führen, bringen, nehmen,
gehören, bleiben + Partizip"

Si tratta di verbi modificanti (in grado cioé di fungere in modo simile
ai modali); essi sottintendono un passivo quando nella forma attiva
vengono uniti ad un participio. Tali forme verbali sostitutive del passivo esplicito servono a variare il discorso:

z.B.:-Das bleibt dir nicht erspart (Invece di dire: "Das wird dir nicht erspart). = Ció non lo puoi evitare (= Ció non ti verrà risparmiato.)

-Das ist uns, Gott sei Dank, erspart geblieben. = Ringraziando il Cielo, l'abbiamo scampata (... siamo stati risparmiati da ció).

-Ich bekomme ein Auto geschenkt (Mir wird ein Auto geschenkt). = Ricevo una macchina in dono (Mi viene regalata una macchina).

-Du kriegst (erhältst) all diese Auslagen erstattet (= Dir werden all diese Auslagen erstattet). = Tutte queste spese ti vengono rimborsate.

-Die Leute brachten (führten) den Verletzten getragen (Der Verletzte wurde von den Leuten getragen dahergebracht). = La gente portó il ferito in braccio.

{
-Rohes Gemüse vertrag ich nicht, ich bin allergisch. = Non sopporto la verdura cruda, sono allergica.

-Dann nimm es doch gekocht! (= Dann iss es, nachdem es gekocht worden ist!) = Ma allora prendila cotta! (Allora mangiala dopo averla cotta!)
}

-Diesem unkompetenten Elektriker gehört das Handwerk gelegt (Diesem unkompetenten Elektriker muss das Handwerk verboten werden). = A questo elettricista incompetente si dovrebbe interdire l'esercizio del suo mestiere.

8. con un aggettivo:

<mark>Adjektive mit Endung "-bar", "-lich"</mark>

Anche in tedesco il passivo può essere sostituito dagli aggettivi uscenti in "-bar" e "-lich" corrispondenti agli aggettivi italiani in "-ibile" "-abile": è questa una forma passiva implicita in grado di sostituire il verbo modale "können" accompagnato dall'infinito passivo:

z.B.: -Das ist ohne weiteres machbar (= Das kann ohne weiteres gemacht werden). = Ció è senz'altro fattibile.

-Was du geschrieben hast, ist unleserlich (...kann nicht gelesen werden). = Ció che hai scritto è illegibile.

9. con un sostantivo:

<mark>"Nomen actionis + Richtungsverb"</mark>

cioé con un sostantivo esprimente un'azione, accompagnato da un verbo di moto, piú precisamente da un verbo indicante direzione. In tali casi tuttavia la forma esplicita del passivo è piú breve, quindi da preferire alla forma implicita che va usata solo per variare il discorso.

z.B.: -Nach langer Debatte kam die Streitfrage der Lohnerhöhung zwischen den Gewerkschaften und der Regierung doch zu einem
guten Abschluss (È tuttavia meglio dire: "Nach langer Debatte
wurde die Streitfrage der Lohnerhöhung zwischen den Gewerkschaften und der Regierung doch gut abgeschlossen.). = Dopo
una lunga trattativa fra sindacati e governo, la vertenza sull'au-
mento dei salari andó a buon fine (... venne risolta).
-Die im letzten Augenblick erhaltene Nachricht gelangte doch
noch zum Druck (meglio dire:...wurde doch noch gedruckt). =
La notizia pervenuta all'ultimo istante poté essere ancora data
alla stampa (... venne per un pelo ancora stampata).

## UMWANDLUNG DES AKTIVS INS PASSIV

( Trasformazione della forma attiva in passiva )

1. *Umwandlung aktiver Sätze ohne Modalverb ins Passiv = trasformazione
di proposizioni attive senza verbo modale nella forma passiva*

> Aktive Form = forma attiva

In essa il soggetto compie l'azione:

z.B.: -Der Vater liebt die Töchter. = Il papà ama le figlie.

> Passive Form = forma passiva

In essa il soggetto subisce l'azione:

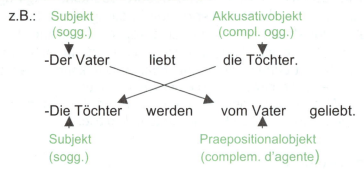

La trasformazione dall'attivo al passivo comporta i seguenti cambia-
menti:

a) Il soggetto attivo diviene complemento d'agente introdotto da "von
+ Dat." – "seitens + Gen." – "vonseiten + Gen." se esso è rappre-
sentato da una persona oppure da mezzi che necessitano del-
l'opera dell'uomo (= mezzi di trasporto, macchine ecc.), da animali,
nonché da gran parte dei fenomeni naturali.

**382**

z.B.: -Paul wurde nach dem Unfall von der Rettung ins Krankenhaus eingeliefert. = Dopo l'incidente Paolo fu trasportato dall'ambulanza in ospedale.

-Beim letzten Gewitter wurde ein Bauer auf seinem Feld von einem Blitz getroffen. = Durante l'ultimo temporale un contadino venne colpito nel suo campo da un fulmine.

-Seitens der Behörden wurden gegen diesen Missstand keine Vorkehrungen getroffen. = Contro questo malgoverno non sono stati presi dei provvedimenti da parte delle autorità.

b) Il soggetto attivo diventa perlopiú complemento di causa efficiente introdotto da "durch + Akk.", se si tratta di "invenzioni", "strumenti o mezzi inventati dall'uomo", "sostantivi astratti di calcolo, deduzione" ecc. nel senso di "per mezzo di" "a causa di":

z.B.: -Durch Watts Motorerfindung wurde die moderne Technik revolutioniert. = Attraverso l'invenzione del motore da parte di Watt, venne rivoluzionata la tecnica moderna.

NB:a)
L'uso delle preposizioni "von" e "durch" nel passivo non è sempre chiaro. Anche la chiara denominazione e distinzione italiana fra "complemento d'agente" e "complemento di causa efficiente" in tedesco non esiste; essi vengono chiamati ambedue dal "Duden", edizione 2006, pag. 555, con l'appellativo "das Agens" = complemento d'agente. Se si tratta di un agente volitivo, si usa "von"; diversamente, con un agente naturale senza volontà intenzionale si dovrebbe usare "durch". Si tratta tuttavia di una distinzione che non collima con l'uso pratico perché, come si è già visto con l'esempio del contadino colpito dal fulmine, prevale la preposizione "von", nonostante il fulmine non sia dotato di intelligenza e volontà. Seguono qui alcuni fra gli ulteriori esempi oscillanti:

z.B.:-Der Soldat wurde durch die feindliche Kugel getroffen. (corretto)
-Der Soldat wurde von einer feindlichen Kugel getroffen. (corretto)
= Il soldato fu colpito (dalla) da una pallottola nemica.
-Die Gletscher werden von der Sonne geschmolzen. = I ghiacciai vengono sciolti dal sole.
-Die Gletscher (schmelzen) werden durch die Klimawandlung geschmolzen. = I ghiacciai si sciolgono [vengono sciolti] a causa del cambiamento climatico.

Nonostante tali e altre oscillllazioni simili, le due regole su indicate sulla formazione del complemento d'agente e causa efficiente restano un valido aiuto.

NB:b)
Il complemento d'agente può rimanere sottinteso, può cioé non essere espresso quando il contesto lo rende ovvio o la sua evidenziazione non è necessaria. La sua messa in evidenza non deve tuttavia essere considerata un vero e proprio errore, in quanto non costituisce una cacofonia di disturbo come invece potrebbe essere l'inutile ripetizione del soggetto in proposizioni coordinate da "und" o "oder". Vale cioé il principio della prevalenza dell'espressione piú breve, quando essa è sufficientemente chiara; perché infatti usare un vocabolo in piú, se non serve? – La sua eventuale messa in evidenza dipende dal contesto:

z.B.:-Hier wird [von uns] getanzt. = Qui si balla [da parte nostra].

c) ==La trasformazione dalla forma attiva in passiva può comportare vari altri cambiamenti== nella proposizione perché, cambiando il soggetto, possono cambiare eventuali aggettivi possessivi per il loro diverso riferimento e per lo piú cambia, quando è necessario, il numero del predicato:

2. *Umwandlung aktiver Sätze mit Modalverb = trasformazione di proposizioni attive il cui predicato è modificato da un verbo modale*

==I verbi modali non possono avere la forma passiva:== con un modale nella proposizione passiva si ha quindi **sempre solo il passivo del verbo principale**. – Siccome i verbi modali esigono per loro natura l'infinito del verbo principale, con un modale nella proposizione passiva si ha perciò automaticamente sempre ==l'infinito passivo del verbo principale==:

L'infinito passivo presenta le seguenti forme:

a) <u>Infinitiv Praesens Passiv</u>:

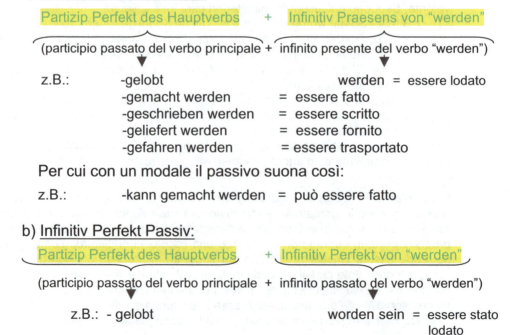

Per cui con un modale il passivo suona così:

z.B.:    -kann gemacht werden  = può essere fatto

b) <u>Infinitiv Perfekt Passiv</u>:

(participio passato del verbo principale + infinito passato del verbo "werden")

z.B.: - gelobt                    worden sein = essere stato
                                                     lodato

384

-gemacht worden sein     = essere stato fatto
-geschrieben worden sein = essere stato scritto
-gefahren worden sein     = essere stato trasportato

NB: "L'Infinitiv Perfekt Passiv" retto da un verbo modale non è frequente nella parlata comune; può tuttavia risultare necessario per azioni passive passate:

z.B.: -Ein solch gewaltiger Fehler kann unmöglich von Peter begangen (gemacht) worden sein, er ist zu vorsichtig. = Un errore così mastodontico non può essere stato fatto da Pietro, è una persona troppo prudente.

## _Zusammenfassendes, praktisches Beispiel = Esempio riassuntivo, pratico da memorizzare_

a) Forma attiva senza verbo modale nella proposizione:

-Wir bringen die Touristen in diesem Hotel unter. = Noi sistemiamo i turisti in questo hotel.

b) Forma passiva senza verbo modale nella proposizione:

-Die Touristen werden von uns in diesem Hotel untergebracht. = I turisti vengono da noi sistemati in questo hotel.

c) Forma passiva nel tempo presente con un modale nella proposizione:

-Die Touristen müssen von uns in diesem Hotel untergebracht werden. = I turisti devono essere sistemati da noi in questo hotel.

d) Forma passiva nel Perfekt (= passato prossimo) con un modale nella proposizione:

-Die Touristen haben von uns in diesem Hotel untergebracht werden müssen. = I turisti hanno dovuto essere sistemati da noi in questo hotel.

NB:
È ovvio che con un modale nella proposizione la parte finita del predicato è formata dallo stesso modale nei tempi semplici, dal suo ausiliare nei tempi composti. Nella trasformazione di una proposizione attiva – comprendente un verbo modale – in quella passiva, si deve quindi prestare la massima attenzione al fatto che **il verbo modale resta intatto assieme al suo verbo ausiliare!**
Il verbo modale deve essere solamente adattato col suo ausiliare al numero del nuovo soggetto, se questo lo richiede. Per maggior chiarezza si vedano i seguenti ulteriori esempi:

-Gisela hat Peter nicht finden können. = Gisella non ha potuto trovare
Pietro (aktive Form).

-Peter hat von Gisela nicht gefunden werden können. = Pietro non ha
potuto essere trovato da Gi-
sella (passive Form).

-Die Freunde haben Peter nicht finden können. = Gli amici non hanno potuto trovare Pietro (aktive
Form).

-Peter hat von den Freunden nicht gefunden werden können. = Pietro
non è stato potuto essere tro-
vato dagli amici (passive
Form).

(-Peter ist von den Freunden nicht gefunden werden können. = errore)


## DAS UNPERSÖNLICHE PASSIV

( Il passivo impersonale )

Esso riguarda la trasformazione di frasi attive senza complemento oggetto
in passive impersonali nei modi seguenti:

1. *Trasformazione di proposizioni attive senza complemento oggetto*

Se nella frase attiva, pur essendoci un verbo transitivo, manca il complemento oggetto, nella sua trasformazione in frase passiva funge da
soggetto il pronome "**es**" = soggetto impersonale. – Esso viene tuttavia espresso solo se si usa la costruzione diretta della proposizione
principale, in quanto serve da "tappabuco" (= per salvaguardare la
costruzione diretta). Usando invece la costruzione inversa (= Umstellung) sia della proposizone principale positiva sia della domanda, il
soggetto impersonale "es" sparisce ed è addirittura d'intralcio.

a) Forma attiva:

-Heute tanzen wir hier bis 12 Uhr. = Oggi noi qui balliamo fino alle 12.

b) Forma passiva con costruzione diretta:

-Es wird heute hier [von uns] bis 12 Uhr getanzt. = [Da parte nostra] oggi qui si balla fino alle 12.

386

c) Forma passiva + inversione della proposizione <mark>senza alcun soggetto</mark>:

> -Wird heute hier bis 12 getanzt? = Oggi qui si balla fino alle 12?
> -Ja, heute wird hier [von uns] bis 12 Uhr getanzt. = Sì, [da parte nostra] oggi qui si balla fino alle 12.

## 2. Proposizioni attive con verbi aventi una costruzione indiretta

<mark>I verbi tedeschi con costruzione indiretta, nonché i verbi reggenti complementi preposizionali</mark> (= reggenti cioé o un caso indiretto come il dativo oppure reggenti complementi determinati da una preposizione) non possono avere la forma passiva con un soggetto personale, in quanto nella forma attiva manca il complemento oggetto. Questi verbi <mark>possono</mark> tuttavia <mark>formare il passivo impersonale col pronome "es" come soggetto</mark>. Anche in questo caso il pronome impersonale "es" cade se si usa l'inversione:

a) Forma attiva:

> -Ein Mann hat mir geholfen. = Un uomo mi ha aiutato (= Un uomo ha aiutato me).
> -Wir lachten herzlich über diese Geschichte. = Noi ridemmo di questa storia a crepapelle.

b) Forma passiva con costruzione diretta della proposizione:

> -<mark>Es</mark> ist mir von einem Mann geholfen worden. = Sono stato aiutato da un uomo.
> -<mark>Es</mark> wurde von uns über diese Geschichte herzlich gelacht. = Di questa storia si rise da parte nostra a crepapelle.

c) Forma passiva con costruzione inversa della proposizione <mark>senza alcun soggetto</mark>:

> -Mir ist von einem Mann geholfen worden. = Sono stato aiutato da un uomo.
> -Über diese Geschichte wurde von uns herzlich gelacht. = Di questa storia noi ridemmo con piacere.

## 3. Proposizioni attive col soggetto impersonale "man"

Le proposizioni attive con il pronome impersonale "<mark>man</mark>" come soggetto possono essere volte <mark>al passivo col pronome impersonale "es" in funzione di soggetto</mark>, quando nella frase attiva manca un complemento oggetto. Il pronome impersonale "<mark>man</mark>" della frase attiva <u>**sparisce sempre nella frase passiva**</u> ("man" infatti non può essere usato nella proposizione passiva). Anche in tali casi il pronome impersonale "<mark>es</mark>" si <mark>usa solo</mark> se la proposizione principale passiva viene formata <mark>con la costruzione diretta</mark>. Usando l'inversione il pronome "es" sparisce.

a) Forma attiva:

-Man hat mir nicht geantwortet. = Non ebbi alcuna risposta.
-Man sagt seit kurzem, dass die Wissenschaftler wirksame Mittel gegen Aids gefunden haben (hätten). = Di recente si dice che gli scienziati abbiano trovato mezzi efficaci contro l'Aids.

b) Forma passiva con costruzione diretta della proposizione principale:

-Es ist mir nicht geantwortet worden. = Non mi è stato risposto (= Non mi è stata data alcuna risposta).
-Es wird seit kurzem gesagt, dass die Wissenschaftler wirksame Mittel gegen Aids gefunden haben (hätten). = Di recente si va dicendo che gli scienziati abbiano trovato dei mezzi efficaci contro l'Aids.

c) Forma passiva con costruzione inversa della proposizone principale senza alcun soggetto:

-Mir ist nicht geantwortet worden. = Non mi è stato risposto (= Non mi è stata data alcuna risposta).
-Seit kurzem wird gesagt, dass die Wissenschaftler wirksame Mittel gegen Aids gefunden haben (hätten). = Di recente si va dicendo che gli scienziati abbiano trovato mezzi efficaci contro l'Aids.

Tuttavia:

(complemento oggetto)

-Man grüßte uns freundlich (aktive Form).

-Wir wurden freundlich gegrüßt (normale passive Form).

(soggetto)

In questo esempio nella forma attiva con il soggetto "man" – che nella frase passiva sparisce – c'é il complemento oggetto "uns" che nella forma passiva diventa soggetto; si tratta quindi non di un passivo impersonale, bensì di un normalissimo passivo personale.

# PASSIV VON "LOBEN"

## ( Passivo del verbo "lodare" )

<table>
<tr><td colspan="2"><u>I n d i k a t i v</u></td><td colspan="2"><u>K o n j u n k t i v</u></td></tr>
</table>

### Praesens

| | | | | |
|---|---|---|---|---|
| ich | werde gelobt | = io sono lodato | ich | werde gelobt |
| du | wirst gelobt | io vengo lodato | du | werdest gelobt |
| er | wird gelobt | | er | werde gelobt |
| wir | werden gelobt | | wir | werden gelobt |
| ihr | werdet gelobt | | ihr | werdet gelobt |
| sie | werden gelobt | | sie | werden gelobt |

### Praeteritum

| | | | | |
|---|---|---|---|---|
| ich | wurde gelobt | = io fui lodato | ich | würde gelobt |
| du | wurdest gelobt | io venni lodato | du | würdest gelobt |
| er | wurde gelobt | io ero lodato | er | würde gelobt |
| wir | wurden gelobt | io venivo lodato | wir | würden gelobt |
| ihr | wurdet gelobt | | ihr | würdet gelobt |
| sie | wurden gelobt | | sie | würden gelobt |

### Perfekt

| | | | | |
|---|---|---|---|---|
| ich | bin gelobt worden | = io sono | ich | sei gelobt worden |
| du | bist gelobt worden | stato lodato | du | seiest gelobt worden |
| er | ist gelobt worden | | er | sei gelobt worden |
| wir | sind gelobt worden | | wir | seien gelobt worden |
| ihr | seid gelobt worden | | ihr | seiet gelobt worden |
| sie | sind gelobt worden | | sie | seien gelobt worden |

### Plusquamperfekt

| | | | | |
|---|---|---|---|---|
| ich | war gelobt worden | = io ero | ich | wäre gelobt worden |
| du | warst gelobt worden | stato lodato | du | wärest gelobt worden |
| er | war gelobt worden | | er | wäre gelobt worden |
| wir | waren gelobt worden | | wir | wären gelobt worden |
| ihr | wart gelobt worden | | ihr | wäret gelobt worden |
| sie | waren gelobt worden | | sie | wären gelobt worden |

## Indikativ                                                    ## Konjunktiv

### Futur I

| ich | werde gelobt werden | | ich | werde gelobt werden |
|-----|---------------------|--|-----|---------------------|
| du | wirst gelobt werden | | du | werdest gelobt werden |
| er | wird gelobt werden | | er | werde gelobt werden |
| wir | werden gelobt werden | | wir | werden gelobt werden |
| ihr | werdet gelobt werden | | ihr | werdet gelobt werden |
| sie | werden gelobt werden | | sie | werden gelobt werden |

= io saró lodato

### Futur II

| ich | werde gelobt worden sein | | ich | werde gelobt worden sein |
|-----|--------------------------|--|-----|--------------------------|
| du | wirst gelobt worden sein | | du | werdest gelobt worden sein |
| er | wird gelobt worden sein | | er | werde gelobt worden sein |
| wir | werden gelobt worden sein | | wir | werden gelobt worden sein |
| ihr | werdet gelobt worden sein | | ihr | werdet gelobt worden sein |
| sie | werden gelobt worden sein | | sie | werden gelobt worden sein |

= io saró stato lodato

### Imperativ

| 2. Person Singular: | werde gelobt! - sei gelobt! | = sii lodato! |
|---|---|---|
| 2. Person Plural: | werdet gelobt! - seid gelobt! | = siate lodati! |
| 1. Person Plural: | werden wir gelobt! - seien wir gelobt! | = siamo lodati! |
| Höflichkeitsform: | werden Sie gelobt! - seien Sie gelobt! | = sia lodata Lei! |

### Infinitiv

Praesens: gelobt werden = essere lodato
Perfekt: gelobt worden sein = essere stato lodato

### Partizip

Praesens: - -
Perfekt: gelobt worden = stato lodato

# DER KONJUNKTIV

( Il modo congiuntivo )

Nella lingua tedesca il modo congiuntivo non ha quella importante funzione e rilevanza che detiene in italiano, sia perché molti verbi tedeschi non hanno forme congiuntive chiare sia perché in tedesco non esiste un vero e proprio modo condizionale al quale dover controbilanciare il congiuntivo.

A differenza di molte lingue indoeuropee, si può quindi affermare che il tedesco è molto semplice nella formazione della "*consecutio temporum*", proprio per la sua facilità di formazione e uso limitato del congiuntivo.

---

## A) Form = forma

---

## *Konjunktiv I*

Le grammatiche moderne preferiscono semplificare, raggruppando le forme "Konjunktiv Praesens, Konjunktiv Perfekt e Konjunktiv Futur" sotto la denominazione "**Konjunktiv I**", perché tutti questi tempi sono formati da un presente (o dal presente congiuntivo del verbo principale o dal presente congiuntivo dell'ausiliare):

$$\text{Konjunktiv I} = \begin{cases} \text{"Konjunktiv Praesens"} \\ \text{"Konjunktiv Futur"} \\ \text{"Konjunktiv Perfekt"} \end{cases}$$

### 1. "*Konjunktiv I Praesens*" = *congiuntivo presente*

Molte forme del "Konjunktiv I Praesens" sono nella stragrande maggioranza dei verbi identiche a quelle del presente indicativo. Segue qui un elenco di verbi con forme del "Konjunktiv I Praesens" differenziate dall'indicativo presente; si tratta di un elenco di forme distinte a decrescere, vengono cioé messe in evidenza solo le forme del "Konjunktiv I" distinte dalle forme dell'indicativo: nel § a) sono tutte ben distinte, man mano diminuiscono fino a giungere a una sola forma distinta al § e):

a) "Konjunktiv I Praesens" con <mark>tutte le persone distinte</mark>:
l'unico verbo ad avere tutte le persone del "Konjunktiv I Praesens"
ben distinte dall' "Indikativ Praesens" è l'ausiliare "sein = essere":

| | | | |
|---|---|---|---|
| ich | sei | = | che io sia |
| du | seist (seiest) | = | che tu sia |
| er | sei | = | che egli sia |
| wir | seien | = | che noi siamo |
| ihr | seiet | = | che voi siate |
| sie | seien | = | che essi siano |

b) "Konjunktiv I Praesens" con <mark>quattro persone distinte</mark>:
il "Konjunktiv I Praesens" dei verbi modali si distingue dall' "Indikativ
Praesens" in quattro persone (si vedano tutte le forme del "Konjunktiv I Praesens" dei modali riportate nelle pagine 364-365):

| | | | |
|---|---|---|---|
| ich | müsse | = | che io debba |
| du | müssest | = | che tu debba |
| er | müsse | = | che egli debba |
| wir | müssen | = | che noi dobbiamo |
| ihr | müsset | = | che voi dobbiate |
| sie | müssen | = | che essi debbano |

NB: I verbi modali, a-venti l'Umlaut nel plu-rale del presente indi-cativo, subiscono la metafonesi anche nel singolare del presen-te congiuntivo.

c) "Konjunktiv I Praesens" con <mark>tre persone distinte</mark>:
la stragrande maggioranza dei verbi sia deboli che forti con tema u-
scente in consonante normale si distingue nel "Praesens Konjunktiv"
dal "Praesens Indikativ" in sole tre persone:

α) verbi deboli:

| | | | |
|---|---|---|---|
| ich | mache | = | che io faccia |
| du | machest | = | che tu faccia |
| er | mache | = | che egli faccia |
| wir | machen | = | che noi facciamo |
| ihr | machet | = | che voi facciate |
| sie | machen | = | che essi facciano |

β) verbi forti:

| | | | |
|---|---|---|---|
| ich | habe | = | che io abbia |
| du | habest | = | che tu abbia |
| er | habe | = | che egli abbia |
| wir | haben | = | che noi abbiamo |
| ihr | habet | = | che voi abbiate |
| sie | haben | = | che essi abbiano |

| ich | fahre | = che io viaggi |
|---|---|---|
| du | fahrest | = che tu viaggi |
| er | fahre | = che egli viaggi |
| wir | fahren | = che noi viaggiamo |
| ihr | fahret | = che voi viaggiate |
| sie | fahren | = che essi viaggino |

NB: I verbi forti aventi l'Umlaut, cioé la metafonesi nella seconda e terza persona del presente indicativo, non la mantengono nel presente congiuntivo!

| ich | nehme | = che io prenda |
|---|---|---|
| du | nehmest | = che tu prenda |
| er | nehme | = che egli prenda |
| wir | nehmen | = che noi prendiamo |
| ihr | nehmet | = che voi prendiate |
| sie | nehmen | = che essi prendano |

d) "Konjunktiv I Praesens" con due sole persone distinte:
il verbo "werden" e i verbi forti uscenti in consonante dentale "-t " hanno nel "Konjunktiv I Praesens" due sole persone che nella loro forma si distinguono dal presente indicativo:

| ich | werde | = che io diventi |
|---|---|---|
| du | werdest | = che tu diventi |
| er | werde | = che egli diventi |
| wir | werden | = che noi diventiamo |
| ihr | werdet | = che voi diventiate |
| sie | werden | = che essi diventino |

| ich | trete | = che io calpesti |
|---|---|---|
| du | tretest | = che tu calpesti |
| er | trete | = che egli calpesti |
| wir | treten | = che noi calpestiamo |
| ihr | tretet | = che voi calpestiate |
| sie | treten | = che essi calpestino |

e) "Konjunktiv I Praesens" con una sola persona distinta:
formano il "Praesens Konjunktiv" con una sola persona distinta dall'indicativo presente:
   α) i verbi deboli uscenti in consonante dentale "-t, -d" come "warten", "baden" ecc.
   β) i verbi forti uscenti in consonante dentale "-d" come "leiden", "binden", "finden" ecc.

393

γ) i verbi deboli uscenti in consonante nasale "-n" non preceduta da rotante o liquida "-r", come "rechnen", "zeichnen" ecc.

δ) i verbi deboli uscenti in consonante liquida "-l" come "sammeln", "bügeln" ecc.

| | | | |
|---|---|---|---|
| ich | warte | = | che io aspetti |
| du | wartest | = | che tu aspetti |
| er | warte | = | che egli aspetti |
| wir | warten | = | che noi aspettiamo |
| ihr | wartet | = | che voi aspettiate |
| sie | warten | = | che essi aspettino |

| | | | |
|---|---|---|---|
| ich | leide | = | che io soffra |
| du | leidest | = | che tu soffra |
| er | leide | = | che egli soffra |
| wir | leiden | = | che noi soffriamo |
| ihr | leidet | = | che voi soffriate |
| sie | leiden | = | che essi soffrano |

| | | | |
|---|---|---|---|
| ich | rechne | = | che io calcoli |
| du | rechnest | = | che tu calcoli |
| er | rechne | = | che egli calcoli |
| wir | rechnen | = | che noi calcoliamo |
| ihr | rechnet | = | che voi calcoliate |
| sie | rechnen | = | che essi calcolino |

| | | | |
|---|---|---|---|
| ich | sammle | = | che io raccolga |
| du | sammelst | = | che tu raccolga |
| er | sammle | = | che egli raccolga |
| wir | sammeln | = | che noi raccogliamo |
| ihr | sammelt | = | che voi raccogliate |
| sie | sammeln | = | che essi raccolgano |

2. "*Konjunktiv I Perfekt*" = *passato prossimo congiuntivo*

| | | | | | | |
|---|---|---|---|---|---|---|
| ich | habe gemacht | = che io | ich | sei gefahren | = che io sia andato |
| du | habest gemacht | abbia fatto | du | seiest gefahren | |
| er | habe gemacht | | er | sei gefahren | |
| wir | haben gemacht | | wir | seien gefahren | |
| ihr | habet gemacht | | ihr | seiet gefahren | |
| sie | haben gemacht | | sie | seien gefahren | |

## 3. "*Konjunktiv I Futur*" = *congiuntivo futuro*

| | | |
|---|---|---|
| ich | werde machen | NB: In italiano non esiste. |
| du | werdest machen | |
| er | werde machen | |
| wir | werden machen | |
| ihr | werdet machen | |
| sie | werden machen | |

# *Konjunktiv II*

Per semplificare, il "Konjunktiv Praeteritum" e il "Konjunktiv Plusquam-perfekt" vengono raggruppati dalle grammatiche moderne sotto la deno-minazione "**Konjunktiv II**", perché tutti questi tempi sono formati da un Praeteritum (o dal preterito congiuntivo del verbo principale o dal preterito congiuntivo dell'ausiliare):

$$\text{Konjunktiv II} \;=\; \begin{cases} \text{"Konjunktiv Praeteritum"} \\ \text{"Konjunktiv Plusquamperfekt"} \end{cases}$$

Il "Konjunktiv II" si distingue dal preterito indicativo solo attraverso l'Umlaut (= la metafonesi) della vocale radicale, se questa è modificabile. I verbi deboli, pur avendo la vocale radicale modificabile, non prendono l'Umlaut al preterito congiuntivo: così per esempio "machte" resta invariato (si ha qualche rara eccezione solo nelle regioni del Sud della parlata tedesca).

## 1. "*Konjunktiv II Praeteritum*" *con forme distinte e indipendenti dal* "*Praeteritum Indikativ*"

Hanno il "Konjunktiv II Praeteritum" con forme distinte i seguenti verbi:
   a) verbi ausiliari: sein; haben; werden;
   b) verbi modali: müssen; können; dürfen; mögen (wollen e sollen, pur essendo molto usati al congiuntivo preterito non prendono l'Umlaut e hanno le stesse forme del presente indicativo);
   c) diversi verbi forti (con vocale radicale modificabile). Tuttavia, non tutte le forme del "Konjunktiv II Praeteritum" date dai verbi forti sono in uso. Vi sono poi diversi verbi forti con la vocale radicale "i" che formano il "Konj. II Praetertitum" aggiungendo la desinen-za "e" ad alcune persone;
   d) qualche verbo debole con vocale radicale modificabile: si tratta di eccezioni limitate alla parlata del Sud, Baviera e Austria.

Beispiele:

| Praeteritum Indikativ | Praeteritum Konjunktiv | Plusquamperfekt Konjunktiv |
|---|---|---|
| ich war | ich wäre | ich wäre gewesen |
| ich hatte | ich hätte | ich hätte gehabt |
| ich wurde | ich würde | ich wäre geworden |
| ich musste | ich müsste | ich hätte gemusst |
| ich konnte | ich könnte | ich hätte gekonnt |
| ich durfte | ich dürfte | ich hätte gedurft |
| ich mochte | ich möchte | ich hätte gemocht |
| ich stand | ich stände, stünde | ich wäre gestanden |
| ich gab | ich gäbe | ich hätte gegeben |
| ich ging | ich ginge, du gingest er ginge, ihr ginget | ich wäre gegangen |
| ich brauchte | ich bräuchte (Baviera, Austria) | ich hätte gebraucht |

## 2. *Konjunktiv II con circonlocuzione*

I verbi deboli hanno quindi, fatte pochissime eccezioni, il "Konjunktiv II Praeteritum" in tutte le sue forme, senza distinzione alcuna, uguale al preterito indicativo:

| Praeteritum Indikativ | Praeteritum Konjunktiv |
|---|---|
| ich arbeitete | ich arbeitete |
| du arbeitetest | du arbeitetest |
| er arbeitete | er arbeitete |
| wir arbeiteten | wir arbeiteten |
| ihr arbeitetet | ihr arbeitetet |
| sie arbeiteten | sie arbeiteten |

Per tutti i verbi con forme del "Konjunktiv II Praeteritum" identiche al preterito indicativo si ricorre, nella formazione del Konjunktiv II, alla seguente circonlocuzione:

a) "würde + Infinitiv Praesens des Hauptverbs" = "würde + infinito presente del verbo principale.
Alla pari del "Konjunktiv II Praeteritum" anche la circonlocuzione con "würde + Infinitiv Praesens" corrisponde in italiano sia al "congiuntivo imperfetto" che al "condizionale presente":

| ich würde arbeiten | = che io lavorassi / io lavorerei |
|---|---|
| du würdest arbeiten | = che tu lavorassi / tu lavoreresti |
| er würde arbeiten | = che lui lavorasse / lui lavorerebbe |
| wir würden arbeiten | = che noi lavorassimo / noi lavoreremmo |
| ihr würdet arbeiten | = che voi lavoraste / voi lavorereste |
| sie würden arbeiten | = che essi lavorassero / essi lavorerebbero |

> z.B.: -Ich möchte, ihr würdet fleißiger und besser arbeiten. = Vorrei che voi lavoraste con piú diligenza e in modo migliore.
> -Wir würden schon fleißiger und besser arbeiten, wenn Sie unseren Lohnasprüchen entgegenkämen. = Noi lavoreremmo con piú diligenza e in modo migliore, se lei venisse incontro alle nostre richieste salariali.

b) "würde + Infinitiv Perfekt des Hauptverbs" = werden + infinito passato del verbo principale.
Al pari del "Konjunktiv II Plusquamperfekt" la circonlocuzione con "würde + Infinitiv Perfekt" corrisponde in italiano sia al "congiuntivo trapassato" che al "condizionale passato":

ich würde geahnt haben = che io avessi immaginato / io avrei immaginato
du würdest geahnt haben = che tu avessi immaginato / tu avresti immaginato
er würde geahnt haben = che lui avesse immaginato / lui avrebbe immaginato
wir würden geahnt haben = che noi avessimo immaginato / noi avremmo imm.
ihr würdet geahnt haben = che voi aveste immaginato / voi avreste immaginato
sie würden geahnt haben = che essi avessero immaginato / essi avrebbero i.

> z.B.: -Niemand von den Freunden, die die erkrankte Inge nach so langer Zeit nicht mehr sahen, würde sie nicht nur nicht erkannt, sondern nicht einmal geahnt haben, dass es sich um ihre Freundin handelte. = Nessuno degli amici che non vedevano l'ammalata da così tanto tempo, avrebbe non solo non riconosciuto, ma neppure immaginato che si trattasse di Inge.

Questa forma così pesante; raramente in uso; viene normalmente sostituita da quella piú semplice, chiara, distinta ed equivalente del "Konjunktiv II Plusquamperfekt" z.B.: Niemand..., hätte sie nicht nur nicht erkannt,.....

ich hätte geahnt = ch'io avessi immaginato, io avrei immaginato
ich wäre abgefahren = ch'io fossi partito, io sarei partito

NB:
La circonlocuzione con "würde + infinito" può essere usata con tutti i verbi, anche con gli ausiliari e i modali, ma solo per variare il discorso, per diversificare, per evitare cioé cacofonie, dopo aver p.e. usato in un contesto piú volte la forma "wäre" o hätte".
È del tutto errato affermare che il "Konjunktiv II" in tedesco si forma semplicemente con "würde + infinito", ignorando tutte le forme dei verbi forti

Oggi la lingua tedesca si è molto impoverita rispetto ai secoli passati, perché molte forme forti del "Konjunktiv II" ben distinte dall'indicativo sono andate purtroppo in disuso e altre ancora sono ritenute antiquate. Si veda per esempio l'uso di "flöge" = Konjunktiv II di "fliegen, flog, geflogen = volare":

> "Es war, al hätt' der Himmel die Erde still geküsst,
> Dass sie im Blütenschimmer von ihm nur träumen müsst'.

> Die Luft ging durch die Felder, die Ähren wogten sacht,
> Es rauschten leis die Wälder, so sternklar war die Nacht.

> Und meine Seele spannte weit ihre Flügel aus,
> flog durch die stillen Lande, als flöge sie nach Haus.
>
> (**Eichendorff**: "Mondnacht")

Fra i tre congiuntivi di questa stupenda poesia romantica, quello che piú spicca, dando al canto un ulteriore tocco lirico particolare, è il Konj. II "flöge". Nella parlata comune odierna tuttavia, "flöge", pur essendo un congiuntivo meraviglioso, dà quasi l'impressione di una forma troppo ricercata se lo si applica al volo in aereo; non così invece in altri contesti come ad es.:

> Pass auf! Wenn das Kind auf diesem groben Kies hinflöge (hinfliegen sollte), könnte es sich ziemlich weh tun. = Attenta! Se il bambino cadesse (dovesse cadere) su questa ghiaia così grossolana, potrebbe farsi parecchio male.

Formare tutti i "Konjunktiv II" dei verbi forti con "würde + Infinito", come si tende ad insegnare in qualche scuola, significherebbe impoverire ulteriormente la lingua tedesca. Ed è veramente triste constatare il lassismo scolastico che vige anche in Germania nel trascurare o addirittura ignorare tali strutture. Si consiglia pertanto ai discenti di usare almeno le seguenti poche forme rimaste ancora abbastanza o molto in uso in un buon "Hochdeutsch":

> "bäte – bliebe – erschräke – gäbe – ginge – gelänge – hieße – hülfe – käme – ließe – riefe – schiene – schriebe – sähe – säße – spräche – stünde / stände – träfe – täte – vergäße – verlöre  wüsste",

forme che nel nostro elenco dei verbi forti sono state messe in massimo risalto. Per tutto il linguaggio umano vale infatti il principio glottologico secondo cui, se in una lingua un'espressione può essere resa in modo altrettanto chiaro con un solo vocabolo anziché con due, sia da usare l'espressione con un solo vocabolo, ricorrendo a quella con due solo per diversificare o variare il discorso. Sia la grammatica ufficiale "Duden" che ogni testo scolastico di rispetto indica nell'elenco dei verbi forti anche le forme del "Konjunktiv II" piú in uso.

Se in frasi ipotetiche uno dei due congiuntivi viene già espresso con una forma di congiuntivo chiara, l'altro congiuntivo può benissimo essere espresso con una forma meno chiara, non distinta dall'indicativo:

z.B.:-Es ~~würde~~ alle freuen, wenn Peter uns besuchen ~~würde~~. = Farebbe piacere a tutti se Pietro venisse a trovarci.

Frase grammaticalmente corretta, ma pesante a causa della ripetizione caco-fonica dell'ausiliare "würde"; è quindi meglio variare come segue:

   -Besuchte uns Peter, würde es alle freuen. (corretto)
   -Wenn uns Peter besuchte, würde es alle freuen. (corretto)

Il contesto con "würde freuen" fa capire che anche la forma "besuchte" identica all'indicativo sia qui da interpretare come un "Konjunktiv II".

---

## B) Gebrauch = uso

Nella maggioranza delle lingue indoeuropee il modo congiuntivo serve perlopiú ad esprimere ipotesi: soprattutto irrealtà, desiderio, possibilità, speranza, dubbio ecc.. Fra gli usi particolari del congiuntivo in tedesco, si tengano presenti (a differenza dell'italiano):

a) l'uso del "Konjunktiv I" nel discorso indiretto;
b) l'uso del "Konjunktiv II" al posto del condizionale italiano, perché in tedesco un vero e proprio modo condizionale non esiste.

Mentre in italiano il congiuntivo compare anche in moltissimi tipi di pro-posizioni secondarie dipendenti, come ad esempio nelle concessive, in tedesco il suo uso nelle secondarie è molto piú limitato.

## *Konjunktiv I*

Si usa il "Konjunktiv I":

1. 
> nel discorso indiretto = indirekte Rede

Il "Konjunktiv I" forma la base del discorso indiretto (si vedano allo sco-po le regole dettagliate nel paragrafo "Die indirekte Rede" a pag. 407):

  z.B.: -Er sagte, sein Vater sei nicht da. = Lui disse che suo padre non c'era.
    -Er erzählte mir, sein Freund habe einen schweren Verkehrsunfall gehabt. = Lui mi raccontò che il suo amico aveva avuto un grave incidente stradale.

2. | nelle proposizioni oggettive |

a) Dopo i verbi di conoscenza, dizione, speranza o timore come "den-ken, glauben, meinen, der Meinung sein, sagen, erklären, hoffen, fürchten ecc." per descrivere fatti o situazioni ipotetiche che, si sup-pone, si verifichino soltanto nel presente o futuro:

   z.B.:-Ich glaubte, dass Peter krank sei. = Credevo che Pietro fosse malato (tuttavia, a quanto pare, in questo momento egli non lo é).
   -Ich fürchtete, das Kind könne sich weh tun. = Temevo che il bam-bino potesse (in questa situazione) farsi del male.

b) Dopo i verbi "wünschen" / "bitten", esprimenti desiderio o preghiera, si usa la circonlocuzione con il "Konjunktiv I" del verbo "mögen":

   z.B.:-Ich wünsche, Peter möge bald kommen. = Desidero che Pietro venga presto.
   -Bitte ihn, er möge so gut sein, mir das Kind zur Schule zu bringen. = Chiedigli di essere così gentile e di portarmi il bambino a scuola.

3. | nelle proposizioni finali = Finalsätze |

Nel linguaggio elevato (non certo nel linguaggio impoverito e spesso rozzo di molti giovani d'oggi) si può usare il "Konjunktiv I" nelle pro-posizioni finali introdotte dalla congiunzione "damit":

   z.B.: -Die Eltern schicken ihr Kind in diese Sprachschule, damit es flei-ßig Deutsch lerne. = I genitori mandano il loro bambino in questa scuola di lingue, affinché impari diligentemente il tedesco.

4. | in espressioni concessive = Konzessivausdrücke |

Il "Konjunktiv I" si usa in alcune espressioni concessive fisse; spe-cialmente se sono accompagnate dal verbo "sein":

   -"Sei es...sei es (sei es...wie auch)" = "sia...sia (..che; ..come pure)"
   -"Wie dem auch sei" = "comunque sia"
   -"Was immer auch komme" = "qualunque cosa accada"

   z.B.: -Sei es du wie (auch) ich müssen heute noch die Hausaufgaben er-ledigen. = Sia tu che io dobbiamo oggi ancora sbrigare i compiti di casa.
   -Wie dem auch sei, müssen wir handeln. = Comunque stiano le cose, noi dobbiamo agire.
   -Was immer auch komme, ich mache mit. = Qualunque cosa ac-cada, io ci sto (..., io collaboro. - ..., vi prendo parte).

5. | nelle proposizioni principali ottative = Wunschsätze |

Il "Konjunktiv I" ricorre anche in proposizioni principali ottative, proposizioni cioé esprimenti desiderio, ==quando ci si riferisce ad un fatto,
ad una situazione presente o futura di cui ci si aspetta o ci si augura
un esito positivo==.

> z.B.: -Möge Peter bald genesen! = Possa Pietro guarire presto! (Nel
> senso che le prospettive di guarigione di Pietro sono realistiche e
> l'augurio prevede un esito positivo).

6. | per esprimere esortazione, incitamento, consiglio
= bei Aufforderung, zur Anregung, als Ratschlag |

Il "Konjunktiv I" ==si usa anche per consigliare, esortare, raccomandare==:

> z.B.: Man bedenke, dass eine solche Entscheidung gar manchen
> schaden könnte. = Si tenga presente che una decisione del
> genere potrebbe recare danno a diverse persone.

## _Konjunktiv II_

Esso va usato:
### A) _nelle seguenti proposizioni dipendenti o secondarie:_

1. | nelle condizionali = Bedingungssätze |

Nelle prop. ipotetiche esprime ==ipotesi poco probabile o improbabile==.

a) Si usa il "Konjunktiv II Praeteritum" quando l'ipotesi riguarda un'a-
zione o situazione riferita al ==presente o al futuro==:

> z.B.: -Wäre ich eine Königin / ein König, würde ich vielen Armen helfen
> (Wenn ich eine Königin / ein König wäre, würde ich vielen Armen
> helfen). = S'io fossi una regina / un re, aiuterei molti poveri.
> -Läge Richard nicht im Krankenhaus, säße auch er jetzt hier
> zusammen mit uns bei dieser schönen Party (Wenn Richard nicht
> im Krankenhaus läge, säße auch er jetzt hier zusammen mit uns
> bei dieser schönen Party). = Se Riccardo non si trovasse all'o-
> spedale, ora siederebbe anche lui qui, assieme a noi, per parteci-
> pare a questo bel party.

b) Si usa il "Konjunktiv II Plusquamperfekt" quando l'ipotesi riguarda a-
zioni o situazioni riferite al ==passato==:

z.B.:-Wenn ich gewusst hätte, dass ihr nicht zum Essen kommt, hätte ich bestimmt nicht so viel eingekauft (Hätte ich gewusst, dass ihr nicht zum Essen kommt, hätte ich bestimmt nicht so viel eingekauft). = S'io avessi saputo che voi non venivate a pranzo, non avrei certo fatto una spesa così grossa.

-Hätte der Verletzte gleich ärztliche Hilfe bekommen, wäre er gewiss nicht gestorben (Wenn der Verletzte gleich ärztliche Hilfe bekommen hätte, wäre er gewiss nicht gestorben). = Se il ferito avesse ottenuto subito assistenza medica, non sarebbe certamente morto.

c) Si usa la correlanzione dei tempi (=Zeitenfolge): "Konjunktiv II Plusquamperfekt" nella ipotetica, "Konjunktiv II Praeteritum" nella principale, quando l'ipotesi riguarda un'azione o situazione passata, mentre nella principale ci si riferisce al presente:

z.B.:-Hättest du dich mehr geübt (Plusquamperfekt), sprächest (Praeteritum) du jetzt ein besseres Deutsch. = Se tu ti fossi esercitata di piú, ora parleresti un tedesco migliore.

2. | nelle oggettive = Objektivsätze |

Il "Konjunktiv II" sta dopo i verbi di conoscenza, dizione, speranza o timore come: "denken, glauben, meinen, der Meinung sein, sagen, erklären, hoffen, fürchten ecc." per descrivere situazioni o fatti soltanto ipotetici che in realtà non si verificano o non si sono verificati.

a) Si usa il "Konjunktiv II Praetertitum" per situazioni o fatti che, si suppone, si verifichino nel presente o futuro (= irrealtà nel presente).

z.B.: -Ich glaubte, Peter hätte heute (morgen) Urlaub (Ich glaubte, dass Peter heute Urlaub hätte). = Pensavo che Pietro oggi avesse (domani avrebbe avuto) un giorno di ferie.

-Wir waren überzeugt, Bert besäße das Vertrauen seines Chefs (Wir waren überzeugt, dass Bert das Vertrauen seines Chefs besäße). = Eravamo convinti che Bert godesse della fiducia del suo capo.

b) Si usa il "Konjunktiv II Plusquamperfekt" per situazioni o fatti che, si suppone, si siano verificati nel passato, ma che non si sono verificati (= irrealtà nel passato):

z.B.: -Ich glaubte, Peter hätte gestern Urlaub gehabt ( Ich glaubte, dass Peter gestern Urlaub gehabt hätte). = Io credevo che Pietro ieri avesse avuto un giorno di ferie.

-Dein Vater war der Meinung, du hättest die Prüfung bestanden (Dein Vater war der Meinung, dass du die Prüfung bestanden hättest). = Tuo papà credeva che tu avessi superato l'esame.

3. | nelle modali o comparative ipotetiche
     = Modal- oder Komparativsätze

Anche nelle comparative introdotte da "als ob" / "als" / "als wenn" si hano paragoni con ipotesi improbabili esprimenti irrealtà:

> z.B.: -Peter spricht Deutsch, als ob (als wenn) er ein Deutscher wäre (Peter spricht Deutsch, als wäre er ein Deutscher). = Pietro parla tedesco come se fosse un tedesco.
> -Er tut nur so, als ob er nicht verstünde (Er tut nur so, als verstünde er nicht). = Lui fa solo finta di non capire [Alla lettera: Lui fa solo così (si comporta così), come se non capisse].

4. | nelle consecutive = Konsekutivsätze

Il "Konjunktiv II" si può usare nelle proposizioni consecutive introdotte da "als dass", preceduto da "zu" o introdotte da "dass", congiunzione questa che viene preceduta da una negazione con "so" nella proposizione principale: non è tuttavia un errore usare in tali casi anche il modo indicativo!

> z.B.: -Diese Probe ist viel zu schwer, als dass ich sie bestehen könnte (Oppure: ..., als dass ich sie bestehen kann). = Questa prova è troppo difficile, perché io la possa sostenere.
> -Niemand ist so allein, dass er nicht wenigstens einen Freund hätte (Oppure: ..., dass er nicht wenigstens einen Freund hat). = Nessuno è così solo, da non avere un amico.

## B) *Nelle seguenti proposizioni principali*

1. | nelle principali ottative= Wunschsätze

Anche in proposizioni esprimenti desiderio si applica il "Konjunktiv II"; in tali casi esso è per lo più accompagnato da avverbi enfatici come "doch" / "nur"; l'avverbio "nur" sta di solito subito dopo il soggetto.

a) Si usa il "Konjunktiv II Praeteritum" quando ci si riferisce ad un fatto o ad una situazione presente o futura con esito del tutto improbabile (= irrealtà nel presente):

z.B.: -Könnte Peter doch noch gesund werden! = Potesse Pietro ancora guarire! (NB: Con tale forma ottativa si prevede che le possibilità di guarigione di Pietro sono o scarse o del tutto nulle).

-Wenn wir doch einmal beim Lotto gewännen! = Potessimo una buona volta vincere al lotto!

-Paul hat immer so viel Pech. Hätte er nur etwas mehr Glück! = Paolo ha sempre così tanta sfortuna. Potesse egli aver un po' piú di fortuna!

b) Si usa il "Konjunktiv II Plusquamperfekt" quando il desiderio riguarda un'azione o un evento del passato che si vorrebbe non fosse mai avvenuto: (= irrealtà nel passato):

z.B.: -Wäre doch (nur) der zweite Weltkrieg nie gewesen! = Non ci fosse mai stata la seconda guerra mondiale!

-Hätten wir doch voriges Jahr nicht so viele finanzielle Probleme gehabt! Wir stünden jetzt besser. = Non avessimo l'anno scorso avuto così tanti problemi finanziari! Ora staremmo meglio.

2. | in qualunque proposizione principale = Hauptsätze |

Il "Konjunktiv II" sostituisce il condizionale italiano (in tedesco infatti il condizionale non esiste) e si utilizza per le seguenti finalità:

a) per esprimere desiderio, brama, voglia; tali sentimenti vengono il piú delle volte espressi dal "Konjunktiv II Praeteritum" di "mögen" = möchte, ma non solo:

z.B.:-"Möchtest du eine Tasse Kaffee, Walter?", fragt Frau Braun ihren Gast. = "Vorresti una tazza di caffé, Walter?", chiede la signora Braun al suo ospite.

-"Ich könnte dich fressen!", ruft die Mutter zu ihrem kleinen lieben Kind aus und küsst es herzlichst. = "Ti mangerei!", esclama la mamma verso il suo piccolo caro bimbo, baciandolo amorevolmente.

b) per dare consigli, suggerimenti, fare raccomandazioni o proposte:

z.B.: -Ich würde mir dieses Auto nicht kaufen. = Non acquisterei questa macchina (consiglio).

-Mit dieser Erkältung solltest du heute nicht zur Arbeit gehen! = Con un tale raffreddore non dovrestri andare al lavoro oggi (suggerimento, raccomandazione)!

-Bei dem Wetter würde ich nicht fahren! = Non mi metterei in viaggio con questo tempaccio (suggerimento)!

-Könnte ich morgen zu dir kommen? = Potrei venire domani da te ?
-Morgen geht es leider nicht. Wie wäre es mit heute Abend? = Domani purtroppo non è possibile. Come sarebbe per questa sera (proposta)?

c) per esprimere possibilità / impossibilità o supposizione, specialmente coi modali "müsste" / "dürfte" / "könnte", nonché con le forme verbali "wäre möglich" / "unmöglich"; in tali casi il "Konjunktiv II" è perlopiú accompagnato da avverbi o espressioni avverbiali come: "eigentlich / an und für sich / wohl / im Grunde / in Wirklichkeit", usw.:

z.B.: -Es müsste eigentlich selbstverständlich sein, dass man sein Auto abschließt! = Chiudere la propria macchina dovrebbe essere ovvio (Dovrebbe essere ovvio che si debba chiudere la propria macchina) (supposizione)!
-So dürfte das wohl stimmen, ja? = Così potrebbe essere esatto, (potrebbe essere giusto, andare bene) no (possibilità)?
-Wäre es möglich, die Hausaufgaben zusammen mit Paul zu erledigen? = Sarebbe possibile svolgere i compiti di casa assieme a Paolo (possibilità)?
-Nein, tut mir leid, aber mit Paul wäre es wohl unmöglich zu arbeiten; er hat alles andere im Kopf und wir würden im Grunde (in Wirklichkeit) nur Zeit verlieren. = No, mi spiace, ma con Paolo sarebbe impossibile lavorare; ha tutt'altro in testa e alla fin fine perderemmo solo tempo (impossibilità).

d) per esprimere domande o richieste in forma cortese: in tali casi il predicato o è accompagnato da espressioni di preghiera come: "bitte" / "wenn ich bitten darf", oppure è formato dal congiuntivo dei verbi modali "könnte" / "möchte" / "dürfte". Con "dürfte" si ottiene la massima cortesia:

z.B.: -Würdest du bitte uns helfen? = Potresti per favore aiutarci (cortesia)?
-Dürfte ich Sie nur ganz kurz stören? = Potrei disturbarla solo un secondo (massima cortesia)?
-Ich möchte Sie bitten, mich jetzt nicht zu stören (Wenn ich bitten darf, möchte ich jetzt nicht gestört werden). = Vorrei pregarla di non disturbarmi in questo momento ("Se posso chiedere, vorrei ora non essere disturbato", comando perentorio ma cortese: dipende anche dal tono di voce).
-Dürfte ich Sie bitten, das Fenster zu schließen? = Posso chiederle (pregarla) di chiudere la finestra (massima cortesia)?
-Könntest du bitte Inge Bescheid sagen, dass ich morgen nicht zu ihrer Party kommen kann? = Potresti per favore comuni-

care a Inge che domani non potró venire alla sua festa (cortesia)?

e) con gli avverbi "sonst" / "andernfalls" / "anders" / "ansonst(en)"
= altrimenti / diversamente / se no / in caso contrario", in
quanto esprimono ipotesi:
NB: Anche qui si usa il "Konjunktiv II Praeteritum" con riferimento
ad azioni presenti o future, il "Konjunktiv II Plusquamperfekt" con
riferimento a situazioni o azioni passate:
z.B.:-Fahre bitte langsamer, denn sonst könntest du einen Unfall
bauen! = Viaggia (Va') per favore più lentamente, altrimenti
potresti (puoi) fare un incidente!
-Meine Frau und ich haben in Freud und Leid fest zusammenge-
halten, andernfalls wären wir nicht durchs Leben gekommen. =
Mia moglie ed io siamo sempre stati uniti nella gioia e nel dolore; diversamente, non ce l'avremmo fatta nella vita.
-Fährst du morgen mit uns? = Domani vieni con noi?
-Ja, bei schönem Wetter gewiss, anders würde ich nicht mitfahren. = Col tempo bello certamente, diversamente non verrei.
-Weil wir Paul immer wieder geholfen haben, ist er durchge-
kommen, ansonsten hätte er es gewiss nicht geschafft. = Paolo
è stato promosso perché lo abbiamo aiutato in continuazione,
diversamente non ce l'avrebbe fatta.

f) con gli avverbi "fast" / "beinahe" / "nahezu" / "schier" / "um ein Haar"
/ "ums Kennen" = quasi / per poco / per un pelo / per un pelino,
in quanto esprimenti ipotesi improbabile o irrealtà nel passato;
in italiano si ha in tali casi spesso l'indicativo:
z.B.: -Fast hättest du jetzt einen Unfall gebaut. Fahr doch bitte langsamer! = Stavi quasi per fare un incidente. Va più piano, per
favore! (Per un pelo non facevi un incidente - C'é mancato un
pelo che tu non facessi un incidente)!
-Wegen deiner Trägheit hätten wir gestern beinahe den Flug
versäumt. = A causa della tua lentezza, ieri quasi perdevamo il
volo (C'é mancato poco che ieri, a causa della tua lentezza,
perdessimo il volo).
-Hast gesehen, wie verrückt der fährt? Um ein Haar wäre ein
Unglück geschehen. = Hai visto in che modo pazzesco sta
viaggiando quello là? (C'é mancato un pelo...) Per un pelo non
è avvenuto un incidente.
-Bald wäre das Wettrennen für Paul schief gelaufen, hätte er
den Gegner nicht gerade ums Kennen übertroffen. = Per
Paolo la gara sarebbe finita male, se non avesse superato
l'avversario per un nonnulla [Alla lettera: ...per un vantaggio
quasi irriconoscibile, quasi impercettibile].

# Die indirekte Rede

## ( Il discorso indiretto )

Il discorso indiretto è quello che riferisce indirettamente ció che qualcuno ha detto, scritto, creduto, enunciato. In tedesco esso si esprime nel 90% dei casi col congiuntivo per far capire che si tratta di idea, opinione, enunciazione, notizia altrui e non di idee, affermazioni o notizie proprie, cioé di colui che scrive. Il discorso indiretto può essere introdotto anche da "dass" (+ trasposizione) + congiuntivo o anche + indicativo. Usando tuttavia quest'ultima forma, cioé "dass + l'indicativo", si ottiene un discorso indiretto poco evidente e chiaro. A differenza della lingua italiana, in tedesco è possibile ottenere un discorso indiretto limpidissimo omettendo la congiunzione "dass" e usando sempre solo il modo congiuntivo.

La differenza piú palese fra discorso diretto e indiretto è la seguente: nel discorso diretto chi scrive fa direttamente parlare la persona di cui riporta una frase o un discorso, mettendo la frase fra virgolette e posponendola ai due punti della proposizione introduttiva diretta espressa in terza persona; nel discorso indiretto invece lo scrivente non fa parlare direttamente la persona di cui egli stesso riporta una frase o un discorso. Dopo l'introduzione diretta non seguono due punti, ma una virgola e la frase riportata (il discorso riportato) viene subordinata all'introduzione.

Si tratta di una forma linguistica d'uso quotidiano nel giornalismo, meno nel gergo della parlata comune.

## 1. _Indirekte Rede mit Konj. I = discorso indiretto col Konjunktiv I_

Il discorso indiretto ha come base fondamentale il "Konjunktiv I"; tale affermazione significa che esso va usato sempre quando ció si rende possibile.

$$\text{Konjunktiv I } = \begin{cases} \text{"Konjunktiv Praesens"} \\ \text{"Konjunktiv Futur"} \\ \text{"Konjunktiv Perfekt"} \end{cases}$$

Dal momento tuttavia che al "Konjunktiv I" corrispondono tre tempi, non si può certo usare indifferentemente un tempo per un altro, ma è necessario distinguere quando si usa il "Konjunktiv Praesens", quando il "Konjunktiv Futur" e quando il "Konjunktiv Perfekt".

a) Si usa il "Konjunktiv I Praesens" quando l'azione o la descrizione indiretta è contemporanea all'introduzione diretta (= Gleichzeitigkeit = rapporto di contemporaneità):

> z.B.:-Marta sagte, ihr Vater arbeite in einem Bergwerk. = Marta disse che suo padre lavorava in una miniera.

NB: Con questo esempio si può notare come in italiano non venga messo bene in risalto che si tratta solo dell'affermazione di Marta e non di una esternazione di colui che, al momento presente, riporta questa frase: infatti l'indicativo imperfetto italiano "lavorava" non mette affatto in evidenza che si tratta di idea altrui, cioé di una enunciazione della ragazza e non di colui che scrive. Il congiuntivo tedesco "arbeite" invece evidenzia proprio il "Reportage", sottintendendo: "Guardate, non me lo sto inventando io, l'ha detto Marta! Andate pure a verificare, se volete, per constatare se sia vero oppure no!"

Nell'esempio su indicato va usato il "Konjunktiv I Praesens" perché, nel momento in cui la ragazza enunciava tale stato di cose, in quello stesso momento suo padre lavorava o era un lavoratore alle dipendenze della miniera: si tratta quindi di contemporaneità fra l'introduzione diretta: "Lei disse" e lo stato di fatto della situazione enunciata!

b) Si usa il "Konjunktiv I Futur" quando l'azione o descrizione indiretta ha da venire rispetto all'introduzione diretta (= Zukunftsbeziehung = rapporto di posteriorità) :

    z.B.:-Peter sagte, er werde bald nach Deutschland fahren. = Pietro disse che sarebbe presto andato in Germania.

NB: Nell'esempio si nota che, quando Pietro fece tale enunciazione, non era ancora partito per la Germania, ma doveva andarci in seguito, ossia posteriormente.

c) Si usa il "Konjunktiv I Perfekt" quando l'azione o descrizione indiretta è anteriore alla introduzione diretta (= Vorzeitigkeit = rapporto di anteriorità):

    z.B.:-Monika erklärte, ihre Mutter habe ihr kein Geld geben wollen. = Monica spiegó che sua mamma non aveva voluto darle del denaro.

NB: In questo esempio risulta chiaro che, quando Monica fece tale enunciazione, il fatto enunciato (che cioé la mamma non le aveva dato del denaro) era già avvenuto; il fatto enunciato è quindi qui anteriore all'introduzione diretta "Sie erklärte".

## 2. *Indirekte Rede mit Konj. II = discorso indiretto col Konj. II*

Si ricorre al "Konjunktiv II" solo quando le forme del "Konjunktiv I" sono uguali all'indicativo (ció vale quindi soprattutto per la prima persona singolare e per la prima e terza persona plurale, nonché per tutte le altre forme non distinte).

$$\text{Konjunktiv II} = \begin{cases} \text{Konjunktiv Praeteritum} \\ \text{Konjunktiv Plusquamperfekt} \end{cases}$$

a) Si usa in questi casi il "Konjunktiv II Praeteritum" quando l'azione è contemporanea all'introduzione diretta (= Gleichzeitigkeit = rapporto di contemporaneità) :

> z.B.:-Monika sagte mir, ihre Eltern hätten kein Geld, um ihr zu helfen.
> = Monica mi disse che i suoi genitori non avevano denaro per aiutarla.

NB: Usando il "Konjunktiv I" si avrebbe la forma: "...ihre Eltern haben" che non si distingue dall'indicativo. In questo esempio si tratta di contemporaneità: infatti, nel momento in cui Monica fa questa dichiarazione, anche in quel momento i suoi genitori non hanno il denaro necessario.

b) Si usa in tali casi il "Konjunktiv II Plusquamperfekt" quando l'azione o descrizione è anteriore all'introduzione diretta (= Vorzeitigkeit = rapporto di anteriorità):

> z.B.:-Monika erklärte, ihre Eltern hätten ihr kein Geld geben wollen.
> = Monica spiegó che i suoi genitori non avevano voluto darle del denaro.

NB: Usando il "Konjunktiv I Perfekt", la forma della terza persona plurale sarebbe uguale a quella del Perfekt indicativo. Si avrebbe precisamente la seguente versione: "...ihre Eltern haben ihr kein Geld geben wollen" e in tal modo il discorso indiretto non sarebbe piú così chiaro.
Nel caso in esempio, quando la ragazza fece tale enunciazione, il fatto enunciato, cioé che i genitori non le avevano dato del denaro, era già avvenuto, era quindi anteriore all'introduzione diretta "Sie erklärte"; di conseguenza bisogna ricorrere al "Konjunktiv II Plusquamperfekt".

## 3. "würde + Infinitiv" = discorso indiretto con la circonlocuzione

Quando anche le forme del "Konjunktiv II" sono uguali all'indicativo, si ricorre alla circonlocuzione, cioé al congiuntivo formato da "würde + Infinitiv" :

> z.B.:-Monika sagte, ihre Brüder würden in einem Bergwerk arbeiten.
> = Monica disse che i suoi fratelli lavoravano in una miniera.

NB: Qui si ha contemporaneità fra l'introduzione diretta e il fatto enunciato, ma non si può usare né il "Konjunktiv I Praesens" né il "Konunktiv II Praeteritum", perché le forme della terza persona plurale di ambedue i congiuntivi sono uguali all'indicativo [= arbeiten / arbeiteten]; non resta quindi che la circonlocuzione con "würde + Infinitiv".

-Peter erklärte mir, auch seine Geschwister würden bald nach Deutschland fahren. = Pietro mi spiegó che anche i suoi fratelli e le sue sorelle sarebbero andati presto in Germania.

NB: In questo esempio c'é un rapporto di posteriorità, una "Zukunftsbeziehung"; essendo tuttavia la terza persona plurale del "Konjunktiv Futur" di "fahren" uguale alla terza persona plurale del futuro indicativo [= werden fahren], si ricorre a "würden + Infinitiv".

## 4. *Imperativ in der ind. Rede = imperativo nel discorso indiretto*

L'Imperativo del discorso indiretto si rende perifrasticamente:

a) col "Konjunktiv I" del modale "sollen" quando il tono è di comando:
   z.B.:-Walter sagte mir, ich solle gleich abreisen. = Walter mi disse di partire subito (...che io dovevo partire subito).

b) col "Konjunktiv I" del modale "mögen" quando il tono è di preghiera:
   z.B.:-Walter bat mich, ich möge gleich abreisen. = Walter mi pregó di partire subito (=...insistette perché io partissi subito).

## 5. *Nebensätze in der ind. Rede = trattamento delle proposizioni dipendenti incidentali nel discorso indiretto*

Tutte le proposizioni dipendenti incidentali del discorso indiretto devono avere il modo congiuntivo, a meno che esprimano un'azione o una osservazione di chi riferisce il discorso indiretto, cioé di un'inciso del discorso diretto; in tale caso l'inciso va normalmente posto fra due trattini. Le proposizioni infinitive non subiscono alcuna variazione nel discorso indiretto.

*Beispiel I*

z.B.:-Unser Vertreter berichtet, er habe während seiner Kundenreise, welche er jedes Frühjahr unternehme, gegen starke Konkurrenz kämpfen müssen; viele Kunden hätten sich beklagt - so heißt es weiter in dem Brief - von uns weniger günstige Zahlungsbedingungen zu erhalten als von unserer Konkurrenz. = Il nostro rappresentante comunica che durante il suo viaggio di ricognizione presso i clienti, viaggio che intraprende ogni primavera, ha dovuto lottare contro una forte concorrenza; molti clienti si sarebbero lamentati - così si legge ulteriormente nella sua lettera - di ottenere da noi condizioni di pagamento meno favorevoli di quelle offerte dalla concorrenza.

*Entsprechende grammatikalische Erläuterungen zu diesem Beispiel = delu-
cidazioni grammaticali dettagliate riguardanti questo esempio:*

-"Unser Vertreter berichtet" = introduzione diretta;

-"er habe während seiner Kundenreise gegen starke Konkurrenz kämpfen
müssen" = anteriorità d'azione (Vorzeitigkeit), perché il rappresentante
riferisce di un viaggio già svolto, quindi "Konjunktiv I Perfekt";

-"welche er jedes Frühjahr unternehme" = contemporaneità d'azione
(Gleichzeitigkeit), perché la frase fa riferimento a tutti i viaggi, anche a quelli
che farà in futuro, ad un evento ripetitivo, permanente, quindi "Konjunktiv I
Praesens";

-"viele Kunden hätten sich beklagt" = anteriorità d'azione (= Vorzeitigkeit)
con forma del "Konjunktiv I Perfekt" uguale all' "Indikativ Perfekt", per cui è
necessario ricorrere al "Konjunktiv II Plusquamperfekt";

-"so heißt es weiter in dem Brief" = inciso del discorso diretto che fa riferimento all'introduzione diretta "Unser Vetreter berichtet";

-"von uns weniger günstige Zahlungsbedingungen zu erhalten als von unserer Konkurrenz" = proposizione infinitiva che nel discorso indiretto non subisce alcuna variazione.

## Beispiel II

Ulteriore esempio classico tratto dalla vecchia grammatica "Mit Ernst und Spiel zum Ziel" di
Rosenfeld-Basseggio, ed. F. Casanova, Torino, volume 2°, pag. 271; prima parte dell'esercizio
in lingua italiana indicato per la versione in tedesco:

-A Galileo Galilei si rimproveró che predicasse contro la fede, che
insegnasse l'eresia, corrompesse la gioventú e calpestasse le leggi
della Chiesa e dello Stato. I dotti di allora dicevano che quell'uomo
era un pazzo e al tempo stesso pericoloso, poiché voleva confutare la
santità delle leggi universali, decretate dai maggiori scienziati greci e
sanzionate dal Cristianesimo; che non era lecito dubitare che il sole
girasse intorno alla terra.
Essendo il grande astronomo stato chiamato davanti ad un Sacro
Tribunale d'Inquisizione per rispondere, gli amici gli raccomandarono
che non precipitasse nulla, e che piuttosto usasse il tempo con-
cessogli per riflettere meglio su ció che i suoi giudici ritenevano il suo
errore. Anche i suoi discepoli lo scongiurarono che si giustificasse
cautamente e che si ricordasse soprattutto della tragica fine sul rogo
di altri uomini arditi prima di lui. Tutti lo ammonivano che piuttosto
revocasse le sue affermazioni, perché il Sacro Collegio non avrebbe
certo risparmiato un propugnatore di idee così rivoluzionarie.

-Galileo Galilei wurde vorgeworfen, er predige gegen den Glauben,
lehre die Häresie, besteche die Jugend und zertrete die Gesetze der
Kirche und des Staates. Die damaligen Gelehrten erklärten, jener
Mann sei ein Narr und zugleich gefährlich, da er die Heiligkeit der
Weltgesetze bestreiten wolle, die von den größten griechischen

Wissenschaftlern festgesetzt und vom Christentum gebilligt worden seien; es sei nicht erlaubt zu zweifeln, dass sich die Sonne um die Erde drehe. Da der große Astronom aufgefordert wurde, sich vor dem Heiligen Inquisitionsgericht zu verantworten, ermahnten ihn die Freunde, er möge nichts überstürzen und solle eher die ihm eingeräumte Frist verwenden, besser darüber nachzudenken, was die Richter als seinen Fehler ansähen. Auch seine Schüler beschwörten ihn, er möge sich vorsichtig rechtfertigen und an das tragische Ende anderer kühner Menschen vor ihm denken, die auf dem Scheiterhaufen gelandet seien. Alle mahnten ihn, er solle eher seine Behauptungen widerrufen, weil das Heilige Inquisitionsgericht einen Verfechter solch revolutionerer Ideen nicht schonen werde.

*Entsprechende grammatikalische Erläuterungen zu diesem Beispiel = delucidazioni grammaticali dettagliate riguardanti questo esempio:*

- "Galileo Galilei wurde vorgeworfen" = introduzione diretta;

- "er predige gegen den Glauben, lehre die Häresie, besteche die Jugend und zertrete die Gesetze der Kirche und des Staates" = "Konjunktiv I Praesens" = contemporaneità d'azione, perché sono le accuse che gli venivano mosse a quell'epoca, mentre lui insegnava;

- "Die damaligen Gelehrten erklärten" = introduzione diretta, quindi contemporaneità d'azione con "wurde vorgeworfen";

- "jener Mann sei ein Narr und zugleich gefährlich, da er die Heiligkeit der Weltgesetze bestreiten wolle" = stesso rapporto della frase indiretta precedente = contemporaneità d'azione, quindi "Konjunktiv I Praesens";

- "die von den größten griechischen Wissenschaftlern festgesetzt und vom Christentum gebilligt worden seien" = anteriorità d'azione, quindi "Konjunktiv I Perfekt", perché gli scienziati greci e la Chiesa avevano già prima sanzionato tali leggi;

- "es sei nicht erlaubt zu zweifeln, dass sich die Sonne um die Erde drehe." = contemporaneità d'azione rispetto all'introduzione diretta, quindi "Konjunktiv I Praesens", perché allora il dubbio non era permesso a nessuno;

- "Ermahnten ihn die Freunde" = introduzione diretta;

- "er möge nichts überstürzen und solle eher die ihm eingeräumte Frist verwenden, besser darüber nachzudenken, was die Richter als seinen Fehler ansähen"... = Imperativo degli amici = esortazione in forma sia di preghiera che di comando, quindi "Konjunktiv I formato da "mögen" e "sollen";

- "..., die auf dem Scheiterhaufen gelandet seien" = anteriorità d'azione riguardante i condannati giustiziati prima di allora, quindi "Konj. I Perfekt";

- "weil das Heilige Inquisitionsgericht einen Verfechter solch revolutionerer Ideen nicht schonen werde." = Zukunftsbeziehung, ossia rapporto di posteriorità, di azione futura, quindi "Konj. I Futur".

# VERBEN MIT VERSCHIEDENER KONSTRUKTION

( Verbi con costruzione differente in una delle due lingue )

## Verben mit Akkusativ im Deutschen

( Verbi reggenti l'accusativo in tedesco, non in italiano )

L'elenco in ordine alfabetico qui riportato riguarda i piú importanti verbi divergenti fra le due lingue nelle seguenti costruzioni:

costruzione diretta = accusativo in tedesco
costruzione indiretta = dativo o genitivo in italiano

Per facilitarne la memorizzazione, tale profonda differenza fra le due lingue viene messa in particolare risalto con i colori giallo e rosso nelle delucidazioni di ogni singolo verbo. Altrettanto avviene per la

preposizione differente dalla lingua italiana

quando la costruzione diretta è accompagnata da un'ulteriore costruzione preposizionale che diverge.
Succede a volte che lo stesso verbo, differente fra le due lingue nel suo significato fondamentale, venga ad avere la stessa costruzione diretta anche in italiano, quando il contesto permette di tradurlo con altri significati. Anch'esso viene qui di seguito indicato, ma in modo semplice, cioé senza evidenziazione. L'eventuale uso intransitivo di qualcuno dei verbi in elenco non viene invece trattato, sia perché in tali casi le due lingue si differenziano meno sia perché tale uso è piuttosto raro.
Un particolare risalto si è voluto dare ai due verbi "bitten" e "fragen" che per il loro impiego quotidiano sono, assieme alle formule logiche indicate, da apprendere fra i primi.


1. **angehen, ging an, angegangen**

   *Uso transitivo con sola costruzione diretta*

   a) Tradotto con "riguardare" o "affrontare", in ambedue le lingue ha la costruzione diretta + Akk.:

   z.B.: -Das geht dich gar nichts an! = Ció non ti riguarda affatto!
   (= ...non riguarda te)

413

-Peter ging die neue Aufgabe mutig an. = Pietro affrontó il nuovo incarico energicamente (con coraggio).

b) Tradotto invece con "**importare**" : in italiano + Dat., mentre in tedesco + Akk.:

z.B.: -Was gehen mich deine Streitigkeiten an? = Che mi importa delle tue beghe? (Che importano a me le tue beghe?)

*Uso transitivo con costruzione diretta + preposizionale*

a) Tradotto con "**chiedere; rivolgersi a**": in italiano + Dat., mentre in tedesco + Akk. + um + Akk.:

z.B.: -Paul ging seinen Freund Peter um Geld an. = Paolo si rivolse al suo amico Pietro per spillargli del denaro.

b) Tradotto con "combattere, lottare, opporre resistenza" si ha in ambedue le lingue la stessa costruzione preposizionale "gegen + Akk.":

z.B.: -Wir mussten gegen viele Vorurteile angehen (kämpfen). = Dovemmo lottare contro molti pregiudizi.

- - - - - -

## 2. anreden, redete an, angeredet

*Uso transitivo con sola costruzione diretta*

a) Tradotto con "**rivolgere la parola a; rivolgersi a**": in italiano + Dat. invece in tedesco + Akk.:

z.B.:-Unsere Nachbarin hat mich heute zum ersten Mal angeredet. = La nostra vicina di casa mi ha oggi rivolto la parola per la prima volta.

b) Tradotto con "**rivolgersi a; dare del...a**": in italiano + Dat., mentre in tedesco + Akk.:

z.B.:-Gisela hat mich heute endlich mit du angeredet. = Gisella oggi mi ha finalmente dato del tu.

*Uso transitivo con costruzione diretta + preposizionale*

\* Tradotto con "**chiedere a qd. notizie su qc**.": in italiano + Dat + su, mentre in tedesco + Akk. + auf + Akk., sinonimo di "ein Gespräch mit jemandem über etwas beginnen":

z.B.:-Wenn ich deinen Freund Paul auf solche Probleme hin anrede, wird er zornig. = Se io inizio a chiedere a Paolo qualcosa su queste questioni, lui si arrabbia.

- - - - -

## 3. anrufen, rief an, angerufen

*Uso transitivo con sola costruzione diretta*

\* Tradotto con "**telefonare**": in italiano + Dat., mentre in tedesco + Akk.:

**414**

z.B.: -Ich rufe <mark>dich</mark> morgen Abend an. = Ti telefono domani sera.

NB: "telefonieren, telefonierte, telefoniert" + mit + Dat. = "parlare al telefono con..." Si usa soltanto nel 10% dei casi; si deve quindi preferire "anrufen"!

z.B.: -Mit wem hast du gerade telefoniert? = Con chi eri al telefono un momento fa (Con chi hai parlato al telefono un...)?

*Uso transitivo con costruzione diretta + preposizionale*

\* Tradotto con "**invocare**" si ha in ambedue le lingue l'accusativo, seguito tuttavia in tedesco da "um" = Akk. <mark>+ um + Akk.</mark>:

z.B.: -Als das Schiff wegen des Seesturmes zu sinken drohte, riefen die Seeleute Gott um Hilfe an. = Quando a causa della tempesta la nave minacciava di affondare, i marinai invocarono Dio in aiuto.

- - - - - -

**4.** <mark>ansprechen</mark>, sprach an, angesprochen

*Uso transitivo con sola costruzione diretta*

a) Tradotto con "**rivolgere la parola**": in italiano + Dat. mentre in <mark>tedesco + Akk.</mark>:

z.B.: -Als Gudrun von der Straßenbahn aussteigen wollte, sprach <mark>sie</mark> Georg an. = Quando Gudrun stava per scendere dal tram, Giorgio le rivolse la parola.

b) Tradotto con "**essere gradito; piacere**" come sinonimo di "gefallen" si ha nuovamente in italiano + dat., invece in <mark>tedesco + Akk.</mark>:

z.B.: -Hat <mark>dich</mark> dieses Theaterstück angesprochen? <mark>Mich</mark> sehr. = Ti è piaciuta questa rappresentazione teatrale? A me, tanto.

c) Tradotto con "affrontare, trattare", come sinonimo di "behandeln", ambedue le lingue reggono l'accusativo puro (= accusativo semplice):

z.B.: -Der Redner hat in seinem Vortrag auch dieses Problem angesprochen. = Nel suo sermone l'oratore ha affrontato anche questo problema.

d) Tradotto con "**considerare; ritenere**", come sinonimo di "bezeichnen" ambedue le lingue reggono l'accusativo puro, seguito tuttavia <mark>in tedesco dal complemento di paragone introdotto da "als"</mark>:

z.B.: -Es gibt leider Kritiker, die die Graffiti der "Leoncavallini" als große Kunst ansprechen. = Vi sono purtroppo dei critici che considerano i graffiti dei "Leoncavallini" una grande arte.

*Uso transitivo con costruzione diretta + costruzione preposizionale*

a) Tradotto con "**interpellare a proposito di**" si ha in tedesco, oltre all'accusativo, un complemento preposizionale retto da "auf", preposizione quindi differente dall'italiano: + Akk. <mark>+ auf + Akk.</mark>:

z.B.:-Hast du den Chef *auf* die unter uns besprochene Angelegenheit angesprochen? = Hai interpellato il capo a proposito della questione da noi discussa?

b) Tradotto con "**chiedere**" si ha la costruzione indiretta in italiano + dat., in tedesco + Akk. + um + Akk.:

z.B.:-Gute Kinder sollten ihr*e* Eltern nicht ständig *um* Geld ansprechen. = Bravi figlioli non dovrebbero di continuo (continuamente) chiedere soldi (denaro) ai propri genitori.

- - - - - -

## 5. beraten, beriet, beraten

*Uso transitivo con sola costruzione diretta*

* Tradotto con "**consigliare; dare consigli**": in italiano + Dat., mentre in tedesco + Akk.:

z.B.: -Peter hat *dich* gut beraten. = Pietro ti ha dato un buon consiglio. (Tuttavia :" Pietro ti ha consigliato bene." = costruzione diretta!)

*Uso transitivo con costruzione preposizionale*

* Tradotto con "discutere + acc., **discutere di; deliberare intorno a**": in tedesco + über + Akk.:

z.B.: -Die Abgeordneten haben tagelang *über das* neue Gesetz beraten. = I deputati hanno discusso per giorni la nuova legge (I deputati hanno deliberato per giorni intorno alla nuova legge).

- - - - - -

## 6. bereuen, bereute, bereut

*Uso transitivo con costruzione diretta*

a) Tradotto con "**pentirsi di**": in italiano + Gen., in tedesco + Akk.:

z.B.:-Der gute Schächer bereute sein*e* Sünden und bat Jesus, sich im Himmelreich *seiner* zu erinnern. = Il buon ladrone si pentì dei suoi peccati e chiese a Gesú di ricordarsi in Cielo di lui.
-*Das* wird Paul noch bitter bereuen. = Paolo se ne pentirà amaramente (Paolo si pentirà di ció amaramente).
-Sie werden es nicht bereuen, einen solchen Diamanten gekauft zu haben, weil er mit der Zeit bestimmt an Wert zunimmt. = Non si pentirà di aver acquistato un tale diamante, perché col tempo acquisterà indubbiamente valore.

b) Tradotto con "rimpiangere" ambedue le lingue hanno la costruzione diretta:

z.B.:-Paul bereut seine vergeudeten Jugendjahre. = Paolo rimpiange i suoi anni giovanili sprecati.

## 7. beschäftigen, beschäftigte, beschäftigt

*Uso transitivo con sola costruzione diretta*

a) Tradotto con "**dare lavoro a; dar da fare a**": in italiano + Dat., mentre in tedesco + Akk.:

z.B.: -Diese Firma beschäftigt viele Arbeiter. = Questa ditta dà lavoro a molti operai.

b) Tradotto con "**dare da pensare a**": in italiano + Dat., mentre in tedesco + Akk.:

z.B.:-Dieser Gedanke (dieses große Problem) beschäftigte meinen Freund Peter unablässig. = Questa preoccupazione (questo grave problema) dava al mio amico Pietro molto [in continuazione, continuamente] da pensare.

c) Tradotto con "occupare, tenere occupato" ambedue le lingue hanno la costruzione diretta:

z.B.: -Lebendige Kinder muss man stets beschäftigen. = Bisogna sempre tenere occupati i bambini vivaci.

*Uso riflessivo per lo piú con costruzione preposizionale*

* sich (Akk.) + mit + Dat., in italiano + Gen. = "**occuparsi di**; **interessarsi di**":

z.B.: -Leider haben die Mütter nicht immer Zeit, sich mit ihren Kindern zu beschäftigen. = Le mamme non hanno purtroppo sempre tempo di occuparsi dei loro figli.

-Womit beschäftigt sich Monika? = Di che cosa si occupa Monika?

- - - - - -

## 8. bitten, bat, gebeten

*Uso transitivo con costruzione diretta + preposizionale*: quando viene indicato l'oggetto della richiesta.

a) Tradotto con "**chiedere (per ottenere); domandare; pregare**": in italiano + Dat., mentre in tedesco + Akk. + um + Akk.:

| | |
|---|---|
| Akk.    Akk.<br>jemanden um etwas bitten<br><br>              Dat.<br>chiedere qualcosa a qualcuno | [Alla lettera, quindi in un pessimo italiano, si avrebbe: "qualcuno intorno a qualcosa chiedere"]<br><br>NB: Con "bitten" si ha sempre l'accusativo della persona alla quale viene rivolta la domanda! |

417

z.B.:-Das Kind bittet den Vater um ein Stück Brot. = Il bambino chiede al papà un pezzo di pane.

-Ich bitte dich um Verzeihung! = Ti chiedo perdono!

b) Tradotto con "**invitare a**": si ha anche in italiano la costruzione diretta seguita da una infinitiva, mentre in tedesco non segue una prop. secondaria, ma un complemento preposizionale: + Akk. + auf + Akk.:

z.B.:-Darf ich dich auf ein Glas Bier bitten (...zu einem Glas Bier einladen) ? = Posso invitarti a bere un bicchiere di birra?

### Uso transitivo con sola costruzione diretta

* Quando l'oggetto della richiesta o non è indicato o viene espresso con un discorso diretto oppure con una proposizione secondaria: in italiano + Dat, mentre in tedesco + Akk. senza preposizione:

z.B.:-Lass dich doch nicht bitten! = Su, non farti pregare!

-Darf ich Sie bitten, das Fenster zu schließen? = Posso chiederle di chiudere la finestra?

- - - - - -

## 9. brauchen, brauchte, gebraucht

### Uso transitivo con costruzione diretta

a) Tradotto con "adoperare" si ha in ambedue le lingue la stessa costruzione diretta, cioè il verbo "adoperare" italiano regge l'accusativo puro (= accusativo semplice) come "brauchen" in tedesco:

z.B.: -Brauchst du einen Wagen? = Adoperi una macchina?

b) Tradotto con "impiegarci; metterci; volerci": usato cioé in modo impersonale con complementi di tempo richiede come soggetto "es":

z.B.: -Wie lange braucht es von hier bis zur Uni? = Quanto ci vuole (quanto ci si mette) da qui fino all'università?

-Von da bis zur Uni braucht es eine halbe Stunde mit dem Bus. = Da qui all'università ci s'impiega mezz'ora col bus.

c) Tradotto con "aver bisogno di": in italiano + Gen., mentre in tedesco +Akk.:

z.B.:-Brauchst du einen Wagen? = Hai bisogno di una macchina?

-Was brauchst du? = Di che cosa hai bisogno?

d) Tradotto con "occorrere a" in italiano + Dat., in tedesco + Akk. Usando il verbo "occorrere a", viene in italiano addirittura capovolta la costruzione rispetto al verbo "adoperare = brauchen": ciò che infatti con quest'ultimo verbo in tedesco è soggetto, diventa in italiano complemento di termine, mentre il complemento oggetto diventa soggetto:

z.B.: -Brauchst du einen Wagen? = Ti occorre una macchina?

- Was brauchst du? = (Che) cosa ti occorre?

NB: All'inizio dell'apprendimento della lingua è quindi necessario, prima di tradurre dall'italiano al tedesco, avvicinare le espressioni italiane "aver bisogno di; occorrere a" al tedesco, sostituendole col verbo "adoperare"!

e) Tradotto con "**dovere; esserci bisogno di**": in tedesco il verbo "brauchen" richiede l'infinito impuro = "brauchen + zu + Infinitiv" e nei tempi composti il doppio infinito:

> z.B.:-Du brauchst heute nicht zu kommen.  =  Oggi non devi venire.
>
> -Du hättest heute nicht zur Uni kommen brauchen, denn es ist Streik.  =  Oggi non ci sarebbe stato bisogno che tu venissi all'università perché c'é sciopero.

f) Tradotto con "**basta che; dovere**": in tedesco il verbo "brauchen" è accompagnato dall'avverbio "nur" = "brauchen + nur + zu + Infinitiv":

> z.B.:-Du brauchst es nur zu sagen und ich helfe dir.  =  Basta che tu lo dica e ti aiuto (= Devi solo dirlo e ti aiuto).

- - - - - -

## 10. fragen, fragte, gefragt

*Uso transitivo con costruzione diretta + preposizionale:* quando viene indicato l'oggetto della richiesta.

a) Tradotto con "**domandare; chiedere (per sapere)**": in italiano + Dat. + Akk., mentre in tedesco + Akk. + nach + Dat.:

| | |
|---|---|
| Akk.      Dat.<br>jemanden nach etwas fragen<br><br><br>        Dat.<br>chiedere qualcosa a qualcuno | [Alla lettera, quindi in un pessimo italiano: "qualcuno in merito a qualcosa chiedere"]<br><br>NB: con "fragen" si ha sempre l'accusativo della persona alla quale si rivolge la domanda! |

> z.B.:-Der Lehrer fragt den Schüler nach seinem Namen.  =  L'insegnante chiede all'alunno il suo nome.
>
> -Der Fußgänger fragt den Polizisten nach dem Weg.  =  Il pedone chiede al poliziotto la via.
>
> -Wonach hat der Fußgänger den Polizisten gefragt? =  Cosa ha chiesto il pedone al poliziotto?
>
> -Er fragte ihn nach dem Weg.  =  Gli ha chiesto la via.

b) Tradotto con "**chiedere consigli; chiedere un parere o permesso**": in italiano + Dat + Akk., mentre in tedesco + Akk. + um + Akk.:

> z.B.:-Deine Kopfschmerzen besorgen mich; wir müssen unbedingt den Arzt um Rat fragen.  =  Il tuo mal di testa mi preoccupa; dobbiamo assolutamente chiedere consiglio al medico.
>
> -Ich hab' dich doch nicht um deine Meinung gefragt.  =  Non ti ho affatto chiesto il tuo parere.

**419**

c) Tradotto con "**interpellare in merito a;  chiedere per**": in italiano +
Dat. + per + Akk., mentre in tedesco + Akk. + wegen + Gen.:

    z.B.:-Peter fragte den Chef wegen seines Urlaubs.  =  Pietro in-
    terpellò il suo principale in merito alle ferie.

    -Ich wollte den Eigentümer dieses Mitbesitzerhauses wegen
    einer Wohnung fragen, aber der ist auf längere Zeit im Aus-
    land.  =  Volevo chiedere al proprietario di questo condomi-
    nio informazioni per un appartamento, ma lui si trova da
    diverso tempo all'estero.

e) Tradotto col passivo "essere richiesto  =  gefragt sein (werden)" si ha in
ambedue le lingue l'oggetto richiesto al nominativo:

    z.B.:-Diese Ware, dieses Modell ist sehr (stark) gefragt.  =  Que-
    sta merce, questo modello, è molto richiesto.

## _Uso transitivo con sola costruzione diretta_

a) Quando l'oggetto della richiesta o non è indicato oppure viene espresso da un discorso diretto o da una proposizione secondaria, ogni preposizione diventa superflua:

    z.B.:-"Ist es richtig so?", fragt der Schüler den Lehrer.  =  "È giusto
    così?", chiede l'alunno all'insegnante.
    -Ich frage mich, ob das richtig ist.  =  Mi chiedo se ció sia
    giusto.
    -Wie kann man nur so fragen?  =  Ma che domande sono
    queste (Come si può chiedere una cosa del genere)?
    -Frag lieber nicht!  =  Non parliamone! (È meglio non parlar-
    ne!) [Alla lettera: È meglio che non chiedi!]
    -Frag' nicht so dumm!  =  Non fare domande così sciocche!
    -Fragen kostet nichts.  =  Chiedere non costa nulla.

b) La sola costruzione diretta senza preposizione è eccezionalmente molto in uso con i pronomi "etwas fragen" o "was fragen":

    z.B.:-Ich wollte Sie etwas fragen.  =  Volevo chiederle qualcosa.
    -Hat er dich was gefragt?  =  Ti ha chiesto qualcosa?
    -Nein, was hätte er mich denn fragen sollen?  =  No, ma co-
    sa avrebbe mai dovuto chiedermi?

- - - - - -

**11.** lehren, **lehrte, gelehrt** = insegnare

_Uso transitivo con doppia costruzione diretta nella parlata ufficiale  = Hoch-
deutsch:_ tale uso è da preferire!

    * In italiano + Dat + Akk., mentre in tedesco + Akk. + Akk.: questo verbo
    regge cioé in italiano il dativo della persona alla quale si insegna
    qualcosa e l'accusativo dell'oggetto d'insegnamento; in tedesco si ha

invece un doppio accusativo (come in latino: "*Doceo te grammaticam*") infatti anche la persona alla quale viene insegnato qualcosa va all'accusativo:

z.B.:-Ich lehre dich deutsch sprechen.  =  Ti insegno a parlare tedesco.

-Dieser Lehrer hat mich gutes Deutsch gelehrt.  =  Questo insegnante mi ha insegnato un buon tedesco.

-Wer lehrt dich Mathematik?  =  Chi ti insegna matematica?

-Wenn du Geduld hast, lehre ich dich auch diesen Trick. = Se hai pazienza, t'insegno anche questo trucco.

*Uso transitivo con costruzione indiretta nella parlata popolare= Umgangssprache*

* nella parlata quotidiana,  nel registro comune,  si usa anche il dativo come in italiano, per cui la differenza fra le due lingue cade, ma si tratta di un uso non ufficiale e limitato a certi contesti come:

z.B.:-Hat man dir denn das in der Schule nicht gelehrt (beigebracht)?  =  Ma non te l'hanno insegnato a scuola?

-Mir hat man mehr als dir in der Schule gelehrt, doch so  was lehrt man ja in keiner Schule.  =  A scuola mi è stato insegnato molto piú che a te, ma una cosa del genere non la si insegna in nessuna scuola.

- - - - - -

# 12. loswerden,  wurde los,  losgeworden

*Uso transitivo con sola costruzione diretta*

a) Tradotto con "**liberarsi di (da);  disfarsi di;  sbarazzarsi di**": in italiano + Gen., mentre in tedesco + Akk.:

z.B.:-Man hat alles bestens organisiert, um den Abfall loszuwerden.  =  Si è organizzato tutto al meglio per sbarazzarsi della spazzatura.

-Inge möchte Paul loswerden und weiß nicht wie. Bis jetzt ist sie ihn nicht losgeworden.  =  Inge vorrebbe liberarsi di Paolo e non sa come. Fin'ora non è riuscita a liberarsi di lui.

-"Die ich rief, die Geister, werd' ich nun nicht los." (**Goethe**: "Der Zauberlehrling")  =  Ora non riesco a liberarmi dagli spiriti che ho evocato (Metaforicamente può oggi essere riferito al problema della droga).

-Wie soll ich den schlimmen Gedanken, den schrecklichen Eindruck loswerden, der mich ständig verfolgt?  =  Come debbo fare per sbarazzarmi del brutto pensiero, dell'impressione spaventosa che mi perseguita?

b) Tradotto con "riuscire a vendere" ambedue le lingue hanno la costruzione diretta = accusativo:

z.B.: -"Das war ein vortrefflicher Marktag für mich", erklärt der Ver-käufer, "ich bin fast die ganze Ware losgeworden." = "È stata una giornata di mercato esaltante", dichiara il venditore ambulante, "sono riuscito a vendere quasi tutta la merce."

‑ ‑ ‑ ‑ ‑ ‑

## 13. missbrauchen, missbrauchte, missbraucht

*Uso transitivo con sola costruzione diretta*

a) Tradotto con "**abusare di; fare uso indebito di; approfittare di**": in italiano + Gen. mentre in tedesco **+ Akk**.:

z.B.:-Hitler hat seine Macht wie selten ein Diktator missbraucht. = Hitler ha abusato del suo potere come raramente ha fatto un dittatore.

-Monika hat diesmal das Vertrauen ihrer Eltern schmählich missbraucht. = Questa volta Monica ha approfittato in modo ignominioso della fiducia dei suoi genitori.

b) Tradotto con "**usare violenza a**": in italiano + Dat., in tedesco **+ Akk**.; tradotto invece con "violentare" ambedue le lingue reggono l'accusativo:

z.B.: -Es ist traurig feststellen zu müssen, wie oft man [die] Kinder sexuell missbraucht. = È triste dover constatare con quale frequenza si usi violenza sessuale ai bambini.

c) Tradotto con "profanare; bestemmiare", ambedue le lingue hanno la costruzione diretta, reggono cioé l'accusativo:

z.B.: -Man soll doch den Namen Gottes nicht missbrauchen! = Ma è così evidente che non si deve profanare il nome di Dio!

*Uso transitivo con costruzione diretta + preposizionale*

a) Tradotto con "**abusare di, per; fare uso indebito di, per; servirsi di, per**": in italiano + Gen + per, mentre In tedesco la preposizione può variare:

α) **+ Akk** + für + Akk.:

z.B.:-Dieser Minister hat seine Befugnisse für persönliche, private Zwecke missbraucht. = Questo ministro ha abusato delle sue facoltà per scopi personali, privati.

β) **+ Akk + zu + Dat.**:

z.B.:-Paul wollte mich zu fragwürdigen oder jedenfalls unkorrekten Handlungen missbrauchen. = Paolo voleva abusare di me (si voleva servire di me) per operazioni sospette o comunque non corrette.

# Verben mit Dativ im Deutschen

( Verbi reggenti il dativo in tedesco, mentre in italiano prevale l'accusativo )

Quelli che seguono sono elenchi abbastanza esaurienti, anche se non completi, di verbi che in tedesco reggono la costruzione indiretta col dativo e mai la costruzione diretta, ossia l'accusativo. Infatti, mentre in tedesco, indipendentemente dal contesto, tali verbi non mutano mai la costruzione indiretta, la loro resa in italiano, invece, può essere compiuta con verbi che si prestano a costruzioni diverse a seconda del contesto: i corrispondenti verbi italiani quindi a volte reggono l'accusativo, altre il dativo, altre ancora il genitivo.

Per facilitare la comprensione e la memorizzazione di questi verbi nella loro fondamentale differenza costruttiva tra le due lingue, cioé

> costruzione indiretta = + Dat. in tedesco
> costruzione diretta = + Akk. in italiano

vengono qui elencati nella prima lista, non in ordine alfabetico ma in ordine di frequenza, i verbi col dativo piú ricorrenti che si consiglia di studiare a memoria rispettando l'ordine indicato. (Per questo motivo gli esempi dal nr. 7 al nr. 9 hanno come punto di riferimento "l'oratore", mentre dal nr.10 al nr.15 mantengono un certo ordine logico, avente come punto di riferimento "la polizia e il ladro").

Non è invece necessario memorizzare allo stesso modo le tre liste seguenti: per queste è sufficiente marcare con una o piú crocette quei verbi che scrivendo, leggendo o traducendo, dovessero creare problemi. I verbi delle tre liste meno importanti sono elencati in ordine alfabetico e si tratta di:
- altri verbi col dativo meno frequenti,
- alcuni verbi composti + Dat. derivati da "helfen" e "danken",
- diversi verbi composti + Dat. con il prefisso "nach".

Per le ulteriori costruzioni preposizionali di alcuni di questi verbi si rimanda al capitolo seguente "Verben mit verschiedenen Praepositionen" pagine 431-479.

## A) *Lista dei verbi + Dat. piú ricorrenti*

Suggerimenti per lo studio:
Non è affatto necessario memorizzare tutti i significati italiani di ogni verbo tedesco qui indicato. È sufficiente imparare i quindici verbi nell'ordine indicato e per ognuno di essi uno degli esempi fra quelli riportati subito dopo l'elenco:

| | |
|---|---|
| 1. helfen, beistehen, Hilfe leisten | = a) aiutare, assistere + acc. b) giovare + dat. c) prestare aiuto |
| 2. danken | = ringraziare |
| 3. wie geht es? | = a) come stai + nom.   b) come va + dat. |
| 4. schaden | = a) danneggiare + acc.   b) nuocere + dat. |
| 5. abraten / zuraten | = sconsigliare; dissuadere / consigliare + acc. NB: jemandem von etwas abraten = sconsigliare qualcuno da qualcosa |
| 6. vergeben, verzeihen | = perdonare + dat. (NB: a volte in italiano si usa anche l'acc.) |

| | |
|---|---|
| 7. dienen | = a) servire + acc.  b) essere utile;  giovare + dat. |
| 8. zuhören | = ascoltare; stare a sentire, prestare ascolto |
| 9. imponieren | = a) impressionare + acc.  b) suscitare ammirazione in;  fare effetto su |
| 10. zuklatschen | = a) applaudire + acc.  b) battere le mani + dat. |
| 11. begegnen | = incontrare + acc.  b) capitare;  succedere;  accadere + dat. |
| 12. auffallen | = a) notare + acc.  b) accorgersi + gen.  c) dare nell'occhio + dat. |
| 13. folgen | = a) seguire + acc.  b) osservare (disposizioni, leggi) + acc.  c) accompagnare seguendo + acc.  d) guardare dietro;  seguire con lo sguardo + acc.  e) imitare + acc.  f) ubbidire + dat.<br>NB: Da non confondere con "verfolgen, verfolgte, verfolgt + Akk." z.B.: Ich verfolge die Sache mit Interesse. = Io seguo la faccenda con interesse. |
| 14. nachlaufen | = a) rincorrere + acc.  b) inseguire + acc.  c) correre dietro + dat.  c) fare la corte + dat. |
| 15. ausweichen weichen, entgehen | = a) evitare;  scansare;  schivare;  eludere + acc.  b) sfuggire a qd. + dat. |
| 16. gelingen / misslingen | = a) riuscire / non riuscire: con costruzione preposizionale = io riesco in / non riesco in;  riesco a fare qc. / non riesco a fare qc.  b) riuscire / non riuscire: con costruzione indiretta + dat. come in tedesco = a me riesce / non riesce qc. |

Beispiele:

1. zu "helfen" – "beistehen"
   -Heute helfe ich meiner Mutter in der Küche.  =  Oggi aiuto mia mamma in cucina.  -  NB: einem Kranken beistehen  =  assistere un malato
   -Homöopathische Mittel helfen oft der Gesundheit mehr als nicht Medizinen. = I prodotti omeopatici giovano alla salute spesso piú delle medicine.

2. zu "danken":
   -Ich danke dir für deinen lieben Brief.  =  Ti ringrazio per la tua cara lettera.

**424**

3. zu "wie geht es?":
   -Wie geht es dir? = Come stai? (NB: Wie gehst du? = Come cammini?)
   -Danke, mir geht's gut und dir? = Sto bene, grazie, e tu?
   -Auch mir, danke. = Anch' io, grazie.
          NB: Si notino i dialetti italiani settentrionali influenzati dal germani-
          co (goti e longobardi): "Come la va a ti?" – "A mi la va ben".

4. zu "schaden":
   -Zigaretten schaden der Gesundheit. = Le sigarette danneggiano la salute.
   (Le sigarette nuocciono alla salute.)
   -Zu viele Süßigkeiten schaden der Figur. = Troppi dolci danneggiano la li-
   nea.

5. zu "abraten":
   -Ich rate dir ab, Paul zu heiraten. = Ti sconsiglio di sposare Paolo.
   -Soll ich also Peter heiraten? = Debbo quindi sposare Pietro?
   -Da kann ich dir weder zuraten noch abraten, das musst du selbst ent-
   scheiden. = In proposito non posso né consigliarti né sconsigliarti, devi de-
   cidere tu.

6. zu "verzeihen"; "vergeben":
   -Verzeihst du mir, bitte? = Mi perdoni, per favore?
   -Ja, ich verzeihe dir. = Sì, ti perdono.
   -Das verzeihe ich ihm nicht. = Questa non gliela perdono.

7. zu "dienen":
   -Niemand kann zwei Herren dienen! Ihr könnt nicht Gott und dem Mammon
   dienen! = Nessuno può servire due padroni! Non potete servire Dio e
   Mammona! (Matteo 6, 24)
   -Dieses Küchengerät kaufe ich mir, es kann mir gut dienen. = Mi compero
   questo elettrodomestico, mi può servire (= può essermi comodo).

8. zu "zuhören":
   -Sprich doch! Ich höre dir zu. = Avanti, parla! Ti ascolto (Ti sto a sentire).
   -Du hörst mir ja nie zu, was soll ich denn sprechen? = Ma non mi ascolti mai
   (non presti mai ascolto a ció che dico), a che serve parlare?
   -Das Publikum hört dem Redner aufmerksam zu. = Il pubblico ascolta
   l'oratore con attenzione.

9. zu "imponieren":
   -Dieser Redner imponierte dem Publikum sehr. = Quest'oratore impres-
   sionó il pubblico (...s'impose sul pubblico).

10. zu "zuklatschen":
   -Das Publikum klatschte dem Redner begeistert zu. = Il pubblico applaudì
   l'oratore con entusiasmo.
   -Nur du hast ihm nicht zugeklatscht. = Solo tu non gli hai battuto le mani.

11. zu "begegnen":
   -Der Dieb begegnet der Polizei. = Il ladro incontra la polizia.

12. zu "auffallen":
-Der Dieb fällt der Polizei auf. = La polizia si accorge del ladro (La polizia nota il ladro).

13. zu "folgen":
-Die Polizei folgt dem Dieb. = La polizia segue il ladro.

14. zu "nachlaufen":
-Die Polizei läuft dem Dieb nach. = La polizia rincorre il ladro.

15. zu "weichen – ausweichen":
-Der Dieb weicht der Polizei aus. = Il ladro elude (evita) la polizia.

16. zu "gelingen":
-Der Polizei gelingt es, den Dieb zu fangen. = La polizia riesce a prendere il ladro (= in tedesco costruzione impersonale + Dat.).
-Diese Arbeit gelingt mir nicht. = Questo lavoro non mi riesce (= costruzione indiretta identica in ambedue le lingue + Dat.).
NB: Col verbo "gelingen" la persona che riesce in qualcosa non può essere mai usata nella lingua tedesca come soggetto:

z.B.: ~~Die Polizei gelingt~~, den Dieb zu fangen. (errore)

## B) Lista in ordine alfabetico dei verbi + Dat. meno frequenti

Essi sono tuttavia importanti e da marcare con crocette quando si riscontrano:

| | |
|---|---|
| 17. drohen | = a) minacciare + acc.  b) incombere su  (costruzione preposizionale in italiano non in tedesco) |
| 18. misstrauen | = a) non fidarsi di + gen. - diffidare di qualcuno o qc. + gen.  b) non aver fiducia in qd. |
| 19. trotzen | = a) sfidare qc.;  affrontare qc. + acc.  b) resistere + dat.  c) intestardirsi, ostinarsi contro qc. |
| 20. vorbeugen | = prevenire + acc. |
| 21. widersprechen | = a) contraddire;  contrastare + acc. b) opporsi a qd. + dat.  c) protestare contro qd. |
| 22. zürnen | = a) essere adirato con;  essere in collera con b) essere irritato contro |

Beispiele:

17. zu "drohen":
-Schlimme Krankheiten drohen den afrikanischen Völkern. = Malattie disastrose minacciano i popoli africani (...incombono sui popoli africani).

18. zu "misstrauen":
-Warum misstraust du mir. = Perché non ti fidi di me? (Perché hai sfiducia in me?)

19. zu "trotzen":
-Hildebrand trotzte dem Schicksal und nahm den Kampf gegen seinen eigenen Sohn Hadubrand auf. = Hildebrand affrontó il destino e accettó la lotta

contro il suo stesso figlio Hadubrand.

-"Was hast du denn heute? Warum trotzt du mir ständig?", fragt die Mutter ihre Tochter Monika. = "Che hai oggi? Perché continui a intestardirti contro di me?", chiede la mamma a sua figlia Monica.

20. zu "vorbeugen":

-Durch eine vernünftige Lebensweise kann man vielen Krankheiten vorbeugen. = Con un regime di vita sensato (equilibrato) si possono prevenire molte malattie.

21. zu "widersprechen":

-Warum widersprichst du immer deiner Mutter, auch dann, wenn sie Recht hat? = Perché contraddici sempre tua mamma, anche quando ha ragione (...ti opponi alla mamma, anche nei casi in cui lei ha ragione...)?

22. zu "zürnen":

-Eigentlich müsste ich dir zürnen, weil du mir nicht gehorcht hast, aber ich verzeihe dir. = A dire il vero, io dovrei essere arrabbiata con te perché non mi hai obbedito, ma ti perdono.


C) _Lista in ordine alfabetico di verbi + Dat. derivati da "helfen" e "danken"_

Trattandosi di composti di "helfen" e "danken" la loro memorizzazione in filastrocca non è necessaria:

| | |
|---|---|
| 23. aufhelfen | = a) aiutare a sollevarsi + acc.  c) soccorrere + acc.  d) rimettere in piedi (in sesto); ristabilire + acc. |
| 24. aushelfen | = a) aiutare; soccorrere + acc.  b) venire in aiuto + dat. |
| 25. herüberhelfen / hinüberhelfen | =  aiutare a passare di qua / aiutare a passare di là + acc. |
| 26. nachhelfen | = a) aiutare + acc.  b) dare una mano + dat. c) dare ripetizioni + dat. |
| 27. verhelfen + Dat. + zu + Dat. | = a) aiutare qualcuno ad ottenere qc. b) far trionfare + acc. |
| 28. verdanken | = a) essere obbligato verso qd. per qc.  b) ringraziare + acc. per (di)  c) dovere + dat. |

Beispiele:

23. zu "aufhelfen":

-Der Krankenwärter hilft dem halbgelähmten Mann vom Stuhl auf und führt ihn ins Bett. = L'infermiere aiuta l'uomo semiparalizzato a sollevarsi dalla sedia e lo conduce a letto.

24. zu "aushelfen":
-Es gibt viele Eltern, die ihren bereits verheirateten Kindern finanziell aushelfen. = Ci sono molti genitori che soccorrono finanziariamente i loro figli già
sposati.

25. zu "herüberhelfen / hinüberhelfen":
-Die Feuerwehrmänner (die Feuerwehrleute) halfen den in Gefahr stehenden
Leuten herüber / hinüber und retteten sie. = I pompieri aiutarono la gente
in pericolo a passare di qua / a passare di là, salvandola.

26. zu "nachhelfen":
-Dieser Lehrer hat vielen Schülern mit Privatunterrichtsstunden nachgehol-
fen. = Questo insegnante ha aiutato molti alunni con lezioni private (...ha
impartito a molti alunni lezioni private).

27. zu "verhelfen + zu + Dat.":
-Die Französische Revolution hat vielen Bürgern zur Freiheit verholfen. = La
Rivoluzione Francese ha aiutato molti cittadini ad ottenere la libertà.
-Nach vielen Grausamkeiten hat die Französische Revolution doch dem Hu-
manitätsideal zum Sieg verholfen. = Dopo tante crudeltà, la Rivoluzione
Francese ha fatto trionfare, nonostante tutto, l'ideale di umanità.

28. zu "verdanken":
-Auch wir verdanken den Aufklärern und der Französischen Revolution unse-
re Freiheit. = Anche noi dobbiamo ringraziare gli illuministi e la Rivoluzione
Francese per la nostra libertà.


D) *Ulteriori verbi composti col prefisso "nach-" + Dativ*

| | |
|---|---|
| 29. nachfahren | = seguire con mezzo |
| 30. nachgehen | = seguire a piedi |
| 31. nachkommen | = seguire; tenere il passo |
| 32. nachlächeln | = accompagnare col sorriso |
| 33. nachlaufen | = rincorrere |
| 34. nachschauen | = seguire con lo sguardo |
| 35. nachtrauern | = rimpiangere |

Beispiele:

29. zu "nachfahren":
-Fahren Sie bitte vor, ich fahre Ihnen nach. = Vada avanti con la macchina,
io la seguo (...le vengo dietro).

30. zu "nachgehen":
-Warum gehen Sie mir ständig überall nach? = Perché mi segue ovunque e
in continuazione?

31. zu "nachkommen":
-Sie diktieren viel zu schnell, wir kommen Ihnen unmöglich nach. = Lei detta
troppo velocemente, non riusciamo a seguirla.

32. zu "nachlächeln":
   -Wenn Gudrun von der Straßenbahn ausstieg, mit der auch ihr Freund fuhr, lächelte sie immer der Bahn nach. = Quando Gudrun scendeva dal tram, sul quale viaggiava anche il suo amico, si volgeva sempre verso il mezzo con un sorriso.

33. zu "nachlaufen":
   -Die alte Großmutter schafft es nicht, dem kleinen Enkel nachzulaufen. = La vecchia nonna non è in grado di rincorrere il nipotino.

34. zu "nachschauen":
   -Wenn Gudrun von der Straßenbahn ausstieg, schaute ihr Georg nach. = Quando Gudrun scendeva dal tram, Giorgio la seguiva con lo sguardo.

35. zu "nachtrauern":
   -Inge trauert vergeblich ihrer schönen Jugendzeit nach, denn sie kommt nie wieder. = Inge rimpiange inutilmente il bel tempo della sua giovinezza perché non torna piú.

# Verben mit Genitiv im Deutschen

( Verbi reggenti il genitivo in tedesco, non in italiano )

Non vengono riportati qui i diversi verbi la cui costruzione concorda fra le due lingue, reggenti cioé il genitivo sia in tedesco che in italiano, come: "sich erbarmen + Gen. = aver pietà di" – "sich annehmen + Gen. = interessarsi di" – "sich bedienen + Gen. = servirsi di" – "sich bemächtigen + Gen. = impadronirsi di" – "sich entledigen + Gen. = sbarazzarsi di" – "sich rühmen + Gen. = gloriarsi di, vantarsi di" – "sich vergewissern + Gen. = accertarsi di"... usw. Sono inoltre stati omessi anche i verbi tedeschi che, pur reggendo il genitivo, possono tuttavia avere altre costruzioni o reggere altri casi come p.e. "erinnern, erinnerte, erinnert":

> z.B.: -Erinnere dich meiner. = Ricordati di me. (= erinnern + Gen.)
> -Erinnere dich an mich. = Ricordati di me. (= erinnern + an + Akk. = costruzione preposizionale)

Questo verbo viene trattato nel capitolo "Verben mit verschiedenen Praepositionen" nr. 31, pagina 447; così pure il verbo "sich freuen: sich einer Sache freuen", stesso capitolo nr. 36, pag. 450.

Vi sono invece alcuni Verbi che in tedesco reggono esclusivamente il genitivo, mentre in italiano essi vengono resi spesso, a seconda del contesto, con voci verbali diverse, reggenti anche altre costruzioni; ecco i piú ricorrenti:

**1. bedürfen, bedurfte, bedurft**

*Uso intransitivo con sola costruzione indiretta*

   a) Tradotto con "aver bisogno di"; "abbisognare di"; necessitare di" ambedue le lingue hanno la stessa costruzione indiretta + Gen.:
   > z.B.:-Dieser Kranke bedarf unbedingt eines Arztes. = Questo ammalato ha assolutamente bisogno di un medico.

b) Tradotto con "**occorrere a**": in italiano + Dat., in tedesco + Gen.:

> z.B.: -A questo ammalato occorre una maggiore assistenza medi-
> ca. = Dieser Kranke bedarf einer gründlicheren ärztlichen
> Hilfe.
>
> -A questo bambino occorre la presenza della mamma. = Die-
> ses Kind bedarf der Anwesenheit seiner Mutter.

*Uso impersonale*

a) Tradotto con "**volerci**", ció che in italiano funge da soggetto, in tedesco sta al genitivo:

> z.B.: -Es hat meiner ganzen Überredungskunst bedurft, um Moni-
> ka zu überzeugen, diese Freundschaft aufzugeben. = C'é
> voluta tutta la mia forza di persuasione per convincere Mo-
> nica ad abbandonare tale amicizia.

- - - - - -

## 2. gedenken, gedachte, gedacht

*Uso intransitivo con sola costruzione indiretta*

Si ha questa costruzione quando la persona o l'oggetto del ricordo vengono
espressi da un sostantivo o da un pronome:

a) Tradotto con "ricordarsi, rammentarsi di", ambedue le lingue hanno la
stessa costruzione indiretta + Gen.:

> z.B.:-"Gedenke meiner, wenn du in deinem Himmelreich bist." =
> "Ricordati di me, quando sarai nel tuo Regno" (Luca 23, 42 =
> Parole rivolte dal buon ladrone a Gesú).

b) Tradotto con "**ricordare qc.; rammentare qc.; commemorare qd.**":
in italiano + Akk., mentre in tedesco + Gen.:

> z.B.:-Zu Allerheiligen gedenken wir unserer Toten. = Il giorno dei
> morti commemoriamo i nostri defunti.
>
> -Gedenke dessen, was dir deine Mutter empfohlen hat. (NB:
> Korrelativsatz, si vedano le regole della proposizione corre-
> lativa! = capitolo "Der Relativsatz" Regel nr. 9b pag. 248)
> = Ricorda ció che tua mamma ti ha raccomandato.

*Uso intransitivo con proposizione infinitiva*

Si usa questa costruzione quando l'oggetto dell'intenzione viene espresso
da una proposizione dipendente:

\* Tradotto con "proporsi; aver l'intenzione; indendere" al posto del genitivo si ha in ambedue le lingue una proposizione infinitiva:

> z.B.: -Wir gedenken, noch eine Weile hier zu bleiben. = Noi ab-
> biamo l'intenzione di fermarci qui ancora un po'.
>
> -Was gedenkst du, in einem solchen Fall zu unternehmen?
> = Che ti proponi di fare (di intraprendere) in un caso del
> genere?

# Verben mit verschiedenen Praepositionen zwischen Deutsch und Italienisch

### ( Verbi con presposizioni differenti fra le due lingue )

Sapere quale preposizione regge un determinato verbo é, in campo linguistico, una delle difficoltà maggiori da memorizzare per non cadere in errore, perché fra una lingua e l'altra esistono centinaia di verbi che reggono preposizioni differenti. Anche fra la lingua tedesca e l'italiano si hanno moltissimi verbi reggenti una o piú preposizioni differenti fra le due lingue. Gli stessi parlanti la madrelingua, perfino gli scrittori, i poeti, sono spesso costretti a consultare per la propria lingua, qualunque essa sia, i vocabolari per verificare quale preposizione sia in un determinato contesto la piú adatta per verbi meno ricorrenti.

Troppe grammatiche scolastiche producono elenchi confusi, indicando assieme ai verbi con preposizioni differenti fra le due lingue anche quelli reggenti preposizioni equivalenti. Quando il verbo tedesco regge solo preposizioni che combaciano con l'italiano non serve alcuna registrazione o indicazione. Così per esempio è superfluo ed inutile mettere in elenco: "arbeiten für = lavorare per", "anfangen mit = iniziare con", "sprechen von = parlare di", "spazieren durch = passeggiare attraverso", "denken an + Akk. = pensare a + Dat." perché le preposizioni tedesche e italiane rette da questi verbi sono identiche. Nel caso, per esempio, del verbo "denken an + Akk.", non si differenzia la preposizione perché alla preposizione "an" corrisponde in italiano "a", ma è diverso solo il caso. La difficoltà del caso diverso fra le due lingue viene trattata nei capitoli: "Verben mit Akkusativ", pagine 413-422 – "Verben mit Dativ" pagine 423-429 o, come nel caso di "denken + an + Akk"., nel capitolo "Praepositionen mit Dativ oder Akk.", regola del "senso traslato o figurato" nr. 5, pag. 178.

Trattandosi di un numero elevatissimo di verbi, l'elenco in ordine alfabetico qui riportato non può e non vuol essere completo; esso indica solo i verbi piú frequenti. La costruzione preposizionale di nove di essi sui 73 qui elencati è già stata trattata nel capitolo "Verben + Akk. im Deutschen" ai quali si fa solo riferimento. Per completezza vengono indicate in questo elenco tutte le possibili costruzioni di ogni singolo verbo in lista. In risalto tuttavia sono messe soltanto le costruzioni preposizionali, aventi preposizioni differenti fra le due lingue, nonché la diversità del caso.

1. **abfinden**, **fand ab**, **abgefunden**

   *Uso transistivo con costruzione diretta*

       \*   Tradotto con "soddisfare; tacitare" ambedue le lingue reggono l'accusativo puro:

               z.B.:-Wir konnten, Gott sei Dank, noch alle Gläubiger abfinden und den Konkurs vermeiden. = Ringraziando il Cielo, potemmo ancora soddisfare tutti i creditori ed evitare il fallimento.

   *Uso riflessivo con costruzione preposizionale*

       a)  Tradotto con "**rassegnarsi a; contentarsi di**": in tedesco + mit + Dat.:

z.B.:-Diese armen Eltern haben sich mit dem Tod ihrer noch so jungen Tochter abgefunden. = Questi poveri genitori si sono rassegnati alla perdita della loro ancora così giovane figlia.

b) Tradotto con "accordarsi; accomodarsi; disobbligarsi" ambedue le lingue reggono la preposizione "mit = con":

z.B.:-Wir müssen uns mit den Gläubigern abfinden, sonst gehen wir Pleite. = Dobbiamo accordarci con i nostri creditori, altrimenti andiamo in fallimento.

- - - - - -

## 2. achten, achtete, geachtet

*Uso transitivo con costruzione diretta*

* Tradotto con "stimare; rispettare" ambedue le lingue reggono l'accusativo puro (= accusativo semplice):

z.B.:-Ist Peter hier geachtet? = Pietro è stimato qui?
-Ja, hier achtet man ihn hoch. = Sì, qui lo si stima molto (Qui lo si tiene in alta considerazione).

*Uso transitivo con costruzione diretta + preposizionale*

a) Tradotto con "**stimare qd. per; rispettare qd. per**": in tedesco + Akk + wegen + Gen.:

z.B.: -Weswegen achten alle Leute Peter? = Perché tutta la gente stima Pietro (Qual'é il motivo per cui tutti stimano Pietro)?
-Sie achten ihn wegen seiner Tüchtigkeit, seines Ernstes in der Arbeit und nicht zuletzt wegen seiner Ehrlichkeit. = Lo stimano per le sue capacità, la sua serietà nel lavoro e, non per ultimo, per la sua sincerità.

b) Tradotto con "**ritenere qd. o qc.; considerare come**": in tedesco + Akk. + für + Akk.:

z.B.: -Alle Leute achten hier Peter für einen Ehrenmann. = Tutta la gente qui considera Pietro un gentiluomo.
-Ich achte es für das Beste, nicht mitzufahren. = Ritengo sia meglio non partecipare al viaggio.

*Uso intransitivo con costruzione preposizionale*

a) Tradotto con "**badare a; fare attenzione a**": in tedesco + auf + Akk.:

z.B.: -Achte bitte auf das Kind, dass es nicht in Gefahr kommt! = Presta attenzione al bambino affinché eviti il pericolo (= ... eviti di correre pericoli)!
-Warum achtest du nicht auf des Lehrers Erklärungen (Worte)? = Perché non presti attenzione alle spiegazioni (alle parole) dell'insegnante?
-Achte auf die Verkehrszeichen, wenn du den Wagen fährst! = Bada alla segnaletica quando guidi!

b) Tradotto con "**tener conto di; seguire qc**.": in tedesco + auf + Akk.:

z.B.:-Du achtest wohl nie auf meine Ratschläge. = Ma tu non tieni mai conto dei miei consigli (...non ascolti mai i miei...).

- - - - - -

## 3. ändern, änderte, geändert

*Uso intransitivo con costruzione preposizionale*

* + an + Dat. = **variare**, **modificare**, **esserci da fare** (Attenzione: senso traslato della prep. "an" col dativo anziché con l'accusativo!):

z.B.:-Es tut mir leid, aber an dieser Tatsache ist nichts mehr zu ändern. = Mi spiace, ma in merito a ció (a tale situazione, a tale stato di cose) non c'é piú nulla da fare.

*Uso transitivo con costruzione diretta, nonché riflessivo "sich ändern"*

* + Akk. come in italiano = cambiare, mutare; in italiano è raramente riflessivo come ad es. nel senso di "cambiarsi d'abito":

z.B.:-Hast du jetzt auf einmal Meinung geändert? = Hai ora di colpo cambiato parere?

-Die Zeiten ändern sich. = I tempi cambiano.

- - - - - -

## 4. angehen, ging an, angegangen          Vedi Verben mit Akk. pag. 413.

- - - - - -

## 5. ängstigen, ängstigte, geängstigt

*Uso transitivo con costruzione diretta*

* Tradotto con "spaventare; impaurire" ambedue le lingue hanno la costruzione diretta + Akk.:

z.B.:-Diese gewalttätigen Filme ängstigen das Kind. = Questi film violenti spaventano il bambino.

-Ein böser Traum hat mich diese Nacht geängstigt. = Questa notte sono stato impaurito da un brutto sogno.

*Uso riflessivo con costruzione preposizionale*

a) Tradotto con "**aver paura di**": in ital. + Gen., in tedesco + vor + Dat.:

z.B.:-Monika ängstigt sich vor der Prüfung. = Monica ha paura dell'esame.

-Wovor ängstigst du dich denn? Du hast ja so viel gelernt! Es wird alles gut gehen, wirst sehen. = Ma di che cosa hai paura? Hai studiato così tanto! Andrà tutto bene, vedrai.

b) Tradotto con "**preoccuparsi per; inquietarsi per; stare in pensiero per**" si ha in tedesco + um + Akk.:

z.B.:-Roberts Eltern ängstigen sich um ihren Sohn, weil er von Mai-

land nach London fliegen muss und es viel Nebel gibt.
= I genitori di Roberto sono preoccupati per il loro figlio perché
de-ve volare da Milano a Londra e c'é molta nebbia.

- - - - - -

## 6. ankommen, kam an, angekommen

*Uso intransitivo sia "**senza**" che "**con**" costruzione preposizionale*

a) Tradotto con "**arrivare a; giungere a**" si usa senza alcuna preposizione quando non viene indicato il luogo dell'arrivo. Come tutti i verbi
di arrivo, esprime stato in luogo; per cui, quando viene indicato il luogo dell'arrivo, si ha in tedesco + in + Dat. oppure + bei + Dat., a volte
anche + an + Dat. come in italiano:

    z.B.: -Wann bist du angekommen? = Quando sei arrivato?
        -Der Schnellzug kommt um 13.32 Uhr in Frankfurt an.
        = Il direttissimo arriva a Francoforte alle 13.32.
        -Bei uns sind schon die Schwalben angekommen. = Da noi
        sono già giunte le rondini.
        -Bei unseren Nachbaren ist ein Baby angekommen. = Presso
        i nostri vicini è nato un bambino.

    Eccezione: zu Hause ankommen = arrivare a casa:
        -Wann bist du zu Hause angekommen. = Quando sei arriva-
        to a casa?

b) Tradotto con "**essere accolto favorevolmente da; incontrare il favore di; avere successo presso**" si usa senza alcuna preposizione
quando non viene indicato il pubblico che accoglie; se invece viene
indicato il pubblico o la persona che accoglie si ha in tedesco + bei +
Dat.:
    z.B.:-Dieser Film ist gut angekommen. = Questo film ha avuto
        successo.
        -Dieser Film ist beim Publikum gut angekommen. = Questo
        film ha incontrato il favore del pubblico.

c) Tradotto con "**tener testa a qd.; spuntarla con qd.**" si ha in tedesco
+ gegen + Akk.:
    z.B.:-Mein lieber Junge, du kannst gegen Paul nicht ankommen,
        (= aufkommen) er ist zu raffiniert! = Mio caro ragazzo, con
        Paolo non la spunti: è troppo furbo (raffinato)!

*Uso transitivo con costruzione diretta*

a) Tradotto con "cogliere; prendere; assalire", ambedue le lingue reggono l'accusativo puro (= accusativo semplice):
    z.B.:-Als ich die traurige Nachricht vernahm, kam mich ein Schau-
        der an. = Quando appresi la triste notizia, mi colse un brivido.

b) Tradotto con "**riuscire a; essere per qd.**" in tedesco + Akk.:

>z.B.:-Diese Probe kommt mich bitter an. = Questa prova mi rie-
sce amara (...é per me amara).

*Uso impersonale con costruzione preposizionale*

a) Tradotto con "**dipendere da**", "**essere prezioso**", "**essere importante**", "**tenerci**" si usa in tedesco + es + auf + Akk.:

>z.B.:-Es kommt nur noch auf dich, auf deinen guten Willen an, ob
du durchkommen wirst oder nicht. = Ora dipende solo da te,
dalla tua buona volontà, se sarai promosso o no.
>-Fahren wir dieses Wochenende ins Gebirge? = Questo fine
settimana andiamo in montagna?
>-Es kommt darauf an, ob das Wetter schön ist. = Dipende se
il tempo è bello. Col brutto tempo non andiamo.
>-Der Patient ist in Lebensgefahr. Es kommt auf jede Minute
an. = Il paziente è in pericolo di vita. Ogni minuto è prezioso.

b) Tradotto con "**rischiare**": in italiano + Akk., in tedesco invece + es +
auf + Akk.:

>z.B.:-Ich will es auf einen Prozess ankommen lassen, weil ich
meiner Sache sicher bin. = Io voglio rischiare un processo
perché sono sicuro della mia causa.

- - - - - -

7. **anreden, redete an, angeredet**        Vedi Verben + Akk., pag. 414.

- - - - - -

8. **anrufen, rief an, angerufen**        Vedi Verben + Akk., pag. 414.

- - - - - -

9. **ansprechen, sprach an, angesprochen**   Vedi Verben + Akk., p. 415.

- - - - - -

10. **antworten, antwortete, geantwortet**

*Uso intransitivo con costruzione indiretta senza costruzione preposizionale*

*   Tradotto con "rispondere a qd." si usa in ambedue le lingue + Dat. senza alcuna ulteriore preposizione quando non ci si riferisce all'oggetto
della risposta, ma solo alla persona che deve rispondere o alla quale si
deve rispondere:

>z.B.:-Warum antwortest du mir nicht? = Perché non mi rispondi?
>-Ich will dir nicht antworten. = Non voglio risponderti.

*Uso intransitivo con costruzione indiretta + costruzione preposizionale*

*   Tradotto con "**rispondere a qc.; replicare a qc.**", quando ci si riferisce
all'oggetto al quale si deve rispondere, vuole in tedesco + auf + Akk.:

z.B.:-Warum antwortest du nicht auf meine Frage? = Perché non rispondi alla mia domanda?

-Wir müssen auf das Fax (auf den Brief, auf die E-Mail) unseres Kunden antworten. = Dobbiamo rispondere al fax (alla lettera, all'e-mail) del nostro cliente.

------

## 11. ärgern, ärgerte, geärgert

*Uso transitivo con sola costruzione diretta*

* Tradotto con "irritare; stizzire; far arrabbiare" si ha in ambedue le lingue la costruzione diretta + Akk.:

z.B.:-Ärgere mich bitte nicht! = Non farmi arrabbiare, per favore!

-Warum ärgerst du ständig deinen Vater? = Perché fai continuamente arrabbiare tuo padre?

*Uso riflessivo con costruzione preposizionale*

* Tradotto con "**irritarsi; stizzirsi; arrabbiarsi per qc.**" si ha in tedesco + über + Akk.:

z.B.:-Peter Schmidt hat sich über die Vespätung von Inge nicht geärgert, er wurde nur ein wenig ungeduldig und nervös. = Pietro Schmidt non si è arrabbiato per il ritardo di Inge, si è solo innervosito un po'.

-Worüber (Pronominaladverb) ärgerst du dich denn? Ich verstehe wirklich nicht, worüber (Konjunktion) du dich so sehr ärgerst! = Ma per che cosa ti arrabbi? Non capisco proprio per che cosa ti arrabbi così tanto (...in quel modo)!

-Ein Journalist hatte sich darüber (Fügung) geärgert, dass man seine Berichte in der Zeitung so stark gekürzt hatte. = Un giornalista si era arrabbiato per il fatto che i suoi articoli, apparsi sul giornale, erano stati drasticamente ridotti.

------

## 12. aufpassen, passte auf, aufgepasst

*Uso intransitivo "senza" o "con" costruzione preposizionale*

a) Tradotto con "stare attento; prestare attenzione; fare attenzione" si usa in ambedue le lingue senza alcuna preposizione quando non viene espresso l'oggetto dell'attenzione oppure quando esso è espresso da una proposizione dipendente:

z.B.:-Du musst in der Schule besser aufpassen. = Tu devi stare più attento a scuola.

-Nun pass aber auf! = Adesso però stà attento!

-Pass mal auf! = Senti un po'! (Attento a quello che ti dico! Attento a quello che faccio! - Presta attenzione!)

Pass bitte auf, dass dir nichts passiert! = Sta' attento che non ti succeda qualcosa (...che non ti capiti qualcosa)!

b) Tradotto con "**stare attento a; prestare attenzione a; fare attenzione a; badare a**" si usa in tedesco + auf + Akk.:

z.B.:-Pass bitte auf deinen kleinen Bruder auf! = Bada, ti prego, al tuo piccolo fratellino!

-Pass bitte auf den Weg auf, wenn du fährst! = Sta', per favore, attento alla strada quando guidi!

-Pass doch auf die Grammatik auf! Merkst du nicht, dass das falsch ist? = Sta' attento alla grammatica! Non ti accorgi che ció è sbagliato?

*Uso intransitivo con costruzione indiretta*

* Tradotto con "**appostare; aspettare al varco**" si ha in italiano + Akk., in tedesco + Dat.:

z.B.:-Die Polizei passte dem Übeltäter auf und nahm ihn fest. = La polizia aspettó il malfattore al varco e lo arrestó.

*Uso idiomatico come forma di comando (= imperativo: si veda pag. 298)*

* Il participio passato di "aufpassen" viene usato spesso per esprimere comando perentorio ad un gruppo di persone al posto dell'imperativo:

z.B.: -Augepasst, Stufe! = Attenzione, gradino!

- - - - - -

## 13. aufregen, regte auf, aufgeregt

*Uso transitivo con costruzione diretta*

* Tradotto con "agitare; eccitare; emozionare; irritare; turbare; inquietare" si ha in ambedue le lingue la costruzione diretta + Akk.:

z.B.:-Wenn du dich so benimmst, regst du deinen Papi auf. = Comportandoti in quel modo, irriti tuo papà.

-Die schlimme Nachricht hat meinen Freund aufgeregt. = La triste notizia ha inquietato il mio amico.

*Uso riflessivo con costruzione preposizionale*

* Tradotto con "**eccitarsi per; agitarsi per; emozionarsi per; irritarsi per**" si ha in tedesco + über + Akk., a volte anche + wegen + Gen.:

z.B.:-Rege dich doch über so eine Kleinigkeit (wegen dieser Kleinigkeit) nicht dermaßen auf! = E dai, non agitarti in quel modo per così poco (...per una tale sciocchezza)!

-Es lohnt sich doch nicht, dass du dich darüber so aufregst! = Ma non ne vale la pena che tu per questo motivo abbia ad irritarti in tal modo (...che tu per questo ti agiti così)!

-Aber sagt mal! Worüber regt ihr euch denn eigentlich so sehr auf? = Ma dite un po' per che cosa vi agitate così tanto?

## 14. <mark>aussehen</mark>, sah aus, ausgesehen

*Uso intransitivo senza costruzione preposizionale*

* Tradotto con "**avere l'aspetto di; sembrare; apparire**" si ha <mark>in tede-</mark> <mark>sco</mark> un complemento di paragone che <mark>risponde alla domanda</mark> <mark>"wie?"</mark>, quando il termine di paragone è una persona:

  z.B.:-Dieser junge Student sieht wie ein Professor aus. = Questo giovane studente sembra un professore.

  -Wie siehst du denn aus? = Ma come ti sei conciato?

  -Als Inge von ihrem Urlaub zurückkam, sah sie braun aus wie eine Negerin. = Quando Inge tornó dalle ferie era abbronzata come una mora.

*Uso intransitivo con costruzione preposizionale*

b) Tradotto con "**avere l'apparenza di; promettere qc.**" si ha <mark>in tedesco</mark> <mark>+ nach + Dat.</mark>:

  z.B.:-Der Himmel sieht nach Regen, nach Schnee, nach einem Gewitter aus. = Il cielo promette pioggia, neve, temporale (Pare che voglia piovere, nevicare, venire un temporale).

c) Tradotto con "**presentarsi con; fare una figura con**" si ha <mark>in tedesco</mark> <mark>+ in + Dat.</mark>:

  z.B.:-Du siehst in dem neuen Kleid wirklich hübsch aus. = Tu sei proprio carina con questo nuovo vestito.

*Uso impersonale*

* Tradotto con "**andar male / bene; stare male / bene**": in italiano + nominativo (= soggetto), <mark>in tedesco</mark> <mark>+ es + mit + Dat.</mark>:

  z.B.:-Mit dem Geschäft sieht <mark>es</mark> im Moment sehr schlecht aus. = Gli affari vanno malissimo per il momento.

  { -Wie geht es deinem Großvater? = Come sta tuo nonno?

  { -Mit ihm sieht <mark>es</mark> gar nicht gut aus. = Non sta affatto bene.

- - - - - -

## 15. <mark>bauen</mark>, baute, gebaut

*Uso intransitivo con costruzione preposizionale*

a) + an + Dat. = lavorare intorno a - le due lingue concordano:

  z.B.: –Viele Jahrhunderte hat man am Kölner Dom gebaut. = Alla costruzione del duomo di Colonia si è lavorato per secoli.

b) <mark>+ auf + Akk.</mark> = fare affidamento su, **fidarsi di**:

  z.B.: –Auf meinen Freund Peter kann ich fest bauen. = Del mio amico Pietro posso fidarmi ciecamente (Su di lui posso fare affidamento).

  -Heutzutage kann man auf niemand(en) mehr bauen. = Oggigiorno non ci si può piú fidare di nessuno.

*Uso transitivo con costruzione diretta*

  \*   + Akk. come in italiano = costruire:
      z.B.:-Unser Stadtrat hat beschlossen, ein neues Theater zu bauen.
      = Il nostro consiglio comunale ha deciso di costruire un nuovo
      teatro.

      - - - - - -

## 16. befassen, befasste, befasst

*Uso transitivo con costruzione preposizionale*

  \*   Tradotto con "**indurre ad occuparsi di; interessare qd. a**." si ha in
    tedesco **+ Akk. + mit + Dat.**:
      z.B.:-Unruhige Schüler soll man *mit* Sonderaufgaben befassen
      (beschäftigen). = Si devono indurre alunni irrequieti ad occu-
      parsi di compiti particolari. (NB: Per la differente concordanza
      del predicato con il pron. "man" si veda il § d, pag. 44).

*Uso riflessivo con costruzione preposizionale*

  \*   Tradotto con "**occuparsi di; interessarsi di; trattare qc**." si ha in
    tedesco **+ mit + Dat.**:
      z.B.:-Befasst du dich bitte *mit* diesem Problem? = Ti occupi tu di
      questo problema, per favore?
      -Mit solchen Angelegenheiten hab'ich mich noch nie befasst.
      = Non ho mai trattato tali faccende.

      - - - - - -

## 17. beklagen, beklagte, beklagt

*Uso transitivo con costruzione diretta*

  a) Tradotto con "**rammaricarsi di / per; lamentarsi di**" in italiano + Gen.,
    in tedesco **+ Akk.**:
      z.B.:-Familie Schmidt beklagt *den* Verlust eines lieben Freundes.
      = La famiglia Schmidt si rammarica per la perdita di un caro
      amico.
  b) Tradotto con "compiangere; commiserare; lamentare", ambedue le
    lingue reggono l'accusativo puro:
      z.B.:-Hildebrand beklagte sein grausames Schicksal, gegen seinen
      eigenen Sohn kämpfen zu müssen. = Hildebrand lamentó il
      [suo] crudele destino di dover lottare contro il proprio figlio.

*Uso riflessivo con costruzione preposizionale*

  \*   Tradotto con "**lamentarsi di; dolersi di; lagnarsi di**" si ha in italiano
    + Gen., in tedesco **+ über + Akk.**:
      z.B.:-Paul beklagt sich immer *über die* anderen und kommt mit nie-
      mand aus. = Paolo si lamenta sempre degli altri e non va
      d'accordo con nessuno.

## 18. bemerken, bemerkte, bemerkt

*Uso transitivo con costruzione diretta + preposizionale*

a) **+ Akk. + an + Dat.** = **accorgersi di**, **notare da**:

z.B.:-An ihrem Benehmen bemerkte ich, dass sie verliebt ist. = Dal suo comportamento notai (mi accorsi) che è innamorata.

b) **+ Akk. + zu + Dat.** = **far notare in proposito**:

z.B.:-Haben Sie dazu was zu bemerken = Ha qualcosa da far notare in proposito?

c) **+ Akk. + über + Akk.** = **notare in merito a (per quanto riguarda)**:

z.B.:-Über Giselas Benehmen ist nichts Nachteiliges zu bemerken. = Sul comportamento di Gisella non vi è nulla da eccepire [alla lettera: "per quanto riguarda il comportamento di G. non si nota nulla di negativo, di sfavorevole].

*Uso transitivo con sola costruzione diretta*

a) Tradotto con "notare" si ha in ambedue le lingue l'accusativo:

z.B.:-Non hai proprio notato l'errore? = Hast du den Fehler wirklich nicht bemerkt?

b) Tradotto con "**accorgersi di**": in italiano + genitivo, in tedesco **+ Akk.**:

z.B.:-Non ti sei proprio accorto dell'errore? = Hast du den Fehler wirklich nicht bemerkt?

- - - - - -

## 19. bemühen, bemühte, bemüht

*Uso transitivo con costruzione diretta*

\* Tradotto con "incomodare; disturbare", ambedue le lingue hanno la costruzione diretta + Akk.:

z.B.:-Ich möchte die Damen nicht bemühen (stören). = Non vorrei disturbare (incomodare) le signore.

*Uso riflessivo senza costruzione preposizionale*

\* Tradotto con "sforzarsi; adoperarsi; darsi premura; impegnarsi", quando lo scopo della premura o non viene espresso, o viene espresso con una proposizione secondaria, in ambedue le lingue non si ha alcuna preposizione:

z.B.:-Peter hat sich in der Schule ehrlich bemüht. = A scuola Pietro si è veramente impegnato.

-Auch die Schülerin Gisela war bemüht, ihre Pflicht zu tun. = Anche l'alunna Gisela si è adoperata a compiere il proprio dovere.

-"Wer immer strebend sich bemüht, den können wir erlösen!" (**Goethe** "Faust", 5. Akt, Engelchor) = Possiamo salvare colui che è impegnato nella continua ricerca (della verità).

a) Tradotto con "**aspirare a; cercare di ottenere; darsi da fare per; sforzarsi per; adoperarsi per; impegnarsi per**", quando lo scopo della premura viene espresso con un sostantivo o pronome, si ha in tedesco + um + Akk.:

z.B.:-Wir haben einen vortrefflichen Arzt, der sich um die Kranken sehr bemüht. = Abbiamo un ottimo dottore che si dà molto da fare per gli ammalati.

-Ich verstehe nicht, warum sich Paul nicht um eine Arbeit be- müht. = Non capisco perché Paolo non cerchi di ottenere un lavoro (...non si dà da fare per un lavoro).

b) Tradotto con "**recarsi da; andare da; premurarsi di andare da**" si ha in tedesco + zu + Dat., se viene espresso moto verso persona o verso parti di villaggio maschili o femminili; se invece viene espresso moto verso luogo chiuso o verso parti di villaggio di genere neutro, si ha la costruzione con + in + Akk.:

z.B.:-Bei ernsten Beschwerden muss man sich zum Arzt bemühen. = Quando si hanno disturbi seri, bisogna recarsi dal medico.

-Wollen Sie sich bitte ins Wohnzimmer bemühen? = Vuole per favore accomodarsi in salotto?

- - - - - -

**20. beraten, beriet, beraten**          Vedi Verben + Akk., pag. 416

- - - - - -

**21. beschäftigen, beschäftigte, beschäftigt**   Vedi Verben + Akk., pag 417

- - - - - -

**22. besorgt sein - sich Sorgen machen**    Vedi anche nr. 469

_Uso intransitivo o riflessivo con costruzione preposizionale_

a) besorgt sein – sich Sorgen machen + um + Akk. = **essere preoccu- pato per; essere in ansia per; essere inquieto per**", quando il motivo della preoccupazione viene espresso con un sostantivo o con un pronome:

z.B.:-Roberts Eltern sind besorgt um ihren Sohn (... machen sich Sorgen um ihren Sohn), weil er von Mailand nach London fliegen muss und es viel Nebel gibt. = I genitori di Roberto sono preoccupati per il loro figlio perché deve volare da Mi- lano a Londra e c'é molta nebbia.

_Uso intransitivo o riflessivo senza costruzione preposizionale_

\*  Le stesse forme verbali non vogliono in ambedue le lingue alcuna preposizione, quando il motivo della preoccupazione non viene espresso:

z.B.:-Warum bist du denn so besorgt? -  Warum machst du dir so viele Sorgen? = Perché sei così preoccupato?

- - - - - -

## 23. bestehen, bestand, bestanden

*Uso intransitivo con costruzione preposizionale*

a) + in + Dat. = stare, essere - Le due lingue concordano:

z.B.:-Der Unterschied dieser Ware im Vergleich zur anderen besteht in der Qualität. = La differenza di questa merce nei confronti dell'altra sta nella qualità.

b) + über + Dat. = **esserci**:

z.B.:-Bestehen noch Zweifel über dem Problem? = Vi sono ancora dubbi su questo problema?

-Nein, darüber bestehen keine Zweifel mehr. = No, su ció non vi sono piú dubbi.

c) + aus + Dat. = (indica complemento di materia) **consistere, essere fatto di**:

z.B.: -Dieser Ring besteht aus Gold. = Questo anello è d'oro.

*Uso transitivo con costruzione preposizionale*

a) + auf + Dat. = ostinarsi, insistere su, **non mollare**, **tenerci** (A volte si trova anche "bestehen + auf + Akk." ma è raramente in uso.):

z.B.:-Paul besteht schon seit immer auf seinem Recht. = Paolo insiste da sempre sul suo diritto.

-Monika besteht auf kirchlicher Trauung. = Monica ci tiene al matrimonio religioso.

b) + vor + Dat. = **reggere, tener testa**:

z.B.:-Wie soll ich vor dieser Kritik bestehen? = Come posso reggere a questa critica [Alla lettera: Come posso reggere di fronte a questa critica]?

*Uso transitivo con costruzione diretta*

\*   + Akk. come in italiano = superare, sostenere:

z.B.:-Peter hat die Prüfung glänzend bestanden. = Pietro ha superato l'esame brillantemente.

- - - - - -

## 24. bewerben, bewarb, beworben + sich

*Uso riflessivo con costruzione preposizionale*

a) Tradotto con "**cercare di ottenere qc.;  aspirare a;  fare domanda per**" si ha in tedesco + um + Akk.:

z.B.:-Peter hat sich um eine Stellung (einen Posten) bei der Bundesbahn beworben. = Pietro ha fatto domanda per un posto presso le Ferrovie Federali.

b) Tradotto con "**chiedere la mano di una ragazza**" si ha in tedesco + um + Akk.:

z.B.:-Paul hat sich schon um die Hand vieler Mädchen beworben, hat aber kein Glück gehabt. = Paolo ha già chiesto la mano (di) a molte ragazze, ma senza fortuna.

- - - - - -

## 25. bitten, bat, gebeten
Vedi Verben + Akk., pag. 417.

- - - - - -

## 26. dienen, diente, gedient

*Uso intransitivo con costruzione indiretta*

a) Tradotto con "**servire qd.**" in italiano + Akk., in tedesco + Dat.:

z.B.:-Niemand kann zwei Herren dienen! Ihr könnt nicht Gott und und dem Mammon dienen! = Nessuno può servire due padroni! Non potete servire Dio e Mammona! (Matteo 6, 24)
-Ihm zu dienen, bin ich durchaus nicht gewillt. = Non sono affatto disposta a servirlo.

b) Tradotto con "giovare a; essere utile a" si ha in ambedue le lingue la costruzione indiretta + Dat.; in tal senso corrisponde in tedesco anche alla forma verbale "dienlich sein = essere comodo, essere utile":

z.B.:-Wie kann ich Ihnen dienlich sein? = Come posso esserle utile?
-Dieses Küchengerät kaufe ich mir, es kann mir gut dienen. = Mi compero questo elettrodomestico, mi può servire (= può essermi utile).
-Eine vernünftige Lebensweise dient der Gesundheit. = Un modo di vita sensato giova alla salute.

*Uso intransitivo con costtruzione indiretta + preposizionale*

a) Tradotto con "**servire qd. in qualcosa; aiutare qd. in qualcosa**" si ha in tedesco + Dat + mit + Dat.:

z.B.:-Womit kann ich Ihnen dienen? = In che cosa posso servirla?
-Damit können wir Ihnen leider nicht dienen. = Purtroppo questo articolo non l'abbiamo [Con ció non possiamo servirla].
-Dienen (helfen) Sie mir bitte nicht nur mit schönen Worten, sondern auch mit Taten. = Lei non mi appoggi (aiuti) solo a parole, ma anche coi fatti.

b) Tradotto con "**servire a / per**" si ha in tedesco + Dat. + zu + Dat.:

443

$$\left\{\begin{array}{l}\\\\\end{array}\right.$$ z.B.:-Wozu dient das? = A che scopo serve ció?
-Das dient zu unserem Besten. = Ció serve per il nostro bene.

c) Tradotto con "servire in qualità di; servire come" in ambedue le lingue si ha un complemento di paragone, in tedesco + Dat. + als:

z.B.:-Herr Braun hat seiner Stadt viele Jahre als Bürgermeister gedient. = Il signor Braun ha servito per molti anni la sua città come (in qualità di) sindaco.

- - - - - -

## 27. drohen, drohte, gedroht

*Uso intransitivo con sola costruzione indiretta*

* Tradotto con "**minacciare qd.; incombere su qd.**", se ció che incombe funge da soggetto o il mezzo della minaccia non viene espresso oppure viene espresso con una proposizione secondaria, non si usa in tedesco alcuna prep., bensì il dativo = + Dat. della persona minacciata:

z.B.:-Im hohen Alter drohen jedem Menschen die verschiedensten Krankheiten. = Nella vecchiaia avanzata diverse malattie incombono su ogni persona.
-Warum hast du ihm gedroht? = Perché lo hai minacciato?
-Warum hast du ihm gedroht, die Polizei anzurufen? = Perché lo hai minacciato, dicendogli di chiamare la polizia?
-Diese Mauer droht zu stürzen. = Questo muro minaccia di crollare.

*Uso intransitivo con costruzione indiretta + preposizionale*

* Tradotto con "**minacciare qd. di qc.**", quando il mezzo della minaccia viene espresso con un sostantivo o pronome, si ha in tedesco + Dat. + mit + Dat.:

z.B.:-Warum hast du ihm mit der Polizei gedroht? = Perché lo hai minacciato dicendogli di chiamare la polizia?
-Wenn die Mutter dem Kind mit erhobenem Zeigefinger droht, versteht es schon, dass das, was er macht, nicht richtig ist. = Quando la mamma minaccia il bambino sollevando l'indice, lui capisce già che ció che sta facendo è sbagliato.
-Die Fußballfans der spielenden Mannschaft drohten den Gegnern nicht nur mit Fäusten, sondern auch mit Stöcken. = I tifosi della squadra in gioco minacciarono gli avversari non solo con i pugni, ma anche con bastoni.

- - - - - -

## 28. eingehen, ging ein, eingegangen

*Uso intransitivo senza costruzione preposizionale*

a) Tradotto con "arrivare; giungere" ambedue le lingue si equivalgono:

**444**

$\left\{\begin{array}{l}\\\\\\\end{array}\right.$ z.B.:-Ist die Sendung eingegangen?  =  È arrivata la merce? (Il carico è pervenuto?)

-Hier noch nichts. = Qui non è ancora giunto nulla.

b) Tradotto con "entrare; entrare a far parte" le due lingue si equivalgono:

z.B.:-Wir hoffen einst, in den Himmel und nicht in die Hölle ein-zugehen.  =  Speriamo di entrare nel paradiso e non nell'in-ferno.

-in die Geschichte eingehen = entrare nella storia (entrare a far parte della storia)

b) Tradotto con "restringersi; ritirarsi" ambedue le lingue si equivalgono:

z.B.:-Das Kleid ist beim Waschen eingegangen. = Questo vestito si è ristretto lavandolo.

c) Tradotto con "cessare di esistere;  morire;  crepare" (riguarda solo la morte di animali e piante) ambedue le lingue si equivalgono:

z.B.:-Bei der Kälte sind mir alle Geranien eingegangen.  =  Con questo freddo tutti i miei gerani sono morti.

-Trixi, unser schönes kleines Hündchen, ist vor einer Woche eingegangen (verendet).  =  Il nostro piccolo, bel cagnolino Trixi è morto una settimana fa.

*Uso intransitivo con costruzione preposizionale*

a) Tradotto con "**interessarsi di;  occuparsi di;  trattare qc.;  entrare in merito a qc.** / **nel merito di qc.**" si ha in tedesco + auf + Akk.:

z.B.:-Es tut mir Leid, aber in Ihrer Ausführung sind Sie auf unser Problem gar nicht eingegangen.  =  Mi spiace, ma nella sua esposizione Lei non è affatto entrata nel merito della nostra questione.

-Darauf gehen ich nicht ein, das interessiert mich nicht. = Non entro in merito (a ció), non m'interessa.

b) Tadotto con "**accettare;  aderire a patti o proposte**" si ha in tedesco + auf + Akk.:

z.B.:-Der Chef ist auf unseren Vorschlag eingegangen. = Il capo ha accettato la nostra proposta.

c) Tradotto con "**dare ascolto / non dare ascolto;  ignorare**" si ha in te-desco + auf + Akk.:

z.B.:-Der Minister ging auf den Journalisten (auf die Frage des Journalisten) gar nicht ein.  =  Il ministro ignoró il giornalista (... ignoró la domanda del giornalista).

d) Tradotto con "**prestarsi a;  scendere in particolari**" si ha in tedesco + auf + Akk.:

z.B.:-Paul ist widerspenstig und störrisch, er geht auf keinen Witz ein. = Paolo è scontroso, non si presta a nessuno scherzo.

e) Tradotto con "**arrivare;  giungere da (presso);  frequentare qc.; essere frequentato da qd.**" si ha in tedesco + bei + Dat.:

445

z.B.:-Bei uns ist noch keine Ware eingegangen (angekommen). = Da noi non è pervenuta ancora alcuna merce.

-Bei Familie Schmidt gehen viele Leute ein und aus, sie haben sehr viele Beziehungen. = La famiglia Schmidt è frequentata da tanta gente: loro hanno molte relazioni.

- - - - - -

## 29. einladen, lud ein, eingeladen

*Uso transitivo con costruzione diretta + preposizionale*

a) Tradotto con "**invitare a una tazza di té, di caffé, a un gelato**" si ha in tedesco + zu + Dat., quando cioé viene indicato l'oggetto dell'invito o la ricorrenza, la festa ecc.:

z.B.:-"Darf ich Sie zu einem Eis einladen?" = "Posso invitarLa a prendere un gelato?"

-zum Abendessen, zu einem Kaffee, zu einer Party, zur Hochzeit usw....einladen = invitare a cena, a prendere un caffè, ad un party, a nozze ecc.

-jemanden zum Besuch einer Ausstellung einladen = invitare qualcuno a visitare una mostra

b) Tradotto con "**invitare al cinema, a teatro, ad un concerto ecc.**" si ha in tedesco + in + Akk., quando cioé viene indicato il luogo dell'invito:

z.B.:-Ich möchte dich morgen ins Kino oder in die Disko einladen, kommst du? = Vorrei invitarti al cinema o in discoteca domani: verrai?

- - - - - -

## 30. entschließen, entschloss, entschlossen (sich)

*Uso riflessivo senza costruzione preposizionale*

a) Tradotto con "decidere; decidersi; deliberare; prendere una decisione", non si ha alcuna preposizione, quando non viene espresso lo scopo della decisione o esso viene espresso con una proposizione secondaria:

z.B.:-Paul kann sich nie entschließen. = Paolo non è in grado di prendere una decisione.

-Hat sich Paul entschlossen, an unserer Reise teilzunehmen? = Ha deciso Paolo di partecipare al nostro viaggio?

b) Tradotto con "cambiare idea; mutar parere; mutare avviso; decidere diversamente", non vuole in ambedue le lingue nessuna preposizione:

z.B.:-Peter hat sich anders entschlossen. = Pietro ha deciso diversamente (Pietro ha cambiato idea).

*Uso riflessivo con costruzione preposizionale*

* Tradotto con "**decidersi; prendere una decisione; deliberare per**", quando lo scopo della decisione viene espresso da un sostantivo, si ha in tedesco + zu + Dat.:

    z.B.:-Paul hat sich dann doch am Ende zur Teilnahme an unserer Reise entschlossen. = Alla fine Paolo decise comunque di partecipare al nostro viaggio.

    -Inge möchte Medizin studieren, aber allein kann sie sich dazu nicht entschließen. = Inge vorrebbe studiare medicina, ma da sola non è in grado di prendere questa decisione.

- - - - - -

## 31. erinnern, erinnerte, erinnert

*Uso transitivo con costruzione diretta + preposizionale*

* Tradotto con "**ricordare a qd. qc.; rammentare a qd. qc.**" si ha in italiano + Dat. + Akk., mentre in tedesco + Akk. + an + Akk.:

    z.B.:-Ich erinnere dich an dein gegebenes Versprechen. = Ti ricordo (ricordo a te) la tua promessa data.

    -Diese Landschaft erinnert mich an meine Heimat. = Questo paesaggio mi ricorda (ricorda a me) il mio paese.

*Uso transitivo con costruzione indiretta*

* Tradotto con "ricordarsi di qd. o di qc." si può avere in ambedue le lingue la costruzione indiretta + Gen. senza alcuna preposizione:

    z.B.:"Erinnere dich meiner (gedenke meiner), wenn du in deinem Himmelreich bist!", bat der gute Schächer den gekreuzigten Heiland (Lukas 23, 42). = "Ricordati di me, quando sarai nel tuo regno!", chiese il buon ladrone a Gesú crocifisso.

*Uso riflessivo con costruzione preposizionale*

* Tradotto con "**ricordarsi di qc.** oppure **ricordare qc.**" si ha in italiano o la costruzione indiretta + Gen. o la diretta + Akk., resta invece invariata la costruzione in tedesco + Akk. + an + Akk.:

    z.B.:-Erinnerst du dich nicht mehr an mich? = Non ti ricordi piú di me?

    -Entschuldigung, aber ich erinnere mich nicht mehr an Ihren Namen. = Scusi, ma non ricordo piú il suo nome.

- - - - - -

## 32. erkennen, erkannte, erkannt

*Uso transitivo con costruzione diretta + preposizionale*

a) + Akk. + an + Dat. = **riconoscere da, distinguere, discernere**:

    z.B.:-Peter erkannte Gisela an ihrer Stimme. = Pietro riconobbe Gisella dalla sua voce.

-"An ihren Früchten sollt ihr sie erkennen", warnte Jesus die Apostel vor den falschen Propheten. (Mattheus 7,16) = "Li riconoscerete dai loro frutti", ammonì Gesú i discepoli nei confronti dei falsi profeti.

b) **+ Akk. + als + Akk.** = riconoscere per / come (NB: Il paragone non può essere fatto con la congiunzione "~~wie~~"!):

  z.B.:-Die Unterschrift dieser Unterlage wurde als eine Fälschung erkannt. = La firma di questo documento venne riconosciuta come un falso.

*Uso transitivo con sola costruzione diretta*

  \* + Akk. come in italiano = capire, riconoscere, distinguere:

  z.B.:-Für die Ärzte ist es nicht leicht, gleich immer die Krankheit zu erkennen. = Non è facile per i medici diagnosticare sempre e subito la malattia.

  -Nach so vielen Jahren hätte ich dich fast nicht mehr erkannt. = Dopo così tanti anni quasi non ti riconoscevo.
  -Wirklich? Bin ich denn so verändert? Ich hingegen hab' dich sofort erkannt. = Davvero? Sono così cambiata? Io invece ti ho riconosciuta subito.

- - - - - -

## 33. erkranken, erkrankte, erkrankt

*Uso solo intransitivo con costruzione preposizionale, quando viene espressa la causa della malattia*

a) **+ an + Dat.** = **ammalarsi di**, **cadere ammalato per**:

  z.B.:-Mehrere Missionare, die jahrelang den Aussätzigen geholfen hatten, sind schließlich an dieser Seuche erkrankt und ge-storben. = Diversi missionari che per anni avevano aiutato i malati di lebbra alla fine si ammalarono e morirono a causa di questa malattia.

b) senza alcuna preposizione = "ammalarsi", quando non viene espres-sa la causa della malattia; in italiano il verbo è riflessivo, in tedesco no:

  z.B.:-Peter ist erkrankt und kann heute nicht zur Arbeit gehen. = Pietro si è ammalato e oggi non può andare al lavoro.

- - - - - -

## 34. fehlen, fehlte, gefehlt

*Uso intransitivo con costruzione preposizionale*

a) impersonale + an + Dat. = **mancare di**, **scarseggiare**:

  z.B.: -Hier fehlt es ja an allem. = Ma qui manca tutto (... di tutto).

-In Afrika fehlt es oft an Ärzten und Krankenhäusern. = In A-
frica c'é carenza di dottori e ospedali.

### Uso intransitivo senza costruzione preposizionale

b) **impersonale senza preposizione** = mancare, non esserci, non andare:
z.B.:-Wo fehlt's denn? = Che cos'é che non va? (Che c'é?)

c) intransitivo personale = mancare, essere assente:
z.B.:-Paul fehlt schon seit einer Woche von der Schule. = Paolo è
già (da) una settimana assente dalla scuola.

### Uso transitivo con costruzione diretta

* + Akk. come in italiano = fallire, sbagliare, mancare (Synonym von ver-
fehlen"):
z.B.:-Wenn du so handelst, fehlst (verfehlst) du das Ziel. = Agen-
do in questo modo tu manchi lo scopo [il bersaglio].

### Uso transitivo con costruzione indiretta

* + Dat. come in italiano = mancare a:
z.B.: -Du hast mir sehr gefehlt. = Mi sei mancato /-a molto.

- - - - - -

**35. fragen, fragte, gefragt**          Vedi Verben mit Akk., pag. 419.

- - - - - -

**36. freuen, freute, gefreut (sich)**

### Uso transitivo con sola costruzione diretta

* Tradotto con "rallegrare" le due lingue combaciano: si ha infatti sia in
italiano che in tedesco la costruzione diretta + Akk.:
z.B.:-Dein Brief hat mich sehr gefreut. = La tua lettera mi ha rallegrato molto (... ha rallegrato me...).

* Tradotto con "**far piacere**" si ha in italiano il dativo, mentre in tedesco
resta la costruzione diretta + Akk.:
z.B.:-La tua lettera mi ha fatto tanto piacere (... ha fatto tanto piacere a me). = Dein Brief hat mich sehr gefreut.

### Uso impersonale con costruzione diretta

* Tradotto con "**essere un piacere per; far piacere a; essere lieto**" si
ha in tedesco come soggetto "es" + Akk.:
z.B.:-Es freut mich sehr, Sie kennen zu lernen. = Per me è un
piacere conoscerla (Mi fa piacere conoscerla).
-Es freut mich mitfahren zu dürfen. = Sono lieto di poter
partecipare al viaggio.

*Uso riflessivo con costruzione preposizionale*

a) Tradotto con "**rallegrarsi per;  aver piacere di**", quando l'evento o la cosa  per la quale ci si rallegra è già presente o si trova nel passato, si ha in tedesco + über + Akk.:

    z.B.:-Ich habe mich über deinen lieben Brief sehr gefreut.  =  Mi sono rallegrato molto per la tua cara lettera.

b) Tradotto con "**rallegrarsi per;  aver piacere di**", quando l'evento o la cosa per la quale ci si rallegra deve ancora avvenire si ha in tedesco + auf + Akk. (In tali casi tuttavia l'uso del futuro nella proposizione indicante un evento futuro non è indispensabile: infatti per azioni non troppo avanzate nel tempo si può usare anche il presente):

    z.B.:-Ich freue mich schon jetzt auf die Sommerferien.  =  Mi rallegro fin d'ora per le vacanze estive.

c) Tradotto con "partecipare alla gioia di;  rallegrarsi per qd." ambedue le lingue reggono la stessa preposizione: "per" in italiano, "für" in tedesco:

    z.B.:-Ich freue mich für dich, dass alles geklappt hat.  =  Mi rallegro per te che tutto ha funzionato.

*Uso riflessivo con costruzione indiretta*

\* Tradotto con "rallegrarsi di / per" ambedue le lingue possono equivalersi perché, volendo, anche in tedesco è possibile l'uso del genitivo, anzi, in determinati contesti, il genitivo è da preferire rispetto alla costruzione preposizionale:

    z.B.:-Meine Frau freut sich der schönen Blumen, die unser Haus zieren.  =  Mia moglie si rallegra dei fiori che ornano la nostra casa.

    -Freust du dich denn nicht auch des Lebens?  =  Non ti rallegri anche tu della vita?

- - - - - -

## 37. fürchten,  fürchtete,  gefürchtet

*Uso riflessivo con costruzione preposizionale*

\* sich (Akk.) fürchten + vor + Dat.  =  sich (Akk.) ängstigen + vor + Dat. = **aver paura di**, **temere**:

    z.B.:-Fürchtest du dich vor dem Hund?  =  Hai paura del cane?

    -Das Kind ängstigt sich vor der Dunkelheit.  =  Il bambino teme il buio.

*Uso intransitivo con costruzione preposizionale*

\* + für / um + Akk.  =  **essere preoccupato**,  **temere per**,  **essere in pena per**:

    z.B.:-Peter fürchtete um (für) das Leben seines Freundes.  =  Pietro era in pena per la vita del suo amico.

  \*   + Akk. come il verbo italiano = temere:

       z.B.:-Paul ist zu waghalsig, er fürchtet keine Gefahr. = Paolo è troppo temerario (spericolato), non teme pericoli.

NB: Angst haben vor + Dat. (= Austria, Germania del Sud) ⌐ = **aver paura di**
    in Angst sein + vor + Dat. (Germania del Nord) ⌡

       z.B.:-Hast du Angst vor der Prüfung? = Hai paura dell'esame?

Angst haben um + Akk.  ⌐ = **preoccuparsi di qd.**, **temere per qd.**;
in Angst sein um + Akk.  ⌡    **essere in pena per qd.**

- - - - - -

# 38. gehören, gehörte, gehört

_Uso intransitivo con costruzione indiretta nel senso di possesso_

a) Tradotto con "apparternere a" ambedue le lingue reggono il dativo:
    z.B.:-Gehört Ihnen dieses Auto? = Appartiene a lei questa macchina (Questa macchina è sua)?

b) Tradotto con "**essere di**" in italiano + Gen., mentre in tedesco + Dat.:
    z.B.:-Nein, das Auto gehört der Firma. = No, questa macchina è della ditta.

_Uso intransitivo con costruzione preposizionale_

a) Tradotto con "**far parte di**; **essere tra**; **appartenere** (nel senso di far parte) si ha in tedesco + zu + Dat.:
    z.B.:-Auch Rumenien und Bulgarien gehören jetzt zur EU (EG). = Anche la Romania e la Bulgaria ora appartengono alla UE.
    -Peter gehört zu unseren Freunden. = Pietro è uno tra i nostri amici (...fa parte dei...).
    -Das gehört nicht zur Sache. = Ció non c'entra con il nostro argomento.

b) Tradotto con "**addirsi**; **star bene**; **essere adatto** (nel campo dell'abbigliamento) oltre al verbo "passen zu" si usa in tedesco anche gehören + zu + Dat., a volte anche senza preposizione:
    z.B.:-Zu dieser Tasche gehören schwarze Schuhe. = Con questa borsa si addicono scarpe nere (...stanno bene le...).
    -Warum benimmst du dich so? Das gehört sich doch nicht! Du weißt es ja! = Ma perché ti comporti così? Lo sai che ció non si addice!

c) Tradotto con "**dover essere posto**; **dover essere messo**; **dover stare**" si usano in tedesco + an + Akk. / + in + Akk. / + vor + Akk., usw. a seconda del luogo dove l'oggetto (o la persona) va collocato:
    z.B.:-Das Bild gehört dorthin, an jene Wand. = Questo quadro va appeso là, a quella parete.
    -Das Kind gehört jetzt ins Bett. = Ora il bambino va messo a letto.

* Tradotto con "addirsi (moralmente); convenirsi; essere decoroso" ambedue le lingue si equivalgono:

> z.B.:-So was (das) gehört sich einfach nicht. = Una cosa del genere è indecorosa (...non si addice).
>
> > -Es gehört sich für einen gebildenten Menschen, dass er vor dem Nächsten Achtung zeigt. = A una persona educata si addice mostrare rispetto verso il prossimo.

- - - - -

## 39. gratulieren, gratulierte, gratuliert

*Uso intransitivo con costruzione preposizionale*

* Tradotto con "**congratularsi con; fare le congratulazioni a**"
  NB: Mentre la persona alla quale vengono rivolti gli auguri è in ambedue le lingue un complemento di termine, la circostanza per cui si fanno gli auguri viene in tedesco determinata dalla preposizione "zu + Dat." e non dalla preposizione "für = per" come in italiano. (Se la circostanza degli auguri non viene espressa, la preposizione "zu" diventa superflua).

> z.B.:-"Ich gratuliere Ihnen zum Geburtstag und wünsche Ihnen alles Gute", sagt Richard zu Herrn Müller. = "Tanti auguri per il suo compleanno e le auguro ogni bene!", dice Richard al signor Müller.
>
> > -Ich gratuliere dir zur so glänzend bestandenen Prüfung. = Congratulazioni (Mi congratulo con te...) per l'esame così eccellentemente (splendidamente) superato.
> >
> > -Hast du Peter noch nicht gratuliert? = Non hai ancora fatto gli auguri a Pietro?

*Uso riflessivo con sola costruzione indiretta*

a) Tradotto con "**dirsi fortunato; chiamarsi fortunato**" si ha in italiano la costruzione diretta + Akk., invece in tedesco + Dat.:

> z.B.:-Paul kann sich gratulieren, wenn er diese Stellung bekommt. = Paolo può dirsi fortunato se riceve tale impiego.
>
> > -Du kannst dir gratulieren, dass es nicht schlimmer gegangen ist. = Puoi ben chiamarti fortunato se non ti è andata peggio.

b) Tradotto con "**star fresco; aspettare la peggio**" in senso cioé di ammonizione, di ironia o di minaccia in tedesco + Dat.:

> z.B.:-Wenn das herauskommt, kannst du dir gratulieren! = Se ció si verrà a sapere, starai fresco!

- - - - -

## 40. grenzen, grenzte, gegrenzt

*Uso intransitivo con costruzione preposizionale*

a) Tradotto con "**confinare con**" si ha in tedesco + an + Akk.:

z.B.:-Unser Grundstück grenzt an den Wald. = Il nostro terreno confina col bosco.

-Deutschland grenzt im Norden an die Nordsee, an Dänemark und an die Ostsee. = La Germania confina a Nord con il Mare del Nord, con la Danimarca e il Mare Baltico.

b) Tradotto con "essere vicino a; essere attiguo a" le due lingue si equivalgono, reggono cioé la stessa preposizione: "a" in italiano, "an" in tedesco, ma diverge il caso che in tedesco è + an + Akk.:

z.B.:-Dein Zimmer grenzt an meines. = La tua stanza è attigua alla mia.

c) Tradotto con "rasentare" + Akk.; "essere quasi uguale a", usato cioé in senso translato o figurato, permane in tedesco la costruzione preposizionale + an + Akk.:

z.B.:-Dein Tun grenzt an Frechheit. = Il tuo modo di fare rasenta la sfacciataggine.

-Das grenzt schon an Verbrechen. = Ció rasenta già il crimine (...il delitto).

- - - - - -

## 41. halten, hielt, gehalten

*Uso transitivo con costruzione diretta*

a) Tradotto con "tenere qc.; reggere qc.; sorreggere; tenersi" ambedue le lingue hanno la costruzione diretta + Akk.:

z.B.:-Halt die Kerze gerade! = Tieni la candela diritta!

-Hältst du mir bitte das Kind für einen Augenblick? = Mi tieni il bambino un momento, per favore?

b) Tradotto con "mantenere; serbare; conservare; educare" ambedue le lingue hanno la costruzione diretta + Akk.:

z.B.:-Das ist ein guter Ofen, er hält die Wärme lange. = Questa è una buona stufa, mantiene il calore a lungo.

-Du kannst kein Versprechen halten. = Tu non sei in grado di mantenere alcuna promessa.

-Mehr als drei Kinder zu halten (zu haben) und zu erziehen, ist heutzutage für die meisten Familien fast unmöglich. = Per la maggioranza delle famiglie è oggigiorno quasi impossibile mantenere ed educare piú di tre bambini.

*Uso transitivo con costruzione diretta + preposizionale*

a) Tradotto con "ritenere; stimare; reputare" si ha in italiano + Akk. + Akk., in tedesco + Akk. + für + Akk.:

z.B.:-Alle halten Peter für einen ehrlichen Mann. = Tutti ritengono Pietro un uomo onesto.

-Für wie alt hältst du mich? = Quanti anni mi dai?

-Wofür hältst du mich denn? = Ma per chi [che cosa] mi prendi?

b)  Tradotto con "pensare di; credere; essere dell'opinione di; ritenere; avere un'opinione di qd." si ha in ambedue le lingue la stessa preposizione: infatti alla preposizione "di" in italiano corrisponde in tedesco la preposizione "von + Dat.":

    z.B.:-Was hältst du von dem Plan? = Cosa pensi di questo / quel progetto? (Che dici di questo / quel progetto?)

    -Was hältst du von meinem Freund? = Che pensi del mio amico (Nel parlato: "Che ne pensi del mio amico)?

c)  Tradotto con "**tenere qd. in gran / poco / alcun conto**" si ha in tedesco + Akk. + von + Dat.:

    z.B.:-Von deinem Freund halte ich viel / wenig / nichts. = Tengo il tuo amico in gran conto / in poco conto / non tengo il tuo amico in alcun conto.

d)  Tradotto con "**tenere di scorta; avere una scorta di qc.; tenere in magazzino; tenere al corrente**" si usa in tedesco + Akk. + auf + Dat.:

    z.B.:-Den Artikel haben wir im Moment nicht; auch können wir ihn wegen der geringen Nachfrage nicht auf Lager halten. = Non disponiamo dell'articolo in questo momento, né possiamo tenerlo di scorta in magazzino perché è poco richiesto.

    -Die Journalisten halten die Redaktion ständig auf dem Laufenden. = I giornalisti tengono la redazione continuamente al corrente.

e)  Tradotto con "**tenerci poco / molto / nulla a qc.**" si usa in tedesco + Akk. + auf + Akk.:

    z.B.:-Meine Tochter hält viel auf gute Kleidung. = Mia figlia tiene moltissimo ai bei vestiti (Nel parlato: ... ci tiene moltissimo...).

    -Wir halten auf Ordnung. = Noi (ci) teniamo all'ordine.

f)  Tradotto con "**mantenere qd. in vita**" si ha in tedesco + Akk. + an + Dat.:

    z.B.:-Der Schwerkranke wurde in der Intensivstation mit Sauerstoff am Leben gehalten. = L'ammalato grave venne tenuto in vita con l'ossigeno nel reparto di terapia intensiva.

g)  Tradotto con "**tenere a galla**" si ha in tedesco + Akk. + über + Dat.:

    z.B.:-Finanziell geht's uns nicht so gut; wir halten uns gerade über Wasser. = Finanziariamente non va tanto bene; ci teniamo appena a galla.

*Uso intransitivo senza costruzione preposizionale*

a)  Tradotto con "**fermarsi; arrestarsi; sostare**" è in italiano riflessivo, in tedesco non riflessivo:

z.B.:-Hier halten keine Schnellzüge, hier halten nur Personenzüge.
    = Qui i direttissimi non fermano, fermano solo i treni accele-
    rati.

b) Tradotto con "reggere; resistere; non rompersi; essere resistente",
ambedue le lingue si equivalgono:
    z.B.:-Dieser Leim hält gut. = Questa colla tiene bene.
        -Das ist ein guter Stoff, der hält. = Questa è una buona stoffa
        resistente (...che resiste).

c) Tradotto con "durare; perseverare nel tempo", le due lingue non presentano divergenze:
    z.B.:-Diese Mode kann nicht lange halten. = Questa moda non
        può durare a lungo.

*Uso intransitivo con costruzione preposizionale*

a) Tradotto con "**stare dalla parte di; prendere la parte di; tenere per;
tenerci a**" si ha ==in tedesco + zu + Dat.==:
    z.B.:-Zu wem hältst du politisch, zur Rechten oder zur Linken?
        = Da che parte stai politicamente: per la destra o per la sini-
        stra?
        -Jeder Mann sollte zu seiner Frau stehen und jede Frau zu
        ihrem Mann, aber leider ist es oft nicht so. = Ogni marito
        dovrebbe tenere alla propria moglie e ogni moglie al proprio
        marito, ma purtroppo spesso non è così.

*Uso riflessivo con sola costruzione diretta*

a) Tradotto con "sorreggersi; reggersi in piedi; stare ritto; tenersi" il verbo "halten" è riflessivo in ambedue le lingue + Akk.:
    z.B.:-Der alte Mann kann sich nur mit Mühe halten. = Il vecchietto
        si regge in piedi a fatica.
        -Halte dich fest! = Tieniti forte!

b) Tradotto con "mantenersi; conservarsi" ambedue le lingue si equivalgono sia nella costruzione diretta + Akk. sia nella forma riflessiva:
    z.B.:-Sie hält sich trotz ihres hohen Alters sehr gut. = Nonostante
        la sua età avanzata, lei si mantiene bene.
        -Wie machst du es, dass du dich immer so jung hältst? = Ma
        come fai a mantenerti così giovane?
        -Das Wetter hält sich. = Il tempo si mantiene.

c) Tradotto con "controllarsi; dominarsi; trattenersi; frenarsi" le due lingue si equivalgono: infatti anche in tedesco "halten" è riflessivo + Akk.:
    z.B.:-Kannst du dich denn wirklich nicht halten? = Ma non sei pro-
        prio capace di frenarti (di controllarti, di controllare te)?

d) Tradotto con "**tenersi ==sulla== destra / ==sulla== sinistra**" il verbo "halten" è
riflessivo anche ==in tedesco== + Akk., ma si usa ==senza alcuna prepo-
sizione==:

455

z.B.:-Halten Sie sich immer rechts, so können Sie sich nicht ver-
fehlen! = Si tenga sempre sulla destra e non potrà sbagliare!

*Uso riflessivo con costruzione diretta + preposizionale*

a) Tradotto con "tenersi a qc. / a qd." si ha in ambedue le lingue la stessa
preposizione: a + Dat. in italiano, in tedesco + Akk. + an + Dat.:
z.B.:-Halte dich bitte fest am Geländer, so fällst du nicht! = Tieniti
forte, per favore, alla ringhiera, così non cadi.
-Auf dem Motorrad hält sich die hintere Person fest an der
vorderen. = Sulla motocicletta la persona retrostante si tiene
ferma alla persona che siede davanti.

b) Tradotto con "**tenere in / sopra / sotto**" si hanno in ambedue le lingue
le stesse preposizioni, ma con caso diverso, perché tali preposizioni
alla domanda "wo?" reggono il dativo: quindi in tedesco + Akk. + in / +
über / + unter + Dat.:
z.B.:-Die Mutter hält das Kind im Arm. = La mamma tiene il bambino in braccio.
-Halte bitte den Eimer unter dem Hahn, sonst geht zu viel
Wasser verloren. = Tieni per favore il secchio sotto il rubinetto, altrimenti va persa troppa acqua.

c) Tradotto con "**attenersi a; stare a**" si ha in ambedue le lingue la stessa costruzione preposizionale, ma con caso diverso: in tedesco + Akk.
+ an + Akk., mentre in italiano + dat.:
z.B.:-Ich halte mich an das Gesetz. = Io mi attengo alla legge.
-Halte dich immer an die Befehle deines Chefs und du wirst
keine Fehler machen. = Stai sempre agli ordini del capo e
non farai errori.
-Ich glaube ihm nicht, ich halte mich lieber an das, was ich gesehen habe. = Non gli credo, mi attengo a ció che ho visto.

- - - - - -

## 42. handeln, handelte, gehandelt

*Uso intransitivo senza costruzione preposizionale*

* Tradotto con "agire; fare; operare" le due lingue sono equivalenti:
z.B.:-Man soll nicht nur reden, sondern auch handeln. = Non basta solo parlare, bisogna anche agire.
-Wir konnten nicht anders handeln. = Non potemmo fare altrimenti.

*Uso intransitivo con costruzione preposizionale*

a) Tradotto con "trattare con; commerciare con / in; esercitare il commercio con" ambedue le lingue reggono la stessa preposizione:
z.B.:-Alle europäischen Staaten handeln heutzutage mit Übersee.
= Tutti gli Stati europei hanno oggigiorno relazioni commer-

ciali con l'oltremare.

-Wir können doch nicht mit Verlust handeln (arbeiten)! = Ma non possiamo certo commerciare (lavorare) in perdita!

b) Tradotto con "**agire nei riguardi di; trattare qd.**" si ha in tedesco + an + Dat.:

z.B.:-Er hat an mir wie ein Bruder gehandelt. = Lui mi ha trattato come un fratello (... è stato nei miei riguardi come...).

-Wie kann man an Kindern gemein statt edel handeln? = Come si può trattare i bambini in modo malvagio anziché nobile?

c) Tradotto con "**agire di propria iniziativa; agire di testa propria**" si ha in tedesco + auf + Akk.:

z.B.:-Paul handelt immer auf eigene Faust, er fragt nie um Rat. = Paolo agisce sempre di testa propria, non chiede mai consigli.

d) Tradotto con "**agire per (amore, rabbia, impulso, per autodifesa)**" si ha in tedesco + aus + Dat.:

z.B.:-Wer zu verzeihen weiß, handelt aus Liebe. = Ogni persona che sa perdonare agisce per amore.

e) Tradotto con "**agire secondo; trattare conformemente a**" si ha in tedesto + nach + Dat.:

z.B.:-Wer nicht nach dem Gesetz handelt, wird bestraft. = Chi non agisce secondo la legge viene punito.

f) Tradotto con "vertere su; **trattare di; avere per argomento**" si ha in tedesco sempre + über + Akk.:

z.B.:-Worüber handelt dieses Buch? = Di che cosa tratta questo libro? (Su cosa verte questo libro? = Stessa prep. in ambedue le lingue).

g) Tradotto con "**contrattare su; mercanteggiare su**" si ha in tedesco + um + Akk.:

z.B.:-Wir haben lange um einen günstigeren Preis der Ware handeln müssen, was sich zum Schluss doch lohnte. = Abbiamo a lungo dovuto trattare per (su) un prezzo piú conveniente della merce e alla fine ne valse la pena (... ne è valsa la pena).

_Uso riflessivo e impersonale con costruzione preposizionale_

* Tradotto con "**trattarsi di**" si ha in tedesco come soggetto "es" + um + Akk.:

z.B.:-Komm bitte sofort zur Besprechung, denn es handelt sich um eine sehr wichtige Angelegenheit. = Vieni per favore subito alla riunione perché si tratta di una faccenda veramente importante.

-Worum handelt es sich denn? = Ma di che cosa si tratta?

## 43. helfen, half, geholfen

*Uso intransitivo con sola costruzione indiretta*

a) Tradotto con "**aiutare qd.; assistere qd.; soccorrere qd.**" si ha in italiano + Akk., in tedesco + Dat.:

  z.B.:-Heute helfe ich meiner Mutter in der Küche. = Oggi aiuto mia mamma in cucina.

  -Leider konnte niemand den Schiffbrüchigen helfen. = Nessuno purtroppo poté soccorrere i naufraghi.

b) Tradotto con "dare una mano a; prestare aiuto a; correre in aiuto a", ambedue le lingue hanno la costruzione indiretta + Dat.:

  z.B.:-Nessuno purtroppo poté prestare aiuto ai naufraghi. = Leider konnte niemand den Schiffbrüchigen helfen.

c) Tradotto con "giovare a; essere utile a; essere buono a", ambedue le lingue hanno la costruzione indiretta + Dat.:

  z.B.:-Homöopathische Mittel helfen oft der Gesundheit mehr als nicht Medizinen. = I prodotti omeopatici giovano alla salute spesso piú delle medicine.

*Uso intransitivo con costruzione indiretta + preposizionale*

a) Tradotto con "**aiutare ad alzarsi; aiutare ad uscire dai guai; aiutare a salire su**" si ha in tedesco + Dat. + auf + Akk.:

  z.B.:-Als Paul mit der Firma Pleite ging, half ihm sein Vater wieder auf die Beine. = Quando Paolo fece fallimento con la ditta, suo papá lo tiró fuori dai guai.

  -Hilf doch der Dame aufs Pferd! = Avanti! Aiuta la signora a salire sul cavallo!

b) Tradotto con "**aiutare ad uscire; aiutare a trarsi d'impiccio; aiutare ad uscire dai guai, dai pasticci**" si ha in tedesco + Dat. + aus + Dat.:

  z.B.:-Pauls Vater hat ihm wieder einmal aus der Patsche geholfen. = Il papà di Paolo lo ha nuovamente tirato fuori dai pasticci.

  -Hilf doch der Dame aus dem Wagen! = Avanti! Aiuta la signora ad uscire dalla macchina!

c) Tradotto con "**aiutare durante; aiutare nel, assistere in**" si ha in tedesco + Dat. + bei + Dat.:

  z.B.:-Ein Techniker hat mir bei der neuen Arbeit geholfen. = Un tecnico mi ha assistito nel nuovo lavoro.

e) Tradotto con "**aiutare a mettersi; aiutare ad indossare; aiutare a salire dentro**" si ha in tedesco + Dat. + in + Akk.:

  z.B.:-Hilf doch der Dame in den Mantel! = Avanti! Aiuta la signora ad indossare il mantello!

f) Tradotto con "**aiutare a superare**" si ha in tedesco + Dat. + über + Akk.:

z.B.:-Dieser Lehrer hat mir über die grammatikalischen Schwierigkeiten der deutschen Sprache geholfen (hinweggeholfen).
= Questo insegnante mi ha aiutato a superare le difficoltà
grammaticali della lingua tedesca.

g) Tradotto con "**aiutare qd. ad ottenere qc.;  aiutare qd. a raggiungere qc.**" si ha in tedesco + Dat + zu + Dat.:
z.B.:-Peters Frau hat ihm zu Wohlstand geholfen (verholfen). =  La
moglie di Pietro lo ha aiutato a raggiungere il benessere.

- - - - - -

## 44. hinweisen, wies hin, hingewiesen

*Uso transitivo con costruzione diretta + preposizionale*

* Tradotto con "**far notare qc. a qd.;  indicare qc. a qd.;  far presente
qc. a qd.**" si ha in italiano + Akk. + Dat., in tedesco + Akk. + auf +
Akk.:
z.B.:-Wir möchten Sie auf die vorletzte Rechnung hinweisen, die
noch offen steht.  =  Vorremmo farle presente la penultima
fattura ancora scoperta.
-Ich muss Sie leider darauf hinweisen, dass sämtliche Ware
bei uns kaputt angekommen ist.  =  Debbo purtroppo farVi
presente che tutta la merce è giunta da noi completamente
rotta (rovinata).

*Uso intransitivo con sola costruzione preposizionale*

* Tradotto con "**indicare;  mostrare;  mettere in rilievo;  far notare**", se
ci si riferisce solo all'oggetto o alla situazione da rilevare senza indicare la persona alla quale si vuol far notare qc., si ha in tedesco + zu +
Dat. oppure + auf + Akk.:
z.B.:-Der Führer wies mit dem Finger zur Fassade des Domes und
dann auf deren wunderbare gotische Rosette hin.  =  La guida
indicó col dito la facciata del duomo, facendo quindi notare il
suo meraviglioso rosone gotico.

- - - - - -

## 45. hoffen, hoffte, gehofft

*Uso intransitivo con costruzione preposizionale*

* Tradotto con "**sperare in**", quando cioé viene espresso il fine, l'oggetto
della speranza o la pesona in cui si spera, si ha in tedesco + auf +
Akk.:
z.B.:-Diese armen Eltern hoffen auf ein Lebenszeichen von ihrer
verschwundenen Tochter.  =  Questi poveri genitori sperano
in un segno di vita da parte della loro figlia dispersa.

-Alle Angehörigen hoffen auf eine Genesung der kranken Mutter, sie aber hofft auf Gott, dass er sie von den unerträglichen großen Schmerzen erlöst. = Tutti i congiunti sperano in una guarigione della mamma; lei tuttavia spera in Dio che la liberi dagli atroci dolori.

### Uso intransitivo senza costruzione preposizionale

* Tradotto con "sperare" seguito da una proposizione secondaria, quando cioé il fine, l'oggetto della speranza non viene espresso da un sostantivo, ma da una proposizione dipendente, non si ha in ambedue le lingue alcuna preposizione:

> z.B.:-Ich hoffe, dass du bald gesund wirst. = Spero che tu possa guarire presto.
> -Ich hoffe, hier ein Taxi zu finden. = Spero di trovare un taxi qui.

NB: In tedesco in tali casi si usa spesso l'avverbio "hoffentlich" che permette di evitare l'uso della proposizione dipendente:
> z.B.: -Hoffentlich finde ich hier ein Taxi.

- - - - - -

## 46. interessieren, interessierte, interessiert

### Uso transitivo con costruzione diretta + preposizionale

* + Akk + an + Dat. = interessare, suscitare l'interesse: le due lingue concordano:

> z.B.:-Würdest du deinen Freund Peter an diesem Geschäft interessieren? = Vorresti interessare il tuo amico Pietro a questo affare?

### Uso intransitivo con la forma verbale "interessiert sein"

* interessiert sein + an + Dat. = essere interessato a:

> z.B.:-Bist du an diesem Geschäft interessiert? = Sei interessato a questo affare?
> -Nein, daran bin ich nicht interessiert. = No, non m'interessa.
> -Weißt du, woran manche Politiker interessiert sind? = Sai a che cosa sono interessati diversi politici?
> -Woran manche von ihnen interessiert sind, ist gewiss nicht schwierig zu erraten. = A che cosa sono interessati alcuni di loro non è difficile indovinarlo.

### Uso transitivo, riflessivo con costruzione preposizionale

* sich interessieren + für + Akk. = **interessarsi di, a**:

> z.B.:-Interessierst du dich für Sport? = T'interessi di sport?
> -Nein dafür interessiere ich mich wenig. = No, non m'interesso tanto di ció (di questo argomento).

_Uso transitivo con costruzione diretta in italiano tuttavia anhe col dativo_

* **+ Akk.** come a volte anche in italiano = qc. interessa me
    z.B.:-Die Möbelausstellung in Köln interessiert mich sehr. = La
    fiera del mobile a Colonia m'interessa molto (= ...interessa me).
    Tuttavia: -A me lo sport non interessa. = **Mich** interessiert Sport nicht

- - - - - -

## 47. (sich) irren, irrte (sich), (sich) geirrt

_Uso riflessivo con costruzione preposizionale_

a) **+ in + Dat.** = **sbagliarsi sul conto di qd.** (nel giudicare qd.):
    z.B.:-Falls Paul denkt, er könne mir so was zumuten, dann hat er
    sich gründlich in mir geirrt. = Se Paolo pensa di aspettarsi
    (poter pretendere) da me una cosa del genere, si sbaglia di
    grosso.
    -Entschuldige! Ich hab' mich im Datum geirrt. = Scusa, ho
    sbagliato data.

b) **+ um + Akk.** = **sbagliarsi di**:
    z.B.:-Entschuldigung! Aber Sie haben sich um € 30,00 zu meinem
    Ungusten geirrt (verrechnet)! = Scusi, ma lei si è sbagliata di
    trenta euro a mio scapito!

_Uso riflessivo con costruzione diretta_

* **+ Akk.** = sbagliarsi - Ambedue le lingue concordano:
    z.B.:-Wenn ich mich nicht irre, so kennen wir uns bereits. = Se
    non sbaglio, ci conosciamo già.

_Uso intransitivo senza alcuna preposizione_

* Ambedue le lingue concordano:
    z.B.:-Irren ist menschlich. = Errare è umano
    -Es irrt der Mensch, solang er strebt! (**Goethe**, Faust, Prolog
    im Himmel) = Fintantoché l'uomo anela (tende verso un'alta
    meta) può errare.

_Uso intransitivo con costruzione preposizionale_

* **+ durch + Akk.** = **vagare per**:
    z.B.:-Wir irrten lange durch die Stadt, bis wir endlich wieder unser
    Hotel fanden. = Vagammo a lungo per la città, finché final-
    mente ritrovammo l'hotel.
    -Ihre verlorenen Augen irrten durch das Zimmer. = Il suo
    sguardo smarrito vagava per la stanza.

- - - - - -

## 48. kümmern, kümmerte, gekümmert

*Uso riflessivo con costruzione preposizionale*

a) Tradotto con "**occuparsi di; curarsi di; impicciarsi di**" si ha in tedesco + um + Akk.:

z.B.:-Kümmere dich um deine Probleme und nicht um Sachen, die dich nichts angehen! = Óccupati dei tuoi problemi e non di cose che non ti riguardano!

b) Tradotto con "**prendersi cura di; curarsi di**" si ha in tedesco + um + Akk.:

z.B.:-Es gibt leider Söhne und Töchter, die sich um ihre alten, kranken Eltern gar nicht kümmern. = Vi sono purtroppo dei figli e delle figlie che non si curano affatto dei loro genitori anziani ed ammalati.

*Uso transitivo con sola costruzione diretta*

\* Tradotto con "**importare di**; interessare; riguardare" in tedesco si ha sempre solo l' Akk. puro (= accusativo semplice):

z.B.:-Was ich mache, (das) soll dich ja gar nicht kümmern! = Ció ch'io faccio non deve affatto interessarti.

-Was kümmern mich die Leute? = Ma che m'importa della gente?

-Was kümmert's mich? = Che me ne importa?

-Seine Sorgen kümmern mich nicht. = Le sue preoccupazioni non m'interessano (Non m'importa delle sue preoccupazioni).

- - - - - -

## 49. lachen, lachte, gelacht

*Uso intransitivo senza costruzione preposizionale*

\* Tradotto con "ridere", quando non viene espresso il motivo della risata ambedue le lingue si equivalgono:

z.B.:-Wer zuletzt lacht, lacht am besten! (Sprichwort = proverbio) = Ride bene chi ride ultimo!

-Bei der gestrigen Party war es sehr gemütlich; wir haben alle so herzlich gelacht! = Il party di ieri è stato veramente simpatico; abbiamo tutti riso così piacevolmente!

*Uso intransitivo con costruzione preposizionale*

\* Tradotto con "**ridere di / per**", quando cioé viene espresso mediante un sostantivo il motivo della risata, si ha in tedesco + über + Akk.:

z.B.:-Über einen lustigen Witz, den Peter gestern erzählte, muss ich noch immer lachen. = Debbo ancora adesso ridere per una divertente barzelletta raccontata ieri da Pietro.

-Was lachst du denn ständig über mich? = Ma perché continui a ridere alle mie spalle (... continui a ridere di me)?

Eccezione = forma idiomatica:

-Über das ganze Gesicht lachen (strahlen) = essere raggiante di gioia

-Na, Bert, du hast es aber eilig gehabt heute Nachmittag! = Mamma mia, Bert, che fretta avevi oggi pomeriggio!

-Kein Wunder, bei so einem Ereignis! Was ist es denn? = Beh, non c'é da meravigliarsi per un tale evento (= la nascita di un figlio)! Cos'é? (= un maschietto o una femminuccia?)

-Bert lacht (strahlt) über das ganze Gesicht: "Ein Junge!" = Bert sorride raggiante di gioia: "Un maschietto!"

## Uso transitivo con costruzione diretta

\* Tradotto con "**ridere al punto da piangere; spanciarsi dal ridere; ridere a crepapelle**" si usa in tedesco + Akk.:

z.B.:-Bei der gestrigen Party haben wir Tränen gelacht. = Al party di ieri abbiamo riso a crepapelle [Alla lettera in un pessimo italiano: ... abbiamo riso lacrime].

## Uso intransitivo con costruzione indiretta

a) Tradotto con "arridere a; sorridere a", si ha in ambedue le lingue la costruzione indiretta col dativo:

z.B.:-Meinem Freund Paul lacht das Glück; er hat schon drei Mal am Lotto ziemlich viel gewonnen. = Al mio amico Paolo arride la fortuna: ha vinto al lotto già tre volte, e parecchio.

b) Tradotto con "ridere in faccia a", si ha in ambedue le lingue la costruzione indiretta col dativo:

z.B.:-Pass auf! Paul ist so frech, dass er imstande ist, dir ins Gesicht zu lachen. = Attento! Paolo è così sfacciato da essere capace di riderti in faccia.

- - - - - -

## 50. leiden, litt, gelitten

### Uso intransitivo con costruzione preposizionale

a) + an + Dat. = **essere affetto (afflitto) da, soffrire di**, avere (malattie):

z.B.:-Mein Großvater leidet an einer schweren Krankheit. = Mio nonno è afflitto da una grave malattia.

b) + unter + Dat. = **soffrire, patire, penare** + acc.:

z.B.:-Alte Leute leiden sehr unter der Kälte. = Le persone anziane soffrono molto il freddo.

-Millionen von Menschen litten unter den zwei Weltgriegen. = Milioni di persone soffrirono a causa delle due guerre mondiali.

-Wie oft gibt es Menschen die unter dem Unverständnis der Mitwelt leiden müssen. = Quante volte vi sono persone che

penano per l'incomprensione (dei contemporanei) del mondo
che li circonda.

c) **+ durch + Akk.** = **patire, subire** + acc.:

    z.B.:-Die Möbel hier leiden durch die Feuchtigkeit. = Questi mobili
subiscono l'umidità.

*Uso transitivo con costruzione diretta*

a) + Akk. come in italiano = soffrire (fame, sete ecc.):

    z.B.:-Leider gibt es noch zu viele Menschen in der dritten Welt, die
Hunger leiden. = Purtroppo vi sono ancora troppe persone
che nel terzo mondo soffrono la fame.

b) gut / schlecht leiden + Akk. = apprezzare, essere simpatico / non tollerare, non essere simpatico, non sopportare:

    z.B.:-Ich weiß, dass Inge mich nicht leiden mag. = So che Inge
non mi sopporta (... non mi può vedere).

- - - - - -

51. **missbrauchen**, **missbrauchte**, **missbraucht**    Vedi Verben + Akk.,
                                                 pag. 422

- - - - - -

52. **mitwirken**, **wirkte mit**, **mitgewirkt**

*Verbo esclusivamente intransitivo con costruzione preposizionale*

a) + an + Dat. = contribuire a - Le due lingue concordano:

    z.B.:-Der Augenzeuge hat mit seinen Aussagen an der Aufklärung
des Verbrechens mitgewirkt. = Con le sue dichiarazioni Il
testimone oculare ha contribuito a far luce sul crimine.

b) **+ in + Dat.** = **collaborare, prendere parte a**:

    z.B.:-Auch Gisela hat mit einer Nebenrolle in einem Film mitge-
wirkt. = Anche Gisella ha preso parte come personaggio secondario ad un film.

c) **+ bei + Dat.** = **cooperare, contribuire, partecipare contribuendo a**:

    z.B.:-Berühmte Schauspieler haben bei dieser Aufführung mitge-
wirkt. = A questa rappresentazione hanno partecipato attori
famosi.

- - - - - -

53. **rächen**, **rächte**, **gerächt**

*Uso riflessivo*

a) sich (Akk.) + an + Dat. = **vendicarsi su qd.**:

    z.B.:-Die christliche Religion lehrt, sich nicht an dem Feind zu rächen, sondern ihm zu verzeihen. = La religione cristiana insegna a non vendicarsi sul nemico, ma a perdonarlo!

*Uso transitivo con costruzione diretta + preposizionale*

* + Akk. + an + Dat. = **vendicare** + acc.:
  z.B.:-Paul rächte den Tod des Vaters an seinem Mörder. = Paolo vendicó la morte del padre sul suo assassino.

*Uso transitivo con sola costruzione diretta*

* + Akk. come in italiano = vendicare:
  z.B.:-Man soll nicht erlittenes Unrecht rächen! Es bringt gewiss kein Glück. = Non si deve vendicare il torto subito! Non porta sicuramente fortuna.

- - - - - -

## 54. scheitern, scheiterte, gescheitert

*Uso intransitivo con costruzione preposizionale*

a) + an + Dat. = **fallire, naufragare, fare cilecca** (quando viene indicata la causa del fallimento):
   z.B.:-Viele Pläne scheitern oft am fehlenden Geld. = Molti progetti falliscono spesso a causa del denaro mancante.

b) + mit + Dat. = fallire, non riuscire in [con] (se viene indicato l'oggetto del fallimento):
   z.B.:-Paul scheiterte mit seinem Versuch, die eigene Firma zu vergrößern. = Paolo fallì nel suo tentativo di ampliare la propria ditta.

*Uso intransitivo senza costruzione preposizionale*

* quando non viene indicata né la causa né l'oggetto del fallimento, oppure essi sono espressi da una proposizione secondaria:
  z.B.:-Der Plan scheiterte, weil nicht alle mithalfen. = Il progetto fallì perché non cooperarono tutti.

- - - - - -

## 55. schreiben, schrieb, geschrieben

*Uso transitivo con sola costruzione diretta*

a) Tradotto con "scrivere qc.; comporre qc." si ha in ambedue le lingue la costruzione con l'accusativo:
   z.B.:-Was schreibst du denn da? = Cosa stai scrivendo?
   -Ich schreibe einen Brief. = Sto scrivendo una lettera.
   -Das Kind besucht bereits die dritte Grundschule und kann noch nicht seinen Namen schreiben. = Questo bambino fre-

quenta già la terza elementare e non sa ancora scrivere il suo nome.

b) Tradotto con "avere, essere" riferito alla data del calendario, si ha in tedesco + Akk.:

z.B.:-Den Wievielten schreiben (haben) wir heute? = Che giorno è oggi? (Quanti ne abbiamo oggi?)

-Wir schrieben das Jahr 2000. = Correva l'anno 2000.

*Uso transitivo con sola costruzione indiretta*

\* Tradotto con "scrivere a" si ha in ambedue le lingue + Dat.:

z.B.:-Wem schreibst du gerade? = A chi stai scrivendo?

-Ich schreibe gerade meinem Vater (Ich bin dabei, meinem Vater zu schreiben). = Sto scrivendo a mio papà.

*Uso transitivo con sola costruzione preposizionale*

Tradotto con "**scrivere a**" si può in tedesco sostituire il complemento di termine con an + Akk.:

z.B.:-An wen schreibst du gerade? = A chi stai scrivendo?

-Ich schreibe gerade an meinen Vater. = Scrivo a mio papà.

*Uso transitivo con costruzione indiretta + diretta*

\* Tradotto con "**scrivere qc. a qd.**" si ha in italiano + Akk. + Dat., mentre in tedesco + Dat. + Akk. = in tedesco precede il dativo:

z.B.:-Ich schreibe meinem Vater einen Brief. = Scrivo una lettera al papà.

*Uso transitivo con costruzione diretta + preposizionale*

a) Tradotto con "**scrivere qc. a qd.**" si può avere in tedesco + Akk. + an + Akk.:

z.B.:-Ich schreibe einen Brief an meinen Vater. = Scrivo una lettera al papà.

NB: È naturalmente da preferire la costruzione indiretta col dativo perché più breve. Per variare il discorso ed evitare cacofonie è però opportuno usare la costruzione preposizionale. In tali casi tuttavia occorre prestare attenzione alla costruzione, ossia alla posizione dei complementi: precede cioé l'accusativo puro, mentre l'accusativo preposizionale, quello retto da una preposizione, segue.

b) Tradotto con "**scrivere lavorando (intorno) a**", ma mentre in italiano si può avere anche l'accusativo puro, in tedesco si applica + an + Akk.:

z.B.:-Peter arbeitet an seiner Doktorarbeit. = Pietro sta scrivendo la sua tesi.

c) Tradotto con "scrivere su / di" si possono avere anche in tedesco le stesse preposizioni: + über + Akk oppure + von + Dat.:

z.B.:-Peter schreibt ein Buch über die Umweltverschmutzung. = Pietro sta scrivendo un libro sull'inquinamento dell'ambiente.

-Du hast mir von deiner Reise nichts geschrieben. = Non mi hai scritto nulla del tuo viaggio.

d) Tradotto con "**accreditare; scrivere sul conto**" si ha in tedesco + auf + Akk.:
   z.B.:-Wir schreiben den Betrag auf Ihr Konto. = Accreditiamo l'importo sul suo conto.

e) Per quanto riguarda l'uso della preposizione nelle espressioni in parte idiomatiche "scrivere in bella / in brutta", le due lingue si equivalgono:
   z.B.:-Ich hab den Aufsatz erst ins Konzept, jetzt muss ich ihn ins Reine schreiben. = Ho scritto il tema in un primo tempo in brutta, ora debbo riportarlo (scriverlo) in bella.

*Uso transitivo con costruzione diretta + aggettivo predicativo (compl. di modo)*

a) Tradotto con "**certificare da parte del medico**" si ha in tedesco + Akk. + wie? (cioé + aggettivo predicativo che per l'analisi logica funge in tedesco da complemento di modo):
   z.B.:-Hat dich der Arzt krank geschrieben? = Il medico ti ha fatto un certificato di malattia?
   -Nach drei Wochen Genesung hat mich nun der Arzt gesund geschrieben. = Dopo tre settimane di convalescenza, il medico ha certificato la mia guarigione.

*Uso riflessivo*

a) Tradotto con "scriversi a vicenda", ambedue le lingue si equivalgono:
   z.B.:-Peter und Gisela schreiben sich jede Woche. = Pietro e Gisella si scrivono ogni settimana.

b) Tradotto con "**essere in corrispondenza**" non è riflessivo in italiano, mentre è riflessivo in tedesco:
   z.B.:-Peter und Gisela schreiben sich ständig. = Pietro e Gisella sono in continua corrispondenza.

c) Tradotto con "chiamarsi; quale è il nome?" usato cioé al posto di "heißen" si usa riflessivo anche in tedesco:
   z.B.:-Wie schreibst er sich denn? = Ma come si chiama?
   -Wie schreiben Sie sich? = Lei come si chiama?

*Uso intransitivo "**senza**" o "**con**" costruzione preposizionale*

a) L'uso intransitivo senza costruzione preposizionale, non comporta alcuna differenza fra le due lingue:
   z.B.:-Ich hatte keine Zeit zu schreiben. = Non ho avuto tempo per scrivere (Non ho avuto neppure un minuto di tempo...).

b) Tradotto con "scrivere in un determinato modo", in risposta alla domanda "wie?", le due lingue si equivalgono = uso intransitivo + aggettivo predicativo (= complemento di modo):

z.B.:-Wie schreibst du denn? Schreib doch nicht so schlampig! = Ma come scrivi? Dai, non scrivere in modo così disordinato!

c) Tradotto con "scrivere per" viene usato in ambedue le lingue con la medesima preposizione "schreiben für":

z.B.:-Für welche Zeitung schreibt dieser Journalist? = Per quale giornale scrive questo giornalista?

- - - - - -

## 56. schreien, schrie, geschrieen

*Uso intransitivo senza costruzione preposizionale*

a) Tradotto con "gridare; urlare; strillare", le due lingue non hanno divergenze:

z.B.:-Was hat denn dieses Kind? Es schreit die ganze Zeit. = Ma che ha questo bambino? Continua a strillare.

-Die Möwen flogen schreiend hinter dem Schiff her. = I gabbiani volavano dietro alla nave gracchiando (stridendo).

b) Tradotto con "gridare; urlare; strillare" + aggettivo predicativo o complemento di modo risponde in ambedue le lingue alla domanda "come? = wie?":

z.B.:-Der arme Kranke schrie laut und schrill. = Il povero ammalato gridava fortemente e in modo straziante (penetrante).

*Uso intransitivo con costruzione preposizionale*

a) Tradotto con "**chiamare; gridare per avere aiuto, soccorso ecc.**" si ha in tedesco + um + Akk.:

z.B.:-Die Schiffbrüchigen schrieen um Hilfe. = I naufraghi gridavano aiuto.

b) Tradotto con "**chiamare a squarciagola**" si ha in tedesco + aus + Dat. oppure + mit + Dat.:

z.B.:-Das Kind schrie aus vollem Halse (mit aller Kraft) = Il bambino gridava a squarciagola.

c) Tradotto con "**gridare a causa di, dal**" si ha in tedesco + vor + Dat.:

z.B.:-Die Patientin schrie vor Schmerz, vor Qual, vor Angst. = La paziente gridava dal dolore, dallo strazio, dalla paura.

d) Tradotto con "**reclamare; chiedere ad alta voce; gridare reclamando**" si ha in tedesco + nach + Dat.:

z.B.:-Das Kind schreit nach der Mutter. = Il bambino reclama la mamma (...chiede ad alta voce la mamma).

-Das Vieh schreit nach Futter. = Il bestiame grida dalla fame, reclama il foraggio.

e) Tradotto con "**gridare vendetta; essere scandaloso**" si usa in tedesco + zu + Dat.:

z.B.:-Eine solche Missetat, die absichtliche Ermordung eines Kindes, schreit zum Himmel empor (ist himmelschreiend). = Un tale delitto, l'omicidio premeditato di un bambino, grida vendetta al cielo.

*Uso transitivo con costruzione diretta, indiretta e preposizionale*

a) Tradotto con "gridare qualcosa in faccia a qd." si ha anche in tedesco + Dat. + Akk. + in + Akk. = stessa costruzione in italiano:

> z.B.:-Paul schrie dem Chef seine tiefste Verachtung ins Gesicht und wurde deshalb entlassen. = Paolo gridó il suo piú profondo disprezzo in faccia al principale e per questo motivo venne licenziato.

- - - - - -

## 57. schützen, schützte, geschützt

*Uso transitivo con costruzione diretta + complemento preposizionale*

a) **+ Akk. + vor + Dat.** = **proteggere, tutelare da**:

> z.B.:-Die Bürger eines Landes müssen das eigene Vaterland vor jeglichen Gefahren schützen. = I cittadini di uno stato devono proteggere la propria patria da qualunque pericolo.

b) + Akk. come in italiano:

> z.B.: -Gott schütze dich! = Dio ti protegga!

*Uso riflessivo:*

a) sich schützen vor + Dat. = **proteggersi, difendersi da**:

> z.B.: -Schütze dich vor der Kälte, sonst erkrankst du. = Proteggiti dal freddo, altrimenti ti ammali.

*NB: Esigono la stessa costruzione con "vor + Dat" i verbi:*

\* **sich hüten vor + Dat.; sich in Acht nehmen vor + Dat.** = **guardarsi da, badare a, stare attento con**:

> z.B.: -sich vor Ansteckung hüten = guardarsi dal contagio
> -Nimm dich vor diesem Jungen in Acht! = Guardati da questo ragazzo (Stà attenta con questo ragazzo)!

- - - - - -

## 58. Sorgen machen – in Sorgen sein – Sorge tragen   Vedi anche nr. 22
NB: si distingue da "sorgen + für + Akk." = a) provvedere a  b) occuparsi di

*Uso intransitivo con costruzione preposizionale*

a) sich (= Dat.) Sorgen machen + um + Akk. = **preoccuparsi per, di**:

> z.B.:-Mach dir bloß keine Sorgen um mich, ich schaffe es schon! = Non preoccuparti per me (di me), ce la faccio!

b) sich (= Dat.) Sorgen machen + über + Akk. = **preoccuparsi per, di**:

> z.B.:-Du denkst ständig an unsere schwierige finanzielle Lage; hab'

ich Recht? Mach dir doch keine so großen Sorgen darüber! = Tu pensi sempre alla nostra difficile situazione finanziaria; ho ragione? Su, non preoccupartene così tanto!

c) sich (= Dat.) Sorgen machen + wegen + Gen. = preoccuparsi di (Costruzione non proprio uguale fra le due lingue, ma molto simile!):

z.B.:-Mach dir bloß keine so großen Sorgen wegen dieser Sache! = Non preoccuparti così tanto per questa faccenda!

d) in Sorge sein um + Akk. = **essere preoccupato per, essere in pensiero per qd.**:

z.B.:-Diese Eltern sind in Sorge um ihre kranke Tochter. = Questi genitori sono preoccupati per la loro figlia ammalata.

*Uso transitivo + costruzione preposizionale*

\* Sorge tragen + für + Akk. (+ um + Akk.) = aver cura di, curare:

z.B.:-Die meisten Eltern tragen Sorge für (um) ihre Kinder. = La maggioranza dei genitori ha cura dei propri figli.

- - - - - -

## 59. staunen, staunte, gestaunt

*Uso intransitivo senza costruzione preposizionale*

\* Tradotto con "stupire; essere stupito", quando il motivo dello stupore non viene espresso da un sostantivo, ma da una proposizione secondaria, le due lingue si equivalgono:

z.B.:-Wir staunten, dass ein siebenjähriges Kind schon so gut Klavier spielen konnte. = Eravamo stupiti dal fatto che un bambino di sette anni potesse suonare così bene il pianoforte.

*Uso intransitivo con costruzione preposizionale*

\* Tradotto con "**stupirsi di; meravigliarsi di; essere stupefatto di**" si usa in tedesco + über + Akk.:

z.B.:-Ich staune über deine Fähigkeiten. = Mi stupisco delle tue abilità.

-Darüber staunst du, nicht wahr? = Ció ti lascia stupefatto, non è vero?

NB: Espressione idiomatica:

-Da staunst du, was? = Non te l'aspettavi, eh?

- - - - - -

## 60. sterben, starb, gestorben

*Uso intransitivo con costruzione preposizionale, se viene indicata la causa o il motivo della morte*

a) + an + Dat. = **morire di**:

z.B.:-Mein Schwager ist an einem Herzschlag (Herzinfarkt) gestorben. = Mio cognato è morto d'infarto.

b) **+ vor + Dat.** = **morire di**:

z.B.:-Bei dem Seesturm wären wir fast vor großer Angst gestorben. = Durante quella tempesta sul mare quasi morivamo di paura.

-vor Hunger, Durst, Sehnsucht, Langeweile usw. sterben = morire di fame, sete, nostalgia, noia ecc.

c) **+ von + Dat.** = **morire di, per** – Le due lingue concordano solo in parte:

z.B.:-Davon (daran) stirbt man nicht. = Non si muore per così poco (Per questo non si muore).

d) + für + Akk. = morire per - le due lingue concordano:

z.B.:-Jesus ist für uns alle gestorben. = Gesú è morto per noi tutti.

*Uso intransitivo senza alcuna preposizione, quando non viene indicata la causa o il motivo*

z.B.:-Meine Großeltern sind schon alle gestorben. = I miei nonni sono tutti deceduti.

- - - - - -

# 61. stinken, stank, gestunken

*Uso intransitivo senza costruzione preposizionale*

* Tradotto con "puzzare", quando non viene espresso il tipo di odore, le due lingue si equivalgono:

z.B.:-Faule Eier stinken. = Le uova marce puzzano.

-Das Fleisch fing an zu stinken. = La carne cominció a puzzare.

-Hier stinkt es (= Hier ist etwas nicht in Ordnung). = La faccenda puzza (= Qui c'é qualcosa che non quadra).

*Uso intransitivo con costruzione preposizionale*

a) Tradotto con "**puzzare di; esserci puzza di; esserci cattivo odore di**" in tedesco **+ nach + Dat.**:

z.B.:-Paul hat nach Schnaps und Bier gestunken. = Paolo emanava odore di grappa e birra.

-An dieser Ecke des Marktes stinkt es für mich zu stark nach Fisch. = Per me in questo angolo del mercato c'é forte puzza di pesce.

-Hier stinkt (riecht) es aber nach Gas. Riechst du nichts? = Ma qui c'é odore di gas. Non senti (percepisci) nulla?

b) Tradotto con "**puzzare a causa di; puzzare da; essere un pigrone**" si ha in tedesco **+ vor + Dat.**:

z.B.:-Paul stinkt vor Faulheit. = Paolo è un pigrone [alla lettera: Paolo puzza dalla pigrizia. – Sottinteso:.. così come l'acqua stagnante che col tempo imputridisce e puzza].

-Monika stinkt vor Geiz. = Monica è una spilorcia [Alla lettera: Monica puzza dall'avarizia].

- - - - - -

## 62. streben, strebte, gestrebt

*Uso intransitivo o riflessivo senza costruzione preposizionale*

* Tradotto con "tendere; mirare; anelare; essere alla ricerca; sforzarsi", quando non viene espresso il fine, la meta dell'aspirazione, ambedue le lingue si equivalgono:

z.B.:-"Es irrt der Mensch, solang er strebt!" (**Goethe**, "Faust", Prolog im Himmel, Gott an Mephistopheles) = Fintantoché l'uomo (aspira, anela) è alla ricerca (della verità), egli può sbagliare (errare).

-"Wer immer strebend sich bemüht, den können wir erlösen!" (**Goethe** "Faust" 5. Akt, Engelchor) = Possiamo salvare colui che si è sempre sforzato di ricercare (la verità e il vero bene).

*Uso intransitivo con costruzione preposizionale*

a) Tradotto con "**tendere verso; tendere a; aspirare a; cercare di raggiungere in senso traslato-figurato**" si ha in tedesco + nach + Dat.:

z.B.:-Wer nur nach Ruhm und Ehre strebt, findet am Ende kein wahres Glück. = Chi aspira solo alla fama e alla gloria, alla fine non trova la vera felicità.

-Politiker, die nur nach Macht streben, gehen oft dabei zugrunde. = I politici che aspirano solo al potere, spesso periscono a causa di ció.

b) Tradotto con "**andare verso; cercare di raggiungere un luogo**", corrispondente alla domanda "irgendwohin streben", si ha in tedesco + zu + Dat. oppure + in + Akk., a volte anche + nach + Dat.:

z.B.:-Jede Pflanze strebt zum Licht. = Ogni pianta cerca la luce.

-Als im Theater der Brand ausbrach, strebten alle Zuschauer ins Freie. = Quando nel teatro scoppió l'incendio, tutti gli spettatori cercarono di raggiungere l'aperto.

- - - - - -

## 63. trauern, trauerte, getrauert

*Uso intransitivo senza costruzione preposizionale*

* Tradotto con "essere in lutto; portare il lutto" fra le due lingue non vi sono divergenze:

z.B.:-Diese Witwe hat ein volles Jahr getrauert. = Questa vedova ha portato il lutto per un anno intero.

*Uso intransitivo con costruzione preposizionale*

\* Tradotto con "**essere afflitto per; essere in lutto per**", si usa in tedesco + um + Akk.:

z.B.:-Gisela trauert tief und aufrichtig um ihren lieben Vater. = Gisella è profondamente e sinceramente afflitta per la scom-parsa del caro papà.

- - - - - -

## 64. verlieben, verliebte, verliebt

*Uso riflessivo senza costruzione preposizionale*

\* Tradotto con "innamorarsi" senza alcun riferimento alla persona o alla cosa di cui si è innamorati le due lingue si equivalgono:

z.B.:-Mir kommt vor, dass Gisela verliebt ist. = Ho l'impressione che Gisella sia innamorata.

*Uso riflessivo con costruzione preposizionale*

\* Tradotto con "**innamorarsi di**", quando cioé viene indicata la persona o l'oggetto dell'innamoramento, si ha in tedesco + in + Akk.:

z.B.:-Gisela ist ganz in den Jungen verliebt, den ihr Inge vorgestellt hat, er heißt Peter. = Gisella si è completamente innamorata del ragazzo che Inge le ha presentato e che si chiama Pietro.
-Das Kind ist so sehr in diese Puppe verliebt, dass es sich auch bei Nacht davon nicht trennen kann. = La piccola è così innamorata della bambola che non è capace di separarsi da lei neppure di notte.

- - - - - -

## 65. verstehen, verstand, verstanden

*Uso transitivo con costruzione diretta*

\* + Akk.: in ambedue le lingue:

z.B.:-Verstehen Sie Deutsch? = Lei capisce il tedesco?
-Ich verstehe nur die Hälfte von dem, was Sie sagen. = Capisco solo la metà di ció che lei dice.

*Uso transitivo con costruzone preposizionale*

a) + unter + Dat. = **intendere per**; **voler dire**:

z.B.:-Was versteht man unter diesem Wort? = Che vuol dire questa parola (Che s'intende per...)?
-Was vestehst du darunter? = Che intendi dire? Che vuoi dire con ció? [Alla lettera: Che capisci tu sotto questa cosa?]

b) + von + Dat. = intendersene di: - ambedue le lingue concordano:

z.B.:-Peter vesteht viel von Chemie und Physik, ich dagegen verstehe gar nichts davon.  =  Pietro si intende (se ne intende) di
chimica e fisica, io invece non ci capisco nulla.

*Uso riflessivo con costruzione diretta*

* + Akk. in ambedue le lingue  =  a) capirsi, intendersi  b) andare d'accordo:
    z.B.:-Das versteht sich doch!  =  Ma ció si capisce!
    -Die Preise vestehen sich frei ab Werk.  =  I prezzi s'intendo-
    no franco fabbrica.
    -Die beiden Kinder verstehen sich wirklich gut.  =  Questi due
    bimbi vanno proprio d'accordo.

*Uso riflessivo con costruzione preposizonale*

a) sich verstehen + mit + jemandem  =  intendersela con; capirsi con;
comprendersi con  -  ambedue le lingue concordano:
    z.B.:-Mit meinem Schwiegersohn verstehe ich mich gut.  =  Con
    mio genero ci comprendiamo.

b) sich verstehen + auf + Akk.:  =  **intendersene di**:
    z.B.:-Paul versteht sich auf Motorräder.  =  Paolo si (se ne) intende
    di motociclette.

- - - - - -

## 66. vertrauen, vertraute, vertraut

*Uso intransitivo con costruzione indiretta*

* Tradotto con "**fidarsi,  aver fiducia di;  confidare in**", si può usare in
tedesco la costruzione indiretta + Dat.:
    z.B.:-Peter ist ein Ehrenmann, wir können ihm und seinen Worten
    vertrauen.  =  Pietro è un galantuomo, possiamo fidarci di lui e
    delle sue parole.

*Uso intransitivo con costruzione preposizionale*

* Tradotto con "**aver fiducia di;  confidare in**", si può usare in tedesco
anche la costruzione preposizionale + auf + Akk.:
    z.B.:-Peter ist ein Ehrenmann, wir können auf ihn und auf seine
    Worte vertrauen.  =  Pietro è un galantuomo, possiamo fidarci
    di lui e delle sue parole.

*Attenzione alle forme simili e tuttavia diverse:*
    -**vertraut sein mit** + Dat.  =  aver dimestichezza con
        z.B.:-Gisela ist nunmehr mit der englischen Sprache vertraut.  =  Gi-
        sella è ormai pratica dell'inglese (ha confidenza con la lingua).
    -**Vertrauen haben zu jemandem**  =  **aver fiducia di**
    -**sein Vertrauen auf + Akk. setzen**  =  **riporre la propria fiducia in**
    -jemandem Vertrauen schenken  =  concedere la propria fiducia a qd.

**67. verzichten, verzichtete, verzichtet**

*Uso intransitivo con costruzione preposizionale*

a) Tradotto con "**rinunciare a; desistere da; abbandonare qc.**" si ha in tedesco + auf + Akk.:

z.B.:-Peter verzichtete auf die Entschädigung für den erlittenen Schaden. = Pietro rinunció al risarcimento per il danno subito.

b) Tradotto con "**fare a meno di**" si ha di nuovo in tedesco + auf + Akk.:

z.B.:-Ich kann auf deine Hilfe verzichten. = Posso fare a meno del tuo aiuto.

-Bedenke doch, dass Du es finanziell wohl nicht schaffst, wenn du denkst, auf die Hilfe deiner Eltern verzichten zu können. = Rifletti bene: tu finanziariamente non ce la farai, se pensi di fare a meno dell'aiuto dei tuoi genitori.

c) Tradotto con "**abdicare a**" si ha in tedesco sempre + auf + Akk.:

z.B.:-Nach der Schlacht von Custoza verzichtete König Karl Albert von Savoyen auf den Thron. = Dopo la battaglia di Custoza, il re Carlo Alberto di Savoia abdicó al trono.

- - - - - -

**68. verzweifeln, verzweifelte, verzweifelt**

*Uso intransitivo con costruzione preposizionale, quando viene indicata la causa*

a) + an + Dat. = **disperare di, perdere la speranza in**:

z.B.:-Paul verzweifelt am Gelingen seiner Arbeit. = Paolo dispera di farcela nel suo lavoro. (Paolo sta perdendo la speranza nella riuscita del suo lavoro).

-Gar mancher verzweifelte an den Menschen. = Ben parecchi persero la speranza nell'umanità.

b) + über + Dat. = **disperare, disperarsi, scoraggiarsi per**:

z.B.:-Paul war über den begegneten Schwierigkeiten seines Vorhabens verzweifelt. = Paolo era scoraggiato (disperato) per le difficoltà incontrate nel raggiungimento del suo intento.

*Uso impersonale con costruzione preposizionale e verbo sostantivato*

+ es ist zum Verzweifeln = **c'é da disperarsi**:

z.B.:-Mit solchen Halunken, die einen hinten und vorne betrügen, ist es zum Verzweiveln. = Con tali furfanti (mascalzoni) che ti imbrogliano in tutte le maniere, c'é da disperarsi.

> z.B.:-Peter war verzweifelt, weil ihm Gisela immer noch nicht geantwortet hatte. = Pietro era disperato perché Gisella non gli aveva ancora risposto.

- - - - - -

## 69. warnen, warnte, gewarnt

*Uso transitivo con sola costruzione diretta*

\* Tradotto con "mettere in guardia qd.; avvisare; avvertire qd.; ammonire qd.; diffidare qd." si ha in ambedue le lingue la costr. diretta + Akk.:
> z.B.:-Ich warne dich, so was zu tun. = Ti diffido dal fare una cosa del genere.
> -Ich warne dich! = Stai attento (= Ti avverto)!
> -Du hast ihn zu spät gewarnt und er konnte der Gefahr nicht mehr entgehen (weichen). = Tu lo hai avvisato troppo tardi e lui non poté piú sfuggire al pericolo.

*Uso transitivo con costruzione diretta + preposizionale*

a) Tradotto con "**mettere in guardia qd. contro qc.; guardarsi da**" si ha in tedesco + Akk. + vor + Dat.:
> z.B.:-Die Mutter warnte ihre Tochter Inge vor dieser Verbindung. = La mamma mise in guardia sua figlia Inge contro questa unione (...contro questo matrimonio).
> -Auch ich warne dich vor ihm. = Anch'io ti ammonisco di guardarti da lui.

- - - - - -

## 70. warten, wartete, gewartet

*Uso transitivo con sola costruzione diretta*

a) Tradotto con "**accudire a; badare a**" si ha italiano + Dat., mentre in tedesco + Akk.:
> z.B.:-Wer soll die Kranken warten, wenn die Krankenwärter und Krankenschwestern streiken? = Chi deve badare (accudire) agli ammalati, se gli infermieri e le infermiere scioperano?

b) Tradotto con "curare qd.; assistere qd.", ambedue le lingue hanno la costruzione diretta + Akk.:
> z.B.:-Chi deve curare gli ammalati, se gli infermieri e le infermiere scioperano? = Wer soll die Kranken warten, wenn die Krankenwärter und Krankenschwestern streiken?

## Uso transitivo con riferimento al tempo di attesa

\*   Tradotto con "aspettare" in riferimento al tempo di attesa, rispondente cioé alla domanda "wie lange? = quanto tempo?", ambedue le lingue hanno la costruzione diretta + Akk.:

> z.B.:-Beim Zahnarzt musste ich über eine Stunde warten. = Dal dentista dovetti aspettare piú di un'ora.

## Uso intransitivo senza costruzione preposizionale

\*   Tradotto con "aspettare", quando non viene espressa la persona o cosa attesa o esse vengono espresse con una proposizione dipendente, anche in tedesco non si usa alcuna preposizione:

> z.B.:-Warte hier! Ich komme bald. = Aspetta qui! Vengo subito.
>
> -Ich warte, bis Peter zurückkommt. = Aspetto finché Pietro torna.

## Uso intransitivo con costruzione preposizionale

a)  Tradotto con "**aspettare qd. o qc.**", quando cioé la persona o cosa attesa viene espressa con un sostantivo o pronome, si ha in tedesco + auf + Akk.:

> z.B.:-Peter Schmidt wartet auf Inge vor dem Palastkino. = Pietro Schmidt aspetta Inge davanti al Cinema Palazzo.
>
> { -Worauf wartest du denn hier? = Che cosa aspetti qui?
>
> { -Ich warte auf das Taxi. = Sto aspettando il taxi.
>
> -Ich muss gehen; auf mich wartet noch viel Arbeit. = Debbo andare; c'é tanto lavoro che ancora mi aspetta.

b)  Tradotto con "**farsi desiderare**" si ha in tedesco sempre + auf + Akk.:

> z.B.:-auf sich warten lassen = farsi desiderare [in un pessimo italiano: "lasciarsi o farsi aspettare"]
>
> -Warum lässt du immer auf dich warten? = Perché ti fai sempre desiderare?
>
> -Dieses Jahr lässt der Frühling auf sich warten. = Quest'anno la primavera tarda a venire (...si fa desiderare).

NB: **erwarten, erwartete, erwartet**

## Si usa senza alcuna preposizione e con costruzione diretta

a)  Tradotto con "essere in attesa; aspettarsi qualcosa" ambedue le lingue reggono l'accusativo puro (accusativo semplice):

> z.B.:-Gisela hat Peter geheiratet und erwartet jetzt ein Kind; sie ist in Erwartung. = Gisella ha sposato Pietro e adesso aspetta un bambino; lei è in stato interessante.
>
> ⌠ -Hast du dir so was erwartet? = Te la saresti aspettata una cosa del genere?
>
> ⟨ -Nein, bei weitem nicht! Ich hätte mir so was nie träumen lassen! = Ma neanche lontanamente! Una cosa del genere non me la sarei mai sognata!

b) Tradotto con "**contare su**; aspettarsi" in italiano si ha a volte la costru-zione preposizionale; in tedesco invece sempre la costruzione diretta = + Akk.:

> z.B.:-Peter erwartet deine baldige Antwort. = Pietro conta su una tua sollecita risposta.

- - - - - -

## 71. wundern, wunderte, gewundert (sich)

*Uso transitivo con costruzione diretta*

* Tradotto con "meravigliare; stupire; sorprendere", ambedue le lingue hanno la costruzione diretta + Akk.:

> z.B.:-Inges Verhalten hat mich sehr gewundert. = Il comporta-mento di Inge mi ha meravigliato molto.
> -Wundert dich Pauls Entschluss nicht? = Non ti stupisce la decisione di Paolo?

*Uso riflessivo senza costruzione preposizionale*

* Tradotto con "stupirsi; meravigliarsi" si usa senza alcuna preposizione, quando non viene espresso il motivo della meraviglia o esso viene e-spresso con una proposizione dipendente:

> z.B.:-Du wirst dich noch wundern! = Vedrai, vedrai! (Alla lettera: Ti stupirai! E come se ti stupirai!)
> -Wundert es dich, dass Paul noch nicht da ist? = Ti meravi-glia il fatto che Paolo non sia ancora arrivato?

*Uso riflessivo con costruzione preposizionale*

* Tradotto con "**stupirsi di; meravigliarsi di**", quando l'oggetto della meraviglia viene espresso da un sostantivo o pronome, si ha allora in tedesco + über + Akk.:

> z.B.:-Robert hat sich über die Ruhe der Leute auf dem Londoner Flughafen sehr gewundert, denn es war viel Nebel und alle Flüge hatten Verspätung. = Roberto si è molto meravigliato per la calma della gente nell'aeroporto di Londra perché c'era molta nebbia e tutti i voli erano in ritardo.
> -Du schaust mich so verwundert an! Worüber wunderst du dich denn? = Tu mi guardi così meravigliato! Ma di che ti meravigli?
> -Jetzt wundere ich mich über gar nichts mehr. = Ora non mi meraviglio piú di nulla.

- - - - - -

## 72. zittern, zitterte, gezittert

*Uso intransitivo senza costruzione preposizionale*

* Tradotto con "tremare; tremolare; vibrare", in ambedue le lingue non si ha alcuna preposizione quando non viene espressa la causa del tremore o essa viene espressa da una proposizione secondaria o coordinata:

z.B.:-Das Kind hatte hohes Fieber und zitterte. = Il bambino aveva la febbre alta e tremava.

-Sie war ganz aufgeregt und ihre Stimme zitterte. = Era tutta agitata e la sua voce tremava.

### Uso intransitivo con costruzione preposizionale

a) Tradotto con "**tremare a causa di**", quando la causa del tremore viene espressa con un sostantivo, si ha in tedesco + vor + Dat.:

z.B.:-Das nasse Kind zitterte vor Kälte. = Il bambino tutto bagnato tremava dal freddo.

-Beim Anblick des schrecklichen Unfalls zitterten der armen Frau die Beine vor Schreck. = Alla vista del terribile incidente, alla povera donna tremavano le gambe dallo spavento.

b) Tradotto con "**tremare mentre; tremare a causa di qc.**" si ha in tedesco + bei + Dat.:

z.B.:-Bei der Explosion zitterten die Wände. = Le pareti tremarono per l'esplosione.

c) Tradotto con "**tremare tutto; tremare in tutte le parti del corpo**" si ha in tedesco + an + Dat.:

z.B.:-Voller Angst zitterte das Kind an allen Gliedern. = Pieno di paura, il bambino tremava tutto. [Alla lettera: ...tremava in tutte le membra].

d) Tradotto con "**trepidare per; essere in ansia per**" si ha in tedesco + um + Akk.:

z.B.:-Die Mutter zitterte um ihren Sohn, der beim schrecklichen Unfall so schwer verletzt worden war. = La mamma tremava per il figlio che, a causa dello spaventoso incidente, era stato così gravemente ferito.

- - - - - -

## 73. zweifeln, zweifelte, gezweifelt

*Uso intransitivo con costruzione preposizionale, quando viene indicato l'oggetto del dubbio*

a) + an + Dat. = **dubitare di**:

z.B.:-Zweifelt ihr an Peters Zuverlässigkeit? = Dubitate dell'affidabilità di Pietro?

-Nein, wir zweifeln keineswegs an ihm (an seiner Zuverlässigkeit). = No, non dubitiamo affatto di lui (della sua affidabilità).

*Uso intransitivo senza complemento preposizionale, quando non viene indicato l'oggetto del dubbio*

\* Le due lingue concordano

z.B.:-Paul ist so unentschlossen, er zweifelt immer. = Paolo è così indeciso..., lui dubita sempre.

# HOMONYME

## WÖRTER MIT VERSCHIEDENEM SINN

( Omonimi - Vocaboli a doppio senso in una delle due lingue )

## Alphabetische Aufstellung der Homonyme
### ( Elenco alfabetico degli omonimi )

*Introduzione*
L'elenco degli omonimi qui riportato non vuol essere completo: tratta solo quelli piú ricorrenti che in una delle due lingue hanno o il medesimo suono o la medesima grafia oppure una grafia simile, ma detengono, a seconda del contesto, un significato o una funzione logica differente.

*Suggerimenti per lo studio*
Fra gli omonimi elencati ve ne sono parecchi che, per la loro frequenza e diversità d'uso grammaticale, fanno di per sé parte della grammatica e vanno appresi con precisione assieme ad uno degli esempi indicati. Fra questi richiedono una particolare attenzione e sicurezza d'uso:
- a) diverse preposizioni, avverbi e congiunzioni come: "nach, nachher, hernach, dann, nachdem" – "hinter, hinten" – "aber, sondern" – "seit, vor" – "vor, vorn" – "vor, zuerst, zuvor, vorher, bevor" – "nur, erst, allein" – "wieder, wider";
- b) diversi aggettivi e pronomi come: "welcher, was für ein" – "zufrieden, froh, lustig, glücklich" – "alle, alles, ganz" – "bald, früh, schnell" – "gleich, egal" – "einige, eigener";
- c) diversi verbi come: "zahlen, zählen, bezahlen" – "grüßen, begrüßen" – "lernen, studieren" – "wissen, können, erfahren, schmecken" – "kennen, kennen lernen" – "bringen, tragen" – "bilden, bauen" – "enden, beenden, fertig sein, zu Ende sein" – "vergehen, verbringen" – "klingen, klingeln" – "beobachten, beachten" – "heiraten, verheiraten, sich verheiraten, verheiratet sein" – "tun, machen";
- d) diversi sostantivi come: "Uhr, Stunde" – "Zeit, Wetter" – "Unterricht, Vorlesung" "Kaffee, Café" – "Mensch, Mann" – "Flasche Wein, Weinflasche" – "Worte, Wörter" – "Fernseher, Fernsehen" – "Text, Test" – "Enkel, Neffe".

Non è quindi necessaria una memorizzazione completa di tutti gli omonimi qui elencati; si consiglia di marcare con una crocetta (in caso di recidività con piú crocette) tutti quegli omonimi che, quando si studia o lavora, ci si accorge di sbagliare o intorno ai quali ci si accorge di aver dubbi e incertezze.

| | | |
|---|---|---|
| aber Nr.1 | Arm Nr.9 | beachten Nr.35 |
| abheben Nr.78 | Arme Nr.9 | beantworten Nr.67 |
| abwiegen Nr.71 | Aufenthalt Nr.4 | beenden Nr.22 |
| Akt Nr.85 | aufsteigen Nr.78 | begrüßen Nr.17 |
| Akte Nr.85 | ausleihen Nr.53 | beliefern Nr.101 |
| allein Nr.65 | aussteigen Nr.78 | beobachten Nr.35 |
| alle Nr.37 | bald Nr.38 | bevor Nr.41 |
| alles Nr.37 | Band Nr.46 | bewegen Nr.45 |
| anscheinend Nf.105 | Bank Nr.25 | bewohnen Nr.70 |
| antworten Nr.67 | bauen Nr.21 | bezahlen Nr.3 |

| | | |
|---|---|---|
| bilden Nr.21 | hinter Nr.7 | Reifen Nr.90 |
| Block Nr.87 | in Nr.20 | Rohr Nr.89 |
| blühen, blühte-Nr.80 | Junge Nr.96 | Röhre Nr.89 |
| Blüte Nr.80 | Kaffee Nr.11 | Rolladen Nr.36 |
| Boot Nr. 106 | kennen Nr.16 | säen Nr. 108 |
| Boote Nr. 106 | kennen lernen Nr.16 | Saite Nr. 104 |
| bringen Nr.18 | Kiefer Nr.77 | schaffen Nr.64 |
| Café Nr.11 | klingeln Nr.33 | scheinen Nr. 105 |
| Chor Nr.72 | klingen Nr.33 | Schild Nr.61 |
| dann Nr.8 | können Nr.15 | schmecken Nr.15 + 49 |
| egal Nr.47 | Kunde Nr.73 | schnell Nr.38 |
| eigen, eigener Nr.55 | Lade Nr.36 | Schrank Nr.54 |
| einige Nr.55 | Laden Nr.36 | See Nr.29 |
| ein-paar Nr.12 | Laib Nr.66 | sehen Nr. 108 |
| einsteigen Nr.78 | lassen Nr.30 | seit Nr.20 |
| einwiegen Nr.71 | Laster Nr.95 | Seite Nr. 104 |
| enden Nr.22 | läuten Nr. 107 | senken Nr.56 |
| Enkelkind Nr.63 | leeren Nr.14 | sinken Nr.56 |
| Enkel Nr.63 | lehren Nr.14 | sondern Nr.1 |
| entleihen Nr.53 | Leib Nr.66 | sprengen Nr.62 |
| erfahren Nr.15 | leihen Nr.5 | springen Nr.62 |
| erst Nr.65 | lernen Nr.5 | Spross Nr.100 |
| Erwartung Nr.91 | Leute Nr. 107 | Stadt Nr.59 |
| Erz Nr. 109 | liefern Nr. 101 | Stätte Nr.59 |
| Fernsehen Nr.42 | Lump Nr.93 | statt Nr.59 |
| Ferneseher Nr.42 | Lumpen Nr.93 | Steuer Nr.88 |
| fertig sein Nr.22 | lustig Nr.2 | Stiel Nr.69 |
| Flasche Wein Nr.27 | machen Nr.74 | Stil Nr.69 |
| Flur Nr.97 | mahlen Nr.43 | Stift Nr.98 |
| froh Nr.24 | Mahl Nr.44 | studieren Nr.5 |
| früh Nr.38 | Mal Nr.44 | Stunde Nr.2 |
| ganz Nr.37 | malen Nr.43 | Tau Nr.99 |
| gefallen Nr.49 | Mann Nr.19 | Teil Nr. 103 |
| Gehalt Nr.94 | Mannen Nr.19 | Test Nr.57 |
| gelangen Nr.83 | Meer Nr.29 | Text Nr.57 |
| Geläute Nr. 107 | Mensch Nr.19 | Tor Nr.31 |
| gelingen Nr. 83 | Messer Nr.75 | Tod Nr.86 |
| geschaffen sein Nr.64 | Miene Nr. 102 | Tote Nr.86 |
| Gesicht Nr.34 | mieten Nr.52 | tragen Nr.18 |
| Glas Wein Nr.28 | Mine Nr. 102 | Trauer Nr.84 |
| Gläubige Nr.79 | Mutter Nr.92 | Traurigkeit Nr.84 |
| Gläubiger Nr.79 | nach Nr.8 | tun Nr.74 |
| gleich Nr.47 | nachdem Nr.8 | Uhr Nr.2 |
| glücklich Nr.24 | nachher Nr.8 | unten Nr. 82 |
| grüßen Nr.17 | Neffe Nr.63 | unter Nr. 82 |
| Haltestelle Nr.4 | Nichte Nr.63 | Unterricht Nr.6 |
| Heide Nr.76 | nur Nr.65 | verbringen Nr.23 |
| heiraten Nr.58 | Paar Nr.12 | Verdienst Nr.48 |
| hernach Nr.8 | passieren Nr.23 | vergehen Nr.23 |
| Herz Nr. 109 | Rat Nr.51 | vergessen Nr.60 |
| hinten Nr.7verheiraten Nr.58 | Reif Nr.90 | vergießen Nr.60 |

481

| | | |
|---|---|---|
| verheiratet sein Nr.58 | Waise Nr.50 | wissen Nr.15 |
| verlassen Nr.30 | was für ein Nr.26 | wohnen Nr.70 |
| verlieren Nr.81 | was für welche Nr.26 | Wort Nr.39 |
| vermieten Nr.52 | Wartezeit Nr.91 | zahlen Nr.3 |
| versäumen Nr.81 | Wartung Nr.91 | zählen Nr.3 |
| vor Nr.20 + 40 + 41 | Weinflasche Nr.27 | Zeit Nr.13 |
| vorbeifahren Nr.23 | Weinglas Nr.28 | zu Nr.10 |
| vorbeigehen Nr.23 | weise - Weise Nr.50 | zu Ende sein Nr.22 |
| vorbeikommen Nr.23 | weiß Nr.50 | zuerst Nr.41 |
| vorher Nr.41 | welcher Nr.26 | zufrieden Nr.24 |
| Vorlesung Nr.6 | Wetter Nr.13 | zurückgehen Nr.32 |
| vorn Nr. 40 | wider Nr.68 | zurückkehren Nr.32 |
| wagen Nr.71 | wieder Nr.68 | zurückkommen Nr.32 |
| | wiegen Nr.71 | zu viel Nr.10 |

| | | | |
|---|---|---|---|
| **1.** | aber (Konj.) | ma, invece | *Indica contrapposizione normale:* z.B.: -Ich lerne Englisch und Deutsch, mein Freund Hans aber lernt Französich. = Io imparo inglese e tedesco, il mio amico Hans invece impara il francese. |
| | sondern (Konj.) | ma, bensì | *Indica contrapposizione più accentuata, essa è perlopiù preceduta da una proposizione negativa e corrisponde sempre all'italiano "bensì":* z.B.: -Mein Freund Hans lernt nicht Deutsch, sondern Französich. = Il mio amico Hans non impara il tedesco, ma (bensì) il francese. *N.B.: la congiunzione "sondern" è sempre preceduta da una virgola.* |
| | | | |
| **2.** | die Uhr, der Uhr, die Uhren | a) orologio | z.B.: -Meine Uhr ist kaputt; ich muss mir eine neue Uhr kaufen. = Il mio orologio è rotto; devo comprarmi un orologio nuovo. |
| | | b) l'ora | *Si usa con riferimento alle cifre riguardanti l'ora crono-logica:* z.B.: -Wie viel Uhr ist es? = Che ore sono? -Es ist jetzt 10 Uhr. = Sono le 10. |
| | die Stunde der Stunde, die Stunden | l'ora | *Indica durata di tempo di una o più ore: questo termine è perlopiù accompagnato dal verbo "dauern" che, anche se non espresso, è comunque sottinteso:* z.B.: -Bei uns dauert der Unterricht fünf Stunden. = Noi abbiamo cinque ore di lezione. (= Da noi la scuola dura cinque ore). -Mit dem Schnellzug dauert die Fahrt Köln-Frankfurt zwei Stunden. = Il viaggio Colonia-Francoforte dura due ore col direttissimo. |
| | | | |
| **3.** | zahlen, zahlte, gezahlt | pagare | *Si usa con riferimento alla cifra da pagare:* z.B.: -Wie viel zahle ich? = Quanto pago? -Sie zahlen 10,00 € . = Lei paga 10,00 € . |

| | | | |
|---|---|---|---|
| | bezahlen, bezahlte, bezahlt | pagare, saldare | *Si usa* <mark>*con riferimento all'oggetto, alla fattura, al conto da pagare:*</mark> <br> z.B.: -Ich bezahle das Buch. = Pago il libro. <br> -Sie haben die letzte Rechnung noch nicht bezahlt. = Lei non ha ancora saldato (pagato) l'ultima fattura. |
| | zählen, zählte, gezählt | contare | <mark>*L'Umlaut = la metafonesi fa la differenza*</mark> *del significato:* <br> z.B.: -Herr Müller hat viel Geld; er zählt es. = Il signor Müller ha molti soldi; lui li conta. |
| | erzählen, erzählte, erzählt | raccontare | *Verbo derivato da "zählen", così come in italiano "raccontare" deriva da "contare" o può essere sostituito da esso:* <br> z.B.: Was du mir nicht alles erzählst! = Ma cosa mi conti mai! (Espressione usata di frequente da "Topogigio")* |
| | | | |
| 4. | der Aufenthalt, -es, -e | a) la fermata <br><br><br><br> b) il soggiorno | *Nel senso di* <mark>*"durata di tempo della sosta"*</mark> *ossia con riferimento al* <mark>*tempo di sosta:*</mark> <br> z.B.: -Der D-Zug hat in Bonn drei Minuten Aufenthalt. = Il direttissimo ferma a Bonn tre minuti (...3 minuti di sosta). <br> -Der Studienaufenthalt = il soggiorno studio |
| | die Haltestelle, -, -en | la fermata | *Si usa con riferimento al* <mark>*luogo dove sostano i mezzi pubblici:*</mark> <br> z.B.: -Nehmen Sie die Straßenbahn Linie 12, dort drüben ist die Haltestelle. = Prenda il tram linea 12, la fermata è da quella parte. |
| | | | |
| 5. | lernen, lernte, gelernt | imparare (studiare) | *Viene riferito: 1. all'*<mark>*apprendimento dalla scuola elementare alla maturità  2. all'apprendimento di un mestiere = apprendistato:*</mark> <br> z.B.: -Walters Tochter, Erika, geht noch in die Schule; sie ist erst 16 und lernt; sie studiert also noch nicht. = La figlia di Walter, Erika, va ancora a scuola; lei ha appena 16 anni e quindi non frequenta l'università. |
| | studieren, studierte, studiert | studiare | *Si usa a)* <mark>*per gli studi universitari e tutte le ricerche scientifiche:*</mark> <br> z.B.: -Walters Sohn studiert jetzt in Heidelberg; er besucht dort die Universität. = Il figlio di Walter studia ora ad Heidelberg; lui frequenta l'università lì. <br><br> *b) nel senso di* <mark>*"occuparsi", "osservare attentamente":*</mark> <br> z.B.: -Richard studiert die ganze Zeit in seinen Büchern. = Riccardo è continuamente immerso nei suoi libri. <br> -Was studierst du denn da ständig? = Ma di che cosa ti stai occupando in continuazione (standotene a tavolino)? <br> -Peter studierte aufmerksam das Mienenspiel seines Partners. = Pietro studiava attentamente l'espressione del volto del suo partner. |

| | | | |
|---|---|---|---|
| 6. | der Unter-richt, -s;<br>NB: <mark>singu-lare tantum</mark> | a) la lezio-ne<br>b) l'inse-gnamento<br>c) la scuo-la | *Si usa con riferimento all'<mark>insegnamento di tutte le scuole di ogni ordine e grado, dalla scuola elementare alla matu-rità</mark>:*<br>z.B.: -Der Privatunterricht bei meinem Deutschlehrer dauert anderthalb Stunden. = La lezione privata presso il mio insegnante di tedesco dura un'ora e mezza.<br>-Morgen haben wir keinen Unterricht, weil die Lehrer strei-ken. = Domani non abbiamo scuola perché gli insegnanti scioperano. |
| | die Vorle-sung, -, -en | a) la lezio-ne (univer-sitaria) | *Si usa esclusivamente con riferimento alle <mark>lezioni uni-versitarie o parauniversitarie</mark>:*<br>z.B.: -Peter besucht die Universität in München und hat vormittags und nachmittags Vorlesungen. = Pietro fre-quenta l'università a Monaco e ha lezioni al mattino e al pomeriggio. |
| | | b) la lettu-ra | *nel senso di "<mark>lettura davanti ad un pubblico</mark>":*<br>z.B.: Der Redner begann mit der Vorlesung seines Be-richts. = L'oratore iniziò con la lettura della sua relazione. |
| | | | |
| 7. | hint<mark>er</mark><br>(Praep.) | dietro | ***Si usa sempre e solo come <mark>preposizione</mark>:***<br>per determinare sostantivi o pronomi: solo insieme a questi forma un complemento; "hinter" non è mai usata da sola, non occupa infatti un posto a sé stante nella costruzione perché da sola non conta per l'analisi logica:<br>z.B.: -Hinter unserem Haus liegt der Garten. = Dietro la nostra casa c'è il giardino.<br>-Im Gymnasium saß ich immer hinter meinem Freund Pe-ter. = Nel liceo io sedevo sempre dietro al mio amico Pie-tro. |
| | hint<mark>en</mark> (Adv.) | dietro | ***Si usa sempre e solo come <mark>avverbio</mark>:***<br>esso è per l'analisi logica un complemento di luogo e quindi occupa un posto indipendente nella costruzione della proposizione:<br>z.B.: -Gehen wir nach hinten, dort liegt unser Garten. = Andiamo sul retro, là c'è il nostro giardino.<br>-Im Gymnasium saß mein Freund Hans vorn, ich saß immer hinten. = Nel liceo il mio amico Hans sedeva da-vanti, io sempre dietro. |
| | | | |
| 8. | nach<br>(Praep.) | dopo | ***Si usa sempre e solo come <mark>preposizione</mark>:***<br>per determinare sostantivi o pronomi, formando con essi anzitutto dei complementi di tempo. Come tutte le pre-posizioni, "nach" non può mai essere usata da sola perché non ha senso logico compiuto, quindi da sola non |

| | | | |
|---|---|---|---|
| | | | conta per l'analisi logica né occupa un posto indipendente nella costruzione:<br>z.B.: -Nach dem Abendessen gehen wir spazieren. = Dopo cena andiamo a passeggio. |
| | dann,<br>nachher,<br>hernach,<br>danach<br>(Adver-bien) | dopo | ***Si tratta di*** avverbi di tempo:<br><br>e quindi per l'analisi logica di complementi di tempo: essi hanno un senso logico compiuto, formano ciascuno in modo indipendente un complemento di tempo ed occupano nella costruzione un posto a sé stante:<br>z.B.: -Zuerst essen wir, dann (nachher, hernach, danach) gehen wir spazieren. = Prima mangiamo, poi andiamo a passeggio. |
| | nachdem<br>(Konj.) | dopo | ***Si usa sempre e solo come*** congiunzione:<br><br>per introdurre proposizioni dipendenti temporali. (Per il suo uso corretto, rispetto alla "*consecutio temporum*", si vedano le regole nel paragrafo riguardante la proposizione temporale, pag. 239-240):<br>z.B.: -Nachdem wir gegessen haben, gehen wir spazieren. = Dopo aver mangiato, andiamo a passeggio. |
| | | | |
| 9. | der Arm, -es,<br>die Ar-me | il braccio | *Sostantivo appartenente al secondo gruppo della declinazione maschile forte:*<br>z.B.: -Mein Freund Paul hat starke Arme. = Il mio amico Paolo ha braccia robuste. |
| | der Arme,<br>ein Armer,<br>die Armen,<br>Arme | a) il povero<br>b) il mendicante<br>(der Bettler) | ***Si tratta di un*** aggettivo sostantivato: *segue la declinazione dell'aggettivo attributivo:*<br><br>z.B.: -Zu Weihnachten werden die Armen unserer Stadt von den Behörden zu einem Festessen eingeladen. = Per Natale i poveri della nostra città vengono invitati dalle autorità a un banchetto.<br>-Vor unserer Kirchentür sitzt jeden Sonntag ein Armer, der um Almosen bittet. = Davanti alla porta della nostra chiesa siede ogni domenica un mendicante (un povero) che chiede l'elemosina. |
| | | | |
| 10. | zu<br>(Praep.+<br>Dat.) | a) verso; a | ***In qualità di*** preposizione + Dat. ***si usa:***<br><br>***con moto a luogo*** 1. *verso persone,* 2. *verso parti di villaggio o città di genere maschili o femminili:*<br>z.B.: -Jetzt muß ich zum Arzt gehen. = Ora devo andare dal medico.<br>-Gehen wir zum Hauptplatz, heute ist Jahrmarkt. = Andiamo nella piazza principale, oggi c'é la fiera.<br>-Gehen wir zu Tisch! = Andiamo a tavola!<br><br>*quando determina complementi di tempo, essa si usa so-* |

| | | | |
|---|---|---|---|
| | | b) a; per | prattutto per determinare a) *le festività,* b) *le circostanze,* c) *il sostantivo "volta, volte" nel senso di ripetizione:*<br>z.B.: -Zu Ostern besuche ich dich. = A Pasqua vengo a trovarti (...ti faccio visita).<br>-zu deinem Geburtstag = per il tuo compleanno<br>-Ich sage es dir zum letzten Mal! = Te lo dico per l'ultima volta!<br>-Zur Zeit ist Herr Braun nicht zu Hause. = In questo momento il signor Braun non è in casa. |
| | | c) verso, nei con-fronti di | *In senso traslato assume il significato di "nei riguardi di" (come sinonimo di "gegenüber"):*<br>z.B.: -Gisela ist immer nett zu Peter. = Gisella è sempre carina verso Pietro.<br><br>*Serve a determinare complementi indicanti lo scopo:*<br>z.B.: –Zeit zum Lesen = tempo per leggere |
| | | d) per; di; da; a | -Gib mir etwas zum Essen! = Dammi qualcosa da mangiare! |
| | zu (Adverb) | a) chiuso | ***In funzione di avverbio:***<br><br>*detiene questo significato avverbiale quando è accompagnato dal verbo "sein" o "haben":*<br>z.B.: -Ist die Tür wohl zu? = Ma è chiusa la porta? (Ma sei sicuro che la porta sia chiusa?)<br>-Was? Sind denn die Geschäfte schon zu? = Cosa? Ma i negozi hanno già chiuso? |
| | | b) troppo | *Detiene questo significato quando l'avverbio "zu" precede un aggettivo:*<br>z.B.: -zu groß / zu klein = troppo grande / troppo piccolo |
| | zu viel | troppo | *Quando in italiano l'avverbio "troppo" non è seguito da un aggettivo, in tedesco "zu" determina l'avverbio "viel" asso-ciandosi ad esso:*<br>z.B.: -Dreißig Personen im Automobil, das ist zu viel, das ist zu viel! = Trenta persone nell'automobile, ciò è troppo, ciò è troppo! (canto tirolese) |
| | zu (Kon-junktion) | da; a; di; per | ***In qualità di congiunzione:***<br><br>*In funzione di congiunzione "zu" serve a formare l'infinito impuro dei verbi (germanismo riscontrabile anche in inglese con l'avverbio "to"):*<br>z.B.: -Das ist kaum zu glauben. = Si stenta a crederlo. (Ció è incredibile, ha dell'incredibile). |
| | | | |
| 11. | der Kaffee, -s, -s | il caffè | *bevanda – NB: La pronuncia corretta esige l'accento sulla prima sillaba: "der Káffee", anche se molte persone, influenzate dagli stranieri pongono ormai l'accento alla fine del vocabolo:*<br>z.B.: -Möchten Sie eine Tasse Káffee? = Desidera una tazza di caffè? |

| | | | |
|---|---|---|---|
| | das Café,<br>des Cafes,<br>die Cafes | il caffè | ==bar, esercizio pubblico:==<br>z.B.: -Peter Schmidt geht mit den Mädchen ins Cafè Meran. = Pietro Schmidt va con le ragazze al Caffè Merano. |
| 12. | ein Paar<br>(Subs.)<br>das Paar,<br>-es, -e | una cop-<br>pia | ***Si usa come sostantivo:***<br><br>*sia riferito a persone sia a cose accoppiate nel senso di "un paio":*<br>z.B.: -Ist das ein schönes Paar! = Ma che bella coppia! (riferito a ragazzo + ragazza)<br>-Ich muss mir unbedingt ein Paar Schuhe kaufen, denn die alten sind kaputt. = Io debbo assolutamente comprarmi un paio di scarpe perché le vecchie sono rotte. |
| | ein paar<br>(Adj. -<br>Pron.) | alcuni,<br>qualche | ***Si usa come aggettivo indefinito o pronome indefinito:***<br><br>z.B.: -Für Frau Müller will Richard ein paar Blumen kaufen. = Per la signora Müller Riccardo vuol comprare alcuni fiori (Adj.).<br>-Paul hat auch in der heutigen Klassenarbeit ein paar Fehler gemacht. = Anche nel compito in classe di oggi Paolo ha fatto qualche errore (Adj.).<br>-Brauchen wir Eier? = Ci occorrono delle uova?<br>-Nein, wir haben noch ein paar zu Hause. = No, ne abbiamo ancora alcune a casa (= Pron.). |
| 13. | die Zeit, -,<br>-en | il tempo | *cronologico:*<br>z.B.: -Die Zeit vergeht schnell. = Il tempo passa velocemente.<br>-Heute hab' ich wenig Zeit. = Oggi ho poco tempo. |
| | das Wetter,<br>des Wet-ters | il tempo | *meteorologico NB: Si tratta di un sostantivo usato prevalentemente al singolare:*<br>z.B.: -Heute ist das Wetter schön. = Oggi il tempo è bello.<br><br>*NB: das Gewitter = il temporale (l'insieme dei fenomeni metereologici quando scoppia un temporale) – Il prefisso "ge-" aggiunto ad un sostantivo esprime spesso collettività, sia quando è riferito a persone sia quando è riferito a una pluralità o ad un insieme di cose dello stesso tipo:*<br>z.B.: -die Schwester = la sorella - die Geschwister = fratello più sorella<br>-der Bruder = il fratello - Firma Gebrüder Colombo = Ditta F.lli Colombo<br>-der Berg = la montagna – das Gebirge = la catena montuosa<br>-der Pack = il pacco – das Gepäck = i bagagli<br>-das Wasser = l'acqua – die Gewässer = a) le acque b) l'insieme delle riserve idriche |

| | | | |
|---|---|---|---|
| | | | -das Holz = il legno – das Gehölz = a) il boschetto (varie specie di alberi)   b) la boscaglia<br>-der Ast, -es, Äste = il ramo  -  das Geäst = la ramaglia, l'insieme dei rami   -   usw. |
| | | | |
| 14. | lehren, lehrte, gelehrt | insegnare | *La pronuncia dei due verbi "lehren" e "leeren" è identica, la loro differenza sta solo nella grafia:*<br>z.B.: -Mein Physiklehrer hat immer in sehr klarer und in interessanter Weise gelehrt. = Il mio professore di fisica ha sempre insegnato in modo chiarissimo e interessante.<br>NB: die Lehre = l'insegnamento;  der Lehrer / -in = l'insegnante |
| | leeren, leerte, geleert | svuotare | z.B.: -Heute muss ich zur Müllhalde, um unsere Mülltonne zu leeren (entleeren), weil die Müllabfuhr streikt. = Oggi debbo andare alla piattaforma ecologica per svuotare il bidone delle immondizie perché la nettezza urbana sciopera.<br>NB: die Leere = il vuoto (sost.)  -  leer = vuoto (aggettivo) |
| | | | |
| 15. | wissen, wusste, gewusst | sapere | *Si usa nel senso di* "essere al corrente, rendersi conto, essere consapevole"  *NB: corrisponde al verbo latino "scio, scis,... scire":*<br>z.B.: -Monika kann nicht tanzen, sie weiß es, und möchte lernen. = Monika non sa ballare, lo sa (= se ne rende conto) e vorrebbe imparare.<br>-Weißt du, wo Peter ist?  =  Sai dov'è Pietro? |
| | können, konnte, gekonnt | sapere | *Si usa nel senso di* "sapere per aver appreso con studio o esercizio":<br>z.B.: -Können Sie Deutsch? = Lei sa il tedesco?<br>-Ja, ich kann ein wenig, ich habe es in der Schule gelernt. =  Sì, un po': l'ho imparato a scuola. |
| | erfahren, erfuhr, erfahren | sapere | *Si usa nel senso di* "venire a sapere, venire a conoscenza":<br>z.B.: -Ich habe heute erfahren, dass Peter und Gisela am Samstag heiraten. = Oggi ho saputo che Pietro e Gisella si sposano (sposeranno) sabato. |
| | schmecken, schmeckte, geschmeckt | sapere | *Si usa nel senso di* "avere un sapore, piacere (di gusto), essere gustoso:<br>NB: Se il gusto viene espresso, cioé specificato, il verbo "schmecken" regge la preposizione "nach":<br>z.B.: -Diese Suppe schmeckt nach Fisch. = Questa zuppa sa di pesce.<br>{ -Schmeckt es?  =  Piace?  (riferito a cibo)<br>-Ja, es schmeckt lecker. = Sì, è gustoso.<br>-Lassen Sie es sich gut schmecken! = Buon pro Le faccia!<br>-Heute will's mir nicht recht schmecken. = Oggi non ho appetito. |

| | | | |
|---|---|---|---|
| 16. | kennen, kannte, gekannt | conoscere | *Si usa nel senso di* "conoscere già": z.B.: -Peter kennt Inge, aber noch nicht Fräulein Gisela. = Pietro conosce Inge, ma non ancora la signorina Gisella. |
| | kennen lernen, lernte kennen, kennen gelernt | conoscere | *Si usa nel senso di* "fare la conoscenza", *riguarda cioé il* primo approccio *(iniziare a conoscere):* z.B.: Peter hat Inge neulich bei einer Party kennen gelernt. = Pietro ha conosciuto Inge di recente ad un party (P. ha fatto la conoscenza di Inge...). |
| 17. | grüßen, grüßte, gegrüßt | salutare | *Verbo usato* per il saluto quotidiano, *rivolto cioé a persone con le quali si è in continuo contatto oppure per il saluto ripetuto negli approcci susseguenti al primo:* z.B.: -Wir haben nette Nachbaren, sie grüßen uns immer sehr freundlich. = Abbiamo dei vicini di casa simpatici, ci salutano sempre cordialmente. |
| | begrüßen, begrüßte, begrüßt | salutare | *Verbo usato* per il primo saluto, cioé per il saluto del primo approccio *oppure per il saluto che avviene anche con amici che non si vedono da tanto tempo:* z.B.: -Nach so langer Zeit besucht Walter endlich wieder einmal Familie Braun in Frankfurt und sie begrüßen ihren Freund sehr herzlich. = Finalmente, dopo così tanto tempo, Walter fa una visita alla famiglia Braun di Francoforte ed essi salutano il loro amico (molto) cordialmente. |
| 18. | bringen, brachte, gebracht | a) portare | *Si usa per oggetti leggeri:* doni, fiori, lettere, messaggi scritti, documenti *ecc.:* z.B.: -Der Briefträger bringt Frau Braun ein Telegramm. = Il postino porta alla signora Braun un telegramma. -"Hast du mir was gebracht?", fragt die kleine Enkelin ihren Großvater, der sie nach langer Zeit besucht. = "Mi hai portato qualcosa?", chiede la nipotina al nonno che viene a trovarla dopo tanto tempo. |
| | | b) condurre, portare | *Si usa anche nel senso di* condurre persone in qualche luogo *(come sinonimo di "führen"):* z.B.: -"Darf ich Sie nach Hause bringen?", fragt Peter Schmidt die Mädchen. = "Posso condurvi a casa?", chiede Peter Schmidt alle ragazze. |
| | tragen, trug, getra-gen | a) portare | *Si usa per* oggetti pesanti, valigie, mobili, sacchi pieni, borse ecc. - ma anche per persone, bambini in braccio: z.B.: -Trag du die Tasche! Ich trage den Koffer. = Porta tu la borsa! Io porto la valigia. -Die Mutter trägt das kleine Kind in den Armen. = La mamma porta il piccolino in braccio. |

| | | | |
|---|---|---|---|
| | | b) portare indosso, indossare | *Si usa anche nel senso di "portare indosso, indossare":* z.B.: -Ich trage noch keine Brille; mein Bruder aber trägt sie schon seit zwei Jahren. = Io ancora non porto occhiali; mio fratello invece li porta già da due anni. -Meine Mutter trägt gern wertvollen Schmuck. = Mia mamma porta volentieri gioielli preziosi. |
| | | | |
| 19. | -r Mensch, des Menschen, die Menschen | l'uomo | *Si usa nel senso di "genere umano" = uomo + donna; sostantivo appartenente alla declinazione maschile debole:* z.B.: -Alle Menschen müssen sterben. = Tutti gli uomini devono morire. |
| | der Mann, des Mannes, die Männer | l'uomo | *Si usa nel senso di "uomo maschio"; sostantivo appartenente al terzo gruppo della declinazione maschile forte:* z.B.: -Die Männer tragen die Möbel in die Wohnung. = Gli uomini portano i mobili nell'appartamento. -Mein Bruder Thomas ist mit seinen siebzehn Jahren schon ein Mann. = Con i suoi diciasette anni, mio fratello Tommaso è già un uomo. |
| | die Mannen (plurale tantum) | uomo del seguito | *Termine storico usato nel senso di "vassallo, scudiero, uomo del seguito" (sinonimo di "Gefolgschaft"), oggigiorno viene qualche volta ripreso nel gergo sportivo:* z.B.: -Dem in Legnano geschlagenen Barbarossa gelang es dank seinen Mannen der Gefangennahme zu entfliehen. = Il Barbarossa, sconfitto a Legnano, riuscì a sfuggire alla cattura grazie ai suoi scudieri. |
| | | | |
| 20. | seit (Praep. + Dat.) | da | *Si usa sempre e solo per determinare complementi di tempo riferiti ad un'azione iniziata nel passato e che perdura fino al presente (NB: regola germanica che ha influenzato la lingua inglese, vedi uso di "since"):* z.B.: –Seit einem Monat wohnen wir in der Gartenstraße. = Da un mese viviamo in via Dei Giardini. |
| | vor (Praep.) | fa | *In senso temporale regge sempre il Dat. e determina complementi di tempo riferiti a un'azione iniziata e conclusasi nel passato (NB: Anche qui si tratta di un germanismo che ritroviamo nella lingua inglese con "for"):* z.B.: -Vor einer Woche kamen Reporter vom Fernsehen nach Heimhausen. = Una settimana fa vennero dei reporter della TV ad Heimhausen. |
| | in (Praep.) | fra | *In senso temporale regge il dativo e determina complementi di tempo riferiti al futuro o ad un predicato che riguarda il futuro:* z.B.: -"In zehn Minuten bin ich wieder da", sagt Herr Braun zu seiner Frau. = "Fra dieci minuti sono di ritorno (... di nuovo qua)", dice il signor Braun a sua moglie. |

| | | | |
|---|---|---|---|
| | | | -In einem Monat ist Ostern. = Fra un mese è Pasqua.<br>-Der Fall soll in Bälde entschieden werden. = Il caso deve essere risolto presto (in breve). |
| 21. | bilden, bildete, gebildet | formare | *NB: In tedesco questo verbo ha mantenuto il suo significato germanico originale, mentre lo stesso verbo ha in Inghilterra cambiato significato: "to build = costruire". (All'inizio dell'apprendimento molti alunni vengono tratti in inganno da questa discrepanza fra inglese e tedesco.)* z.B.: -Die Schüler schreiben Wörter und bilden Sätze. = Gli alunni scrivono vocaboli e formano frasi.<br><br>*NB: Si notino in proposito alcuni fra i tanti sostantivi appartenenti a questa famiglia come:* -das Bild = il quadro, la figura -die Bildung = a) la formazione b) l'educazione -der Bildhauer = lo scultore (che modella la statua) |
| | bauen, baute, gebaut | a) costruire | *Si usa sia nel senso di "edificare, erigere" sia nel senso di "coltivare la terra":* z.B.: -Unser altes Haus ist ganz aus Stein gebaut. = La nostra vecchia casa è tutta in pietra (= ...é stata costruita tutta in pietra).<br><br>*NB: Si notino in proposito alcuni fra i molti sostantivi appartenenti a questa famiglia:* -der Bau = la costruzione -der Baumeister = il costruttore edile -der Wiederaufbau = la ricostruzione -der Ackerbau = l'agricoltura -bebauen = a) costruire case su b) coltivare terreni -der Bauer, -n, -n = il contadino |
| | | b) contare (= fidarsi) | - auf jemanden (etwas) bauen = fare affidamento su qd. z.B.: Auf Peter kann man Häuser bauen. = Su Pietro si può fare pieno affidamento. |
| 22. | enden, endete, geendet (intrans.) | finire | *Verbo intrans. da usare esclusivamente con soggetti impersonali = soggetti non formati da persona o persone:* z.B.: -Wann endet heuer das Schuljahr? (Wann endet dieses Jahr die Schule?) = Quando finisce la scuola quest'anno? |
| | fertig sein – zu Ende sein – aus sein (intrans.) | essere finito, finire | *Si tratta di forme verbali intransitive da usare esclusivamente con soggetti impersonali:* z.B.: -Der Film ist um 22.30 Uhr aus. (...zu Ende; ...fertig) = Il film finisce alle 22.30. -"Jetzt ist der Unterricht aus. Auf Wiedersehen!", sagt der Lehrer zu den Schülern. = "Ora la lezione è finita. Arrivederci!", dice l'insegnante agli alunni. |

| | | | |
|---|---|---|---|
| | beenden, beendete, beendet (trans.) | finire | *Verbo transitivo*, *quindi con passaggio d'azione su un complemento oggetto, da usare esclusivamente con soggetto personale* = soggetto rappresentato da persona: z.B.: -Hast du die Hausaufgaben schon beendet? = Hai già finito i compiti? |
| | fertig sein mit + Dat. | finire | *Forma verbale transitiva con complemento preposizionale retto da "mit + Dat." e soggetto costituito da persona*: z.B.: -Wann bist du mit dieser Arbeit fertig? = Quando finisci questo lavoro? (= Quando finisci con questo lavoro?) -Damit bin ich bald fertig. = [Lo] Finisco subito. |
| 23. | vergehen, verging, vergangen (intrans.) | passare, trascorrere | *Verbo intransitivo*: *l'azione quindi resta sul soggetto che è sempre impersonale, cioé non è mai costituito da persone, ma solo da cose come "il tempo, la vita, la giovinezza, la gioia, il dolore, le vacanze ecc."*: z.B.: -Die Zeit vergeht schnell. = Il tempo passa velocemente. |
| | verbringen, verbrachte, verbracht (trans.) | passare, trascorrere | *Verbo trans: con soggetto formato da persona e passaggio d'azione su un compl. oggetto (accusativo semplice)*: z.B.: -Ich habe diesmal die Weihnachtsferien zu Hause verbracht. = Questa volta ho trascorso le vacanze di Natale a casa. |
| | vorbeigehen, ging vorbei, vorbeigegangen --- vorbeifahren, (intr.) | passare | *Si usa nel senso di "passare davanti"*: z.B.: -Jetzt gehen wir an der Garage vorbei und kommen zum Hauseingang. = Ora passiamo davanti al garage e giungiamo all'ingresso della casa. -Gestern bin ich bei euch vorbeigefahren, hatte aber keine Zeit, euch zu besuchen. = Ieri sono passato (con la macchina) davanti a casa vostra, ma non ho avuto tempo di farvi visita. |
| | vorbeikommen, kam vorbei, vorbeigekommen + bei + Dat. (intrans.) | passare | *Si usa nel senso di "venire a trovare", cioé passare e fermarsi facendo visita*: z.B.:-Wann kommst du bei uns vorbei? = Quando passi da noi (= ...vieni a trovarci)? -Ja, nächste Woche kann ich wohl mal bei euch vorbeikommen. = Sì, la settimana ventura posso ben passare da voi. *NB: Si noti il verbo sinonimo "zukehren"*: z.B.: -Wann kehrst du bei uns zu? = Quando vieni a tro-varci? |
| | passieren, passierte, passiert (trans.) | passare | *Si usa nel senso di attraversare frontiere, passi, valichi.* z.B.: -Als wir die russische Grenze passierten, wurden wir von mehreren Zollbeamten kontrolliert. = Quando passammo la frontiera russa fummo controllati da diversi doganieri. |
| | | | |

| | | | |
|---|---|---|---|
| 24. | zufrieden (Adj.) | contento | *Si usa nel senso di "soddisfatto":* z.B.: -Meine Eltern sind mit meinen Schulergebnissen sehr zufrieden. = I miei genitori sono molto soddisfatti dei miei risultati scolastici. |
| | froh (Adj.) | contento | *Si usa nel senso di "lieto":* z.B.: -Als Peter Gisela anrief, war sie froh darüber. = Quando Pietro telefonó a Gisella, lei fu contenta (..., ne fu lieta). -Wie bin ich froh, dass du wieder bei mir bist! = Come sono contento /-a che tu sia nuovamente qui da me! |
| | glücklich (Adj.) | contento | *Si usa nel senso di "felice":* z.B.: -Gisela ist mit Peter glücklich verheiratet. = Gisella è felicemente sposata con Pietro. -Paul ist glücklich, denn er hat diesmal am Lotto ziemlich viel gewonnen. = Paolo è contento (felice), perché questa volta ha vinto al lotto parecchio denaro. |
| | lustig (Adj.) | contento | *Si usa nel senso di "allegro":* z.B.: -Gisela hat einen schönen, offenen Charakter: sie ist immer lustig. = Gisella ha un bel carattere aperto, lei è sempre contenta (allegra). |
| 25. | die Bank, der Bank, die Bänke | il banco, la panca | *Sia il banco di scuola, sia la panchina nel parco: sostantivo appartenente al primo gruppo della declinazione femminile forte:* z.B.: -In jedem Stadtpark gibt es Bänke zum Sitzen. = In ogni parco cittadino vi sono delle panchine per sedersi. |
| | die Bank, der Bank, die Banken | la banca | *Istituto bancario: sostantivo appartenente al primo gruppo della declinazione femminile debole:* z.B.: -In Cantú gibt es mehr als zehn Banken. = A Cantú ci sono piú di dieci banche. |
| 26. | welcher, welche, welches? (Adj. oder Pron.) | quale? | *Si declina come il pronome indefinito e può essere sia aggettivo che pronome; al plurale segue la declinazione dell'articolo determinativo. Con "welcher, -e, -es" si chiede di una persona o cosa determinata e si risponde con l'articolo determinativo:* z.B.: -Welches Kleid ziehst du heute an, das rote oder das blaue? = Quale vestito (tra quelli che possiedi, quindi ben determinati) indossi oggi: quello rosso o quello azzurro? -Ich ziehe das blaue an. = Indosso quello blu. -Mit welchem Zug kommt Walter? = Con quale treno arriva Walter? -Er kommt mit dem Schnellzug an.= Arriva col direttissimo. |
| | was für ein, eine, ein? (Adjektiv) | quale? di che tipo? | **Usato come aggettivo** segue la declinazione dell'articolo indeterminativo, **come pronome** la declinazione del pronome indefinito. |

| | was für ei-<br>ner, eine,<br>eines?<br>(Prono-men) | | Con "was für ein, eine, ein? / was für einer, eine, eines?" si chiede di una persona o cosa indeterminata nel senso di "di che tipo? – di che genere?" e si risponde con l'articolo indeterminativo:<br>z.B.: -Was für ein Kleid möchten Sie, ein klassisches oder ein sportliches? = Che vestito desidera, un vestito classico o sportivo?<br>-Ich möchte ein sportliches. = Vorrei un vestito sportivo (Ne vorrei uno sportivo).<br>NB: La preposizione "für" non influisce sull'articolo indeterminativo o sul pronome indefinito!<br>L'aggettivo o pronome "was für ein, eine, ein" "was für einer, eine, eines" può invece essere determinato da una preposizione che lo precede:<br>z.B.: -Mit was für einem Wagen fahrt ihr in die Ferien? Mit einem großen oder mit einem kleinen? = Con che macchina andate in vacanza, con una grande o con una piccola?<br>- Wir fahren mit einem großen Wagen, weil wir zu dritt sind und viel Gepäck haben. = Noi andiamo con una macchina grande perché siamo in tre e abbiamo molti bagagli. |
|---|---|---|---|
| | was für +<br>Subst. Plu-<br>ral<br>(Adjektiv) | quali?<br>che tipo<br>di? | "was für" in qualità di aggettivo può riferirsi senza alcun articolo ad un sostantivo plurale, acquistando il significato di "che tipo di – che genere di – che razza di"; l'articolo cade sia perché "ein" non ha plurale, sia perché il "di" italiano ha qui valore partitivo e in tedesco non esiste:<br>z.B.: -Was für Bücher magst du? = Che tipo di libri ti piacciono?<br>-Ich möchte Hosen für meinen Mann. = Vorrei dei pantaloni per mio marito.<br>-Was für Hosen möchten Sie? = Che tipo di pantaloni desidera? |
| | was für<br>welche?<br>(Prono-men) | quali?<br>di che<br>tipo? | Si usa come pronome nel senso di "di che tipo? – di che genere?" con riferimento ad una pluralità espressa da un sostantivo che "was für welche?" sostituisce:<br>z.B.: -Ich möchte Hosen für meinen Mann.<br>-Was für welche? = Di che tipo? |
| | | | |
| 27. | eine Fla-<br>sche Wein | una<br>bottiglia<br>di vino | Si usa nel senso di "bottiglia piena di vino":<br>z.B.: -Nach dem Abendessen trinken Krügers bei Anlässen gern eine Flasche Wein. = Nelle ricorrenze (particolari circostanze) i Krüger bevono volentieri dopo cena una bottiglia di vino. |
| | eine Wein-<br>flasche | una<br>bottiglia<br>per il vino | Il sostantivo composto si usa nel senso di bottiglia vuota che serve per imbottigliare il vino:<br>z.B.: -Wenn wir die leeren Weinflaschen nicht zurückerstatten, müssen wir sie bezahlen. = Se non restituiamo le bottiglie del vino (vuote), dobbiamo pagarle. |

| 28. | ein Glas Wein / Bier / Wasser | un bicchiere di vino / birra / ecc. | *Si usa nel senso di* <mark>*"bicchiere pieno di vino / birra / acqua ecc."*</mark>:<br>z.B.: –Darf ich bitte ein Glas Wasser haben? Ich bin so durstig! = Posso per favore avere un bicchiere di acqua? Ho una sete! |
|-----|-----|-----|-----|
| | ein Weinglas / ein Bierglas / ein Wasserglas | un bicchiere per il vino / birra / ecc. | *Il sostantivo composto si usa nel senso di* <mark>*"bicchiere vuoto che serve per bere vino, birra, acqua ecc."*</mark>:<br>z.B.: -Ich möchte sechs Weingläser kaufen, weil unsere alle kaputt gingen. = Vorrei acquistare sei bicchieri per il vino perché i nostri si sono tutti rotti. |
| | | | *NB: lo stesso discorso vale per piatti e tazze:*<br>-ein Teller Suppe / der Suppenteller oder der tiefe Teller = un piatto di zuppa / un piatto fondo per la zuppa<br>-eine Tasse Kaffee / eine Kaffeetasse = una tazza di caffé / una tazza da caffé<br>-eine Tasse Tee / eine Teetasse = una tazza di té / da té |
| 29. | das Meer, des Meeres, die Meere | il mare | *Termine indoeuropeo usato dai Romani per indicare il Mediterraneo (Mare nostrum), un mare chiuso; per tale motivo il termine* <mark>*"das Meer" viene in tedesco adoperato per indicare tutti i mari chiusi ad eccezione del Baltico:*</mark><br>z.B.: -das Schwarze Meer, das Tote Meer, das Kaspische Meer, das Karibische Meer, usw.<br>-Ich möchte einmal eine Kreuzfahrt im Mittelmeer mitmachen. = Vorrei una volta partecipare a una crociera nel Mediterraneo. |
| | die See, der See<br><mark>(singulare tantum)</mark> | il mare | *Termine prettamente germanico usato per indicare il* <mark>*"Mare del Nord"* e il *"Mare Baltico"*</mark>*, cioé i mari dei Germani, così come "l'alto mare" (inglese: "the sea")*<br>z.B.: -Helgoland ist eine kleine Insel in der Nordsee, die der BRD angehört. = H. è una piccola isola nel Mare del Nord che appartiene alla Rep. Federale Tedesca.<br>-Auch bei mittlerem Seegang sollte man sich nie mit einem Schlauchbot auf die hohe See begeben. = Anche col mare mediamente mosso non ci si dovrebbe mai avventurare in mare aperto con un canotto pneumatico. |
| | der See, -s Sees, die <mark>Seen</mark> | il lago | *Sostantivo appartenente al terzo gruppo della declinazione mista maschile:*<br>z.B.: -In der Brianza gibt es viele schöne Seen. = In Brianza vi sono tanti bei laghi. |
| | | | |

| 30. | lassen, ließ gelassen | lasciare | *Usato nel senso di "permettere; rendere possibile, non impedire + Akk., corrisponde ai verbi = gestatten, erlauben, zulassen, nicht hindern":* z.B.: -Lass ihn doch schlafen! = Lascialo dormire! [Non impedire il suo sonno, permettiglielo!] -Bis jetzt hab'ich dich walten und schalten lassen, nun aber ist (es) genug! = Fin'ora ti ho lasciato piena libertà, però adesso basta! |
|---|---|---|---|
| | + Akkusativ | lasciare | *Usato nel senso di "indurre, provocare, fare in modo, che". NB: in italiano corrisponde spesso al verbo "fare" seguito da un infinito + Dat., in tedesco invece lassen + Akk. equivale ai verbi sinonimi "bewirken, veranlassen":* z.B.: -Lass mich bitte wissen, wie die Prüfung gegangen ist. = Fammi sapere com'é andato l'esame! -Der Polizist ließ den Fahrer eine hohe Strafe bezahlen. = Il poliziotto fece pagare all'autista una grossa multa. -Entschuldige, dass ich dich hab' warten lassen! = Scusami per averti fatto aspettare! -Wir wollen das Kind etwas Richtiges lernen lassen. = Vogliamo far imparare al bambino qualcosa di serio. |
| | + Akkusativ | lasciare | Usato nel senso di "abbandonare, piantare in asso, smettere" + Akk.: -Inge hat ihren Freund Paul stehen lassen. = Inge ha lasciato (piantato in asso) il suo amico Paolo. -Paul kann das Rauchen nicht lassen. = Paolo non è capace di smettere di fumare. -Lass doch das Streiten! = E smettila di litigare! |
| | | lasciare | *Usato nel senso di "mantenere le cose come stanno, non cambiare" + Akk. corrisponde in tedesco ai verbi "etwas belassen, nicht verändern":* z.B.: –Diese Regierung hat alles beim Alten gelassen. = Questo governo ha lasciato tutto com'era. -Wir wollen das Tier am Leben lassen. = Vogliamo lasciar vivere l'animale. |
| | + Dativ | lasciare | *Usato nel senso di "affidare, cedere, rimettere + Dat. corrisponde al verbo überlassen":* z.B.: -Lass mir diese Arbeit erledigen! = Lascia sbrigare a me questo lavoro! -Lass du mir das Kind! Ich pass schon auf. = Tu lasciami il bambino! Io sto ben attenta. |
| | + Dativ | lasciarsi (riflessio) | *Usato come verbo riflessivo con riflessione indiretta + Dat.: questo uso si ha quando nella proposizione c'é un complemento oggetto non formato dal pronome riflessivo o c'é una prop. secondaria oggettiva, per cui il pronome riflessivo funge da complemento di termine:* z.B.: -Das lasse ich mir gefallen. = Apprezzo questa cosa [Alla lettera, in un pessimo italiano: "lascio (permetto) che ció mi piaccia"]. -Eine solche Gelegenheit lasse ich mir nicht entgehen! = Non mi lascio scappare un'occasione del genere! |

| | | | |
|---|---|---|---|
| **+ Akkusativ** | | | -Das hätte ich *mir* nie träumen lassen. = Non avrei mai immaginato una cosa del genere.<br>-Du lässt *dir* einfach nichts mehr sagen! Nein, so geht's nicht! = Non ti si può dire piú nulla! È una cosa impossibile (Sei una cosa impossibile)!<br>-Lass *dir*'s ja nicht einfallen, so etwas zu tun! = Non azzardarti a fare una cosa del genere [Che non ti venga in mente di fare ...]!<br>----------<br>*Come verbo riflessivo con riflessione diretta, + Akk.: questo si ha quando nella proposizione il complemento oggetto è dato dallo stesso pronome riflessivo (= oltre al pronome riflessivo non v'é nella frase alcun altro complemento oggetto):*<br>z.B.: -Lass *dich* nicht stören! = Non farti disturbare [= Non lasciarti disturbare]!<br>-Du lässt *dich* seit längerer Zeit nicht mehr blicken. = Da parecchio tempo non ti fai piú vedere.<br>-Nein, so kannst du *dich* nicht sehen lassen! = No, cosí non ti puoi presentare (No, cosí non puoi farti vedere)!. |
| | verlassen, verließ, verlassen | lasciare | *Si usa nel senso di "abbandonare, andar via":*<br>z.B.: -Herr Breuer nimmt seinen Koffer und seine Tasche, steigt aus und verlässt den Bahnhof. = Il signor Breuer prende la valigia e la borsa, scende e lascia la stazione.<br>-Verlass mich bitte doch nicht! Bleib immer bei mir! = Ti prego, non abbandonarmi! Resta sempre con me! |
| 31. | das Tor, des Tores, die Tore | a) il portone<br><br>b) il goal, la porta del calcio | *Si usa nel senso di "portone di un palazzo o porta della città" = sostantivo appartenente alla declinazione neutra forte del secondo gruppo:*<br>z.B.: -Die mittelalterlichen Städte hatten Stadtmauern und Tore. = Le città medievali avevano mura di cinta e porte.<br>-Am letzten Sonntag hat die Juventusmannschaft wieder zwei schöne Tore geschossen. = Domenica scorsa la Juve ha nuovamente fatto due goal meravigliosi. |
| | der Tor, des Toren, die Toren | il matto, il pazzo, lo stolto | *Si usa nel senso di "persona squilibrata, come minimo stolta, per lo piú folle o pazza" = sostantivo appartenente alla declinazione maschile debole:*<br>z.B.: -In dieser Stadt gibt es manche Toren, die die Wände vieler Häuser mit Graffiti beschmutzen. = In questa città vi sono parecchi stolti che deturpano le pareti di tante case con graffiti. |
| 32. | zurück- kommen, kam zu-rück, | ritornare | *Si usa per indicare ritorno di una persona al luogo dove essa si trova o della stessa persona che parla al luogo dove si trova mentre sta parlando:* |

| | | | |
|---|---|---|---|
| | zu-rückge-kommen | | z.B.: -"Sorgt euch nicht! Ich komme heute Abend zurück.", sagt der Vater zu seinen Kindern. = "Non preoccupatevi, torno questa sera!", dice il papà ai suoi bambini. |
| | zurückge-hen, ging zurück, zurrückge-gangen | ritornare | *Si usa per indicare ritorno di una persona al luogo da dove è venuta o della stessa persona che parla al luogo di provenienza:* z.B.: - "Wann gehst du wieder nach Hause zurück?", fragt Gisela ihre Freundin Inge. = "Quando torni a casa?", Chiede Gisella alla sua amica Inge. -"Ich muss jetzt gleich wieder nach Hause zurückgehen, weil meine Eltern auf mich warten.", antwortet ihr Inge. = "Adesso devo subito tornare a casa perché i miei genitori mi aspettano", le risponde Inge. |
| | zurückkeh-ren, kehrte zurück, zu-rückge-kehrt | ritornare | *Si usa indifferentemente e indipendentemente dai significati su indicati: può quindi essere usato in qualunque circostanza in luogo dei due verbi precedenti:* z-B.: -"Wann kehrst du zu uns zurück?", fragt Frau Braun ihren Freund Walter. = "Quando ritorni da noi?", chiede la signora Braun all'amico Walter. -In einem Monat kehre ich wieder zurück. = Ritorno fra un mese. |
| | | | |
| 33. | klingen, klang, ge-klungen (intrans.) | suonare, risuonare | *Verbo esclusivamente intransitivo, si usa nel senso di "avere un suono, risuonare, mandare un suono, emettere un suono":* z.B.: -Die Glocken der deutschen Dome klingen harmonisch. = Le campane dei duomi tedeschi risuonano armoniose. -Diese Gitarre klingt wunderbar. = Questa chitarra ha un suono meraviglioso. |
| | klingeln, klingelte, geklingelt (intrans. / trans.) | suonare, squillare | *a) uso intransitivo nel senso di "suonare, squillare di campanello, telefono, sveglia":* z.B.: -Das Telefon klingelt, heb du bitte ab! = Suona il telefono: alza per favore tu la cornetta. -Es hat soeben zum Unterricht geklingelt. = È appena suonato il campanello per l'inizio delle lezioni. *a) uso transitivo nel senso di "svegliare qd. suonando il campanello o usando il telefono":* z.B.: -Mit deinem Anruf hast du mir das Kind aus dem Schlaf geklingelt. = Con la tua telefonata mi hai svegliato il bambino. |
| | | | |
| 34. | das Gesicht, des Gesich-tes, die Ge-sichter | il viso, la faccia | *Sostantivo appartenente al terzo gruppo della declinazione neutra forte:* z.B.: -"Die Liebe hat tausend Gesichter", ist der Titel eines schönen Liebesliedes. = "L'amore ha mille facce", è il titolo di una bella canzone d'amore. |

| | | | |
|---|---|---|---|
| | | | -Die Gesichter der kleinen Kinder strahlen Unschuld und Lieblichkeit aus. = I visi dei bambini piccoli emanano innocenza e grazia. |
| | das Gesicht, des Gesichtes, die Gesichte | = la visione | *Sostantivo appartenente al secondo gruppo della declinazione neutra forte:* z.B.: -Nervenkranke Leute meinen oft, Gesichte zu haben. = Persone ammalate di nervi credono spesso di avere delle visioni. |
| 35. | beóbachten, beóbachtete, beóbachtet | osservare | *Si usa nel senso di "guardare, contemplare guardando, notare, tenere sotto osservazione":* z.B.: -Schau, wie dich das Kind neugierrig beóbachtet! = Guarda come quel bambino ti osserva attentamente (con curiosità)! -Fußgänger hatten in der Nacht einen verdächtigen jungen Mann in der Nähe des gestohlenen Wagens beóbachtet. = Dei pedoni avevano durante la notte notato un giovanotto sospetto nelle vicinanze della macchina rubata. |
| | beáchten, beáchtete, beáchtet | osservare | *Si usa nel senso di "rispettare (leggi, disposizioni), fare attenzione a, badare a":* z.B.: -Der PKW-Fahrer hatte die Verkehrszeichen nicht beáchtet und stieß mit der Straßenbahn zusammen. = Il conducente dell'utilitaria non aveva rispettato la segnaletica e urtó contro il tram. |
| 36. | die Lade, der Lade, die Laden | il cassetto | *Sostantivo appartenente al secondo gruppo della declinazione femminile debole (= Synonyme: "die Schublade, das Schubfach"):* z.B.: -Dieser Schrank ist sehr praktisch, da ist nicht nur Platz für viele Kleider, sondern er hat auch mehrere Laden (Schubladen) für die Wäsche. = Quest'armadio è molto pratico: non c'é soltanto posto per molti vestiti, ma ha anche diversi cassetti per la biancheria. |
| | der Laden, -s Ladens, die Läden | a) la persiana | *Sostantivo appartenente al primo gruppo della declinazione maschile forte (NB: der Fensterladen = la persiana della finestra):* z.B.: -Der starke Wind rüttelte an den verriegelten Läden. = Il forte vento scuoteva le persiane sprangate. |
| | | b) il negozio | -In Cantú mussten viele Läden wegen der großen Kaufzentren schließen. = A causa dei centri commerciali molti negozi di Cantú hanno dovuto chiudere. |
| | der Rollladen, -s, die Rollläden | l'avvolgibile, la serranda | z.B.: -Schließe bitte den Rollladen, denn draußen ist es ja schon finster und kalt! = Chiudi per favore la serranda perché fuori è già buio e fa freddo! |

| 37. | alle (Adj. oder Pron.) | tutti | ***Può essere aggettivo o pronome dimostrativo:*** |
|-----|------------------------|-------|--------------------------------------------------|

| | | | *segue la declinazione plurale dell'articolo determinativo e si usa sempre con riferimento ad una pluralità di persone o cose:*<br>z.B.: -Alle Menschen müssen sterben. = Tutti gli uomini devono morire.<br>-auf alle Fälle = in ogni caso [Alla lettera: in tutti i casi] |

*NB: L'aggettivo "alle" seguito dall'articolo determinativo va normalmente eliso, perdendo così la desinanza = "all":*
z.B.: -All die Leute, die Wälder verbrennen, sollte man schärfer bestrafen. = [Tutte] Le persone che bruciano boschi dovrebbero essere punite piú severamente.
-bei all der Not = con tutta quella indigenza (penuria)
-Wozu all diese Mühe? = A che scopo tutta questa fatica?

---

**alles (Pron.)** — tutto

***Si usa sempre solo come pronome:***

*segue la declinazione dell'articolo determinativo neutro e viene riferito all'insieme di piú cose, cioé a un tutto composto da piú cose:*
z.B.: -Peter hat heute alles gegessen: er hat nicht nur die Suppe, sondern auch das Fleisch mit Kartoffeln, das Gemüse, das Obst und auch ein Stück Kuchen gegessen.

---

**ganz (Adj. oder Adv.)** — tutto

***Come aggettivo:***

*segue la declinazione forte, debole, mista dell'aggettivo attributivo e si usa in riferimento alla totalità di una sola cosa nel senso di "intero":*
z.B.: -Paul hat leider den ganzen Kuchen gegessen und für dich nichts übrig gelassen. = Paolo ha purtroppo mangiato tutta la torta senza lasciartene un po'.

NB: Con i nomi geografici di genere neutro l'aggettivo "ganz" si usa indeclinato, a meno che il nome geografico non sia accompagnato da un altro aggettivo o da una specificazione:
z.B.: -Beim letzten Erdbeben in Umbrien war ganz Italien in Trauer. = Durante l'ultimo terremoto in Umbria tutta l'Italia era in lutto.
Tuttavia: -Das ganze Italien des 15. Jahrhunderts liebte die Künste. = Tutta l'Italia del XV secolo amava le arti.

***Come aggettivo sostantivato:***

*segue la declinazione dell'aggettivo attributivo:*
z.B.: -Das Ganze gefällt mir nicht. = A me non piace tutta la faccenda (... tutto il complesso).
-Im Großen und Ganzen geht es uns gut. = Nel complesso stiamo bene.
-aufs Ganze gehen = mirare al tutto

| | | | |
|---|---|---|---|

*Come avverbio:*

a) *precede normalmente gli aggettivi nel senso di "abbastanza"* (= recht) *oppure anche forme verbali accompagnate da un aggettivo nel senso di "molto"* (= serve in questo senso a formare il superlativo assoluto):

z.B.: -Ist das Kleid hier nicht ganz (recht) nett? Was sagst du? = Non è (abbastanza) carino questo vestito? Che ne dici?

-Peter war gestern ganz froh, weil er die so schwierige Prüfung gut bestanden hatte. = Ieri Pietro era felicissimo perché aveva superato bene quell'esame così difficile.

b) *per l'analisi grammaticale "ganz" funge spesso da avverbio, per l'analisi logica da compl. di modo; in tali casi è accompagnato da "gar" rispettivamente da "gar nicht" nel senso di "completamente – affatto":*

z.B.: -Das ist ganz und gar verfehlt (falsch). = Ció è completamente (del tutto) sbagliato.

-Das gefällt mir ganz und gar nicht. = Ció non mi piace affatto (per niente; per nulla, proprio).

| 38. | bald (Adv.) | presto | *Si usa: a) nel senso di "fra poco, tra poco, fra non molto":* z.B.: -Die Vöglein singen schon, bald wird es Tag. = Gli uccellini cantano di già, fra poco (presto) si farà giorno. -Freue dich, Christkind kommt bald! (Dal canto natalizio: "Leise rieselt der Schnee") = Rallegrati, (presto) tra poco viene Gesú Bambino! *b) nel senso di "subito, immediatamente":* z.B.: -Das ist bald gesagt, aber schwer getan. = Ció è facile a dirsi, ma difficile a farsi. -Komme bitte bald, der Großmutter geht's gar nicht gut. = Per favore vieni subito, la nonna non sta affato bene. -Ich komme so bald wie möglich. = Vengo il piú presto possibile. |
|---|---|---|---|
| | früh (Adv. oder Adj.) | presto | *In qualità di avverbio si usa:* a) *nel senso di "anzitempo, di buon'ora, ben presto":* z.B.: -Meine Mutter steht immer früh auf. = Mia mamma si alza sempre (presto) di buon'ora. -Es ist noch früh; der Zug fährt erst in einer Stunde ab. = È ancora presto; il treno parte solo fra un'ora. b) *nel senso di "prematuramente, precocemente":* z.B.: -Meine Großmutter ist früh gestorben, sie war erst 55 Jahre alt. = Mia nonna è morta (giovane) prematuramente: aveva appena 55 anni. |
| | schnell (Adv.) | presto | *In qualità di avverbio si usa:* a) *nel senso di "in fretta, subito, veloce(mente)":* |

| | | | |
|---|---|---|---|
| | (Adj.) | veloce, rapido, celere | z.B.: -Wir müssen schnell machen, sonst versäumen wir den Zug. = Dobbiamo fare (presto) in fretta, altrimenti perdiamo il treno.<br>-In einer solchen Lage muss man schnell entscheiden, was zu tun ist. = In una situazione del genere si deve decidere subito sul da farsi.<br>-Das geht schnell. = È una cosa veloce.<br>*b) nel senso di "prontamente, rapidamente, svelto, lesto":*<br>z.B.: -Dieses Kind ist aber wirklich verblüffend schnell im Denken! = Ma questo bambino ha veramente una prontezza di spirito impressionante!<br>***In qualità di** aggettivo:*<br>z.B.: -eine schnelle Antwort = una risposta veloce<br>-Paul hat sich ein schnelles Auto gekauft. = Paolo si è comprato una macchina veloce. |
| 39. | das Wort, des Wor-tes, die Wörter | la parola | *Sostantivo appartenente al terzo gruppo della declinazione forte neutra. Si usa nel senso di "il vocabolo, il termine, la voce":*<br>z.B.: -Die Bedeutung mehrerer germanischer Wörter hat sich in der englischen Sprache gewandelt. = Il significato di diversi vocaboli (diverse parole) germanici nell'inglese è cambiato.<br>-Dieses Wörterbuch führt zirka 20.000 Wörter an. = Questo vocabolario indica all'incirca ventimila vocaboli. |
| | das Wort, des Wor-tes, die Worte | la parola | *Sostantivo appartenente al secondo gruppo della declinazione forte neutra. Si usa nel senso di "parola parlata, discorso, menzione":*<br>z.B.:-Mein Vater ist ein Mann weniger Worte. = Mio papà è un uomo di poche parole.<br>-Mir blieben vor Schreck die Worte im Munde stecken, mir fehlten einfach die Worte. = Dalla paura mi si bloccarono le parole in bocca, esse semplicemente mi mancavano.<br>-Mäßige deine Worte! = Misura le tue parole!<br>-Man legt mir Worte in den Mund, die ich nie gesagt habe! = Mi si taccia di discorsi che non ho mai pronunciato! |
| 40. | vor (Praep.) | davanti | ***Si usa sempre solo come** preposizione:*<br>*Con questo significato serve a determinare complementi di luogo e come tutte le preposizioni essa diventa parte integrante del complemento. Da sola non ha un senso compiuto, non conta per l'analisi logica e non occupa un posto a sé stante nella costruzione:*<br>z.B.: -Vor unserem Haus liegt ein schöner blühender Blumengarten. = Davanti alla nostra casa c'é un bel giardino fiorito. |

| | | | |
|---|---|---|---|
| | | | -Im Gymnasium saß ich immer vor meinem Freund Peter. = Nel liceo sedevo sempre davanti al mio amico Pietro. -Peter Schmidt wartet auf Inge vor dem Palastkino. = Pietro Schmidt aspetta Inge davanti al Cinema Palazzo. |
| | vorn, vorne (Adv.) | davanti | ***Si usa sempre solo come*** avverbio: *esso è per l'analisi logica un complemento di luogo e occupa un posto indipendente nella proposizione:* z.B.: -Gehen wir nach vorn, dort sind noch einige Sitzplätze frei. = Andiamo sul davanti, là ci sono ancora alcuni posti a sedere liberi. -Im Gymnasium saß mein Freund Hans vorn, ich saß immer hinten. = Nel liceo il mio amico Hans sedeva davanti, io sempre dietro. -Wer soll sich da auskennen? Man weiß ja bei dieser Arbeit nicht, wo hinten und vorn ist. = E chi ci capisce qualcosa qui? In questo lavoro non s'intravvede né capo né coda. |
| | | | |
| 41. | vor (Praep.) | prima | ***Si usa sempre solo come*** preposizione: *Con questo significato serve a determinare complementi di tempo e come tutte le preposizioni essa diventa parte integrante del complemento. Da sola non ha un senso compiuto, non conta per l'analisi logica e non occupa un posto a sé stante nella costruzione:* z.B.: -Vor dem Spaziergang essen wir zu Abend. = Prima della passeggiata ceniamo. |
| | zuerst, zuvor, vorher (Adver-bien) | prima | ***Si usano sempre solo come*** avverbi di tempo: *essi in analisi logica hanno funzione di complementi di tempo e occupano un posto indipendente nella prop.:* z.B.: -Zuerst (zuvor, vorher) essen wir zu Abend, dann gehen wir spazieren. = Prima ceniamo, poi andiamo a passeggio. |
| | bevor (Konj.) | prima | ***Si usa esclusivamente come*** congiunzione temporale: *essa introduce proposizioni secondarie temporali:* z.B.: -Bevor wir spazieren, essen wir zu Abend. = Prima di andare a passeggio ceniamo. |
| | | | |
| 42. | das Fernsehen, des Fernsehens (singulare tantum) | la TV | *Si usa nel senso di "ente televisivo, organizzazione TV":* z.B.: -Was gibt es heute Abend am Fernsehen? = Cosa c'é questa sera alla TV? -Reporter vom Fernsehen kamen nach Heimhausen und fragten die Bevölkerung nach ihrer Meinung über den Bau einer Umgehungsstraße. = Reporter della TV vennero ad Heimhausen e chiesero alla gente la loro opinione in merito alla costruzione di una circonvallazione. |

| | | | |
|---|---|---|---|
| | der Fern-seher, des Fern-sehers, die Fernseher | la TV | Si usa nel senso di "apparecchio televisivo", sost. appartenente alla decl. maschile forte del primo gruppo:<br>z.B.: -Morgen kommt unser Fernseher, den stellen wir da in die Ecke. = Domani arriva il nostro televisore, lo mettiamo qua nell'angolo.<br>-Aber sag mal, wie viele Fernseher habt ihr denn in eurer Wohnung? = Ma di' un po', quanti televisori avete nel vostro appartamento?<br>-Wir haben vier Fernseher, ein Gerät in jedem Raum, so stören wir uns nicht. = Noi abbiamo quattro televisori, un apparecchio in ogni locale, così non ci disturbiamo. |
| 43. | malen, malte, gemalt | dipingere, pitturare | Si usa nel senso di "pitturare quadri", nel senso di "tinteggiare pareti" così pure nel senso di "verniciare", nonché "descrivere":<br>z.B.: -Gudrun Schulte liebt lebhafte Farben und malt Blumenbilder. = Gudrun Schulte ama colori vivaci e dipinge quadretti di fiori.<br>-Hör doch nicht auf Inge, sie liebt es oft, den Teufel an die Wand zu malen! = Ma non star ad ascoltare Inge, quella esagera spesso [Alla lettera: "...dipinge il diavolo alla parete (sul muro)"]. |
| | mahlen, mahlte, gemahlen | macinare | Verbo irregolare o forte con irregolarità riscontrabile tuttavia solo nel participio passato:<br>z.B.: Wer zuerst kommt, mahlt zuerst. (Sprichwort = proverbio) = Chi prima arriva meglio si accomoda [Alla lettera: Chi prima arriva macina prima].<br>-Gottes Mühlen mahlen langsam, mahlen aber trefflich fein! (Sprichwort = proverbio) = Dio fa piena giustizia nel tempo, non ha fretta [Alla lettera: I mulini di Dio macinano lentamente, ma macinano in modo finissimo = alla perfezione!] |
| 44. | das Mal, des Males, die Male | la volta | Sostantivo appartenente al secondo gruppo della declinazione forte neutra; si usa in riferimento sia a ripetizione periodica espressa, sia a ripetizione periodica sottintesa:<br>z.B.: -Für dieses Mal verzeihe ich dir. = Per questa volta ti perdono.<br>-Obwohl Paul schon viele Male ermahnt wurde, macht er trotzdem immer denselben Fehler. = Nonostante Paolo sia stato ammonito molte volte, fa sempre lo stesso errore. |
| | das Mal, des Males, die Mäler | a) il segno, il marchio<br>b) il neo, la macchia | Sostantivo appartenente al terzo gruppo della declinazione forte neutra:<br>z.B.: -Gisela trägt ein kleines Mal auf der Stirn. = Gisela ha un piccolo neo sulla fronte. |

| | | c) il monumento | NB: sostantivi composti con "Mal" molto in uso:<br>-das Denkmal, -s, Denkmäler = il monumento<br>-das Mahnmal = il monumento commemorativo<br>-das Grenzmal, -s, Grenzmäler = il cippo, la pietra di confine, il segno di confine<br>-das Muttermal, -s, Muttermäler = la macchia rossa della pelle, la "voglia" (= angioma cutaneo) |
|---|---|---|---|
| | das Mahl,<br>des Mahles,<br>die Mähler | il pasto,<br>il pranzo | *Sostantivo appartenente al terzo gruppo della declinazione forte neutra:*<br>z.B.:-Das war wirklich ein vortreffliches, lukullisches Mahl. = È stato veramente un pranzo eccellente, luculliano.<br>*NB: sostantivi composti con "Mahl" molto in uso:*<br>-die Mahlzeit, -, -en  = il pasto<br>-das Festmahl, -s, Festmähler  = il banchetto<br>-das Hochzeitsmahl, -s, -mähler = il banchetto nuziale<br>-das Letzte Abendmahl  = l'Ultima Cena (di Gesú) |
| | der Gemahl,<br>-s, die -e:<br>die Gemahlin, -, -nen | il consorte, il marito,la moglie | *"der Gemahl" appartiene al secondo gruppo della declinazione maschile forte, "die Gemahlin" al primo gruppo declinazione femminile debole. Si tratta di sinonimi di "Mann", "Frau" usati soprattutto nella forma di cortesia.*<br>z.B.: -Wo ist denn Ihr Herr Gemahl (Ihre Frau Gemahlin)? =  Suo marito (sua moglie) dov'é? |
| | | | |
| 45. | bewegen,<br>bewegte,<br>bewegt | a) muovere | *Verbo debole usato spesso anche come riflessivo:*<br>z.B.: -Ein leichter Wind bewegt die Blätter. = Un lieve venticello muove le foglie.<br>-Der Verletzte bewegte die Lippen, ohne ein Wort zu sagen. = Il ferito muoveva le labbra senza pronunciare una parola.<br>"Und sie bewegt sich doch!", erklärte Galilei von unserer Erde. = "Eppur si muove!", dichiaró Galileo Galilei riguardo alla nostra Terra. |
| | | b) commuovere | z.B.: -Die Nachricht vom Tode unseres lieben Freundes bewegte uns schmerzlich. = La notizia della morte del nostro caro amico ci commosse profondamente (amaramente). |
| | bewegen,<br>bewog,<br>bewogen | indurre,<br>convincere persuadendo | *Verbo forte usato solo transitivamente:*<br>z.B.: -Peters Gesundheitszustand bewog ihn, Beruf zu wechseln. = Il suo stato di salute indusse Pietro a cambiare lavoro.<br>-Der Angeklagte ließ sich durch nichts zum Sprechen bewegen. = L'accusato non si lasció affatto (per niente) convincere a parlare. |
| | | | |
| 46. | das Band,<br>des Ban- | la fascia,<br>la benda, | *Sostantivo appartenente al terzo gruppo della declinazione neutra forte:* |

| | | | |
|---|---|---|---|
| | des, die Bänder | il nastro | z.B.: -Gisela trägt immer ein Band im Haar. = Gisella porta sempre i capelli con un nastro.<br>-Die Wunden des Verletzten wurden mit vielen Bändern eingebunden. = Le ferite del contuso vennero fasciate con molte bende.<br><br>*NB: Si notino i composti molto frequenti:*<br>-das Tonband = il nastro magnetico (sonoro)<br>-das Fließband – das Förderband = il nastro trasportatore |
| | das Band, des Bandes, die Bande | a) il vincolo, il legame<br><br>b) la catena | *Sostantivo appartenente al secondo gruppo della declinazione neutra forte:*<br>z.B.: -Man soll die Bande der Liebe zum Ehepartner nicht brechen. = Non si devono ledere i vincoli d'amore verso il proprio coniuge.<br>-"Zu Mantua in Banden der treue Hofer war,..."= Il fedele Andreas Hofer si trovó (incatenato) a Mantova in catene... (Canto all'eroe tirolese che lottó contro l'invasione napoleonica nel Tirolo). |
| | der Band, des Bandes, die Bände | il volume | *Sostantivo appartenente al secondo gruppo della declinazione maschile forte:*<br>z.B.: -Die Enzyklopädie Herder hat fünfundzwanzig Bände. = L'enciclopedia Herder ha venticinque volumi. |
| | die Band, der Band die Bands | complesso musicale | *Sostantivo inglese proveniente dalla lingua italiana "la banda"; esso viene riferito ai piccoli complessi musicali moderni di vario tipo. Per "la banda musicale" invece (= complesso bandistico piú articolato di vecchia tradizione) si usa in tedesco il termine "die Musikkapelle":*<br>z.B.: -Unsere Freunde haben eine fünfköpfige Band gebildet, die den neuesten Jazz spielt. = I nostri amici hanno formato in cinque un complesso musicale che suona jazz moderno. |
| | die Bande, der Bande, die Banden | la marmaglia, gentaglia, la masnada | *Sostantivo appartenente al secondo gruppo della declinazione femminile debole:*<br>z..B.: -Unter den Fußballfans mischen sich leider oft Banden von Abenteurern, Brandstiftern und lärmenden, gewalttätigen Jungen, die großes Unheil stiften. = Fra i tifosi del calcio si mescolano spesso marmaglie di avventurieri, fomentatori, giovani chiassosi e violenti che causano grandi disastri. |
| | | | |
| 47. | gleich (Adj.) | uguale, identico, simile, medesimo stesso | *Usato come aggettivo indica:*<br><br>a) *"somiglianza, uguaglianza, identità":*<br>z.B.: -Ich hatte den gleichen Gedanken wie du. = Ho avuto lo stesso, identico pensiero del tuo (come lo hai avuto tu).<br>-Die Erstkommunikanten tragen heutzutage alle gleiche Kleider. = I bambini della prima comunione portano oggi tutti lo stesso vestito. |

| | | | |
|---|---|---|---|
| | | indifferen-te | *b) può indicare anche "indifferenza":*<br>z.B.: -Es ist mir gleich, wie du darüber denkst. = Mi è indifferente come tu la pensi su questo punto.<br>-Ihr ist es gleich, was die Leute sagen. = Lei è indifferente a ció che dice la gente. |
| | gleich<br>(Adv.) | ugualmen-te, altret-tanto | ***Usato come avverbio indica:***<br>*a) "uguaglianza, parità":*<br>z.B.: -Diese beiden Kinder sind gleich fleißig und tüchtig in der Schule. = Questi bambini sono ambedue ugualmente diligenti e bravi a scuola. |
| | | subito, immedia-tamente | *b) "immediatezza, senza perdita di tempo":*<br>z.B.: -Warte bitte hier, ich komme gleich. = Aspetta qui per favore, vengo subito. |
| | gleich<br>(Konj. bzw.<br>(Praep. +<br>Dat.) | come, alla pari di, simile a | ***Usato come congiunzione o preposizione:***<br>*in funzione preposizionale regge il Dat.:*<br>z.B.: -Inge blickte gleich einem Feldmarschall. = Inge aveva uno sguardo come un generale.<br>-Paul fuhr gleich einem wütenden Stier auf seinen Todfeind los. = Paolo si avventó come un toro contro il suo nemico mortale. |
| | egal (Adv.<br>oder praed.<br>Adj.) | a) indiffe-rente,<br>uguale,<br>lo stesso | *Non si usa mai come aggettivo attributivo, bensì* **come aggettivo predicativo ma soprattutto come avverbio**: *esso indica sempre, solo ed esclusivamente completa indifferenza:*<br>z.B.: -Das ist mir ganz und gar egal! = Ció per me fa proprio lo stesso. - Mi è completamente indifferente. |
| | egal sein | b) non importare, essere indifferen-te | -Es ist egal wie du das machst. = Non importa come lo fai.<br>-Egal wie, aber machen musst du's! = Non importa come, ma devi farlo!<br>-Das kann uns egal sein. = Questa cosa a noi non importa. - Ció per noi è completamente indifferente. |
| | | | |
| 48. | das Ver-dienst, des Verdiens-tes, die Verdienste | il merito | *Sostantivo appartenente al secondo gruppo della declinazione neutra forte:*<br>z.B.: -Peter, es ist dein Verdienst, dass alles so gut verlaufen ist. = Che tutto sia andato per il meglio è merito tuo, Pietro.<br>-Goethe hat sich außerordentliche Verdienste in der Dichtung erworben. = In letteratura Goethe ha acquistato meriti straordinari. |
| | der Ver-dienst, des Verdien-stes | l'utile, il profitto, il guada-gno | *Sostantivo appartenente al secondo gruppo della declinazione maschile forte – il plurale è raramente in uso:*<br>z.B.: -Bei diesem Geschäft haben wir fast keinen Verdienst, es lohnt sich wirklich nicht. = In questo affare non abbiamo quasi alcun utile, non ne vale proprio la pena. |

| | | | |
|---|---|---|---|
| | | | -Pauls monatlicher Verdienst reicht für seine Familie nicht aus. = Il guadagno mensile di Paolo non è sufficiente per la sua famiglia. |
| 49. | gefallen, *gefiel, gefallen* | piacere, andare a genio | *Si usa per il* ==piacere estetico emotivo riguardante il sentimento o l'intelletto:== z.B.: -Italien gefällt mir sehr. = L'italia mi piace molto. *NB: Se l'oggetto (o la persona) del piacere non funge da soggetto ma da complemento, in tedesco si rende necessario l'uso del soggetto impersonale "es" (= germanismo che si riscontra anche in inglese):* z.B.: -==Es== gefällt mir sehr in Italien. = Stare in Italia mi piace molto. |
| | schmecken schmeckte, geschmeckt | piacere | *Si usa* ==riferito unicamente al gusto,== *vedi n. 15, pag 488.* z.B.: -Schmeckt es? = Piace? (Ti piace?  -  Le piace?) -Vortrefflich, es schmeckt wirklich vortrefflich! (vorzüglich, prima, ausgezeichnet! ) = Eccellente, è veramente eccellente! -Wie schmeckt die Suppe? = Come va la minestra, piace? - Sehr gut, aber es fehlt etwas Salz. = È molto buona, ma manca un po' di sale. |
| 50. | weiß / weißer, weiße, weißes (Adj.) | ==bianco== | *Aggettivo riferito al colore "bianco, biancastro o pallido":* z.B.: -Wie kriegst du deine Wäsche immer so schneeweiß? = Come fai ad ottenere una biancheria così bianca? (...così bianca come la neve?) -Heute bist du ==weiß wie Kreide==, was hast du denn? = Oggi sei pallidissima [bianca come il gesso], che hai? |
| | weise, weiser, weise, weises (Adj.) | ==saggio, sapiente, savio== | *Aggettivo riferito alla sapienza e saggezza:* z.B.:-Peter handelt immer sehr weise. = Pietro agisce sempre molto saggiamente. -Behalte deine weisen Lehren für dich! = I tuoi saggi insegnamenti tienteli per te! Das ist gewiss ein weiser Rat. = Questo è indubbiamente un consiglio saggio. |
| | der Weise, ein Weiser, die Weisen, Weise (substantiv. Adjektiv) | ==il saggio==, la persona sapiente, il savio | ==*Aggettivo sostantivato*==*, segue la declinazione forte, debole e mista dell'aggettivo attributivo:* z.B.:-Wer des Weisen Rat scheut, wird es bitter bereuen. (**Brecht** – Gedichte 73) = Chi schiva (scansa) il consiglio del sapiente avrà da pentirsi. -Den Rat der Weisen muss man schätzen. = Bisogna apprezzare il consiglio dei saggi. -Als Jesus geboren war, kamen Weise aus dem Morgenlande, um ihn anzubeten. (Matthäus 2,1-2) -Bei diesem Menschen kenne ich mich nicht aus, ob er ein Weiser oder ein Narr ist.= Non capisco questa persona, non so, se sia un saggio o un matto. |

| | | |
|---|---|---|
| verw**ai**sen, verwaiste, verwaist | restare orfano, essere abbandonato | *Verbo intransitivo debole.*<br>z.B.:-Seit wann ist dieses Kind verwaist? = Da quanto tempo questo bambino e rimasto orfanello?<br>-Dieses kleine Bergdorf verwaist immer mehr und mehr. Wie traurig! = Questo paesino di montagna è sempre piú abbandonato. Che tristezza! |
| -r Verw**ai**ste, ein -er, eine Verwaiste, die Verwaisten (substantiv.A dj.) | l'orfanello | <mark>*Participio sostantivato*</mark> *può essere sostituito dall'equivalente sinonimo "das W*<mark>*ai*</mark>*senkind", valido per ambedue i sessi.*<br>Dieses Waisenkind hat bereits im ersten Lebensjahr seine Eltern verloren. = Quest' orfanello ha perso i genitori già nel suo primo anno di età.<br>-Die Verwaiste wurde einige Jahre in einem Heim erzogen und dann von einer Familie adoptiert. = L'orfanella venne assistita per alcuni anni in un orfanotrofio e poi adottata da una famiglia. |
| die W**ei**se, der Weise, die Weisen | a) il modo, la maniera | *Sostantivo appartenente al secondo gruppo della declinazione debole, femminile.*<br>z.B.:-auf diese Weise = <mark>auf diese Art und Weise</mark> = così, in questo modo, di questo passo<br>-Du befleißigst dich zu wenig für die Schule!! Auf diese Art und Weise kommst du auf keinen Fall weiter. = Tu ti applichi troppo poco per la scuola! Di questo passo non fai alcun progresso.<br>-<mark>auf die eine oder andere Weise</mark> = in un modo o nell'altro<br>-auf jede Weise = in ogni modo<br>-auf keine Weise – <mark>in</mark> keiner Weise = in nessun modo<br>-jeder auf seine Weise = ognuno a suo modo<br>-Auf welche Weise soll ich das machen? = In che modo devo fare ció?<br>-Auf diese Weise. = In questo modo<br>-in gewohnter Weise = nel modo consueto |
| | b) la melodia, l'aria musicale | -"Ich möcht' als Spielmann reisen<br>  Weit in die Welt hinaus,<br>  Und singen meine Weisen,<br>  Und gehn von Haus zu Haus. (**Eichendorff** "Das zerbrochene Ringlein" = Vorrei girovagare come un menestrello per il vasto mondo cantando i miei canti (le mie melodie) e passando di casa in casa.<br><br>*NB: Si notino le seguenti forme avverbiali d'uso frequente derivate sia dall'aggettivo "weiser, -e-, -es" che dal sostantivo "die Weise":*<br>-ausnahmsweise = eccezionalmente<br>-beispielsweise = a mo' di esempio, per esempio<br>-beziehungsweise = a) rispettivamente b) oppure c) precisamente |

| | | | |
|---|---|---|---|
| | | | -klugerweise = intelligentemente, saggiamente<br>-netterweise, freundlicherweise = gentilmente<br>-probeweise = in prova, a titolo di prova |
| 51. | der Rat, des Rates, die Rat-schläge | il consiglio | *Sostantivo appartenente al secondo gruppo della declinazione maschile forte, tuttavia con plurare irregolare: si usa nel senso di "suggerimento, avvertimento, proposta":*<br>z.B.: -Meine Mutter gab mir immer wertvolle Ratschläge. = Mia mamma mi ha sempre dato consigli preziosi. |
| | der Rat, des Rates, die Räte | a) il consiglio | *Sostantivo appartenente al secondo gruppo della declinazione maschile forte con plurale regolare. Si usa in riferimento:*<br>*a) il "consiglio" nel senso di "organo collegiale consultivo – riunione di piú persone per consultarsi":*<br>z.B.: -Bert Richter ist von seinen Arbeitskollegen für drei Jahre in den Betriebsrat gewählt worden. = Bert Richter è stato eletto dai suoi colleghi come membro del consiglio di fabbrica per tre anni. |
| | | b) il consigliere | *b) il membro di un consiglio:*<br>z.B.: -Die Gemeinderäte versammeln sich heute Abend zu einer Sondersitzung. = I consiglieri comunali si radunano questa sera per una seduta straordinaria. |
| 52. | mieten, mietete, gemietet | affittare | *Si usa nel senso di "prendere in affitto":*<br>z.B.: -Unser Haus hat leider keine Garage, so mussten wir schon seit vielen Jahren für unseren Wagen eine Garage mieten. = Purtroppo la nostra casa non ha garage e quindi per la nostra macchina abbiamo dovuto ormai da tanti anni affittare un garage. |
| | vermieten, vermietete, vermietet | affittare | *Si usa nel senso di "dare in affitto":*<br>z.B.: -Unsere Nachbarin hat mehrere Garagen, die sie aber nicht verkauft, wohl aber vermietet. = La nostra vicina di casa ha diversi garage che però non vende, bensì affitta (dà in locazione). |
| 53. | leihen, lieh, geliehen | prestare | *Si usa nel senso di "dare in prestito, concedere in prestito":*<br>z.B.: -Es ist nicht ratsam, jemandem Geld zu leihen. = Non è prudente (consigliabile) prestare del denaro a qualcuno. |
| | entleihen, entlieh, entliehen | prestare | *Si usa nel senso di "prendere in (a) prestito, farsi prestare":*<br>z.B.: -Wenn wir unser altes Haus sanieren wollen, sind wir gezwungen Geld von der Bank zu entleihen. = Se voglia- |

| | | | |
|---|---|---|---|
| | | | mo ristrutturare la nostra vecchia casa, siamo costretti a farci prestare (a prendere in prestito) denaro dalla banca. |
| | ausleihen, lieh aus, ausgelie-hen | prestare | *Con "ausleihen" non vi sono problemi! Si può usare sia nel senso di "dare in prestito" che nel senso di "prendere in prestito" , sostituisce cioé ambedue i verbi suddetti:* z.B.: -Unsere Stadtbibliothek leiht nur den Stadtbürgern ihre Bücher aus. = La nostra biblioteca comunale presta i suoi libri soltanto ai propri cittadini. -Wenn wir unser altes Haus sanieren wollen, sind wir gezwungen Geld von der Bank auszuleihen. = Se voglia-mo ristrutturare la nostra vecchia casa siamo costretti a farci prestare denaro dalla banca. |
| | | | |
| 54. | r Schrank, -s Schran-kes, die Schränke | l'armadio | *Sostantivo appartenente al secondo gruppo della declina-zione maschile forte:* z.B.: -Für meine Kleider brauche ich noch einen Schrank, obwohl ich schon zwei Kleiderschränke habe. = Per i miei vestiti mi occore un altro armadio, nonostante io ne abbia già due. NB: Idiom: Er hat nicht alle Tassen im Schrank ( Er ist nicht recht bei Verstand). = Gli ha dato di volta il cervello. |
| | die Schran-ke, der Schranke, die Schran-ken | a) la sbar-ra, la tran-senna | *Sostantivo appartenente al secondo gruppo della declina-zione femminile debole:* z.B.: -Die Schranken am Bahnübergang wurden nicht heruntergelassen und ein Wagen kam leider unter den Zug. = Le sbarre del passaggio a livello non erano state abbassate e purtroppo una macchina andó a finire sotto il treno. |
| | | b) il limite, la barriera | *Viene anche usato in senso traslato, figurato:* z.B.: -In der Erregung kannte er keine Schranken mehr. = Nell'agitazione egli passó ogni limite. -Die Phantasie kennt keine Schranken. = La fantasia non ha (non conosce) limiti. |
| | | | |
| 55. | einig (Adj.) | a) unito, d'accordo | *Si usa come aggettivo predicativo:* z.B.: -Wir sind uns alle einig, dass diese Handlungsweise korrekt ist. = Siamo tutti d'accordo che questo modo di procedere è corretto. |
| | einige | b) qual-che, un po' (singo-lare) | *Si usa come aggettivo o pronome indefinito:* segue la *declinazione dell'articolo indeterminativo o pronome ind.:* z.B.: -Wir haben noch einige Hoffnung. = Abbiamo anco-ra un po' di speranza. -seit einiger Zeit = da qualche (un po' di) tempo -mit einigem Fleiß = con un po' d'impegno |

| | | | |
|---|---|---|---|
| | | b) alcuni (plurale) | *Usato con questo significato, segue la declinazione plurale dell'articolo determinativo:* z.B.: -Die Reporter interviewten einige Passanten über die Wirtschaftspolitik dieser Regierung. = I reporter intervistarono alcuni passanti sulla politica economica di questo governo. |
| | eigen / eigener, eigene, eigenes (Adj.) | a) proprio | ***Si tratta di un aggettivo:*** *all'inizio dell'apprendimento della lingua viene facilmente scambiato con "einige":* z.B.: -Hildebrand musste gegen seinen eigenen Sohn kämpfen. = Hildebrand dovette lottare contro il proprio figlio. |
| | | b) personale, proprio | z.B.: -In einem Rechtsstaat darf doch jeder die eigene Meinung äußern. = In uno stato di diritto ognuno deve poter esprimere la propria personale opinione. |
| | | c) singolare | z.B.: -Paul ist ganz ein eigener Mensch. = Paolo è un uomo del tutto singolare (strano). |
| | eigen (praed. Adj. bzw. Adv.) | strano | ***Come aggettivo predicativo:*** *(cioé in funzione avverbiale) funge da complemento di modo e resta indeclinato:* z.B.: -Mir ist eigen zu Mute. = Ho una strana sensazione. [= Mi sento strano.] |
| | sich zu eigen machen | appropriarsi | -Jedes kleine Kind möchte sich alles zu eigen machen. = Ogni bambino piccolo vorrebbe appropriarsi di tutto. |
| | | | |
| 56. | sinken, sank gesunken (intrans.) | calare, declinare, andare a fondo, inabissarsi | *Verbo esclusivamente intransitivo:* z.B.: -Gott sei Dank beginnen jetzt die Preise ein wenig zu sinken. = Ringraziando il cielo, i prezzi cominciano un po' a calare. -Die sinkende Sonne warf ihre letzten Strahlen auf die Bergspitzen. = Il sole in declino illuminava coi suoi ultimi raggi le cime dei monti (...gettava i suoi ultimi raggi sulle cime dei monti). |
| | senken, senkte, gesenkt (trans.) | a) abbassare, chinare, diminuire | *Verbo transitivo o riflessivo:* z.B.: -Gisela senkte ihre Augen und schwieg. = Gisella abbassó i suoi occhi e tacque. -Die Erdölkonzerne haben die Preise nicht gesenkt, sondern erhöht. = I gruppi industriali del petrolio non hanno ribassato i prezzi, li hanno bensì rialzati. -Die Zweige der Zeder senkten sich tief unter der Last des Schnees und brachen. = Sotto il peso della neve i rami del cedro si abbassarono fortemente e si ruppero. |
| | | b) calare giú, mandare giú | z.B.: -Als der Sarg der verstorbenen Mutter ins Grab gesenkt wurde, weinten die Kinder bitter. = Quando la bara |

512

| | | | |
|---|---|---|---|
| | | | della mamma defunta venne calata nella fossa, i bambini piansero amaramente.<br>-Der Fischer senkt die Angel ins Wasser. = Il pescatore getta [manda giú] l'amo nell'acqua. |
| 57. | der Text , des Textes, die Texte | il testo, il contenu-to di un documen-to o di un libro, il libro | *Proviene dal latino "textus" ed appartiene al secondo gruppo della declinazione maschile forte:*<br>z.B.: -Fremdsprachliche Texte zu übersetzen, ist nicht immer leicht. = Tradurre testi di lingua straniera non è sempre facile.<br>-Ich möchte den vollen Text des Briefes hören. = Vorrei apprendere (sentire) l'intero contenuto della lettera.<br>NB: Idiom: -Du hast mich ganz aus dem Text gebracht. = Mi hai fatto perdere completamente il filo. |
| | der Test, desTestes, die Tests (oder: die Teste) | il test, la prova, l'esperi-mento | *Proviene dal latino "testa" = "recipiente di assaggio", da cui deriva il verbo italiano "tastare". – Sostantivo apparte-nente al secondo gruppo della declinazione maschile for-te; oggigiorno prevale per l'influsso della lingua inglese il plurale in "-s":*<br>-Wie viele Deutschtests müsst ihr in einem Quadrimester schreiben? = Quanti test di tedesco dovete sostenere in un quadrimestre? |
| 58. | heiraten, heiratete, geheiratet (trans.) | sposare, sposarsi | *Verbo transitivo o riflessivo:*<br>z..B.: -Noch heirate ich nicht. = Ancora non mi sposo.<br>-Gisela hat Peter wirklich aus Liebe geheiratet. = Gisella ha sposato Pietro veramente per amore.<br>Inge heiratete (sich), ohne sich vorher lange genug mit Paul gekannt zu haben ( è indubbiamente da preferire: l'espressione: "Inge verheiratete sich,..."). = Inge si sposó con Paolo senza farne prima una lunga conoscenza. |
| | verheiratenv erheirate-te, verhei-ratet (trans.) | sposare, dare in sposa, maritare | *Verbo transitivo: indica l'aiuto dato dai genitori a una figlia perché possa sposarsi ed ha perciò il senso di "sistemare una figlia" da parte dei genitori:*<br>z.B.: -Herr und Frau Braun haben ihre Tochter an einen Fabrikanten verheiratet. = Il signore e la signora Braun hanno dato in sposa la propria figlia a un imprenditore. |
| | sich verhei-raten, ver-heiratete sich, sich verheiratet (reflexiv) | sposarsi, unirsi in matrimo-nio, maritarsi | *Verbo esclusivamente riflessivo:*<br>z.B.: -Peter hat sich mit Gisela, einer jungen Sekretärin einer großen Firma, verheiratet. = Pietro si è sposato con Gisela, una giovane segretaria di una grande ditta.<br>-Pauls Frau starb durch einen Verkehrsunfall und er hat sich nach einem Jahr wieder verheiratet. = La moglie di Paolo morì in un incidente stradale e dopo un anno lui si risposó. |

| | | | |
|---|---|---|---|
| | verheiratet sein (intrans.) | essere sposato | *Si tratta del participio passato di "verheiraten" usato predicativamente:* indica lo stato coniugale *ed è* quindi intransitivo*:*<br>z.B.: -Sind Sie ledig oder verheiratet? = Lei è celibe / nubile o coniugato / -a?<br>-Unsere Töchter sind, Gott sei Dank, glücklich verheiratet. = Le nostre figlie sono, grazie al cielo, felicemente sposate. |
| 59. | die Stadt, der Statdt, die Städte | la città | *Sostantivo appartenente al primo gruppo della declinazione femminile forte:*<br>z.B.: -Während des zweiten Weltkrieges wurden die deutschen Städte durch Bombardierungen zu 95% zerstört. = Durante la Seconda guerra mondiale le città tedesche furono distrutte dai bombardamenti per il 95%. |
| | die Stätte, der Stätte die Stätten | il posto, il luogo | *Sostantivo appartenente al secondo gruppo della declinazione femminile debole:*<br>z.B.: -Die Nomadenvölker hatten keine bleibende Stätte. = I popoli nomadi non avevano una fissa dimora (un luogo stabile).<br>*NB: Si notino alcuni composti molto in uso:*<br>die Werkstatt, -, Werkstätten = l'officina, il laboratorio, la bottega<br>die Gaststätte, -, Gaststätten = il pubblico esercizio, il ristorante, il locale pubblico, l'albergo [luogo dell'ospite] |
| | statt (Praep. + Gen.) | invece di | *Preposizione con la quale oggigiorno prevale il genitivo per indicare* "in luogo di, invece di, al posto di"*:*<br>z.B.: -Wer von euch geht an meiner statt (oppure: "statt meiner") zur Versammlung? Ich kann heute nicht. = Chi di voi va in mia vece alla riunione? Oggi io non posso.<br>NB: Idiom: an Kindes statt annehmen = adottare un bambino |
| 60. | vergessen, vergaß, vergessen | dimenticare | *Confrontando lo stesso verbo inglese "to forget" con "vergessen", si noti come l'inglese si rifà al germanico senza subire il secondo spostamento delle consonanti, avvenuto invece in Germania nel nono-decimo secolo d. C. (= la dentale "t" che in tedesco si raddolcisce in "ß" – "ss" o "z"); così pure: "Straße" in inglese "street"; "Wasser" in inglese "water"; "Herz" in inglese "heart" ecc.:*<br>z.B.: -Hast du wohl nichts vergessen? = Non hai per caso dimenticato qualcosa?<br>-Vergessen Sie nicht, Sie haben mir Ihren Besuch versprochen! = Non dimentichi che Lei mi ha promesso (la sua visita) di venire a trovarmi! |
| | vergießen, vergoss, vergossen | rovesciare (liquidi), spargere | *La differenza col verbo precedente sta unicamente nella differente apofonia:*<br>z.B.: -In den zwei Weltkriegen ist unglaublich viel Blut ver- |

| | | (liquidi), versare | gossen worden. = Nelle due guerre mondiali è stato versato tantissimo sangue.<br>-Diese Mutter vergoss viele Tränen wegen ihrer Kinder. = Questa mamma versó molte lacrime a causa dei figli. |
|---|---|---|---|
| | | | |
| 61. | das Schild, -s Schildes, die Schilder | a) il cartello, l'in-segna | *Sostantivo appartenente al terzo gruppo della declinazione neutra forte neutra:*<br>z.B.: -Heutzutage wäre der Straßenverkehr ohne Schilder undenkbar. = Il traffico stradale senza (la segnaletica) i cartelli stradali sarebbe oggigiorno impensabile. |
| | | b) la targa | *In modo piú specifico "das Nummerschild" = la targa della macchina:*<br>z.B.: Der Polizei war der Wagen aufgefallen, weil das hintere Nummerschild nur noch an einer Schraube hing. = La polizia si accorse della macchina perché la targa posteriore penzolava solo da una vite. |
| | | c) l'eti-chetta, la targhet-ta | z.B.: -Wir müssen noch alle Flaschen mit Schildern bekleben. = Dobbiamo ancora incollare le etichette su tutte le bottiglie.<br>-Du hast noch kein Schild an deinem Koffer angebracht. = Non hai ancora attaccato il cartellino alla tua valigia.<br>-Wir müssen das Türschild putzen, man kann es nicht mehr lesen. = Dobbiamo pulire la targetta della porta. |
| | der Schild, des Schildes, die Schilde | a) lo scu-do | *Sostantivo apparenente al secondo gurppo della declinazione forte maschile:*<br>z.B.: -Beim Angriff in einer Schlacht hielten die Germanen ihre Schilde vor dem Mund und erhoben ein heftiges Kriegsgeschrei. = Nel momento dell'assalto in una battaglia, i Germani tenevano i loro scudi davanti alla bocca emettendo un terribile grido di guerra (= il bardito). |
| | | b) lo scu-do dello stemma | -Viele Wappenschilde dekorierten den Vätersaal der mittelalterlichen Burg. = Molti scudi stemmati decoravano la sala degli avi nel (del) castello medievale.<br>-etwas Böses gegen jemanden im Schild führen = tramare qualcosa;di brutto contro qd. - macchinare qualcosa. |
| | | c) visiera del berret-to | der Schild der Offiziermütze = la visiera del beretto degli ufficiali. |
| | | | |
| 62. | springen, sprang, gesprungen (in-trans.) | a) saltare | z.B.: -Gisela sprang vor Freude, als sie an der Uni vernahm, mit der besten Bewertung promoviert zu haben. = Gisella saltó dalla gioia, quando all'università apprese di aver concluso i suoi studi con centodieci e lode. |
| | | b) spez-zarsi, | *Si usa per la rottura di vetro, porcellane, leghe ecc.:*<br>z.B.: -Beim Verkehrsunfall sprang die Windschutzscheibe |

| | | | |
|---|---|---|---|
| | | rompersi | in tausend Stücke. = Nell'incidente stradale il parabrezza si ruppe in mille pezzi (...andó in frantumi). |
| | | c) sbocciare | z.B.: -Die Knospen springen, die Bäume treiben aus. = I boccioli spuntano [fanno il salto], le piante germogliano [Alla lettera: in un pessimo ital.: buttano, fanno i butti]. *NB: Ecco perché in inglese la primavera viene detta "the spring" = il salto!* |
| | sprengen, sprengte, gesprengt (trans:) | a) far saltare in aria, far scoppiare | z.B.:-Beim Rückzug sprengte der Feind alle Brücken. = Durante la ritirata il nemico fece saltare tutti i ponti. -Als die Partisanen den Munitionszug in die Luft sprengten, wurden mehrere nahelingende Häuser zerstört. = Quanto i partigiani fecero saltare in aria il treno che portava munizioni, vennero distrutte diverse case circostanti. -Der tiefe Schmerz für den Verlust des jungen Sohnes sprengte der armen Mutter fast die Brust (das Herz). = Il profondo dolore per la perdita del giovane figlio fece quasi scoppiare il cuore (il petto) alla povera mamma. |
| | | b) forzare, scassinare | *Si usa in riferimento a porte, catenacci, serrature, catene ecc.:* z.B.: -Die Räuber sprengten Schloss und Riegel und drangen in die Wohnung ein. = I ladri scassinarono la porta (la serratura e il chiavistello) e penetrarono nell'appartamento. |
| | | c) disperdere | *Si usa in riferimento ad assembramento di persone minacciose, cortei tumultuosi ecc.:* z.B.: -Der Polizei gelang es, die gefährliche Demonstration der Noglobal zu sprengen. = La polizia riuscì a disperdere la pericolosa dimostrazione dei no-global. |
| | | d) spruzzare, inumidire | z.B.: -Beim Plätten muss man die zu trockene Wäsche etwas sprengen. = La biancheria troppo asciutta va spruzzata quando si stira. |
| | | | |
| 63. | der Enkel, des Enkels die Enkel / die Enkelin, der Enkelin, die Enkelinnen | il nipote, la nipote | *Si tratta di sostantivi usati per indicare il nipote o la nipote dei nonni = i figli dei propri figli:* z.B.: -Herr und Frau Braun sind schon längst Großeltern. Sie haben vier Enkel und fünf Enkelinnen. = Il signore e la signora Braun sono già da tanto tempo nonni: hanno quattro nipoti maschi e cinque nipotine. |
| | das Enkelkind, -s Enkelkindes, die Enkelkinder | il nipote | Si usa indifferentemente per indicare sia i nipoti maschi che le nipoti femmine: z.B.: -Wie viele Enkelkinder haben Sie, Herr Braun? = Quanti nipoti ha lei, signor Braun? - Wir haben neun Enkelkinder. = Abbiamo nove nipoti. |
| | | | |

| | | | |
|---|---|---|---|
| | der Neffe,<br>des Neffen<br>die Neffen | il nipote | *Sostantivo appartenente alla declinazione maschile debole; viene usato per indicare il* ==nipote di zio o zia== *= figlio del fratello o della sorella:*<br>z.B.: -Ich habe einen Neffen, der in der Branche der Raumschifffahrt tätig ist. = Ho un nipote che opera nel ramo dell'astronautica. |
| | die Nichte,<br>der Nichte,<br>die Nichten | la nipote | *Sostantivo appartenente al secondo gruppo della declinazione femminile debole; indica* ==la nipote di zio o zia.==<br>z.B.: -Auch unsere jüngste Nichte hat sich schon verlobt. = Anche la nostra nipote piú giovane è già fidanzata. |
| | | | |
| 64. | schaffen,<br>schuf, geschaffen<br>(trans.) | a) ==creare== | *Si usa nel senso di "creare dal nulla":*<br>z.B.: -Am Anfang schuf Gott Himmel und Erde. = In principio Dio creó il cielo e la terra. |
| | | b) ==produrre, realizzare== | Nel senso di creare opere immortali, fondare istituzioni, imprese ecc. (Synonym von "hervorbringen"):<br>z.B.: -Michelangelo hat unsterbliche Werke geschaffen. = Michelangelo ha creato opere immortali. |
| | geschaffen<br>sein für<br>(intrans.) | ==essere fatto per== | *Forma verbale ottenuta col participio passato di "schaffen, schuf, geschaffen":*<br>z.B.: -Richard ist für den Lehrerberuf wie geschaffen. = Riccardo è nato per fare l'insegnante [Alla lettera: Riccardo è stato creato per fare l'insegnante]. |
| | schaffen,<br>schaffte,<br>geschafft<br>(trans.) | a) ==portare a termine, farcela, sbrigare== | z.B.: -Das hätten wir nun geschafft. = E questa è fatta. (Ecco fatto!)<br>-Wenn mir bei dieser Arbeit niemand hilft, schaffe ich es nicht. = Se in questo lavoro non mi aiuta qualcuno, non ce la faccio. |
| | | b) ==combinare, fare== | *Sinonimo di "leisten = rendere":*<br>z.B.: -Was hat denn Paul bis jetzt geschafft? Nichts, gar nichts. ==Er lümmelt nur so herum.== = Che cosa ha combinato Paolo fin'ora? Nulla, nulla di nulla. Va solo in giro a fare il gradasso (Non fa altro che bighellonare). |
| | | c) ==portare, condurre== | z.B.: -Hast du die Kinder schon ins Bett geschafft? = Hai già messo (condotto) i bambini a letto?<br>-Schafft doch bitte das Zeug hier weg! Man kommt ja gar nicht vorbei! = E dai! Togliete di mezzo (portate via) 'sta roba! Qui non si può neanche passare! |
| | | d) ==ordinare, comandare== | z.B.: -Paul schafft überall und die ganze Zeit, tut aber selbst gar nichts. = Paolo continua ovunque e sempre a comandare, ma lui stesso non fa nulla.<br><br>-Was schaffst du denn da ständig? Bist du etwa der Chef? = Ma come mai qui continui a comandare? Sei tu forse il capo? |

| 65. | erst (Temporal-adverb) | a) solo, solamente soltanto | **_Si usa nel 95% dei casi come_** avverbio di tempo: <br><br> _esso indica_ mancata corrispondenza di tempo in merito a _quanto si prevedeva, si pensava o ci si aspettava:_ <br> z.B.: -Heute ist Inge erst um zehn Uhr aufgestanden. = Inge oggi si è alzata solo alle dieci. <br> -Wir reisen erst übermorgen, nicht morgen ab.= Noi partiamo solo dopodomani, non domani. <br> -Walthers Tochter ist erst 16, sie studiert noch nicht, sie geht noch in die Schule. = La figlia di Walther ha solo 16 anni, lei non frequenta l'università, ma va ancora a scuola. |
|---|---|---|---|
|  |  | b) solo, soltanto, appena | _Avverbio di tempo usato nel senso di_ precocità di tempo _(= anzitempo) o di_ ritardo: <br> z.B.: -Es sind erst fünf Minuten vorbei, hab' bitte etwas Geduld! = Sono trascorsi solo cinque minuti, abbi per favore un po' di pazienza! <br> -Du willst jetzt schon ins Bett? Aber es ist erst 21 Uhr; bleiben wir doch noch ein wenig auf! = Tu vuoi già andare a letto? Ma sono soltanto le 21; restiamo ancora un po'! <br> -erst jetzt (oppure: "jetzt erst") = solo ora, soltanto ora, solo adesso |
|  |  | c) appena, poco fa, giusto, un momento fa | _Si usa come sinonimo degli avverbi di tempo "gerade, eben, soeben, in diesem Moment, in diesem Augenblick" per indicare un istante appena trascorso:_ <br> z.B.: -Wo ist denn Peter? = Ma dov'é Pietro? <br> -Er ist erst (gerade, soeben, in diesem Moment) weg. = È appena andato via. <br> -Paul versteht nicht, wie das geht. = Paolo non capisce come si fa (...come ció funziona). <br> -Ich hab'es ja ihm erst gezeigt, wieso versteht er es nicht? = Ma gliel' ho appena spiegato: come mai non capisce? |
|  |  | d) prima | _Come_ sinonimo di "zuerst" _oppure per indicare una_ situazione, un avvenimento futuro: <br> z.B.: -"Erst kommt das Fressen, dann die Moral!" (**Brecht**) = (Si tratta di un detto formulato già oltre duemila anni fa dai latini: "_Prius vivere, deinde filosofare!_") = Prima vengono i bisogni primari (il mangiare...), poi la morale! <br> -Sei du erst so alt wie wir! = Cerca di crescere prima! (Prima aspetta di avere la nostra età!) |
|  | erst noch | c) ancora | -Der dir das glaubt, muß erst noch geboren werden. = Colui che ti crede (che crede a queste tue tesi) deve (prima) ancora nascere. |
|  | erst (Modalad-verb) | solo, soltanto | **_Come_** avverbio di modo: <br><br> sinonimo di "nur", _soprattutto come appoggio alla cong._ "wenn = se" _condizionale o anche temporale = "quando";_ "erst, wenn" = a) solo se - b) solo quando": <br> z.B.: -Ich tu' das erst, wenn mir der Chef die Erlaubnis dazu gibt. = Faccio questa cosa solo se il capo mi dà l'autorizzazione. |

| | | |
|---|---|---|
| | | - Erst wenn du die Hausaufgaben fertig hast, darfst du spielen. = Puoi giocare solo quando avrai finito di fare i compiti.<br><br>***Si notino le seguenti forme idiomatiche:***<br>-erst recht = piú che mai, a maggior ragione<br>-erst recht nicht = meno che mai, proprio no<br>z.B.: Das ist erst recht zu meiden. = A maggior ragione ció dev'essere evitato. – Weil du mit mir so bös bist, komme ich erst recht nicht mit. = Siccome sei così cattivo con me, allora non ci vengo proprio. |
| nur<br>(Modalad-<br>verb) | a) solo,<br>solamente | ***Si usa quasi esclusivamente come avverbio di modo:***<br><br>*nel senso di "nichts anderes als = null'altro che" – "niemand anderer als = nessuno all'infuori di":*<br>z.B.: -Heute Abend esse ich nur eine Suppe. = Questa sera mangio solo una zuppa.<br>-Ich hab'es nur Peter erzählt, niemandem sonst. = L'ho solo raccontato a Pietro e a nessun altro.<br>-Das kann nur er gesewen sein. = Non può essere stato che lui (Solo lui può essere stato).<br>-Paul hat nur Feinde im Dorf. = Paolo non ha che nemici in paese. |
| | b) solo,<br>soltanto,<br>solamente | *Nel senso di "nicht mehr als = non piú di":*<br>z.B.: -Ich war nur einmal in England. = Sono stato solo una volta in Inghilterra.<br>-Das Buch kostet nur 5,00 € .= Questo libro costa (non piú di) solo 5,00 €. |
| | c) solo | *Nelle proposizioni ottative (= Wunschsätze) accompagna e rinforza la congiunzione "wenn" = "wenn... nur" nel senso di "almeno":*<br>z.B.: -Wenn Peter nur käme! = Venisse almeno Pietro! – Se solo venisse!<br>Ich wünsche nur, dass die Angelegenheit bald geregelt werde. = Desidero solo che la faccenda venga sistemata presto. |
| | d) solo,<br>soltanto | *Nel senso di "tranne, salvo, eccetto" assume il significato di "ad eccezione di", sinonimo della forma preposizionale "bis auf":*<br>z.B.: -Bei der Versammlung waren alle anwesend (bis auf du), nur du hast gefehlt. = Alla riunione c'erano tutti, mancavi solo tu.<br>-Ich esse alles, nur keine Schlangen und Aale. = Io mangio tutto, tranne i serpenti e le anguille. |
| | e) solo,<br>purché | *Nel senso di "basta che, ma, purché":*<br>z.B.: -Geh spielen, nur lass mich in Ruhe! = Va a giocare, ma lasciami in pace (...basta che mi lasci in pace – purché tu mi lasci in pace)!<br>-Morgen, morgen nur nicht heute, sagen alle faulen Leute. |

| | | | |
|---|---|---|---|
| | | | (Sprichwort = proverbio) = "Domani, domani, ma non oggi", dicono tutte le persone pigre. |
| | | f) pure, un po' | *Come particella avverbiale enfatica si usa a scopo di inco-raggiamento, assicurazione o per tranquillizzare:*<br>z.B.: -Ich hab' was gehört: da muss irgendein Tier sein! Mir ist Angst. = Ho sentito qualcosa; deve esserci qualche animale: ho paura!<br>-Ach nein, du täuscht dich. Sieh nur nach! = Ma no, ti sbagli. Controlla pure!<br>Nur herein! = Avanti, avanti! Venga pure! |
| | | g) Avanti! Suvvia! | *Come particella avverbiale enfatica per introdurre frasi esortative:*<br>Nur Mut! = Avanti, coraggio!<br>Nur nicht die Nerven verlieren! = Avanti, non innervosirti! (Non perdere i nervi!)<br>Nur mit Ruhe! = Calma! Con calma! |
| | | h) ma, mai | *In proposizioni interrogative per esprimere stupore, malumore, partecipazione, agitazione:*<br>z.B.: -Wie ist er nur hierhergekommen? = Ma come ha fatto a venire fin qui?<br>-Was kann er nur meinen? = Che mai vorrà intendere?<br>Was hast du nur? = Ma si può sapere cos'hai? |
| | **nur** (Konj.) | solo che, ma | ***Si usa come** congiunzione coordinativa avversativa:*<br><br>*per esprimere restrizione dell'asserzione ossia della dichiarazione che precede:*<br>z.B.: -Gisela ist sehr tüchtig, nur fehlt ihr noch die Erfahrung. = Gisella è molto capace, ma le manca ancora l'esperienza.<br>-Paul ist intelligent, nur müsste er etwas fleißiger sein. = Paolo è intelligente, solo che dovrebbe essere piú diligente. |
| | **allein** (praedikatives Adjektiv) | solo, da solo | ***Si usa come** aggettivo predicativo = complemento di modo:*<br><br>*Indica solitudine e come aggettivo predicativo si abbina a molti verbi: "allein sein = essere solo":*<br>"allein bleiben = restare solo", "allein lassen = lasciare solo" usw.:<br>z.B.: -Ja, bist du denn heute allein im Haus? = Ma come, sei (da) sola a casa oggi?<br>-Das Kind kann schon allein gehen. = Il bambino sa già camminare da solo.<br>-Nachdem sich Inge von ihrem Mann getrennt hat, ist sie nunmehr eine allein stehende Frau. = Dopo essersi separata dal marito, Inge è ormai una single. |
| | **allein** (Adjektiv) | anche solo, stesso, da solo, | ***Si usa come** aggettivo indeclinato, quindi non attributivo:*<br><br>*Anche in funzione di normale aggettivo resta sempre indeclinato e viene spesso rafforzato da "schon" = "schon allein" = "anche solo":* |

| | | | |
|---|---|---|---|
| | | di per sé | z.B.: -Allein das ist schon als sehr schlimm zu erachten (bezeichnen). = Anche solo ció è da considerarsi come grave.<br>-Die Tatsache allein, dass Paul nicht mittut, zeugt von seinem trotzigen Charakter. = Il fatto stesso che Paolo non collabori, dimostra il suo carattere ostinato. |
| | allein (Adverb) | a) soltanto, solamente | ***In qualità di avverbio si usa:***<br>*come sinonimo di "nur"; esso viene spesso rafforzato con "einzig" = "einzig und allein = l'unico / -a":*<br>z.B.: -Allein (nur) Peter kann uns helfen. = Solo Pietro ci può aiutare.<br>Einzig und allein Peter kann uns helfen. = L'unico che ci può aiutare è Pietro. |
| | | b) se non altro per, non fosse altro (che) | *Assume anche il significato di "a prescindere da, prescindendo da":*<br>z.B.: -Das war ein Festmahl sag'ich dir! Allein die drei Sorten auserwählten Tischweines! = È stato un pranzo, ti dico, non fosse altro per le tre qualità di vino da tavola eccellente! |
| | allein (Konjunktion) | ma, però, tuttavia | ***In qualità di congiunzione:***<br>*Si tratta di una congiunzione coordinante avversativa corrispondente a "jedoch, aber":*<br>z.B.: Peter versuchte alles um seine Gisela zu trösten, allein sie war nicht umzustimmen. = Pietro fece di tutto per consolare la sua Gisella, ma (tuttavia) non riuscì a calmarla. |
| | | | |
| 66. | der Leib, des Leibes, die Leiber | a) il corpo | *Sostantivo appartenente al terzo gruppo della declinazione maschile forte; sinonimo di "der Körper", si usa soprattutto in riferimento al corpo umano, a volte anche al corpo degli animali:*<br>z.B.: -Wegen der starken Explosion zitterte das Kind am ganzen Leib. = A causa della forte esplosione il bambino tramava da capo a piedi.<br>-Du bist aber gut bei Leib(e)! = Ma come sei ben pasciuto!<br>-Peter liebt seine Arbeit, er ist mit Leib und Seele dabei. = Pietro ama il suo lavoro, lui ci mette anima e corpo. |
| | | b) il ventre, il seno | *In modo piú specifico "der Mutterleib":*<br>z.B.: -Diese Frau erwartet ein Kind, sie trägt ein Kind im Leib. = Questa signora aspetta un bambino, porta in seno un bambino. |
| | der Laib, des Laibs, die Laibe | a) la pagnotta | *Sostantivo appartenente al secondo gruppo della declinazione maschile forte; riferito al pane indica la pagnotta rotonda piuttosto consistente:*<br>z.B.: -Geh bitte zum Bäcker und kauf ein schönes Laib Brot. = Va', per favore, dal panettiere e compra una bella pagnotta. |

| | | | |
|---|---|---|---|
| | | b) la forma | *Si usa pure in riferimento alla* ==forma di formaggio==: z.B.: -Ich möchte Parmisan kaufen; haben Sie einen ganzen Laib? Wir geben ein großes Fest und es kommen viele Gäste. = Vorrei comprare del parmigiano: ce l'ha una forma intera? Diamo una grande festa e vengono molti invitati (ospiti). |
| | | | |
| 67. | antworten, antwortete, geantwor-tet + Dat - bzw. + auf + Akk (instrans.) | rispondere | *Verbo intransitivo con costruzione indiretta come in italiano, tuttavia* ==con ulteriore costruzione preposizionale quando viene espresso il motivo della risposta==: z.B.: -Warum antwortest du mir nicht ? = Perché non mi rispondi? -Warum antwortest du nicht auf meine Frage? = Perché non rispondi alla mia domanda? NB: Confrontando questo verbo con l'inglese; si nota che "antworten" risale intatto alla radice germanica, mentre "answer" ha subito il raddolcimento della consonante dentale "t" in "s". |
| | beantwor-ten, beant-wortete, beantwor-tet (trans.) | rispondere | *Verbo transitivo + Akk.: a differenza dall'italiano ha la costruzione diretta, per cui viene spesso usato anche al passivo:* z.B.: -Der Bundeskanzler (Ministerpräsident) hat die Fra-gen der Journalisten klipp und klar beantwortet. = Il cancelliere (presidente del consiglio) ha risposto alle do-mande dei giornalisti in modo chiaro e netto. -Wurde das letzte Schreiben unseres Hauptkunden schon beantwortet? = È già stata data una risposta alla lettera del nostro cliente principale? |
| | | | |
| 68. | wieder (Adverb) | a) di nuo-vo, nuova-mente, ancora | ***Si usa solo come*** ==avverbio== ***o prefisso:*** *Si tratta di un avverbio di tempo che per l'analisi logica forma un complemento di tempo e occupa un posto a sé stante nella costruzione della proposizione:* z.B.: -Das Kind schreit wieder, was hat es denn? = Il bambino grida di nuovo, che avrà? - Paul ist wieder krank. = Paolo è nuovamente ammalato. |
| | | b) come prefisso | *Si usa spesso come prefisso separabile di verbi, nonché come prefisso di sostantivi:* -wiederkommen = ritornare -wiedersehen = rivedere -Auf Wiedersehen! = Arrivederci! -wiederaufbauen = ricostruire -der Wiederaufbau = la ricostruzione ecc. |

| | | | |
|---|---|---|---|
| | | c) abbinato ad altri avverbi | *Espressioni idiomatiche, quando viene abbinato ad altri avverbi; forme molto in uso:*<br>z.B.: -wieder einmal = un'altra volta, ancora una volta<br>-nie wieder = mai piú<br>-wieder da sein = essere di nuovo qua (ritornare) - Da ist er ja wieder! = Rieccolo!<br>Ich bin gleich wieder da. = Torno subito.<br>-Schon wieder? = Ricominciamo? – Un'altra volta? - Ancora? - E dai!<br>-immer wieder = in continuazione<br>-Mein Gott, jetzt ist wieder alles für nichts und wieder nichts! Wir haben umsonst geschuftet. = O santo Cielo! Abbiamo di nuovo sgobbato inutilmente (per niente - completamente invano). |
| | wider<br>(Praep. + Akk.) | a) contro, contrariamente a | ***Si usa sempre e solo come** preposizione **o prefisso**:*<br><br>*per determinare sostantivi o pronomi e solo assieme a questi forma un complemento: "wider" non è mai usata da sola, non occupa infatti un posto a sé stante nella costruzione perché da sola non conta per l'analisi logica:*<br>z.B.: -Wer nicht mit mir ist, ist wider mich. = Chi non è con me è contro di me. (Matteo, 12, 30)<br>-Wider Erwarten wurde der Schwerkranke schnell gesund, ein Wunder. = Contro ogni previsione, l'ammalato grave guarì presto: un miracolo.<br>-Paul arbeitet immer wider Willen. = Paolo lavora sempre di malavoglia (controvoglia). |
| | | b) come prefisso | *Si usa spesso come prefisso inseparabile di verbi, nonché come prefisso di sostantivi:*<br>z.B.: -widerspréchen = contraddire<br>-der Widerspurch = la contraddizione<br>-widerstéhen = resistere, opporsi<br>-der Widerstand = la resistenza, l'opposizione ecc. |
| | | | |
| 69. | der Stil,<br>des Sil(e)s,<br>die Stile | lo stile | *Indica l'impronta peculiare, il carattere espressivo di indirizzi letterari, correnti artistiche, del modo di vivere, di parlare, di scrivere, di vestire, stili dello sport ecc.:*<br>z.B.: -Die Kuppel des Michelangelo gehört dem Renaissance-Stil an. = La cupola di Michelangelo è di stile rinascimentale.<br>-Dieses Buch ist in einem schwerfälligen Stil geschrieben. = Questo libro è scritto in uno stile pesante. |
| | der Stiel,<br>des Stiels,<br>die Stiele | a) il gambo, lo stelo | *Termine botanico per indicare lo stelo di fiori, grano, piante erbacee, nonché il gambo di foglie, frutta, funghi ecc.:*<br>z.B.: -Äpfel und Birnen sollen samt ihrem Stiel gepflückt werden, sonst faulen sie schnell. = Mele e pere devono essere raccolte col loro gambo, altrimenti marciscono presto. |

| | | | |
|---|---|---|---|
| | | | NB: Si usa pure per gambo di bicchieri a calice:<br>z.B.: Wir haben schöne Kristallgläser mit einem eigenartig geschliffenen Stiel. = Abbiamo dei bei bicchieri in cristallo con il gambo molato in modo particolare. |
| | | b) il mani-co | *Termine rifertito all'appendice di un oggetto destinato ad uso manuale: pentole, posate, martelli, scope, badili, zappe ecc.:*<br>z.B.: -Ich muss den Stiel des Hammers befestigen; er hat sich gelockert. = Debbo fissare il manico del martello: si è allentato. |
| 70. | wohnen, wohnte, gewohnt (intrans.) | a) abitare, dimorare, vivere | *Mentre "abitare" in italiano può essere transitivo o intransitivo, il verbo "wohnen" è in tedesco sempre solo intransitivo:*<br>z.B.: -Letzten Sommer wohnten wir auf einem Bergbauernhof. = L'estate scorsa abbiamo abitato in una fattoria di montagna.<br>-Peter und Hans wohnen bei Familie Krüger, Elisabethplatz 30. = Pietro e Hans abitano presso la famiglia Krüger, piazza Elisabetta 30. |
| | | b) alber-gare | *Resta intransitivo anche quando viene usato in senso traslato:*<br>z.B.: -Zwei Seelen wohnen, ach! in meiner Brust. (**Goethe** Faust I, 1112) = Due anime abitano nel mio petto (...nel mio cuore), perdinci! |
| | bewohnen, bewohnte, bewohnt (trans.) | a) abitare, occupare abitando | *Verbo usato solo transitivamente + Akk.:*<br>z.B.: -Meine Eltern bewohnen ein altes Haus auf dem Land mitten im Grünen. = I miei genitori abitano in una vecchia casa di campagna in mezzo al verde.<br>-Nur wenige Einheimische bewohnen weite Gebiete Australiens. = Solo pochi indigeni abitano vasti territori dell'Australia. |
| | bewohnt sein / un-bewohnt sein | essere abitato | *Forma verbale intransitiva composta col participio passato del verbo "bewohnen":*<br>z.B.: Das Haus hier ist scheinbar unbewohnt = A quanto pare, questa casa è disabitata. |
| | | | |
| 71. | wiegen, wog, gewo-gen (trans. / in-trans.) | a) pesare | *Usato transitivamente assume il significato di:*<br>*"controllare il peso di qd./ qc. con una bilancia":*<br>z.B.: -Eine gewissenhafte Köchin wiegt die Zutaten für den Kuchen, sonst könnte er nicht gelingen. = Una cuoca coscienzosa pesa gli ingredienti per la torta che, diversamente, potrebbe non riuscire (non risultare buona).<br>-Ist diese Ware schon gewogen worden? = Questa merce è già stata pesata?<br>-Gisela wiegt sich jeden Tag, sie will die Linie bewahren. |

|  |  |  | = Gisella si pesa ogni giorno perché vuol mantenere la linea. |
|---|---|---|---|
|  |  | b) pesare | ***Usato <mark>intransitivamente</mark>:***<br><br>*assume il significato di <mark>"avere un peso"</mark> sia in senso concreto di peso materiale sia in senso traslato:*<br>z.B.: -Du hast aber zugenommen! Wie viel wiegst du denn? = Tu però sei ingrassata! Ma quanto pesi?<br>-Ach nein, das geht schon: ich wiege ja nur 60 kg. = Ma no, sto bene così (é accettabile): peso solo 60 kg!<br>-Bedenke doch, wie viel ein gutes oder schlechtes Wort wiegen kann. = È necessario che tu rifletta su quanto possa pesare una buona o cattiva parola.<br><br>NB: die W<mark>aa</mark>ge, der W<mark>aa</mark>ge, die W<mark>aa</mark>gen = la bilancia - da non confondere con "der Wagen, des Wagens, die Wagen" = l'automobile, la macchina (utilitaria) |
| abwiegen, wog ab, abgewo-gen (trans.) | <mark>soppesare valutare,</mark> conside-rare |  | z.B.: -Bevor du sprichst, wiege deine Worte ab! = Prima di parlare, valuta le tue parole.<br>-Bevor wir entscheiden, ob wir dieses Haus kaufen, müssen wir wohl <mark>das Für und Wider abwiegen</mark>. = Prima di deciderci se comprare questa casa o no, dobbiamo soppesare il pro e il contro. |
| wiegen, wiegte, gewiegt | <mark>cullare, dondolare</mark> |  | *Verbo transitivo sinonimo di "schaukeln = dondolare":*<br>z.B.: -Die Mutter wiegt das Kind, damit es einschläft. = La mamma culla il bambino per farlo addormentare. |
| sich wie-gen, wiegte sich, sich gewiegt (reflexiv) | <mark>cullarsi, dondolar-si</mark> |  | *Come verbo riflessivo viene spesso usato anche in senso traslato o figurato:*<br>z.B.: -Die Zweige wiegten sich im Wind und die Vöglein auf den Baumkronen. = I rami si cullavano al vento e gli uccellini si dondolavano sulle chiome degli alberi.<br>-Wiege dich nicht in eitlen Hoffnungen! = Non cullarti in speranze vane!<br>-Wer sich ständig in eitlen Vorstellungen und rosigen Träumen wiegt, wird früher oder später enttäuscht. = Chi continua a cullarsi in vani fantasie e sogni d'oro, prima o poi resta deluso. |
| einwiegen, wiegte ein, eingewiegt (trans.) | <mark>addor-mentare cullando</mark> |  | *Verbo composto che indica contemporaneità di due azioni "cullare + fare addormentare", di cui una va in italiano tradotta col gerundio (si veda a pag. 323):*<br>z.B.: -Wiegst du mir bitte das Kind ein? = Culli tu, per favore, il bambino, facendolo addormentare (...in modo che si addormenti)?<br>NB: die Wiege, -, -en = la culla |
| die Wiege der Wiege die Wiegen | <mark>la culla</mark> |  | *Sostantivo appartenente al secondo gruppo della declinazione debole femminile.*<br>z.B.: -Die Sprache bekommt der Mensch nicht als Geschenk in die Wiege gelegt, sondern er muss sie erlernen. = La persona non riceve la lingua parlata in dono nella culla, la deve bensì apprendere. |

| | | | |
|---|---|---|---|
| | | | -("Wiegenlied" = "Ninna nanna" di **Achim vonArmin**)<br>Goldne Wiegen schwingen, = Culle dorate dondolano,<br>Und die Mücken singen;   E le zanzare cantano,<br>Blumen sind die Wiegen,   Fiori son le culle,<br>Kindlein drinnen liegen;....   Bimbi dentro giaciono;.... |
| | die Waage,<br>der Waage,<br>die Waagen | la bilancia | Sostantivo appartenente al secondo gruppo della declinazione femminile debole.<br>z.B.: -Die Waage der menschlichen Gerechtigkeit trifft die Waarechte nicht immer genau. = La bilancia della giustizia umana non segna sempre la linea retta (la linea bilanciata, il giusto equilibrio). |
| | wagen,<br>wagte,<br>gewagt<br>(trans. /<br>reflexiv) | osare, ri-schiare | z.B.: -Paul wagte kein Wort zu sagen. = Paolo non osó dire una parola.<br>-Viele Feuerwehrleute wagten ihr Leben zur Rettung der Hilfsbedürftigen. = Molti pompieri misero a repentaglio la loro vita per la salvezza delle persone in pericolo.<br>-Wagst du dich? (Wagst du es?) = Osi? Te la senti?<br>-Ich will es wagen. = Voglio osare (tentare). |
| | der Wagen,<br>des Wagens<br>die Wagen | a) il carro, la macchina, l'auto | Sostativo appartenente a primo gruppo della declinazione maschile forte.<br>z.B.: -Früher wurden die Wagen von Tieren gezogen. = Tanto tempo fa i carri venivano trainati da animali.<br>-Die zwei Deutschen Daimler und Benz bauten den ersten motorisierten Wagen (das Auto). = I due tedeschi Daimler e Benz realizzarono la prima macchina [il primo carro motorizzato = la prima auto]. |
| | | b) la carrozza ferroviaria | z.B.: -Hochgeschwindigkeitszüge haben nicht so viele Wagen wie Güterzüge. = Treni ad alta velocità non hanno così tante carrozze come i treni merci.<br>-Auf dieser langen Fahrt wollen wir im Speisewagen essen. = Durante questo lungo viaggio vogliamo mangiare nella carrozza ristorante. |
| | | | |
| 72. | der Chor,<br>des Cho-res,<br>die Chöre | il coro | Sostantivo appartenente al secondo gruppo della declinazione maschile forte, usato per indicare un complesso corale formato da persone:<br>z.B.: -Der Chor der Mailänder Scala ist nicht nur in Italien, sondern auch im Ausland berühmt. = Il coro della Scala di Milano non è rinomato solo in Italia, ma anche all'estero. |
| | das Chor,<br>des Cho-res,<br>die Chöre | il coro, il presbiterio la cantoria | Sostantivo appartenente al secondo gruppo della declinazione neutra forte. Si tratta di un termine architettonico che indica nelle chiese: a) il posto riservato al clero ossia ai presbiteri = presbiterio   b) il posto riservato al coro, ai cantori = la cantoria:<br>z.B.: -Die romanischen Dome Deutschlands haben meistens ein doppeltes Chor: gegen Osten das Chor der Geistlichkeit, gegen Westen das Chor der weltlichen Macht, des Kaisers. = I duomi romanici della Germania |

| | | | |
|---|---|---|---|
| | | | hanno di solito due cori (presbiteri): verso oriente il coro del potere ecclesiale, verso occidente il coro del potere temporale, dell'imperatore. |
| 73. | der Kunde, des Kunden, die Kunden | il cliente | *Sostantivo appartenente alla declinazione maschile debole:*<br>z.B.: -Ein guter Kaufmann versucht, so weit es möglich ist, seine Kunden zufrieden zu stellen. = Un buon commerciante tenta, per quanto sia possibile, di accontentare i suoi clienti.<br>-In diesem Geschäft ist der Kunde König, d.h. hier richtet sich alles nach den Wünschen des Kunden. = In questo negozio regna il cliente, cioé tutto è finalizzato a soddisfare i desideri del cliente. |
| | die Kunde, der Kunde, die Kunden | la notizia, la nuova | *Sostantivo appartenente al secondo gruppo della declinazione femminile debole. Si tratta di un sinonimo del termine "die Nachricht":*<br>z.B.: -Aus dem Irak kommen leider täglich traurige Kunden von schrecklichen Attentaten. = Dall'Iraq giungono putroppo ogni giorno tristi notizie di spaventosi attentati. |
| 74. | tun, tat, getan | a) fare | *Si usa nel senso di "fare in generale", senza riferimento a qualcosa di specifico:*<br>z.B.: -Was tust du denn da? = Ma che stai facendo? (Ma che stai combinando?)<br>-Was soll ich denn jetzt tun? = E ora che faccio?<br>-Was kann ich für Sie tun? = Cosa posso fare per Lei? (Domanda del commesso al cliente.)<br>-Wie ist es denn möglich, dass Paul nichts zu tun hat? = Ma com'é possibile che Paolo non abbia nulla da fare?<br>z.B.: -Hab' ich Unrecht heut getan, sieh es, lieber Gott, nicht an. = Se oggi ho commesso qualche errore, o Signore, perdonamelo [non contarmelo] (= preghiera della sera). |
| | | b) compiere, adempiere | -Tu immer deine Pflicht, komme was da wolle! = Compi sempre il tuo dovere, qualunque cosa accada!<br>-Der liebe Paul soll doch endlich einmal das Seinige tun! = Che faccia una buona volta il proprio dovere, il caro Paolo!<br>z.B.: -Hast du getan, was deine Pflicht, vertrau auf Gott, er verlässt dich nicht! = Se hai fatto il tuo dovere, confida in Dio, lui non ti abbandona! |
| | antun, tat an, angetan | recare, commettere del male | -Wie kann man denn jemandem so viel Böses antun? = Ma come si può recare (fare) così tanto male a qualcuno? |

| | | | |
|---|---|---|---|
| | | | **NB:** *Espressioni idiomatiche* con *"tun":*<br><br>-Ich hab' alle Hände voll zu tun. = Sono molto occupata / occupato [...ho le mani piene di lavoro].<br>-Das hat nichts damit zu tun. = Questo non c'entra nulla [con ció].<br>-Das Kind tut sich leicht / schwer. = Questo bambino ha facilità di apprendimento / fa fatica.<br>-Wir tun nichts als arbeiten! = Non facciamo altro che lavorare!<br>-Inge tut nur so, als ob sie's nicht verstünde. = Inge fa solo finta di non capire.<br>-Du hast wohl zu viel des Guten getan. = Tu hai probabilmente strafatto.<br>-Damit ist es noch nicht getan. = Con ció non è ancora finita. (Ció non basta.) |
| | machen,<br>machte,<br>gemacht | a) fare | *Si usa non solo per "fare qualcosa di specifico", ma anche per "fare in generale"; il verbo "machen" può quindi nella maggioranza dei casi sostituire il verbo "tun":*<br>z.B.: -Wann machst du die Hausaufgaben? = Quando fai (sbrighi) i compiti?<br>-Der Tischler macht den Tisch. = Il falegname fa il tavolo.<br>-Zwei und zwei macht vier. = Due piú due fa quattro.<br>-Wie viel macht das? = A quanto ammonta l'importo?<br>-Insgesamt macht es 1000,00 € = In totale fa 1000,00 €<br><br>*NB: Il verbo "machen" sostituisce nella parlata comune molti altri verbi come "produrre, fabbricare, confezionare, comporre, preparare, sistemare, riordinare (fare ordine), organizzare, allestire (feste), provocare, rendere (felici), esercitare (mestieri), praticare (sport), recitare (una parte), commerciare, trattare (di politica) ecc.*<br>*Usando sempre "machen" per tutti questi e altri significati il linguaggio viene impoverito; è quindi opportuno non esagerare con l'uso di "machen", adoperando nei vari contesti i verbi piú appropriati.*<br><br>**NB:** *Espressioni idiomatiche* con *"machen":*<br><br>-Machen sie es sich bequem! = Si metta a proprio agio! (Si accomodi!)<br>-Ich mach mir nichts draus (daraus). = Non me la prendo. (Non mi scompongo. – Non ci bado. – Non mi preoccupo.)<br>-Mach's gut! = Stammi bene! (Fa' in modo che tutto vada bene!)<br>-lächerlich machen = rendere ridicolo; deridere<br>-Wie kannst du dich so lächerlich machen? = Ma come puoi renderti così ridicolo?<br>-Das lässt sich machen / nicht machen. = Ció è fattibile (possibile) / non fattibile (impossibile).<br>-sich wichtig machen = darsi delle arie, darsi importanza |
| | | | |

| 75. | das Messer, des Messers, die Messer | il coltello | Sostantivo appartenente al primo gruppo della declinazione neutra forte.<br>z.B.: -Brich doch das Brot nicht ab, sondern schneide es mit dem Messer! = Non rompere il pane, ma taglialo col coltello!<br>-Auf dem Messer kann man reiten, es schneidet ja gar nicht! = Ma questo coltello non taglia nemmeno il burro [Alla lettera, in un pessimo italiano: "Su questo coltello si può cavalcare, non taglia per nulla"]! |
|---|---|---|---|
| | der Messer, des Messers, die Messer | strumento di misura, misuratore il contatore | Sostantivo appartenente al primo gruppo della declinazione maschile forte. Esso è usato piú in sostantivi composti che non da solo:<br>-der Fiebermesser, -s, - = il termometro (clinico, per misurare la febbre)<br>-der Wassermesser, -s, - = l'idrometro<br>-der Strommesser, -s, - = l'amperometro, il contatore<br>-der Feuchtigkeitsmesser ,-s, - = l'igroscopio |
| | | | |
| 76. | der Heide, des Heiden die Heiden | il pagano | Sostantivo appartenente alla declinazione maschile debole. Viene tutt'oggi ancora riferito a tutte le persone non battezzate.<br>z.B.: -Am Anfang des 8. Jahrhunderts n. Chr. waren die meisten Germanen noch Heiden. = All'inizio dell'ottavo secolo d. C. la maggior parte dei Germani era ancora pagana. |
| | die Heide, der Heide, die Heiden | la brughiera, la landa | Sostantivo appartenente al secondo gruppo della declinazione femminile debole:<br>z.B.: -Die größte und bekannteste deutsche Heide ist die von Lüneburg, "Lüneburger Heide" genannt. = La landa tedesca piú famosa è quella di Lüneburg, detta "Lüneburger Heide".<br>-"Im Wald und auf der Heide<br>  Da hab'ich meine Freude,<br>  Ich bin ein Jägersmann" (**Volkslied** = canto popolare)<br>= Qui nel bosco e nella landa io gioisco, sono un cacciatore. |
| | | | |
| 77. | der Kiefer, des Kiefers die Kiefer | la mascella, la mandibola | Sostantivo appartenente al primo gruppo della declinazione maschile forte. Termine anatomico riferito sia alle mascelle umane (Oberkiefer / Unterkiefer) sia a quelle di animali.<br>z.B.: -Mancher Menschenschlag ist von kräftigen, hervorspringenden Kiefern gekennzeichnet. = Alcune specie umane sono caratterizzate da mascelle forti e sporgenti. |
| | die Kiefer, der Kiefer, die Kiefern | il pino silvestre | Sost. appartenente al secondo gruppo della declinazione femminile debole. Termine riferito al pino piú comune: |

| | | | |
|---|---|---|---|
| | | | z.B.: -Die Kiefer hat lange Nadeln und kurze Zapfen. = Il pino silvestre ha aghi lunghi e pigne corte. |
| 78. | einsteigen, stieg ein, eingestiegen / aussteigen | salire, montare / scendere | *Si usa per tutti i mezzi di trasporto chiusi o aventi un vano, quindi anche per macchine scoperte o barche:* z.B.:-"Bitte, steigen sie ein, der Zug fährt pünktlich ab!", sagt der Schaffner zu Herrn Breuer. = "Salga, per favore, il treno parte puntualmente!", dice il controllore al signor Breuer. |
| | aufsteigen, stieg auf, aufgestiegen / absteigen | salire, montare / scendere | *Si usa per salire e scendere su / da biciclette, motociclette, animali:* z.B.: -Würdest du mich mit deinem Motorrad nach Hause fahren? = Mi condurresti a casa con la tua moto? -Es tut mir leid, aber ohne Helm darfst du nicht aufs Motorrad steigen! = Mi spiace, ma senza il casco non puoi salire sulla moto! NB: È un grave errore dire "ich steige auf den Zug", perché, così dicendo, si andrebbe sul tetto del treno. |
| | abheben, hob ab, abgehoben (intrans.) sich erheben, erhob sich, sich erhoben | salire, sollevarsi, decollare | *"abheben" detiene questo significato se è usato intransitivamente; esso si usa in riferimento ad aerei, elicotteri, palloni ecc.:* z.B.: -Der Jet hebt jetzt von der Rollbahn ab, er fliegt. = Il jet si sta sollevando dalla pista, esso vola. -Deltasegler oder Gleitschirme heben von Hängen oder Steilwänden ab. = Deltaplani e parapendii decollano da pendii o pareti ripide. |
| 79. | der Gläubige, ein Gläubiger, eine Gläubige, die Gläubigen, Gläubige (substantiv. Adj.) | il credente, il fedele | *Sostantivo che segue la declinazione forte, debole, mista dell'aggettivo attributivo, perché si tratta della sostantivazione dell'aggettivo "gläubig" = "credente, pio, devoto":* z.B.: -Mehrere tausend Gläubige versammeln sich jeden Sonntag auf dem Petersplatz in Rom. = Ogni domenica si radunano in Piazza S. Pietro a Roma diverse migliaia di fedeli. -Die Gläubigen hören dem Papst aufmerksam zu. = I (credenti) fedeli ascoltano il papa con attenzione. |
| | der Gläubiger, des Gläubigers, die Gläubiger | il creditore | *Sostantivo appartenente alla prima declinazione maschile forte:* z.B.: -Als die größte Firma unserer Kleinstadt Konkurs anmeldete, hielten alle Gläubiger eine Versammlung, um die Möglichkeit einer finanziellen Rettung derselben zu besprechen. = Quando la più grande ditta della nostra cittadina annunció il fallimento, tutti i creditori tennero una conferenza per discutere la salvezza finanziaria dell'azienda. -Säumige Gläubiger haben oft ehrliche Unternehmer fi- |

| | | | |
|---|---|---|---|
| | | | nanziell zu Grunde gerichtet. = Creditori morosi hanno spesso mandato in malora imprenditori onesti. |
| 80. | blühen, blühte, geblüht | a) fiorire, prosperare | *La forma preteritale di questo verbo equivale nella pronuncia al sostantivo che segue, ma si distingue nella grafia per la presenza della lettera "h":* z.B.:-Im Garten grünt und blüht es schon. = Il giardino già verdeggia ed è in fiore. -Dieses Mädchen blüht wie eine Rose. = Questa ragazza (é in fiore) fiorisce come una rosa. |
| | | b) succedere, accadere | -Wer weiß, was uns wegen dieses unheilvollen Coronavirus noch blüht. = Chissà cosa ancora ci aspetta (ci capiterà) a causa di questo disastroso coronavirus. |
| | die Blüte, der Blüte, die Blüten | a) il fiore | *Sostantivo appartenente al secondo gruppo della declinazione femminile debole.* z.B.:-Die Bienen fliegen von Blüte zu Blüte und befruchten sie. = Le api volano da fiore in fiore fruttificandoli. -Dieses Mädchen starb in der Blüte der Jahre. = Questa ragazza morì nel fiore degli anni. |
| | | b) la fioritura | -Während der Frühlingsblüte aller Bäume sollten die Bauern keine Pestizide verwenden. = Durante la fioritura primaverile degli alberi i contadini non dovrebbero usare dei pesticidi. |
| | | la fioritura culturale | -Währenden des Humanismus und der Renaissance entfaltete sich Italien zur höchsten kuturellen Blüte. = Durante l'umanesimo e il rinascimento l'Italia raggiunse il suo massimo splendore culturale. |
| 81. | verlieren, verlor, verloren | perdere | *Si usa nel senso di :* a) smarrire qc.: z.B.: -Ich hab' die Hausschlüssel verloren, was soll ich tun? = Ho perso le chiavi di casa, che faccio? b) *non aver piú* per morte o perdita economica: z.B.: -Dieses Kind hat bei einem Umfall beide Eltern verloren. = Questo bambino ha perso i genitori in un incidente. c) *rimetterci* denaro, salute ecc.: z.B.: -Paul hat mit dem Spiel sein ganzes Geld verloren. = Paolo ha perso tutto il suo denaro giocando. d) *soccombere, aver la peggio:* z.B.: -Deutschland hat im 20. Jahrhundert zwei Kriege verloren. = La Germania ha perso due guerre nel XX secolo. e) *sciupare, sprecare:* |

| | | | |
|---|---|---|---|
| | | | z.B.: So verliere ich zu viel Zeit. = In questo modo perdo troppo tempo.<br><br>*f)* *scappare, fuggire di mano*:<br>z.B.:-Verliere bitte nicht die Geduld! = Non perdere la pazienza, per favore! |
| | versäumen, versäumte, versäumt | perdere | *Si usa nel senso di:*<br>*a)* *giungere in ritardo, perdendo così un mezzo*:<br>z.B.:-Leider kamen wir eine Minute zu spät und versäumten so den Zug, er war schon weg. = Purtroppo giungemmo un minuto in ritardo e così perdemmo il treno: era già partito.<br><br>*b)* *lasciarsi sfuggire* *(occasioni),* *trascurare*, *mancare*:<br>z.B.: -Peter versäumte keine Gelegenheit, um gute Geschäfte zu machen. = Pietro non trascurò alcuna occasione per fare buoni affari. |
| | | | |
| 82. | unter<br>(Praep.) | sotto | *Si usa sempre e solo come* preposizione:<br><br>*per determinare sostantivi o pronomi e solo assieme a questi forma un complemento; "unter" non è mai usata da sola, non occupa infatti un posto a sé stante nella costruzione perché da sola non conta per l'analisi logica:*<br>z.B.:-Unter uns wohnen unsere Großeltern. = Sotto di noi abitano i nostri nonni. |
| | unten<br>(Adverb) | sotto, giú | *Si usa sempre e solo come* avverbio:<br><br>*esso è per l'analisi logica un complemento di luogo e quindi occupa un posto indipendente nella costruzione della proposizione:*<br>z.B.:-Unten (im Erdgeschoss) wohnen unsere Großeltern oben (im ersten Stock) wohnen wir. = Sotto (al pian terreno) abitano i nostri nonni, sopra (nel primo piano) abitiamo noi. |
| | | | |
| 83. | gelingen,<br>gelang,<br>gelungen | riuscire | *a)* *Con soggetto impersonale le due lingue combaciano:*<br>z.B.: Diese Arbeit wird bestimmt gelingen. = Questo lavoro riuscirà sicuramente.<br>*b)* *Con un soggetto formato da persona si ha in tedesco la costruzione impersonale con "es + Dat.*." *(= La persona che riesce in qualcosa non può in tedesco essere usata come soggetto):*<br>z.B.: Der Polizei gelang es, den Dieb zu fangen. = La polizia riuscì a prendere il ladro. |
| | gelangen,<br>gelangte,<br>gelangt | arrivare,<br>giungere,<br>pervenire | z.B.:-Wir sind zum Ziel gelangt, das wir uns vorgesetzt hatten. = Siamo giunti alla meta che ci eravamo prefissi.<br>-zur Macht gelangen = giungere al potere |
| | | | |

| 84. | die Trauer, der Trauer (*singulare tantum*) | la tristezza | *Termine riguardante la tristezza piú profonda che colpisce l'animo umano dovuta a lutto,* ==dolore profondo== *nel senso di: a) dolore,* ==afflizione, desolazione== *b)* ==lutto, cordoglio==*:* z.B.: -Der plötzliche Tod des eigenen kleinen Kindes durch einen Unfall versetzte die armen Eltern in tiefe Trauer. = La morte improvvisa del proprio figlioletto per via di un incidente riempì i poveri genitori di profondo dolore. |
|---|---|---|---|
| | die Traurig-keit, der Traurigkeit (*singulare tantum*) | la tristezza | *Termine riguardante la tristezza piú superficiale nel senso di: a)* ==mestizia, pena== *b)* ==affanno, tormento, cruccio== *c)* ==preoccupazione==*:* z.B.: -Aus den Augen der Mutter sprach große Traurigkeit, weil ihre Tochter erkrankt war. = Dagli occhi della mamma si manifestava grande tristezza perché le si era ammalata la figlia. |
| 85. | ==der== Akt, des Aktes, die Akte | l'atto | *Sostantivo appartenente al secondo gruppo della declinazione forte maschile. Si usa nel senso di: a)* ==azione, atto== *:* z.B.:-Albert Schweizer widmete den Hilfsbedürftigen unzählige Akte der Barmherzigkeit und Nächstenliebe. = Albert Schweizer dedicó a molti bisognosi innumerevoli atti di misericordia e di amore. - b) ==l'atto teatrale==: z.B.: Dieses Schauspiel ist in drei Akte eingeteilt. = Questo dramma è diviso in tre atti. - c) la ==cerimonia== solenne: z.B.: der Akt der Trauung = la cerimonia nuziale |
| | ==die== Akte, der Akte, die Akten | l'atto | *Sostantivo appartenente alla declinazione femminile debole, secondo gruppo. Si usa nel senso di* ==*"pratica, incartamento*==*, atto (pubblico, giudiziario ecc.)" :* z.B.:-Ein Richter hat oft unzählige Akten zu verarbeiten. = Un giudice ha spesso da elaborare innumerevoli atti. NB: die Aktentasche = la borsa, la cartella degli atti |
| 86. | der Tod, des Todes (*singulare tantum*) | ==la morte== | *Sostantivo appartenente alla declinazione maschile forte, secondo gruppo con plurale irregolare =* die ==Todesfälle==*:* z.B.: -Heutzutage wird in Italien niemand mehr zum Tode verurteilt. = Oggigiorno in Italia non viene condannato piú nessuno a morte. -Arm oder reich, der Tod macht alles gleich. (Sprichwort = proverbio) = Che si tratti di poveri o di ricchi, la morte rende tutti uguali. |
| | der Tote, ein Toter, die Toten, Tote | ==il morto==, il defunto | ==*Aggettivo sostantivato: "tot = morto, defunto"*==*; __segue la declinazione dell'aggettivo attributivo__:* z.B.:-"Fromm handelt, wer die Toten ehrt. (**Sophokles**, Antigone, 872 – Chor) = Chi tiene in onore i morti agisce in modo pio. |

| | | | |
|---|---|---|---|
| | | | -"Vergiss die treuen Toten nicht!" (**Körner**, Gedichte Leier und Schwert: Aufruf) = "Non dimenticare i defunti che ti sono stati fedeli!"<br>Im schweren Verkehrsunfall in der Nähe von Cantú gab es letzte Woche leider zwei Tote und mehrere Verletzte. = Nel grave incicente stradale avvenuto la settimana scorsa nelle vicinanze di Cantú vi sono stati purtroppo due morti e diversi feriti. |
| 87. | der Block, des Blockes, die Blöcke | il blocco | *Sostantivo appartenente alla declinazione forte, maschile, secondo gruppo. Si usa nel senso di a) "gruppo meccanico, masso, ceppo" - b) blocco di edifici:*<br>z.B.:-Marmorblöcke werden gegattert, um Marmorplatten zu gewinnen. = I blocchi di marmo vengono segati (con seghe diamantate) per ottenere le lastre di marmo. |
| | der Block, des Blockes, die Blocks | il bloc notes | *Sostantivo con plurale in "-s". Si usa nel senso di "blocco di carta, blocco per appunti, bloc-notes":*<br>z.B.:-Ich brauche einen Notizblock, bitte. = Ho bisogno di un bloc-notes, per favore. |
| 88. | die Steuer, der Steuer, die Steu-ern | la tassa | *Sostantivo appartenente alla declinazione debole, femminile, secondo gruppo:*<br>z.B.:-Eine gute Regierung darf ihren Bürgern nicht zu viele, schwere Steuern auferlegen. = Un buon governo non deve imporre ai propri cittadini troppe tasse gravose. |
| | das Steuer, des Steuers, die Steuer | il volante, il timone | *Sostantivo appartenente alla declinazione forte, neutra, primo gruppo:*<br>z.B.:-Beim Fahren soll man das Steuer fest in der Hand haben. = Quando si guida bisogna avere il volante saldo in mano. |
| 89. | das Rohr, des Roh-res, die Rohre | a) la canna<br>b) il tubo | *Sostantivo appartenente alla declinazione forte, neutra, secondo gruppo:*<br>z.B.:-Aus Rohren werden Körbe geflochten. = Con le canne si fanno ceste e canestri.<br>-Das Rohr (Wasserrohr) ist verstopft und muss gereinigt werden. = Il tubo dell'acqua è intasato e dev'essere spurgato (pulito). |
| | die Röhre, der Röhre, die Röhren | il forno | *Sostantivo appartenente alla declinazione debole, femminile, secondo gruppo (= die Backröhre); riguarda esclusivamente il forno delle cucine casalinghe, mentre quello del fornaio vien detto "der Backofen":*<br>z.B.:-Ich hab' dir das Essen zum Wärmen in die Röhre gestellt. = Ti ho messo il cibo nel forno per riscaldarlo. |

| | | | |
|---|---|---|---|
| 90. | der Reif, des Reifes (*singulare tantum*) | la brina | *Sostantivo appartenente alla declinazione forte, maschile, secondo gruppo:*<br>z.B.:-Heute Nacht war es sehr kalt; Felder und Dächer sind mit Reif bedeckt. = Questa notte ha fatto molto freddo; campi e tetti sono coperti di brina. |
| | der Reifen, des Reifens, die Reifen | a) il cerchio<br>b) lo pneumatico | *Sostantivo appartenente alla declinazione forte, maschile, primo gruppo:*<br>z.B.:-Während der Fahrt ist mir am Wagen ein Reifen geplatzt; zum Glück ist uns nichts passiert. = Durante il viaggio mi è scoppiata una gomma della macchina; per fortuna non ci è successo nulla. |
| 91. | die Wartezeit, der Wartezeit, die Wartezeiten | l'attesa | *Sostantivo appartenente alla declinazione debole, femminile, primo gruppo. - Si usa nel senso di "tempo di attesa, periodo di attesa":*<br>z.B.: -Während der langen Wartezeit auf den Weiterflug wurde Robert sehr nervös. = Durante la lunga attesa per la prosecuzione del volo, Roberto s'innervosì molto.<br>-Für die Lieferung dieses Wagens besteht eine Wartezeit von zwei Monaten. = Il ritiro (la fornitura) di questa macchina implica un tempo di attesa di due mesi. |
| | die Erwartung, der Erwartung, die Erwartungen | l'attesa | *Sostantivo appartenente alla declinazione debole, femminile, primo gruppo. - Si usa nel senso di "aspettativa, attesa ansiosa":*<br>z.B.:-In Erwartung Ihrer geschätzten Rückäußerung verbleiben wir mit freundlichen Grüßen. = In attesa di una Vs. cortese risposta inviamo distinti saluti.<br>-Die Aufführung dieses Theaterstückes überstieg alle Erwartungen. = La rappresentazione di questo pezzo teatrale superò ogni aspettativa.<br>NB: in Erwartung sein (schwanger sein) = essere in stato interessante (la gravidanza = die Schwangerschaft) |
| | die Wartung, der Wartung, die Wartungen | a) la manutenzione<br>b) la cura, l'assistenza | *Sostantivo appartenente alla declinazione debole, femminile, primo gruppo:*<br>z.B.:-Diese elektronischen Geräte verlangen wenig Wartung. = Questi apparecchi elettronici richiedono poca manutenzione.<br>-Pflege und Wartung eines Schwerkranken verlangen viel Geduld und Hingabe. = La cura e l'assistenza ad un malato grave richiedono molta pazienza e dedizione. |
| 92. | die Mutter, der Mutter, die Mütter | la mamma, la madre | *Sostantivo appartenente alla declinazione forte, femminile, secondo gruppo:*<br>z.B.:-Es gibt kein höheres Ideal für eine Frau als Mutter sein! = Non c'é ideale piú grande per una donna che essere mamma. |

| | | | -"**Nur eine Mutter weiß allein,**<br>**Was lieben heißt und glücklich sein!** " (**Chamisso** – Gedichte: "Frauenliebe und Leben") = Soltanto una mamma sa cosa significhi amare ed essere felici. |
|---|---|---|---|
| | die Mutter,<br>der Mutter,<br>die Muttern | il dado<br>(della vite), la madrevite | *Sostantivo appartenente alla declinazione debole, femminile, secondo gruppo:*<br>z.B.:-Wenn sich die Mutter lockert, die das Gewinde drehbar umschließt, dann muss man sie wieder fest anziehen. = Quando il dado di una vite si allenta, bisogna nuovamente stringerlo. |
| | | | |
| 93. | der Lump,<br>des Lumpen, die<br>Lumpen | a) il vagabondo, lo straccione<br>b) il mascalzone | *Sostantivo appartenente alla declin. debole, maschile:*<br>z.B.:- "Unter Lumpen" versteht man nicht nur schlecht gekleidete Menschen, sondern auch alle gemeinen, frechen, niederträchtigen, hinterhältigen, erbärmlichen Leute. = Con il vocabolo "der Lump" non s'intende solo la persona mal vestita, lo straccione, ma anche tutta la gente malvagia, sfacciata, infame, perfida, miserabile. |
| | der Lumpen, des<br>Lumpens,<br>die Lumpen | lo straccio<br>il cencio | *Sostantivo appartenente alla declinazione forte, maschile, primo gruppo:*<br>z.B.: Wie kannst du so in Lumpen herumlaufen? Zieh dich doch anständig an! = Ma come puoi andare in giro con questi stracci? E dai! Vestiti come si deve! |
| | | | |
| 94. | das Gehalt<br>des Gehaltes, die<br>Gehälter | lo stipendio | *Sostantivo appartenente alla declinazione forte, neutra, terzo gruppo:*<br>z.B.:-Die neue Regierung will die Gehälter der Staatsangestellten anheben. = Il nuovo governo vuole alzare gli stipendi degli statali.<br>-Peter bezieht ein festes, fixes, sicheres Gehalt. = Pietro riceve uno stipendio fisso e sicuro. |
| | der Gehalt,<br>des Gehaltes, die<br>Gehalte | a) il contenuto<br>b) il titolo, la percentuale | *Sostantivo appartenente alla declinazione forte, maschile, secondo gruppo:*<br>z.B.:-Dieses Schmuckstück hat einen hohen Gehalt an Gold. = Questo gioiello ha un alto titolo (un'alta percentuale, un alto contenuto) d'oro. |
| | | | |
| 95. | das Laster,<br>des Lasters, die<br>Laster | il vizio | *Sostantivo appartenente alla declinazione forte, neutra, primo gruppo:*<br>z.B.:-Bei Paul ist das Trinken zum Laster geworden. Hüte dich einem solchen Laster zu verfallen! = Per Paolo il bere è diventato un vizio. Guardati dal darti a un tale vizio! |
| | der Laster,<br>des La- | il camion | *Sostantivo appartenente alla declinazione forte, maschile, primo gruppo:* |

| | | | |
|---|---|---|---|
| sters, die Laster = (der LKW = Lastkraft- wagen) | | z.B.:-Am Samstag Nachmittag und Sonntag kann man auf den Straßen besser fahren, weil keine Laster um die We- ge sind. = Il sabato pomeriggio e la domenica si può viag- giare meglio perché non circolano i camion.<br>-Robert hat sich einen Laster (einen LKW) für internatio- nale Transporte gekauft. = Roberto si è comprato un ca- mion (un TIR) per trasporti internazionali. | |
| 96. | der Junge, des Jun-gen, die Jungen | il ragazzo, il giovane | *Sostantivo appartenente alla declin. debole, maschile:*<br>z.B.:-Das ist ein begabter Junge, der in der Schule gut vorwärts kommt. = Questo è un ragazzo dotato che a scuola fa progressi.<br>-Als Jungen streiften wir oft durch die Wälder. = Da ra- gazzi giravamo spesso per i boschi. |
| | das Junge, ein Junges, die Jungen Junge | il cucciolo, l'animale piccolo | *Aggettivo sostativato - al singolare viene usato solo al neutro:*<br>z.B.:-Die Katze warf drei Junge; unsere Hundin hat je- doch diesmal nur ein Junges bekommen. = La gatta ha fatto tre piccoli (gattini); la nostra cagna invece ha avuto questa volta un solo cucciolo.<br>-Die Jungen der Schwalben sind schon flügge. = Le pic- cole rondinelle sono già in grado di volare. |
| 97. | der Flur, des Flures, die Flure | a) il vesti- bolo, l'in- gresso<br>b) il corri- doio | *Sostantivo appartenente alla declinazione forte, maschile, secondo gruppo:*<br>z.B.:-Unsere Wohnung hat nur einen kleinen, engen Flur. = La nostra abitazione ha solo un ingresso piccolo, stret- to.<br>-Auf dem Flur draußen waren Schritte zu hören. = Fuori sul corridoio si sentivano dei passi. |
| | die Flur, der Flur, die Fluren | la campa- gna, i campi, il terreno agricolo | *Sostantivo appartenente alla declinazione debole, femmi- nile, primo gruppo:*<br>z.B.:-Das Unwetter hat großen Schaden auf den Fluren angerichtet. = La tempesta (il maltempo) ha causato grandi danni ai campi.<br>-Von herrlichem Frühlingswetter begünstigt, zogen 450 Schüler und Schülerinnen der Hauptschule Mitterfelden durch die Fluren der Gemeinde, um Wald- und Wander- wege von Unrat zu reinigen. = Favoriti da un meraviglio- so tempo primaverile, 450 alunni e alunne della Haupt- schule di Mitterfelden andarono attraverso il teritorio (agri- colo e boschivo) del comune per liberare le vie boschive e i sentieri dai rifiuti. |
| | | | |

| | | | |
|---|---|---|---|
| 98. | der Stift, des Stiftes, die Stifte | a) il perno, la spina<br><br>b) il lapis, la matita | *Sostantivo appartenente alla declinazione forte, maschile, secondo gruppo:*<br>z.B.:-In dem Gerät musste ein neuer Stift eingesetzt werden. = Nell'attrezzo è stato dovuto essere inserito un nuovo perno (una nuova spina).<br>-Die Spitze des Stiftes ist abgebrochen, ich muss ihn wieder spitzen. = Si è rotta la punta della matita, debbo rifare la punta.<br>*NB:Il termine "der Bleistift" indica l'origine della matita = "perno (bastoncino) di piombo" = prime matite.* |
| | das Stift, des Stiftes, die Stifte | a) la fondazione, l'opera pia<br>b) il monastero , | *Sostantivo appartenente alla declinazione forte, neutra, secondo gruppo:*<br>z.B.:-Gisela ist in einem Stift erzogen worden. = Gisella è stata cresciuta in un collegio per educande.<br>-Das Stift Melk an der Donau ist durch die Mariendichtung des Priesters Wernher auch in der Literatur bekannt. = L'abbazia di Melk sul Danubio è rinomata anche per i canti alla Madonna composti dal monaco Wernher.<br>*NB: Nel creare una nuova abbazia i monaci benedettini piantavano nei vari luoghi d'ispezione dei pali marcati (= perni = Stifte) per scegliere alla fine il luogo migliore nel quale fondare (= stiften) il monastero.* |
| 99. | der Tau des Taues (*singulare tantum*) | la rugiada | *Sostantivo appartenente alla declinazione forte, maschile, secondo gruppo:*<br>z.B.:-An den Gräsern hängt und glitzert noch der Tau. = Sull'erba si è posata e brilla ancora la rugiada. |
| | das Tau, des Taues, die Taue | il cavo, la fune | *Sostantivo appartenente alla declinazione forte, neutra, secondo gruppo:*<br>z.B.:-Taue dienen in den Turnhallen zum Klettern. = Nelle palestre i cavi (le funi) servono per arrampicarsi. |
| 100. | der Spross des Sprosses, die Sprosse | a) il germoglio<br>b) il rampollo, il discendente | *Sostantivo appartenente alla declinazione forte, maschile, secondo gruppo (NB: esiste anche la forma mista, cioé il plurale "die Sprossen")*<br>z.B.:-Es ist noch lange nicht Frühling und schon treiben viele Sträucher neue Sprosse. = Siamo ancora lontani dalla primavera e già molti arbusti germogliano. |
| | die Sprosse, der Sprosse, die Sprossen | a) il piolo (di scale, sedie) | *Sostantivo appartenente alla declinazione debole, femminile, secondo gruppo:*<br>z.B.:-Paul stand auf der letzten Sprosse der Leiter, als sie nachgab; er stürzte hinunter und brach sich den Arm. = Paolo stava sull'ultimo piolo della scala, quando questo cedette; egli precipitó e si ruppe il braccio. |
| | -r Sommer sprosse | la lentiggine | z.B.: Ein sommersprossiges Gesicht gefällt mir nicht. = Un viso lentigginoso non mi piace. |

| | | | |
|---|---|---|---|
| 101. | liefern, lie-<br>-liefert | fornire,<br>consegna-<br>re | NB: con "liefern" il complemento oggetto è sempre forma-<br>to dal sostantivo esprimente la merce inviata, mentre il<br>destinatario (il cliente) funge da complemento di termine.<br>Si ha quindi la seguente formula:<br>z.B.: Wir liefern unseren Kunden nicht nur Tischbeine,<br>sondern auch Küchenzubehör. = Ai nostri clienti non<br><br>*Dat.*  *Akk.*<br>jemand**em** etwas liefern<br><br>forniamo solo gambe per tavoli, ma anche accessori per<br>cucina. |
| | beliefern,<br>belieferte,<br>beliefert | fornire,<br>approvi-<br>gionare,<br>rifornire | NB: con "beliefern" il complemento oggetto è formato dal<br>destinatario (dal cliente), mentre per la merce fornita si ha<br>un complemento preposizionale determinato dalla prep.<br>"mit". Si ha quindi la seguente formula:<br><br>*Akk.*  *Dat*<br>jemand**en** mit etwas beliefern<br><br>z.B.: Wir beliefern unsere Kunden nicht nur mit Tischbei-<br>nen, sondern auch mit Küchenzubehör. = Noi forniamo<br>ai nostri clienti non solo gambe per tavoli, ma anche<br>accessori per cucina [= Noi riforniamo i nostri clienti non<br>solo con gambe per tavoli, ma anche con accessori per<br>cucina]. |
| 102. | die Miene,<br>der Miene<br>die Mienen | l'espres-<br>sione<br>(del<br>volto,<br>viso) | Sostantivo appartenente al secondo gruppo della decli-<br>nazione femminile debole:<br>z.B.:-Der Junge hörte die Rüge an, ohne dabei eine Mie-<br>ne zu verziehen. = Il ragazzo ricevette il rimprovero re-<br>stando impassibile.<br>-"Das ist Tücke!<br>Ach! nun wird mir immer bänger!<br>Welche Miene! welche Blicke!"<br>(**Goethe**, "Der Zauberlehrling") = Questo è un inganno!<br>Santo cielo! Ora sono sempre piú in ansia! Quale espres-<br>sione, quali sguardi (lancerà contro di me il maestro)! |
| | die Mine,<br>der Mine,<br>die Minen | la mina | Sostantivo appartenente al secondo gruppo della declina-<br>zione femminile debole:<br>z.B.:-In Irak und Afghanistan wurden unzählige Minen ge-<br>legt, die viele Kinder verstümmelten. = In Iraq e Afghani-<br>stan vennero posate innumerevoli mine che mutilarono<br>tanti bambini. |

| | | | |
|---|---|---|---|
| | | | -Mir kommt vor, hier auf Minen zu laufen. = Qui ho l'impressione di urtare contro delle mine. (...di suscitare enormi rancori e reazioni...) |
| | | | |
| 103. | der Teil, des Teiles, die Teile | la parte | *Sostantivo appartenente al secondo gruppo della declinazione maschile forte. Si usa per indicare capitoli di un libro, parte di un dramma, di un pezzo musicale, di una poesia, di un discorso, di un lavoro, di una via, die uno stato, di un paese, di un gruppo di persone, parti del corpo, parti di un mobile (non pezzi di un mobile), di un frutto o di un cibo ecc. - si usa quindi nella stragrande maggioranza dei casi:*<br>z.B.: -Ich hab'erst den ersten Teil des Buches gelesen. = Ho letto per il momento solo la prima parte del libro.<br>-Der erste Teil von Goethes Faust beeindruckt wegen seiner erschütternden Tragik. = La prima parte del Faust di Goethe impressiona per la sua sconvolgente tragicità.<br>- Der schwierigste Teil der Arbeit steht uns noch bevor. = La parte piú difficile del lavoro ci aspetta ancora.<br>- Du hast den besten Teil des Bratens bekommen. = Tu hai ricevuto la parte migliore dell'arrosto. |
| | das Teil, des Teiles, die Teile | la parte | *Sostantivo appartenente al secondo gruppo della declinazione forte neutra. Si usa per per pezzi meccanici di motori, automezzi, macchine di ogni genere, per strutture meccaniche come pure per pezzi riguardanti la composizione di mobili:*<br>z.B.: -"Sie können den Wagen repariert bekommen, sobald wir das Ersatzteil erhalten", erklärt der Mechaniker dem Kunden. = "Possiamo darle la macchina riparata non appena riceviamo il pezzo di ricambio", dichiara il meccanico al cliente.<br>-Wir müssen das defekte Teil dieses Stuhles unbedingt auswechseln. = Dobbiamo assolutamente cambiare il pezzo difettoso di questa sedia. |
| | | | |
| 104. | die Seite, der Seite, die Seiten | a) il lato,<br>b) la parte<br>c) il fianco<br>d) punto di vista, faccia, aspetto | *Sostantivo appartenente al secondo gruppo della declinazione femminile debole.*<br>z.B.: In England fährt man auf der linken Seite, im übrigen Europa auf der rechten Seite der Straßen. = In Inghilterra si viaggia a sinistra, nel resto d'Europa a destra delle strade.<br>-Der Hund ging fast immer an seiner Seite. = Il cane camminava quasi sempre al suo fianco.<br>-NB: -zur Seite stehen (= jemandem beistehen, helfen) = assistere (aiutare) qualcuno – Diese Frau stand ihrem |

| | | | kranken Mann stets zur Seite = Questa signora assistette sempre il suo marito ammalato. |
|---|---|---|---|
| | | | -jemanden zur Seite nehmen = confidare qualcosa a qd. (tirandolo a parte affinché nessun altro senta). |
| | | | -zur Seite schieben = non prendere in considerazione |
| | | | Pass auf! Sie werden dich zur Seite schieben! = Sta attento! Faranno a meno di te (ti accantonano)! |
| | | | -auf die Seite schaffen = risparmiare, mettere da parte |
| | | | Peter hat genügend Geld für seine Familie auf die Seite geschafft. = Pietro ha messo da parte denaro a sufficienza per la sua famiglia. |
| | | | -alles von der leichten Seite nehmen = prendere tutto alla leggera [dal punto di vista facile] |
| | | | -Paul nimmt immer alles von der leichten Seite, was ihn zur Oberflächlichkeit führt. = Paolo prende sempre tutto alla leggera il che lo rende superficiale. |
| | | | -Jedes Ding hat zwei Seiten. = Ogni cosa ha due aspetti, due facce. |
| | | e) la pagina | z.B.: Dieses Lehrbuch hat über 550 Seiten. = Questo manuale ha piú di 550 pagine. |
| | | | -Seite für Seite = pagina per pagina |
| | | | Ich hab' Seite für Seite von diesem Lehrbuch gelesen und auf einigen Seiten Druckfehler gefunden. = Ho letto questo manuale pagina per pagina e trovato su qualcuna dei refusi. |
| | die Saite, der Saite, die Saiten | a) la corda musicale | *Sostantivo appartenente al secondo gruppo della declinazione femminile debole.* |
| | | | z.B.: -die Saiten stimmen = accordare (le corde musicali) |
| | | | Dieses Klavier ist verstimmt, ich muss den Fachmann rufen, um dessen Saiten zu stimmen. = Questo pianoforte è stonato, devo chiamare il tecnico per intonarlo. |
| | | | -De Harfenistin griff in die Saiten und brachte sie zum Klingen. = L'arpista toccó le corde e le fece risuonare. |
| | | b) il tasto (senso translato) | -die empfindliche Saite bei jemandem berühren = toccare qualcuno su un tasto delicato |
| | | | -Sprich mit Paul ja nicht von Geld, denn gerade das ist seine empfindliche Saite. = Non parlare di soldi a Paolo... |
| | | | |
| 105. | scheinen,... + Infinitiv-satz (mit zu) | sembrare | *Con costruzione personale il verbo "scheinen" ha alle sue dipendenze una proposizione infinitiva; in italiano l'infinitiva tedesca viene resa con una oggettiva:* |
| | | | z.B.: Peter scheint, auf Urlaub zu sein. = Sembra che Pietro sia in vacanza. (= Pietro sembra essere in vacanza.) |
| | anscheinend offenbar (Adverbien) | a quanto pare | *Il verbo "scheinen" può essere sostituito da questi avverbi; si ha allora una costruzione impersonale:* |
| | | | z.B.: Peter ist anscheinend (offenbar) auf Urlaub. = A quanto pare Pietro è in vacanza. |

| | | | |
|---|---|---|---|
| | -Wie es scheint, ...<br>-Wie mir scheint,... | a quanto pare<br>a quanto mi risulta | Il verbo "scheinen" può anche essere usato con costruzione impersonale in proposizioni comparative o modali:<br>z.B.: Wie es scheint, ist Peter auf Urlaub.(Wie mir scheint, ist Peter auf Urlaub.) = A quanto mi consta (mi risulta, mi pare) Pietro è in vacanza. |
| 106. | das Boot,<br>des Bootes,<br>die Boote | la barca<br>il canotto<br>il battello | Sostantivo appartenente al secondo gruppo della declinazione neutra forte.<br>z.B.: -Wir stießen mit dem Boot vom Strand ab, steuerten über den See, brachten es ans andere Ufer und zogen es ans Land. = Noi salpammo con la barca dalla spiaggia, attraversammo il lago dirigendola verso l'altra sponda e la tirammo a secco.<br>-Wir sitzen alle im gleichen Boot. = Ci troviamo tutti nella stessa barca. |
| | der Bote,<br>des Boten,<br>die Boten | a) il messaggero<br><br>b) il corriere<br>c) il presagio | Sostantivo appartenente alla declinazione maschile debole essendo un nome comune di persona uscente in "-e":<br>z.B.:-Der Gottesbote Grabriel brachte Maria die Botschaft. = Gabriele, il messaggero di Dio, portó l'annunco a Maria.<br>-Der Eilboote muss heute bei uns zehn Pakete abholen. = Oggi il corriere deve ritirare da noi dieci pacchi.<br>-Die Veilchen sind die Booten des Frühlings. = Le violette sono il presagio della primavera. |
| 107. | die Leute | la gente,<br>le persone | Si tratta di un "plurale tantum" germanismo che ha influenzato anche la lingua inglese: "people are", Vedi pag. 97, n.7.<br>z.B.: Ich kenne meine Leute. = Conosco i miei polli (= le persone che collaborano con me).<br>-in aller Leute Mund = sulla bocca di tutti<br>-Das Coronavirus ist im Moment in aller Leute Mund. = Il Coronavirius in questo momento e sulla bocca di tutti.<br>-Kleider machen Leute! (Titolo di una novella di **Gottfried Keller**) [Alla lettera: "L'abito fa il monaco!"] Il vestirsi bene rende la persona piú considerevole, rilevante.<br>-etwas unter die Leute bringen = divulgare, diffondere qc.<br>z.B.: Du musst dafür sorgen, dass diese Nachricht nicht unter die Leute gebracht wird (kommt). = Devi fare in modo che questa notizia non si diffonda. |
| | läuten, läutete, geläutet | a) sonare<br>suonare | Verbo per lo piú intransitivo debole. Può essere usato anche come sinonimo di "klingeln", da non confondere con "klingen, klang, geklungen", si veda pag. 498, n. 33. |

| | | | |
|---|---|---|---|
| | | | z.B.:-Zu Ostern läuten alle Glocken aller Kirchen und verkünden festlich Christi Auferstehung. = A Pasqua tutte le campane di tutte le chiese suonano a festa annunciando la risurrezione di Cristo.<br>-Der Küster läutet die Glocken. = Il sacrestano suona le campane. |
| | | b) squillare | {-Hat es nicht geläutet (geklingelt)?<br>-Ja, es hat geklingelt (geläutet). |
| | das Läuten, das Geläute | il suono delle campane, lo scampanio | *Sostantivi usati solo al singolare = "singularia tantum":*<br>z.B.:-Es gibt Leute, die das Läuten der Glocken nicht vertragen. = C'é gente che non sopporta il suono delle campane.<br>-Das Geläute der deutschen Dome ertönt wohlklingend, klangvoll, melodisch, glockenhell, ja bezaubernd. = Lo scampanio dei duomi tedeschi risuona armonioso, sonoro (= dal suono pieno), melodioso, squillante, perfino incantevole. |
| | | | |
| 108. | sehen, sah gesehen | a) vedere | *Verbo forte sia transitivo sia intransitivo, può anche essere riflessivo. Esso assume a seconda del contesto svariati significati e si usa in moltissime forme idiomatiche delle quali ne appaiono qui solo alcune.*<br>z.B.: Vom Schiff war nichts mehr zu sehen. = La nave non si distingueva (vedeva) piú.<br>-einen Sonnenuntergang sehen = assistere (vedere) un tramonto<br>-"Seht ihr den Mond dort stehen?} "Abendlied" di **Matthias Claudius**<br>Er ist nur halb zu sehen<br>Und ist doch rund und schön."<br>= Vedete là la luna come se ne sta? Se ne vede solo mezza ed è tuttavia rotonda e bella. |
| | | b) guardare | - Sieh da! = Ecco! (Guarda!) – Sieh mal da! = Guarda un po'! (Guarda un po' qua!)<br>-"Sie da! Sieh da, Timotheus,} ballata "Die Kraniche des die Kraniche des Ibykus!" Ibykus" di **F. Schiller**<br>= Timoteo ecco, guarda! Le gru (cinerine) di Ibico.<br>-auf die Uhr sehen (= nach der Uhr sehen).= guardare l'orologio (per controllare le ore).<br>-vor lauter Bäume den Wald nicht sehen = vedere gli alberi e non vedere la foresta (vedere tanti particolari senza vedere, captare, capire l'essenziale<br>-Paul sah nur mehr rot. = Paolo era arrabbiatissimo [alla lettera: "Paolo vedeva ormai solo tutto rosso"].<br>-den Tod vor Augen sehen = vedere la morte in viso<br>-Siehst du bitte nach den Kindern? = Badi per favore tu ai bambini? (Stai tu attento ai bambini?)<br>-nach dem Rechten sehen = controllare, se tutto è a posto (in ordine) |

| | | | |
|---|---|---|---|
| | | | <mark>-Das sieht ihm ähnlich.</mark> (= Das war von ihm zu erwarten.) = Questa è una delle sue. (C'era da aspettarselo da lui.) -Mit dem Kleid kannst du dich sehen lassen. = Con questo vestito ci fai bella figura (...puoi farti vedere). |
| | säen, säte, gesät | seminare | *Verbo transitivo debole.* z.B.:-Die Bauern säten früher mit der Hand, heutzutage säen sie mit Maschinen. = Una volta i contadini seminavano spargendo il seme con la mano, oggigiorno seminano con le macchine. -Wenn du so sprichst, säst du Unzufriedenheit und Zwietracht. = Parlando in questo modo tu semini malcontento e zizzania (discordia). |
| | | | |
| 109. | das Herz, des Herzens die Herzen | il cuore | *Sostantivo appartenente al terzo gruppo neutro misto della declinazione del sostantivo. Deriva dal germanico: "hert" – gotico: "hairto" – vedi inglese: "heart".* z.B.:-<mark>jemandem sein Herz ausschütten (öffnen)</mark> = aprire l'animo a qualcuno - sfogarsi con qualcuno -Helene war derartig voller Sorgen, dass sie mir ihr ganzes Herz ausschüttete und ich mich ihrer erbarmte (und sie mir erbarmte). = Elena era talmente preoccupata (piena di cruccio) che mi confidó tutto e mi fece pena. -<mark>nicht übers Herz bringen</mark>, etwas zu unternehmen = non avere il coraggio di intraprendere qc. -Gisela brachte es nicht übers Herz, ihrem lieben Peter die volle Wahrheit zu erzählen. = Gisella non ebbe il coraggio di dire al suo caro Pietro tutta la verità. -<mark>Mir fiel ein Stein vom Herzen.</mark> = Mi sentii alleggerito. - Mi cadde un peso dal cuore. -<mark>Hand aufs Herz!</mark> = Siamo sinceri! (Proveniente dai popoli germanici prima della loro conversione al cristianesimo che giuravano mettendo la mano sul cuore.) -<mark>Tu,was dein Herz begehrt!</mark> = Segui la voce del tuo cuore! -Wenn du wirklich in Peter verliebt bist, dann tu, was dein Herz begehrt! = Se sei veramente innamorata di Pietro, allora segui la voce del tuo cuore! -<mark>schweren Herzens</mark> = a malincuore -Der Priester musste den Eltern schweren Herzens den Tod ihres Sohnes mitteilen. = Il sacerdote dovette a malincuore comunicare ai genitori la morte del loro figlio. -<mark>das Herz auf dem rechten Fleck haben</mark> = essere una persona di cuore (comprensiva, disponibile, altruista) -Peter hat das Herz auf dem rechten Fleck. = Pietro è una persona comprensiva (che ha sentimento, cuore). -<mark>leichten Herzens</mark> (bedenklos) = a cuor leggero -Paul ist so ruchlos, dass er leichten Herzens über Leichen geht. = Paolo è talmente scellerato che non ha ri- |

| | | | |
|---|---|---|---|
| | | | guardi per nessuno. [Alla lettera: ...al punto da passare senza scrupoli su cadaveri]. |
| | das Hertz, das Kilohertz | chilohertz (chilociclo) | *Unità di misura delle frequenze radio, soperta dal fisico tedesco Heinrich Rudolf Hertz nato nel 1857 ad Amburgo, professore di fisica a Karlsruhe, morto a Bonn nel 1894.* |
| | das Erz, des Erzes die Erze | il minerale metallico | *Sostantivo appartenente al secondo gruppo neutro forte della declinazione del sostantivo.* z.B.:-Hochwertiges Erz wird meistens unter Tage abgebaut. = Il minerale di grande qualità viene per lo piú estratto dal sottosuolo (cioé, non da miniere a cielo aperto). |
| 110. | das Recht des Rechtes die Rechte | a) la ragione, il diritto | *Sostantivo appartenente al secondo gruppo della declinazione neutra forte.* z.B.: Du hast vollkommen Recht. = Tu hai pienamente ragione. -Jeder sollte Recht auf Arbeit haben. = Ognuno dovrebbe avere diritto al lavoro. -Das Recht ist auf Giselas Seite. = La ragione è dalla parte di Gisella. -sich das Recht nehmen, etwas zu tun = prendersi la libertà di fare qc. -sich Recht verschaffen = farsi giustizia da sé -ob mit Recht oder Unrecht = a torto o a ragione -z.B.: -Paul geht ob mit Recht oder Unrecht stur weiter. = Paolo procede a torto o a ragione in modo testardo. |
| | | b) il diritto, legge,giurisprudenza | z.B.: Peter studierte Rechtswissenschaft und ist Doktor der Rechte geworden. = Pietro ha studiato giurisprudenza ed è diventato dottore in legge. -In einem Rechtsstaat ist gleiches Recht für alle. = In uno stato di diritto la legge è uguale per tutti. |
| | recht (Adjektiv) | a) giusto, retto | z.B.: -Ja, das ist die rechte Antwort. = Sì, questa è la risposta giusta. -Gisela kam im rechten Augenblick. = Gisella venne al momento opportuno. -Peter hat das Herz am rechten Fleck. = Pietro ha cuore. |
| | | b) vero, proprio | z.B.: -Paul ist ein rechter Narr. = Paolo è proprio pazzo. -Das ist doch eine rechte Frechheit! = Questa è una sfacciataggine vera e propria! |
| | recht (Adverb) | a) giusto, bene | z.B.: -Ist dir das recht? = Ti sta bene? – Sei d'accordo? -Hab'ich recht gehört? = Ho sentito bene? -Man kann Paul nichts recht machen. = A Paolo non gli va mai bene niente. - Paolo è incontentabile. -Allen Leuten recht getan, ist eine Kunst, die niemand kann. (Sprichwort) = Nessuno è ingrado di accontentare tutti (proverbio). |

# DIE UHR

( L'orologio )

## Internationale Methode

( Metodo internazionale di lettura dell'orologio )

Secondo il metodo internazionale di lettura dell'orologio, si usano tutte e ventiquattro le ore del giorno, leggendo prima l'ora e poi i minuti. La cifra riguardante l'ora è oralmente, ma perlopiù anche nello scritto, accompagnata dall'espressione "Uhr". è questo il cosiddetto "metodo internazionale" in quanto esso equivale a quello delle altre lingue. Esso viene usato soprattutto nei luoghi pubblici (aereoporti, stazioni...) e dai mass-media.

| z.B.: | 5.00 Uhr | = fünf Uhr |
|---|---|---|
| | 6.15 Uhr | = sechs Uhr fünfzehn |
| | 7.20 Uhr | = sieben Uhr zwanzig |
| | 8.30 Uhr | = acht Uhr dreißig |
| | 9.45 Uhr | = neun Uhr fünfundvierzig |
| | 12.50 Uhr | = zwölf Uhr fünfzig |
| | 13.00 Uhr | = dreizehn Uhr |
| | 18.10 Uhr | = achtzehn Uhr zehn |
| | 23.30 Uhr | = dreiundzwanzig Uhr dreißig |
| | 24.00 Uhr | = vierundzwanzig Uhr |
| | 00.10 Uhr | = Null Uhr zehn |

## Volksmethode

( Metodo popolare di lettura dell'orologio )

Secondo il metodo popolare di lettura dell'orologio, si usano solo dodici ore, leggendo prima i minuti e poi l'ora. L'espressione "Uhr" si usa soltanto per l'ora piena, mentre i quarti vengono espressi dal sostantivo "Viertel" e la mezza dall'aggettivo "halb". Per i primi venti minuti dell'ora e per i primi dieci minuti dopo la mezza si usa la preposizione "nach"; per gli ultimi dieci minuti prima della mezza e gli ultimi venti minuti dell'ora si usa la preposizione "vor"; per gli ultimi quaranta minuti di ogni ora si fa riferimento all'ora che segue.
Questo sistema, un po' più complicato, si rifà alla lettura della vecchia meridiana di origine orientale che per ovvie ragioni segnava solo dodici ore. I primi orologi meccanici (pendoli per campanili), come pure il primo orologio tascabile, vennero costruiti in Germania (**Peter Henlein** di Norimberga inventó il primo orologio tascabile) e la loro lettura ebbe come punto di riferimento quella della meridiana. Il metodo popolare è ancor oggi molto radicato fra la gente.

546

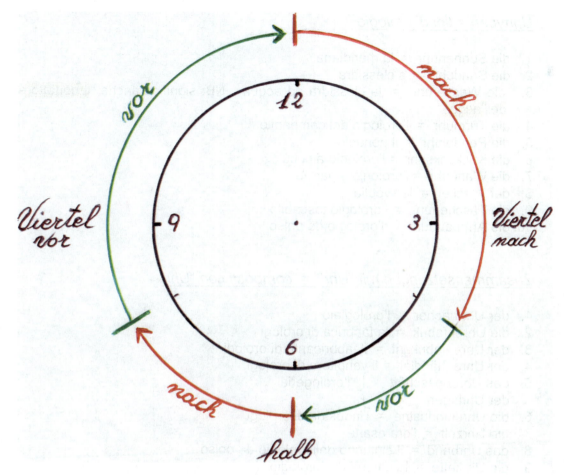

z.B.: 5.00 = fünf Uhr
6.10 = zehn nach sechs
7.15 = ein Viertel nach sieben  (viertel nach sieben)
8.20 = a) zwanzig nach acht   = b) zehn vor halb neun
8.30 = halb neun
10.35 = fünf nach halb elf
10.40 = a) zehn nach halb elf   = b) zwanzig vor elf
11.30 = halb zwölf
11.45 = ein Viertel vor zwölf   NB: anche "drei viertel zwölf"
12.00 = a) Mittag  -  b) zwölf Uhr
12.50 = zehn vor eins
13.00 = a) ein Uhr    z.B.: Es ist ein Uhr. ⎱  È l'una.
= b) eins     z.B.: Es ist eins. ⎰

z.B.: Wir essen um eins Uhr. (errato). = Noi mangiamo all'una.
Wir essen um ein Uhr (um eins) (corretto).
20.10 = zehn nach acht
24.00 = a) Mitternacht   b) zwölf Uhr nachts

547

## Uhrtypen = tipi di orologio

1. die Sonnenuhr  =  la meridiana
2. die Sanduhr  =  la clessidra
3. die Wasseruhr  =  la clessidra ad acqua    NB: significa anche "il contatore dell'acqua"
4. die Turmuhr  =  l'orologio del campanile
5. die Pendeluhr  =  il pendolo
6. die Kuckucksuhr  = l'orologio a cucú
7. die Wanduhr  = l'orologio a parete
8. der Wecker  =  la sveglia
9. die Taschenuhr  =  l'orologio tascabile
10. die Armbanduhr  =  l'orologio da polso


## Zusammensetzungen mit "Uhr"  =  composti con "Uhr"

1. der Uhrmacher  =  l'orologiaio
2. die Uhrenfabrik  =  la fabbrica di orologi
3. der Uhrenfabrikant  =  il fabbricante di orologi
4. der Uhrenhändler  = il venditore di orologi
5. das Uhrengeschäft   ⎰  l'orologeria
   der Uhrladen        ⎱
6. die Uhrenindustrie  =  l'industria di orologi
7. die Uhrzeit  =  l'ora esatta
8. das Uhrband  =  il cinturino dell'orologio da polso
9. die Uhrkette  =  la catena dell'orologio
10. der Uhrschlüssel  =  la chiave dell'orologio a pendolo


## Technische Ausdrücke zur Uhr = espressioni tecniche riguardanti l'orologio

1. das Zifferblatt  = il quadrante dell'orologio
2. der Zeiger  (der kleine und der große Zeiger) = la lancetta (la lancetta piccola e la lancetta grande)
3. der Pendel  = il pendolo
4. das Schlagwerk  = la suoneria dell'orologio
5. der Uhrkasten  -  das Uhrgehäuse  = la cassa dell'orologio
6. das Uhrgetriebe   ⎰
   das Uhrwerk       ⎱  = il meccanismo dell'orologio
7. die Uhrfeder  =  la molla dell'orologio
8. das Uhrgewicht  =  il peso del pendolo (solitamente tre pesi)
9. die Uhrbatterie  =  la pila dell'orologio

# Idiomatische Ausdrücke zur Uhr

## ( Espressioni idiomatiche riguardanti l'orologio )

|  | | |
|---|---|---|
|  | Wie viel Uhr ist es? | = Che ore sono? |
|  | Wie spät ist es? | = Che ore sono? |
|  | Es ist zehn Uhr.<br><br>( Alla lettera, in un pessimo italiano: "Esso è dieci di orologio", ragion per cui in tedesco davanti alla cifra dell'ora non serve l'articolo, mentre esso appare nel dialetto veneto.) | = Sono le dieci. NB: In tedesco, come nelle altre lingue germaniche, con le ore si usa il singolare perché "es" funge da soggetto. Si tratta di un germanismo che ha influenzato i dialetti dell'Italia settentrionale; si veda il capitolo "Pronomen", paragrafo "Gebrauch von es", regola 2, pag. 29-30, p.es.: dialetto veneto "L'è le doi". |
|  | in anderthalb Stunden<br>zweieinhalb Stunden | = fra un'ora e mezza<br>= due ore e mezza  z.B.: Für diese Arbeit haben wir zweieinhalb Stunden gebraucht. = Per questo lavoro abbiamo impiegato due ore e mezza. |
|  | Meine Uhr geht genau (tadellos) | = Il mio orologio è esatto (impeccabile) |
|  | Die Uhr geht vor / nach. | = L'orologio va avanti / indietro. |
|  | Es schlägt zwölf  (Uhr). | = L'orologio batte le dodici. |
|  | Die Uhr zeigt halb zehn. | = L'orologio indica le nove e mezzo |
|  | nach der Uhr sehen  - auf die Uhr sehen (schauen) | = guardare l'orologio per constatare che ore sono  z.B.: Was schaust du denn ständig auf die Uhr? = Ma perché guardi sempre l'orologio? |
|  | Nach meiner Uhr ist es bereits (schon) acht. | = Secondo il mio orologio sono già le otto. |
|  | rund um die Uhr | = in continuazione, senza sosta<br>z.B.: Paul schläft oft rund um die Uhr. = Paolo dorme spesso per dodici ore consecutive. |
|  | Wir treffen uns Punkt um sechs (Uhr). | = Ci troviamo puntualmente alle sei. |
|  | um (gegen) 10 Uhr | = alle (verso) le dieci |
|  | um die (diese) Zeit | = a quell'ora |
|  | Die Uhr ist abgelaufen. | = L'orologio è scarico (anche per orologi a batteria) |
|  | die Uhr stellen | = puntare l'orologio |
|  | die Uhr aufziehen. | = caricare l'orologio (a pendolo) |
|  | den Wecker einstellen | = puntare la sveglia |
|  | der Wecker klingelt | = la sveglia suona |
|  | den Wecker abstellen | = fermare, arrestare la sveglia |
|  | die Uhr anhalten | = fermare l'orologio |
|  | Die Uhr steht. | = L'orologio è fermo. |
|  | eine Uhr tragen | = portare un orologio  z.B.:-Paul trägt nie eine Uhr. = Paolo non porta mai un orologio. |
| 22. | Seine Uhr ist abgelaufen. | = È suonata la sua ora (= Sta morendo). |
| 23. | eine viertel Stunde | = un quarto d'ora NB: anche "eine Viertelstunde" |
| 24. | eine halbe Stunde | = mezz'ora |

# VÖLKERNAMEN

( Nomi di popoli )

Viene qui di seguito riportato un elenco incompleto di Stati e nomi di popoli. Aggiungendo al nome proprio dello stato il suffisso "-isch", si ottengono i rispettivi aggettivi derivati che, scritti con lettera maiuscola, vengono sostantivati e indicano sempre e solamente la lingua del popolo: z.B.: Italien > "Italienisch" = l'italiano (= la lingua italiana). L'aggettivo sostantivato non può quindi mai essere usato in sostituzione del nome di popolo:

z.B.: -Peter ist ein Italienisch. (errato)

-Peter ist ein Italiener. (corretto)      } = Pietro è un italiano.

L'aggettivo in "-isch" derivato dal nome proprio dello Stato, usato davanti ad un sostantivo, serve ad indicare la provenienza di persone o cose da quel determinato paese:

z.B.: -Das sind italienische Touristen.  =  Questi sono turisti italiani.
      -Das ist keine italienische Ware.  =  Questa non è merce italiana.
      -die italienische Sprache  =  la lingua italiana

| | Land ( stato ) | Völkername ( nome di popolo ) | Adjektiv ( aggettivo ) |
|---|---|---|---|
| --- | das Ausland | der Ausländer | ausländisch |
| 1. | Afrika | der Afrikaner | Afrikanisch |
| 2. | Ägypten | der Ägypter | ägyptisch |
| 3. | Afghanistan | der Afghane | afghanisch |
| 4. | Albanien | der Albanier, der Albanese | albanisch, albanesisch |
| 5. | Algerien | der Algerier | algerisch |
| 6. | Amerika | der Amerikaner | amerikanisch |
| 7. | Angola | der Angolaner | angolisch |
| 8. | Arabien | der Araber | arabisch |
| 9. | Argentinien | der Argentinier | argentinisch |
| 10. | Asien | der Asiate | asiatisch |
| 11. | Äthiopien | der Äthiopier | äthiopisch |
| 12. | Australien | der Australier | australisch |
| 13. | Belgien | der Belgier | belgisch |
| 14. | Birma = la Birmania | der Birmane | birmanisch |
| 15. | Bolivien | der Bolivianer | bolivianisch |
| 16.. | Brasilien | der Brasilianer | brasilianisch |
| 17. | Bulgarien | der Bulgare | bulgarisch |

| Land<br>( stato ) | Völkername<br>( nome di popolo ) | Adjektiv<br>( aggettivo ) |
|---|---|---|
| 18. Chile | der Chilene | chilenisch |
| 19. China | der Chinese | chinesisch |
| 20. Costa Rica | der Costaricaner | costaricanisch |
| 21. Dänemark | der Däne | dänisch |
| 22. Deutschland | der Deutsche, ein Deutscher, die Deutschen, eine Deutsche, Deutsche | deutsch (= Adjektiv)<br>Deutsch (= Substantiv)<br>= die deutsche Sprache |
| 23. England | der Engländer | englisch |
| 24. Ecuador | der Ecuadorianer | ecuadorianisch |
| 25. Estland = l'Estonia | der Estländer | estländisch |
| 26. Europa | der Europäer | europäisch |
| 27. Finnland | der Finne | finnisch |
| 28. Frankreich | der Franzose | französisch |
| 29. Gabun, Gabon | der Gabuner, Gaboner | gabunesisch, gabonesisch |
| 30. Ghana | der Ghanaer, Ghanese | ghanaisch, ganesisch |
| 31. Griechenland | der Grieche | griechisch |
| 32. Grönland | der Eskimo<br>= l'eschimese | eskimoisch |
| 33. Großbritannien | der Brite | britisch |
| 34. Haiti | der Haitianer | haitisch, haitianisch |
| 35. Hawaii | der Hawaiier | hawaiisch |
| 36. Holland | der Holländer | holländisch |
| 37. Honduras | der Honduraner | honduranisch |
| 38. Indien | der Inder<br>NB: der Indianer = l'indiano, riferito cioé agli abitanti autoctoni delle Americhe | indisch<br>NB: indianisch = indiano, aggettivo riferito agli oggetti delle Americhe |
| 39. Indonesien | der Indonesier | indonesisch |
| 40. Jordanien | der Jordanier | jordanisch |
| 41. Irak | der Iraker | irakisch |
| 42. Iran | der Iraner | iranisch |
| 43. Irland | der Ire | irisch |
| 44. Island | der Isländer | isländisch |
| 45. Israel | der Israeli, -s, -s | israelisch |
| 46. Italien | der Italiener | italienisch |
| 47. Japan | der Japaner | japanisch |
| 48. Jemen | der Jemenite | jemenitisch |
| 49. Jugoslawien (gewesen = che fu) | der Jugoslawe | jugoslawisch |
| 50. Kambodscha = la Cambogia | der Kambodschaner | kambodschanisch |

| | Land<br>( stato ) | Völkername<br>( nome di popolo ) | Adjektiv<br>( aggettivo ) |
|---|---|---|---|
| 51. | Kamerun | der Kameruner | kamerunisch |
| 52. | Kanada | der Kanadier | kanadisch |
| 53. | Kenia | der Kenianer | kenianisch |
| 54. | Kolumbien | der Kolumbianer | kolumbianisch |
| 55. | Kongo | der Kongolese | kongolesisch |
| 56. | Korea | der Koreaner | koreanisch |
| 57. | Kroatien | der Kroate | kroatisch |
| 58. | Kuba | der Kubaner | kubanisch |
| 59. | Laos | der Laote | laotisch |
| 60. | Lettland<br>= la Lettonia | der Lettländer | lettisch |
| 61. | der Libanon | der Libanese | libanesisch |
| 62. | Liberia | der Liberianer | liberianisch |
| 63. | Libyen | der Libyer | libysch |
| 64. | Litauen = la Lituania | der Litauer | litauisch |
| 65. | Luxemburg | der Luxenburger | luxemburgisch |
| 66. | Madagaskar | der Madagasse | madagassisch |
| 67. | Malaysia | der Malaysier | malaysisch |
| 68. | die Malediven<br>= le Maldive | der Malediver | maledivisch |
| 69. | Malta | der Malteser | maltesisch |
| 70. | Marokko | der Marokkaner | marokkanisch |
| 71. | Mauretanien | der Mauretanier | mauretanisch |
| 72. | Mazedonien | der Mazedonier | mazedonisch |
| 73. | Mexiko | der Mexikaner | mexikanisch |
| 74. | die Mongolei | der Mongole | mongolisch |
| 75. | Mozambique | der Mozaraber<br>= il mozarabo | mozarabisch |
| 76. | Nepal | der Nepaler,<br>der Nepalese | nepalisch, nepalesisch |
| 77. | Neuseeland | der Neuseeländer | neuseeländisch |
| 78. | Nicaragua | der Nicaraguaner | nicaraguanisch |
| 79. | die Niederlande | der Niederländer | niederländisch |
| 80. | Nigeria | der Nigerianer | nigerianisch |
| 81. | Norwegen | der Norweger | norwegisch |
| 82. | Österreich | der Österreicher | österreichisch |
| 83. | Pakistan | der Pakistaner | pakistanisch |
| 84. | Palästina | der Palästiner | palästinisch,<br>palästinensisch |
| 85. | Panama | der Panamaer | panamaisch |
| 86. | Paraguay | der Paraguayaner | paraguayanisch |
| 87. | Peru | der Peruaner | peruanisch |

| | Land<br>( stato ) | Völkername<br>( nome di popolo ) | Adjektiv<br>( aggettivo ) |
|---|---|---|---|
| 88. | die Philippinen | der Philippiner | philippinisch |
| 89. | Polen | der Pole | polnisch |
| 90. | Portugal | der Portugiese | portugiesisch |
| 91. | Rhodesien | der Rhodesier | rhodesisch |
| 92. | Rumänien | der Rumäne | rumänisch |
| 93. | Russland | der Russe | russisch |
| 94. | Saudi Arabien | der Saudi Araber | saudi-arabisch |
| 95. | Schottland<br>= la Scozia | der Schotte | schottisch |
| 96. | Schweden | der Schwede | schwedisch |
| 97. | die Schweiz | der Schweizer | schweizerisch |
| 98. | Senegal | der Senegalese | senegalesisch |
| 99. | Serbien | der Serbe | serbisch |
| 100. | Sibirien | der Sibirier | sibirisch |
| 101. | die Slowakei | der Slowake | slowakisch |
| 102. | Slowenien | der Slowenier | slowenisch |
| 103. | die Sowjetunion<br>(gewesen = che fu) | der Sowjetrusse | sowjetisch |
| 104. | Spanien | der Spanier | spanisch |
| 105. | Somalia,<br>Somaliland | der Somalier,<br>der Somal | somalisch |
| 106. | Südafrika | der Südafrikaner | südafrikanisch |
| 107. | Sudan | der Sudaner, der<br>Sudanaraber, Sudanese | sudanesisch |
| 108. | Syrien | der Syrer | syrisch |
| 109. | Thailand | der Thailänder | thailändisch |
| 110. | Tschechien | der Tscheche | tschechisch |
| 111. | die Tschechoslo-<br>wakei (gewesene) | der Tschechoslowake | tschechoslowakisch |
| 112. | Tunesien | der Tuneser,  Tuniser | tunesisch |
| 113. | die Türkei | der Türke | türkisch |
| 114. | Turkmenien | der Turkmene | turkmenisch |
| 115. | Uganda | der Ugander | ugandisch |
| 116. | die Ukraine | der Ukrainer | ukrainisch |
| 117. | Ungarn | der Ungar, -n, -n | ungarisch |
| 118. | Uruguay | der Uruguayer | uruguayisch |
| 119. | die USA – die<br>Vereinigten Staaten | der Amerikaner | amerikanisch |
| 120. | Venezuela | der Venezuelaner | venezuelanisch |
| 121. | der Vietnam | der Vietnamese | vietnamesisch |
| 122. | Zair (= Kongo) | der Zaire | zairisch |
| 123. | Zypern | der Zypriot, -en, -en | zyprisch,  zypriotisch |

# GEBETE

( Preghiere )

## Das Kreuzzeichen
( Il segno di croce )

Im Namen des Vaters und des Sohnes und des Heiligen Geistes.  (Amen)

## Das "Vater unser"
( Il Padre nostro )

Vater unser im Himmel, geheiligt werde dein Name, dein Reich komme, dein Wille geschehe im Himmel wie auf Erden.
Unser tägliches Brot gib uns heute. Vergib uns unsere Schuld wie auch wir vergeben unseren Schuldigern und führe uns nicht in Versuchung, sondern erlöse uns von dem Bösen.

## Das "Ave Maria"
( L'Ave Maria )

Gegrüßt seist du Maria, voll der Gnade! Der Herr ist mit dir. Du bist gebenedeit unter den Frauen und gebenedeit ist die Frucht deines Leibes, Jesus.
Heilige Maria, Mutter Gottes, bitte für uns Sünder, jetzt und in der Stunde unseres Todes! (Amen)

## Das "Ehre sei dem Vater"
( Il Gloria )

Ehre sei dem Vater und dem Sohn und dem Heiligen Geist, wie es war im (am) Anfang so auch jetzt und alle Zeit und in Ewigkeit!  (Amen)

# Das "Requiem"

### ( L'eterno riposo )

Herr gib ihnen die ewige Ruhe und das ewige Licht leuchte ihnen! Lass sie ruhen in Frieden!

# Das Schutzengel-Gebet

### ( "Angelo di Dio" = preghiera all'Angelo Custode )

Schutzengel mein, lass mich dir empfohlen sein! In allen Nöten steh mir bei und halte mich von Sünden frei! Bei Tag und Nacht, bitte ich dich, beschütze und bewahre mich!

# Tischgebet

### ( Preghiera prima dei pasti )

Lieber Gott sei unser Gast und segne, was du uns bescheret hast!
= Sii nostro ospite, Signore, e benedici il cibo che ci hai concesso!

# Stoßgebete

### ( Giaculatorie )

| | |
|---|---|
| Mein Jesus Barmherzigkeit! | = Gesú mio misericordia! |
| Jesus dir leb' ich, Jesus dir sterb' ich, Jesus dein bin ich im Leben und im Tod! (= Kirchenlied = canto) | = Gesú per te vivo, Gesú per te muoio, Gesú, sono tuo nella vita e nella morte! |
| Mein Herr und mein Gott! | = Mio Signore e mio Dio! |
| Jesus, Maria und Josef steht mir bei im letzten Todeskampfe! | = Gesú, Giuseppe e Maria assistetemi nell'ultima agonia! |
| Süßes Herz Mariae, sei meine Rettung! | = Dolce cuore di Maria sii la salvezza dell'anima mia! |
| O Mutter Maria, du meine Zuversicht! | = O madre Maria, tu speranza dell'anima mia! |

# Analytisches Inhaltsverzeichnis

(Indice analitico)

bald S. 163+213+501
Bälde S. 121 (in Bälde)
baldig S. 213
baldigst S. 161
Band - Bande S. 505
Bank S. 65+493
bar (Suffix) S. 381
Bär S. 66
Bau S. 85
bauen S. 185+491+438
Bauer S. 66
Bayer S. 66
beachten S. 499
Beamter S. 140
Beamtin S. 141
beantworten S. 522
bedanken sich S. 372
bedeutend S. 152
Bedingung S. 252 (unter der B., dass...)
bedürfen S. 429
beeilen sich S. 372
beenden S. 491
Beet S. 65
befassen S. 439
befehlen S. 284+324
begegnen S. 424+425
begrüßen S. 489
beharren S. 185
bei S. 167+172+320
bei all S. 267
bei dem Wind und Wetter S. 118
beim Essen S. 118
beim Mittagessen S. 124
beim Vergleich S. 255
bei Nacht S. 118
Bein S. 65
beinahe S. 406
beispielsweise S. 323
beistehen S. 423+424
bei Tag S. 118
beklagen S. 439
bekommen S. 380
beladen S. 159 (schwer beladen)
beliefern S. 539
bemerken S. 186+440
bemühen S. 440
Benehmen S. 98
beobachten S. 499
beraten S. 416
bereuen S. 373+416
beruhen S. 185

beschäftigen S.416
besinnen sich S. 372
besonders S. 155
besorgt sein S. 441
besser S. 163
bessern sich S. 372
best S. 163
Besteck S. 98
bestehen S. 186+442
bestimmt S. 295
Bett S. 64
bettelarm S. 156
bevor S. 237+240+503
bewegen S. 325+505
bewerben S. 442
bewohnen-S.-524
bezahlen S. 482
bezaubernd S. 313
beziehungsweise S. 323
Bierglas S. 495
bilden S. 490
bildschön S 156
binden S. 289+325
binnen S. 167
bis S. 173+237+243
bis wann S. 21+230
bist du es? S. 30
bitte S. 405
bitten S. 285+325+400+405+417
bitterernst S-159
bitterkalt S. 159
blasen S. 283+325
bleiben S. 309+325+380
bleischwer S. 156
blitzschnell S. 156
Block S. 534
blühen S. 531
Blüte S. 531
Boot - Boote S. 65 + 542
Bösewicht S. 59
braten S. 282+325
brauchen S. 292+368+396+418
bräuchte S. 396
bringen S. 325+380+489
Brot S. 65
Brust S. 65
Bub S. 66
Buchstabe S. 63
bügeln S. 281
Bursch S. 66
butterweich S. 156

Café S. 90+106+486
Charakter S. 59
Chemikalien S. 96
Chor S. 526
da S. 231+232 (zumal da)
dabei S. 50+52 +323
dadurch S. 50+53
dadurch dass S. 231
dafür S. 50+53
dagegen S. 10+50
daher S. 211
dahin S. 210
dahinter S. 50
da ja S. 323
damit S. 50+53+270+400
Dämmerung S. 122 (in der Dämmerung)
danach S. 50
daneben S. 50
Dank S. 85
danken S. 325+423+424
dann S. 485
daran S. 50+52
darauf S. 50+119 (tags darauf)
daraus S. 50+52
darin S. 50+53
darüber S. 51
darüber, dass S. 268
darum S. 51
darunter S. 51
das (Pronomen) S.33
das (euphonisches Subjekt) S. 34
dass S. 227+252+262+264+268+319+403
davon S. 50
davon abgesehen S. 323
davor S. 50
dazu S. 50
dazwischen S. 50
dein, deine, dein (Adjektiv) S. 14+127
deiner, deine, deines (Pronomen) S. 47
deinetwegen S. 203
dennoch S. 266
denn S. 10+232
derart..., dass S. 268
derartiger S. 268 (ein derartiger..., dass)
der da S. 35
der Deutsche S. 140+543
der, die, das (Artikel) S. 13
der, die, das (Pronomen) S. 33+34+244
der dort S. 35
deren S. 33+35+245
derer S. 33+34+248

derjenige, der S. 38+246
derjenige, diejenige, dasjenige S. 33+36
dermaßen..., dass S. 268
derselbe, dieselbe, dasselbe S. 33+36+37
derzeit S. 124
des Nachts S. 116
deshalb S. 198
dessen S. 33+35
desto S. 153+256+260
deswegen S. 203
Deutscher S. 140+543
Diamant S. 66
die ganze Zeit S. 117
die halbe Woche S. 117
dienen S. 424+425+443
diesen Abend S. 117
dieser, diese, dieses S. 13+33
diesseit, diesseits S. 196
Ding S. 65
dir, dich S. 27+370 (reflexiv)
doch S. 10+231 (wo doch) 403
doch nicht S. 296
Dorn S. 63
dort S. 211+213
dorthin S. 211
dortig S. 213
drängen S. 325
dritter S. 126
drohen S. 426+444
dunkel S. 133+151
durch S. 173+320+340+383
dürfen S. 325+359+368+405
eben S. 323
echt S. 155
edel S. 151
egal S. 507
ehe S. 237
eher, ehest S. 163
eher als S. 150
eigen S. 512
eigen machen S. 511 (sich zu eigen m.)
ein derartiger..., dass S. 268
ein, eine, ein-(Artikel) S. 14
einen Monat lang S. 117
einer, eine, eines (Pronomen) S. 39
eines Abends S. 116
eines Morgens S. 116
eines Tages S. 116
eine Stunde lang S. 117
einfahren S. 323
eingehen S. 444

560

kinderleicht S. 157
Klee S. 106
klingen - klingeln S. 328+498
Klischee S. 106
Knie S. 87
Komet S. 66
kommen S. 318+322+328
Komitee S. 106
Konklave S. 106
können S. 328+359+368+405+488
könnte S. 328+405
Konsonant S. 66
Konsul S. 63
Kraft S. 12 (in Kraft treten)
kraft S. 196
krank S. 159 (schwer krank)
krank werden S. 374
Krieg S. 121 (im Krieg)
kriegen S. 380
Kuh S. 65
kümmern S. 462
Kunde S. 527
Kunst S. 65
lächeln S. 281
lachen S. 462
Lade - Laden S. 499
laden S. 283+288+329
Laib S. 521
Landmann S. 87
lang - lange S. 19 (wie lange) 117+118+177
230+237
längs S. 196
längst S. 161
lassen-S. 3+282+292+299+309+329+362+
368+495
Laster S. 536
laufen S. 283+318+322+329
laut S. 196
läuten S. 542
Leben S. 117 (ein Leben lang)+121
leeren S. 488
legen S. 352+356
lehren S. 309+363+420+488
Leib S. 59+521
Leid S. 62
leiden S. 187+289+329+463
leihen S. 329+510
lernen S. 279+287+309+363+483
lesen S. 284+329
letzten Winter S. 117
Leute S. 97 + 542

-lich (Suffix) S. 381
lieber S. 163
Liebe S. 87
liebst S. 163
liefern S. 539
liegen S. 289+329+351+356
lila S. 133
lisch! - lösche! S. 304+326
loben S. 389+390
Lob S. 88
lohnen sich S. 372
Lorbeer S. 63
löschen - erlöschen S.-304+326
lösch! - lisch! S. 304+326
Los S. 65
los werden S. 374+421
Lump - Lumpen S. 66+536
lustig S. 493
machen S. 278+286+294+528
Macht S. 65
Magd S. 65
Mahl S. 504
mahlen S. 504
Mahlzeit S. 118
Mal S. 65+118 (zwei Mal die Woche) 123+
504
malen S. 329+503
manch S. 135
manche S. 131
mancher, manche, manches S. 13+39+45
manche Stunden S. 117
mangels S. 196
man S. 39+43+387
Mann S. 59+490
Mannen S. 490
Masern S. 97
Maß S. 65
Maus S. 65
mäuschenstill S. 157
Medizin S. 110
Meer S. 65+495
mehr S. 163
mehr als S. 150
mehrere S. 14+131
mehrere Stunden S. 117
meiden S. 289+329
mein, meine, mein (Adjektiv) S. 14+127
meiner, meine, meines (Pronomen) S. 47
meinetwegen S. 203
meist S. 163
Mensch S. 66+490

ohne Zweifel S. 295
Ohr S. 64
orange S. 133
paar S. 17+131+487
Paar S. 65+487
Pantoffel S. 63
Papagei S. 63
Paragraph S. 66
passen S. 279
passieren S. 492
pechschwarz S. 157
Personalien S. 97
Pfaff S. 66
Pfau S. 63
Pferd S. 65
Planet S. 66
Platin S. 110
Praxis S. 62
Prinz S. 66
Pult S. 65
rächen S. 188+464
Rache S. 101
Rand S. 59
Rat S. 88+510
raten S. 282+289+330
Raub S. 88
rechnen S. 279+287
recht S. 155 + 545
Recht S. 65 + 545
Regen S. 88
regnen S. 7+29 (es regnet)
Reich S. 65
Reichtum S. 59+108
reich werden S. 374
Reif - Reifen S. 535
reisen S. 280
Reisender - Reisende S. 139
Reisig S. 59
Republik S. 83
riesengroß S. 158
Rohr S.-65+534
Röhre S. 534
Rolladen S. 499
rosa S. 133
Röteln S. 97
Ruhe S. 11 (in Ruhe lassen)
Ruin S. 110
Saal S. 88
säen S. 544
sagen S. 278
Saite S. 540

Same S. 63
sammeln S. 281
samstags S. 119
samt S. 167
Satellit S. 66
satt S. 322
saufen S. 283+331
schaden S. 423+425
Schaden S. 63
Schaf S. 65
schaffen S. 331+517
scheinen S. 331 + 541
schalten S. 331
schänden S. 332
scheitern S. 188+465
schelten S. 331+385
Schere S. 105
Scheusal S. 60
Schicksal S. 60
schier S. 406
Schiff S. 65
Schild S. 515
schinden S. 331
Schisma S. 75
Schluss S. 124 (zum Schluss)
Schleudern: ins Schleudern geraten S. 11
schmecken S. 488+508
Schmee S. 106
Schmerz S. 63
Schmuck S. 88+101
Schnee S. 101+106
schneeweiß S. 158
schneien S. 7+29 (es schneit)
schnell S. 501
schon S. 295+323 (ja schon)
Schrank - Schranke S. 509+511
Schreck S. 63
schreiben S. 332+465
schreien S. 332+468
Schritt S. 332
schützen S. 188+469
Schwein S. 65
schwer beladen S. 159
schwer krank S. 159
schwer verletzt S. 159
schwindeln S. 281
seelensgut S. 158
Seemann S. 89
See S. 63+495
sehen S. 3+188+284+292+309+333+364+
368 + 543